Daub — »Zwillingshafte Gebärden«

Adrian Daub

»Zwillingshafte Gebärden«

Zur kulturellen Wahrnehmung des vierhändigen Klavierspiels im neunzehnten Jahrhundert

Königshausen & Neumann

Bibliografische Information der Deutschen Bibliothek

Die Deutsche Bibliothek verzeichnet diese Publikation in der Deutschen Nationalbibliografie; detaillierte bibliografische Daten sind im Internet über <http://dnb.ddb.de> abrufbar.

Gedruckt auf säurefreiem, alterungsbeständigem Papier
Umschlag: skh-softics / coverart
Bindung: Buchbinderei Diehl+Co. GmbH, Wiesbaden

Printed in Germany
ISBN 978-3-8260-3894-5
www.koenigshausen-neumann.de
www.buchhandel.de
www.buchkatalog.de

Inhaltsverzeichnis

Vorwort

Dieses Buch ist nicht die Liebhaberarbeit eines passionierten Vierhändigspielers, vielmehr stellt es den Versuch dar, sich dem Phänomen vierhändiges Klavierspiel aus der Position des Außenseiters zu nähern. Auslöser meines Interesses war ein Konzert Martha Argerichs und Nelson Freires, welches ich aus nächster Nähe beobachten durfte. Dabei weckte nicht nur die sonderbare Intimität des musikalischen Geschehens mein Interesse, sondern auch, wie diese Intimität sozusagen negativ auf den Beobachter umschlug. Man konnte nicht wegschauen, doch war man sich nie sicher, ob es wirklich noch in Ordnung war hinzuschauen. Mein Blick wollte alles Mögliche in die zwei Handpaare auf dieser Klaviatur hineinlesen – Komödien, Tragödien, Liebeleien –, doch gleichzeitig schien mir jede solche Interpretation unangemessen, ja vielleicht sogar unanständig. Ich saß da, mit gelöster (und nebenbei bemerkt äußerst teurer) Eintrittskarte, und kam mir doch vor, als sei die Vorstellung, für die ich so viel Geld bezahlt hatte, nicht für mich bestimmt, ich fehl am Platze und mein Zuschauen eigentlich ein allgemeines Ärgernis. „I have heard the mermaids singing each to each“, heißt es in T.S. Eliots „The Lovesong of J. Alfred Prufrock“ – „I do not think that they will sing for me.“[1] Das Gefühl, daß vierhändige Spieler ebensolche Sirenen sind, die bei aller Anziehungskraft doch nicht für mich singen, bin ich auch im Laufe meiner Forschungen zum Thema nie losgeworden.

Was jedoch dieses Buch in seiner endgültigen Form außerordentlich beeinflusst hat, war die Erkenntnis, daß die Literatur, die Presse und die bildende Kunst dem Phänomen zu seiner Blütezeit genauso gegenüberstanden wie Prufrock seinen „mermaids“. Ob das an einem schlechten Gewissen lag, angesichts eines Phänomens, das der Sprache und des Blickes nicht mehr bedurfte, das aber Autor oder Maler eben doch in die Schriftsprache oder auf die Leinwand zerren mußte, oder ob es dem Impuls zum Geschichtenerzählen entsprang, der der eigentlich doch so eindeutigen Szene am Klavier neue narrative Dimensionen erschloß, das wird diese Studie unter anderem zu klären haben. Vor allem aber wird sich zeigen, daß ich im neunzehnten Jahrhundert mit meinem verstohlenen Hineinlesen in das Spiel Argerichs und Freires alles andere als allein dagestanden wäre, daß die mysteriöse Konfiguration an der Klaviatur eine Projektionsfläche abgab, auf der sich das Jahrhundert seine Obsessionen (von der Natur des Individuums und der Gemeinschaft, vom Status des Körpers und von der Möglichkeit der Vereinigung mit einem anderen) abbilden lassen konnte – hier wurde seine „Ideengeschichte“, im ursprünglichen Wortsinn von ἰδέα, sichtbar, beobachtbar.

---

[1] T[homas] S[tearns] Eliot, *The Waste Land and Other Poems*. New York: Harcourt, 1962, S. 8.

Als das Projekt eines Nicht-Musikwissenschaftlers bedurfte dieses Buch ständiger Hilfe, ständiger Vorschläge und ständiger Kritik derer, die sich als Fachleute mit dem vierhändigen Klavierspiel beschäftigen. Ich habe viele Klavierduos befragen können, mit Kollegen vierhändig spielen dürfen und mich mit Musikwissenschaftlern über das Phänomen ausgetauscht. Insbesondere möchte ich Tim Ribchester danken, der sich mit mir wöchentlich ans Klavier setzte, um sich meinen Fragen zu widmen. Christian Köhn und Greg Anderson waren beide freundlicherweise bereit, als jeweils eine Hälfte eines professionellen Klavierduos praktische Beobachtungen in meine Forschungen einzubringen. Das Adorno-Archiv Frankfurt und das Arthur-Schnitzler-Archiv Freiburg halfen mir, zwei der wohl interessantesten Denker zum Vierhändigspiel auch in ihren unveröffentlichten Texten zu verfolgen. Ohne die Hilfe der Staatsbibliothek Berlin, der New York Public Library und der Bibliothèque Nationale hätten mir weder viele der Texte noch die im Band versammelten Illustrationen zur Verfügung gestanden. Ohne die Unterstützung der Stanford University, insbesondere der Research Unit der Division of Literatures, Cultures and Languages hätte dieser Band nie erscheinen können. Jeffrey Kallberg, Margaret Notley und Thomas Grey standen mir mit Hinweisen und konstruktiver Kritik zur Seite. Des weiteren bin vor allem Liliane Weissberg und Claudia Schmölders zu Dank verpflichtet, die beide das Manuskript in seinen verschiedenen Fassungen durchsahen und seine endgültige Fassung maßgeblich beeinflußten. Schließlich habe ich meiner Familie zu danken, die mich nicht nur in dieser Arbeit unterstützt, sondern auch das fertige Manuskript aufmerksam lektoriert hat. Ihr ist dieses Buch gewidmet.

New York im August 2008

Einleitung

Vor wenigen Jahren begann der amerikanische Musikwissenschaftler Thomas Christensen einen Artikel zum vierhändigen Klavierspiel mit einer Szene an einem ganz besonderen Klavier, dem Flügel im Hause Wahnfried. Vom Spiel nach dem Abendessen bekommen wir da zu hören, wie Richard Wagner sich über die gespielte Musik verbreitet, wer mitspielt und wer lauscht.

> Sobald die Teller des Abendessens abgeräumt sind, zieht sich das Paar in den Salon zurück, um wie immer abends zu lesen – diese Woche Walter Scotts *Waverly*. Aber Richard steht der Sinn eher nach vierhändiger Musik. Seidl und die anderen Kopisten werden eingeladen, sich hinzuzugesellen. Richard kramt die bereits abgenutzte Ausgabe der Symphonien Haydns hervor und setzt sich mit Cosima ans neue Steinway. Zusammen spielen sie die Symphonie Nr. 82 (*L'Ours*) vom Blatt. Alle sind verzaubert.
>
> After the dinner plates have been cleared, our couple retires to the parlor for their regular evening reading – this week, Walter Scott's *Waverly*. But Richard is in a mood for some four-hand music. Seidl and the other copyists are invited to join them. Richard takes out his worn copy of Haydn symphonies and sits down at his new Steinway with Cosima. Together they read through Symphony No. 82 (the „Bear"). Everyone is enchanted.[1]

Christensen gibt sofort zu, daß diese Szene eine Montage ist – zusammengestückelt aus mehreren Tagebucheinträgen, sowohl Richards als auch Cosimas. Man mag sich zunächst übertölpelt vorkommen; aber wenn man sich eingehender mit den Szenen vierhändigen Klavierspiels beschäftigt, die überall in den Memoiren, Tagebüchern, Theaterstücken und Romanen des neunzehnten (und des frühen zwanzigsten) Jahrhunderts auftauchen, bekommt man das Gefühl, daß Christensen absolut recht hat, so zu montieren. Die kurzen, oft ziemlich banalen Episoden kommen einem vor, als bekäme man hier einen Teil eines Phänomens zu greifen, den Rüssel, das Bein, den Stoßzahn des Elefanten, den man als ganzen nie in die Finger bekommt. Wenn man uns lapidar mitteilt, daß dieses und jenes Stück vierhändig gespielt worden sei, wollen wir mehr wissen, nehmen wir an, daß sich hinter dieser banalen Anmerkung weitaus mehr versteckt, als wenn man uns zum Beispiel sagt, der Herr des Hauses habe sich eine Pfeife angesteckt.

Wieviel hinter diesen scheinbar so belanglosen Szenen stecken mag, ahnt man, wenn man die Genauigkeit bedenkt, mit welcher vierhändige Begegnungen in der Literatur immer wieder skizziert werden: In Robert Musils *Mann ohne Eigenschaften* (auf den diese Studie noch mehrfach eingehen wird, und dem sie

---

[1] Thomas Christensen, „Four-Hand Piano Transcription and Geographies of Nineteenth-Century Musical Reception". *Journal of the American Musicological Society*, Vol. 52, No. 2 (1999), S. 255–298; hier: S. 255.

darüberhinaus ihren Titel verdankt) beschreibt der Erzähler, wie beim Vierhändigspiel das Gefühl „wie große Regentropfen [...] in die Tasten" klatscht;[2] es wird an der Klaviatur gebalzt, gestritten und verhandelt. Viel gibt es zu entdecken, so scheint es, zwischen den beiden Spielern, „die mit zwillingshaften Gebärden der Verzweiflung und Seligkeit nebeneinander herstürmen".[3] Zwei Menschen an einer Klaviatur, die sie sich zu teilen gezwungen sind, eine Szene, die sich oft alles andere als unschuldig darstellt – halb Balz, halb Pokerspiel. Netze, Umgarnungen, Gefühlstropfen – hätte man einer anderen Musikform (einem Quartett, einem Lied) ein solches Dickicht an Bedeutungen beigemessen?

Die Szene, die Christensen und Musil beschreiben, entstammt wesentlich dem neunzehnten Jahrhundert. Sie ist tatsächlich heute eher selten geworden – wenn man von Weihnachtsliedern zu vier Händen einmal absieht, gibt es wenige Durchschnittshaushalte, in denen man sich heute wie im Hause Wahnfried um ein Klavier versammeln würde. Musikbegeisterte und jene, die mit Musik beruflich zu tun haben, frönen dem Hobby immer noch. Doch im neunzehnten Jahrhundert war das vierhändige Klavierspiel in jeder bessersituierten Familie zu Hause, war das Klavier *das* Instrument und das vierhändige Spiel darauf eine *der* wichtigsten Formen der Interaktion sowohl innerhalb der Familie als auch zwischen Familie und Außenwelt. Vom Kaiserhof bis zur Bürgerstube, von der Studentenbude bis ins Gymnasium – vierhändig gespielt wurde damals überall, mit einer Emsigkeit, einer Begeisterung und einer Bedeutungsschwere, die die Form später nie wieder erlangte.

Wenn wir „vierhändig" im engeren Sinn als vierhändig an *einer* Klaviatur verstehen, läßt sich das Phänomen tatsächlich als ein jenem Jahrhundert ganz und gar eigenes bezeichnen. Obwohl es natürlich Vorläufer hatte (zum Beispiel das Orgelspiel zu vier Händen), fand es vor dem „langen" neunzehnten Jahrhundert fast ausschließlich an *zwei* Klaviaturen statt – so zum Beispiel in Bachs Contrapunctus XIII aus der *Kunst der Fuge*. François Couperins *Pièces de clavecin* (1730) sind zwar für zwei Cembalospieler konzipiert, doch überkreuzen sich *sujet*, *basse* und *contre partie* (Couperin selbst sprach von *pièces croisées*) in einer Art und Weise, die das Spiel auf ein und derselben Tastatur so gut wie unmöglich macht. Armand-Louis Couperin schrieb drei *Quatuors à deux clavecins*. Auch die Bach-Söhne schufen jeweils einige Duett-Werke, die jedoch allesamt für zwei Cembalostimmen gedacht waren.

Erst im späten achtzehnten Jahrhundert schuf der britische Komponist und Historiker Charles Burney (1726–1814), ein Bekannter Glucks, Carl Philipp Emanuel Bachs und Hillers (sowie Rousseaus und Diderots), nach eigenem Bekunden die erste vierhändige Klaviermusik.[4] 1776 veröffentlichte er *Two Sets of Sonatas or Duetts for two Performers upon one Piano Forte* und bezeichnete die-

---

[2] Robert Musil, *Der Mann ohne Eigenschaften*. Reinbek bei Hamburg: Rowohlt, 1956, S. 147.

[3] Musil, *Der Mann ohne Eigenschaften*, S. 144.

[4] Siehe: Roger Lonsdale, *Dr. Charles Burney: A Literary Biography*. Oxford: Clarendon Press, 1965, S. 199.

se als „die ersten [Stücke] dieser Art, die im Druck erschienen sind" („the first of this kind that have appeared in print").[5] Die Neuartigkeit der Musikrichtung hing somit von Anfang an auch mit ihrem Sich-im-Druck-Befinden zusammen, eine Tendenz, die sich im Laufe des neunzehnten Jahrhunderts nur noch verstärken, ja geradezu verabsolutieren sollte. Das Vierhändigspiel stellte eine Musikrichtung dar, die sich über Schriftkultur formierte und ein Lesepublikum ansprach. Haydn war ein weiterer früher Vertreter der Form, ebenso Muzio Clementi (1752–1832), der uns, wie auch Burney, später wieder begegnen wird. Mozart, der selber zahlreiche vierhändige Stücke schrieb, musizierte vierhändig sowohl mit Clementi als auch mit Johann Christian Bach.[6] Nach Mozart trat das vierhändige Klavierspiel seinen Siegeszug an.[7] Erst im zwanzigsten Jahrhundert gingen sowohl die Zahl der veröffentlichten Werke als auch die Zahl der Amateure und Virtuosen, die sich ihnen widmeten, merklich zurück. Statt dessen wurde nun bevorzugt für vier Hände an zwei Klavieren geschrieben und bearbeitet – die vierhändige Salonmusik des neunzehnten Jahrhunderts verwandelte sich in die Konzertmusik für zwei Klaviere.

Fürs Klavier zu vier Händen komponierten insbesondere Schubert, Schumann und Brahms – es gibt jedoch so gut wie keinen Komponisten, der sich nicht mit der Form beschäftigt hätte. Und selbst die, von denen keine oder wenige vierhändige Kompositionen überliefert sind, verdienten sich durch die vierhändige Bearbeitung der Werke anderer ein Zubrot – so zum Beispiel Wagner, Mahler und Bizet.[8] Denn der Siegeszug des vierhändigen Klavierspiels wurde insbesondere in der zweiten Hälfte des neunzehnten Jahrhunderts mehr noch als durch Originalkompositionen für Klavier zu vier Händen durch Klavierauszüge verstärkt, die vor allem für vier Hände erschienen, da sie eine getreuere Umsetzung mehrstimmiger Stücke für das Klavier erlaubten. Da sie das symphonische Repertoire besonders genau wiedergeben konnten und darüber hinaus auch generell leichter spielbar waren als zweihändige Bearbeitungen, erschienen bald weitaus mehr Bearbeitungen fürs vierhändige Klavier als Originalwerke.

---

5 Zitiert in: *A Catalogue of a Miscellaneous Collection of Music, Ancient and Modern, Together with Treatises on Music and on the History of Music*. London: Calkin and Budd, 1844, S. 22.

6 Suzanne Beicken, *Studies in the Technique and Structure of Eighteenth Century Four-Hand, One Keyboard Duets, as Exemplified in the Three Sonatas by Johann Christian Bach*. 1969.

7 Howard Ferguson, *Keyboard Duets*, Oxford: Oxford University Press, 1995.

8 Howard Shanet, „Bizet's Suppressed Symphony". *The Musical Quarterly*, Vol. 44, No. 4 (October 1958), S. 471. Marc-André Roberges Liste namhafter Komponisten, die entweder als Verdienstquelle oder Freundschaftsdienst die Werke anderer bearbeiteten, umfaßt folgende weitere Namen: Franz Liszt, César Franck, Johannes Brahms, Camille Saint-Saëns, Modest Mussorgski, Nikolai Rimski-Korsakow, Gabriel Fauré, Claude Debussy, Richard Strauss, Paul Dukas, Max Reger, Hans Pfitzner, Maurice Ravel, Alban Berg, Alexander Zemlinsky und Anton Webern (Marc-André Roberge, „From Orchestra to Piano: Major Composers as Authors of Piano Reductions of Other Composer's Works". *Notes*, Vol. 49, No. 3 (1993), S. 927).

Howard Ferguson zufolge basierte der Markt für vierhändige Bearbeitungen auf drei Faktoren: (1) Das Klavier fand im Laufe des neunzehnten Jahrhunderts eine immer weitere Verbreitung. Da es dank Massenproduktion immer erschwinglicher wurde, konnten sich neue Schichten die Anschaffung eines Klaviers leisten. Hinzu kam eine Vermarktungsmaschinerie, die die Klaviere unters Volk (oder eher unters Bürgertum) bringen sollte. (2) Durch die Normierung des Klavierbaus etablierte sich auch eine stabile Normalform, und das bedeutet vor allem Normalbreite, des Klaviers – diese Standardlänge der Klaviatur erlaubte es, im Gegensatz zu den Tasteninstrumenten des achtzehnten Jahrhunderts, zwei Handpaare gleichzeitig auf der Klaviatur unterzubringen. (3) Letzlich aber verdankt sich die Beliebtheit der vierhändigen Bearbeitung natürlich dem Aufstieg der bürgerlichen Käuferschicht, die sich die neuen Statussymbole leisten konnte und sich nun Noten für sie wünschte. Wie wir im nächsten Kapitel sehen werden, ist das Vierhändigspiel im bürgerlichen Wohnzimmer, nicht im höfischen Salon zu Hause und spiegelt daher die Wünsche, Werte und Interessen des aufstrebenden Bürgertums wider.[9]

Doch der Geist der neuen Käuferschicht beeinflußte auch die Verbreitungsformen des neuen Hobbys: Klavierauszüge wurden geradezu fabrikmäßig hergestellt und zu Tausenden an den Mann oder die Frau gebracht. Allein die Mozartschen Symphonien zum Beispiel erschienen in den Jahren zwischen 1852 und 1859 in einem halben Dutzend verschiedener Bearbeitungen. Hinzu kamen Raubdrucke und unlizensierte Bearbeitungen; Komponisten warnten ihr Publikum in Leserbriefen an die großen Musikzeitungen vor denen, die schlechte oder einfach unautorisierte Bearbeitungen auf den Markt warfen. Die Musikzeitschriften bewarben oft in ein und derselben Ausgabe verschiedene miteinander um die Gunst des Kunden buhlende Arrangements, Auszüge, Potpourris zum gleichen Stück. Die Verbindung, die Burney in der Beschreibung seiner *Two Sets of Sonatas* herstellt, zwischen „print culture" einerseits und Vierhändigkeit andererseits, wird also im neunzehnten Jahrhundert noch intensiviert.

Die fieberhafte Produktion fand ihre Entsprechung in einer ebenso fieberhaften Rezeption. Originalkompositionen, vereinfachte Versionen zweihändiger Klavierwerke und insbesondere Bearbeitungen beliebter Orchesterwerke verkauften sich in riesigen Auflagen. Vierhändig spielte man in Salons und im Familienkreis, übte man in Klavierschulen und repräsentierte man für Gäste. An der Klaviatur trafen sich Mütter und Söhne, Lehrer und Schüler, Geschwister, Liebhaber und Kollegen. Zeitzeugen berichten (häufig äußerst kritisch) von der zwanghaften Gier der Konsumenten nach neuen Partituren. Die Szene war ubiquitär: An der Klaviatur versammelte sich ein veritables *Who is Who* des neunzehnten Jahrhunderts, wie zum Beispiel Chopin und George Sand, Wagner und Nietzsche[10]; an ihr fanden Audienzen mit den gekrönten Häuptern Europas statt

---

[9] Howard Ferguson, *Keyboard Duets*, S. 5.

[10] Curt von Westernhagen, *Richard Wagner: Sein Werk, sein Wesen, seine Welt*. Zürich: Atlantis, 1956, S. 500.

– wenn zum Beispiel Carl Czerny mit der jungen Queen Victoria vierhändig spielte oder der Indienforscher Max Müller mit Victorias Sohn, Prinz Leopold.[11] Am anderen Ende des sozialen Spektrums versuchte man, über das vierhändige Klavierspiel die Unterschichten in die Kunst einzuführen oder in den USA Ureinwohner zu „zivilisieren".[12]

Doch auch die musikalische Welt bedurfte des vierhändigen Klavierspiels: Rezensenten der großen Musikzeitschriften merken in ihren Artikeln an, welche der Werke sie „nur" vermittels des Spiels vierhändiger Auszüge beurteilen können; „so stützt zum Beispiel Schumann seine Rezension von Berlioz' *Symphonie fantastique* auf Liszts Bearbeitung [allerdings für Klavier solo] und G.W. Fink [schreibt] seine Rezension der Mendelssohnschen *Sommernachtstraum*-Ouverture [anhand] der vierhändigen Bearbeitung".[13] Und man kann getrost davon ausgehen, daß ein Großteil der Komponisten des neunzehnten Jahrhunderts die symphonischen Werke ihrer Freunde oder Konkurrenten nur über vierhändige Auszüge kannten – vom durchschnittlichen Musikfreund ganz zu schweigen. Engelbert Humperdinck erschloß sich die Symphonien Bruckners übers Vierhändigspiel mit keinem geringeren als Hugo Wolf.[14] Viel häufiger war dies natürlich bei denen, die nicht „vom Metier" waren: Man muß zum Beispiel annehmen, daß ein Großteil derer, die in Wagners Opern den Ausdruck eines neuen, eigentlicheren Deutschtums erblickten, diese Opern nur im Klavierauszug kannten und sozusagen mit der Kopie des angeblich so einzigartigen Bayreuth vorliebnehmen mußten (so zum Beispiel der skandalumwitterte Philipp zu Eulenburg, begeisterter Wagnerianer, der als Kind seiner Mutter und Cosima Liszt beim vierhändigen Spiel der Wagneropern lauschte, die Kopie also zumindest von einem „Original" geliefert bekam[15]).

Die früheste Erwähnung in der deutschen Literatur scheint das vierhändige Klavierspiel in Jean Pauls *Titan* (1800) gefunden zu haben.[16] Tatsächlich handlungstragend wird es aber erst in der Literatur der Jahrhundertmitte – insbesondere im volksorientierten Theater und im realistischen Roman (zum Beispiel bei Theodor Fontane, Eduard Mörike und Theodor Storm). Gerade die Fortsetzungsromane des sogenannten bürgerlichen Realismus, die in der zweiten Jahrhunderthälfte in verschiedenen Zeitschriften (zum Beispiel der *Gartenlaube* und der *Deutschen Rundschau*) erschienen, bemühten mit Vorliebe vierhändige Sze-

---

[11] Friedrich Max Müller, *Auld Lang Syne*. New York: Scribner, 1898, S. 278.

[12] Zu einem Fall bei den Nez Percé Indianern, siehe: *Revue des deux mondes*, Vol. 65 (1895), S. 826.

[13] Christensen, S. 266. Die Rezensionen finden sich in: *Neue Zeitschrift für Musik* 3, Nos. 10–13 (4. August – 14. August 1835); *Allgemeine musikalische Zeitung*, no. 13 (27. März 1833), S. 201–204.

[14] Otto Besch, *Engelbert Humperdinck*. Leipzig: Breitkopf & Härtel, 1914, S. 50.

[15] Reinhold Conrad Muschler, *Philipp zu Eulenburg: Sein Leben und seine Zeit*. Leipzig: Grunow, 1930, S. 29–30.

[16] Jean Paul, *Jean Paul's sämmtliche Werke – Band 2*. Berlin: Reimer, 1826, S. 525.

nen am Klavier. Ähnliche Szenen finden sich in der Literatur derselben Epoche in England (bei Charlotte Brontë, Charles Dickens, George Eliot, William Makepeace Thackeray), Frankreich (Charles de Bernhard), Rußland (Iwan Gontscharow, Leo Tolstoi, Iwan Turgenjew, Anton Čechov) und USA (Kate Chopin). Auch im Naturalismus ist das Vierhändigspiel beliebtes Motiv – Gerhart Hauptmann, die Gebrüder Goncourt in Frankreich und August Strindberg bemühen es allesamt. In der Literatur der frühen Moderne (bei Frank Wedekind, Thomas Mann, Arthur Schnitzler, aber auch Oscar Wilde in England) finden sich zahlreiche vierhändige Szenen am Klavier, oft weitaus genauer ausdifferenziert als in der „realistischeren" Literatur der Jahrhundertmitte. In der Lyrik des *fin-de-siècle* finden sich nur vergleichsweise sporadische Verwendungen des Motivs – diese vor allem in Frankreich.

Die französische Literatur nimmt, so scheint es, das Phänomen sehr viel zögerlicher auf, als die deutsche und englische. Danièle Pistone hat in einer erschöpfenden Aufstellung fast zweitausend Szenen rund ums Klavier in der französischen Literatur zusammengetragen, die meisten aus dem „langen neunzehnten Jahrhundert" – von diesen haben nur etwa ein halbes Dutzend mit dem Spiel *à quatre mains* zu tun.[17] In Deutschland (und zu einem geringeren Grad in England) scheint die Verwendung der Topoi rund ums Vierhändigspiel um das Jahr 1900 einen Höhepunkt zu erreichen, von dem sie in den folgenden Jahrzehnten deutlich zurücktritt. Das Phänomen wird mehr und mehr zum Motiv von Lebenserinnerungen oder historischen Romanen, die im Kosmos des neunzehnten Jahrhunderts angesiedelt sind – zwei solche Beispiele, Robert Musils *Mann ohne Eigenschaften* und Joseph August Lux' *Franz Grillparzers Liebesroman* werden wir im achten Kapitel genauer analysieren. Auch aus diesem Grund wird sich unsere Studie vornehmlich mit dem deutschen Kulturraum beschäftigen – das Vierhändigspiel mag in ganz Europa verbreitet gewesen sein, aber es fand insbesondere in Deutschland seinen Platz in der Literatur.

Doch daß es in Romanen vorkam, bedeutet nicht zwangsläufig, daß es auch reflektiert wurde: Denn das vierhändige Klavierspiel ist selbst in Deutschland in den Quellen der Zeit erstaunlich unsichtbar oder zumindest nur verschwommen sichtbar. Es wird zwar ständig erwähnt, aber oft nicht mehr als das. Es scheint einen riesigen Stellenwert im musikalischen, pädagogischen und gesellschaftlichen Leben der Zeit besessen zu haben, und doch beschäftigt sich kaum jemand ernsthaft mit dem Phänomen. Schuld ist wahrscheinlich eine gewisse lebensweltliche Verborgenheit – das vierhändige Klavierspiel fungiert als Hintergrundmusik in der Literatur, in den Tagebüchern und in Artikeln. Es scheint einfach nicht in dem Grade der Rede und Beschreibung wert gewesen zu sein wie zum Beispiel der Solist, das Orchester oder der Sänger. Es ist also gerade die Ubiquität dieser Praxis, die sie historisch so schwer lesbar macht. Denn erwähnt wird das vierhändige Klavierspiel zuhauf; nur genaue Beschreibungen werden nicht geliefert,

[17] Danièle Pistone, *Le Piano dans la Litterature Française*. Lille: Atélier Reproduction des Theses, 1975.

die Bedeutungen, die sich mit ihm verbanden, werden nicht vertieft. Es gehört aber natürlich zu den Grundannahmen dieser Studie, daß es diese Bedeutungen gab und daß man sie dem Spiel zu vier Händen auch beimaß.

Wenn im folgenden immer wieder literarische Texte als Quellen bemüht werden, hat das eben diesen Grund: Ich gehe von der Annahme aus, daß es Literatur (aber auch die Bildenden Künste), insbesondere im neunzehnten Jahrhundert, oft mit der Erfassung dessen zu tun hatte, was in der Alltagspraxis nicht der Rede wert war. Es liegt nahe, den Szenen vierhändigen Klavierspiels, die durch die gesamte Literatur des neunzehnten und frühen zwanzigsten Jahrhunderts verstreut sind, eine größere Bedeutung beizumessen, als man vielleicht im ersten Moment geneigt ist. Die Grundoperation dieser Studie besteht darin, diese scheinbar marginalen Episoden zu zentrieren, sie zu der historisch belegten Mode des vierhändigen Klavierspiels in Beziehung zu setzen. Dies fördert zutage, daß das vierhändige Klavierspiel alles andere als ein Epiphänomen oder eine Randerscheinung der Kultur des neunzehnten Jahrhunderts war. Vielmehr stellte es eine zentrale Bühne für die Inszenierung des Ich, der Gemeinschaft und der Nation dar, ja sogar die Wesenheit des Ich, der Gemeinschaft und der Nation selber ließen sich über das vierhändige Klavierspiel – oder seine Beobachtung – verhandeln.

Diese hermeneutische Entscheidung, das scheinbar Marginale ins Zentrum zu rücken, erlaubt aber immer noch nur bedingte Einblicke in das Phänomen – für eine rein musiksoziologische Studie wären die Romane, Tagebücher und Zeitschriften, auf die wir uns im folgenden stützen werden, nicht ausreichend. Frühere Annäherungen an das Thema (insbesondere die von Philip Brett und Richard Leppert[18]) haben sich daher zweier Kunstgriffe bedient, die einer ganz strengen „Wissenschaftlichkeit" eigentlich zuwiderlaufen. Auch wir (das sei gleich zu Anfang verraten) werden ihnen dabei folgen. Einerseits nämlich wird uns das Phänomenologische am vierhändigen Klavierspiel zu beschäftigen haben – wir interessieren uns also dafür, wie es sich anfühlt, vierhändig zu spielen, wie es aussieht, wie es funktioniert. Natürlich laufen wir dabei Gefahr, einem gewissen „Präsentismus" zu verfallen, der Tendenz, die eigene Gegenwart kurzerhand unproblematisiert in die Vergangenheit zu projizieren, davon auszugehen, daß eine als unmittelbar (miß)verstandene Erfahrung einfach auch für eine vergangene Epoche und kulturelle Konfiguration angenommen werden kann.

Diese Gefahr müssen wir leider hinnehmen: Wir haben nun einmal bei einer Betrachtung des Phänomens *Noten* vor uns und können diese auch spielen – die streng wissenschaftlichen Arbeiten, die zu diesem und verwandten Themen vor allem in Deutschland erschienen sind, beschränken sich demnach notgedrungen

---

[18] Philipp Brett, "Piano Four-Hands: Schubert and the Performance of Gay Male Desire". *19th Century Music*, No. 21 (1997), S. 149–176; Richard Leppert, „Four Hands, Three Hearts – A Commentary". *Cultural Critique* 60 (Spring 2005), S. 5–22.

auf die Noten, wo sie gedruckt und wie sie verkauft wurden.[19] Über die Praxis verraten diese Daten uns aber nichts, es sei denn, wir gehen von diesen Noten aus und benutzen die Erfahrung unseres Spiels in unserer Analyse. Wir wissen, wie sich Hände bewegt haben, wenn sie diese Noten spielten; wir können annehmen, daß unsere Improvisationen, Vereinfachungen und veränderten Fingersätze denen entsprechen, mit denen ein Spieler sich im neunzehnten Jahrhundert das Spiel erleichterte; wir wissen, wie man sich heute auf einem Klavierschemel bewegt und wie man am Klavier improvisiert. Wir gehen also davon aus, daß diese „unmittelbaren" Eindrücke im neunzehnten Jahrhundert genau so vonstatten gegangen sind, daß man sie nur eben anders interpretiert hat. Das ist zugegebenermaßen fragwürdig – gerade die Arbeit Judith Butlers hat ja gezeigt, wie weit der Körper selber schon vom „Diskurs" geprägt ist, daß es also eine „prä-diskursive" Unmittelbarkeit so nicht gibt. Hier kann man nur entgegnen, daß wir uns dieses Caveats sehr wohl bewußt sein müssen – ausweichen können wir der Annahme einer von uns und dem neunzehnten Jahrhundert *geteilten*, wenn auch verschieden *interpretierten* Grunderfahrung methodisch leider nicht.

Zweitens aber müssen wir unsere Untersuchung auch ins Essayistische verfolgen – wir müssen versuchen, Lücken zu füllen, Hypothesen auch ohne sofortige Untermauerung erst einmal stehen zu lassen, und auch Fiktion riskieren. Wie es denn gewesen sein *könnte*, wie gewisse Szenen gesehen worden sein *müssen*, das wird immer wieder Thema sein. Philipp Brett bedient sich seiner eigenen Erfahrungen im Spiel der Schubertschen vierhändigen Rondos, um die Sexualität Schuberts besser erörtern zu können; Thomas Christensen montiert verschiedene Tagebucheinträge verschiedener Personen zusammen, um „eine" zusammenhängende vierhändige „Szene" am Klavier zu konstruieren. Im Grunde heben wir ja mit einer solchen strategischen Entscheidung an: Wenn wir unrecht hätten, und das vierhändige Klavierspiel wäre für ein Verständnis des neunzehnten Jahrhunderts absolut unwichtig, dann hätte diese ganze Studie keine Berechtigung. Natürlich gibt es gute Gründe, das vierhändige Klavierspiel für zentral zu halten, und die nachfolgenden Kapitel sind nicht als Essays gedacht, die lediglich provisorische Wahrheit für sich beanspruchen. Wir werden vielmehr wie vierhändige Klavierspieler vorgehen müssen: Brücken bauen, wo die Noten uns im Stich lassen, improvisieren, wo unser Geschick uns verläßt, und im Endeffekt so etwas wie einen akkuraten Klavierauszug der polyphonen Wirklichkeit herzustellen hoffen.

***

Die folgenden Kapitel sollen das vierhändige Klavierspiel als Konstellation beleuchten. In einem ersten Schritt muß es nun darum gehen, diese Konstellati-

---

[19] Siehe zum Beispiel: Helmut Loos, *Zur Klavierübertragung von Werken für und mit Orchester des 19. und 20. Jahrhunderts*. München: Katzbichler, 1983; Johannes Lorenzen, *Max Reger als Bearbeiter Bachs*. Wiesbaden: Breitkopf & Härtel, 1982.

on erst einmal zu umreißen. Schematisch gesprochen kann man sagen, daß wir vier verschiedene Charakteristika des vierhändigen Klavierspiels identifizieren werden, die allerdings jeweils untereinander vermittelt sind. Diese Charakteristika sind dem vierhändigen Klavierspiel zwar nicht allein eigen, sind aber jeweils im vierhändigen Klavierspiel besonders geartet. Die Eckpunkte dieser vierhändigen Konstellation sind die folgenden: (1) Vierhändige Klavierliteratur und ihre Verwendung in der Hausmusik hat ein besonderes Verhältnis zum Konsum – man konsumiert als Vierhändigspieler anders als als einzelner Pianist. (2) Vierhändiges Klavierspiel ist „semi-privat", rangiert also immer zwischen einer wie auch immer gearteten Öffentlichkeit und der Hausmusik. (3) Vierhändiges Klavierspiel stellt ein einzigartiges visuelles *spectacle* dar: Vier Hände, zwei Menschen an einem Instrument, das fordert genaues Hinsehen und aufmerksames Interpretieren. (4) Diese Aufmerksamkeit fordert es eben darum, weil sich im vierhändigen Klavierspiel die Körper der Spieler unerhört überkreuzen und vermischen. Während das Klavierspiel allein im neunzehnten Jahrhundert *die* Chiffre für individuelle Subjektivität ist, ist die Individualität des Spielers im vierhändigen Klavierspiel radikal aufgehoben. Ich werde diese vier Punkte nun genauer umreißen.

Der erste dieser vier Punkte ist der Konsum: Zu einem höheren Grade als andere Musikrichtungen war das vierhändige Klavierspiel (insbesondere in der Form des Klavierauszugs) ein Konsumobjekt und dem Markt unterworfen. Insbesondere der vierhändige Auszug war, wie wir schon eingangs bemerkten, so etwas wie die CD des neunzehnten Jahrhunderts: ein durchschnittlicher Bürger, der nicht mehr als ein paar Mal pro Jahr in die Oper oder ins Konzert gehen konnte, vermochte sich das, was man, um als gebildet durchzugehen, eben kennen mußte, nur anzueignen, wenn er es sich selber vierhändig erspielte. Genauso wie man sich heute elektronisch die große Welt der Musik ins traute Heim holen kann, so importierte man mit der vierhändigen Musik Symphonik in die eigenen vier Wände. Und tatsächlich ließen sich Auszüge sammeln wie CDs und nahmen sich im Regal auch nicht schlechter aus. Dennoch ist der Auszug natürlich eine sehr seltsame CD – eine CD nämlich, die sich sozusagen erst durch den Körper des Besitzers abspielt.

Die Literatur für das Klavier zu vier Händen ist die warenhafteste, die am weitesten verdinglichte Musik des neunzehnten Jahrhunderts; und doch machen sich an ihr utopische Hoffnungen reinen, unentfremdeten Schaffens fest. Der Besitz vierhändiger Partituren erlaubte es dem Privat- oder Hobbymusiker, mit einem Klang zu musizieren, der vormals Orchestern, Hofopern und Kammerensembles vorbehalten war. Durch die gängige Praxis des Klavierauszugs konnte dieser Besitzer nicht nur auf einen aristokratischen Klang, sondern auch auf ein aristokratisches Repertoire zurückgreifen, sich öffentliche Musik ins bürgerliche Heim holen. Doch der Statusvorteil ergab sich nicht zwingend aus dem musikalischen Können, mit dem die Familie das Instrument bearbeitete, sondern auch hier war Bildung, wie Karl Kraus einmal sarkastisch diagnostizierte, „ein Schmückedeinheim",[20] das musikalische Äquivalent zur Bibliophilie. Gerade aufgrund dieser Verdinglichung und dieser durchgängigen Integration ins Heim, so scheint es, ist die Klavierliteratur zu vier Händen auch eine *der* bezeichnenden Musikrichtungen des langen neunzehnten Jahrhunderts.

Diese Industrialisierung ist schon in der Form selber angelegt. Im vierhändigen Klavierspiel ist die Verteilung der Stimmen nicht allein durch innermusische Logik bestimmt (Entwicklung oder Harmonie), sondern vielmehr häufig von Fragen der Effizienz geleitet: Die Klaviatur wird parzelliert, und die zwei Handpaare agieren in der ihnen je eigenen Domäne (eben dies unterscheidet das vierhändige Klavierspiel von anderer Kammermusik). In diesem Sinne könnte das vierhändige Klavierspiel, die Sektion der Klaviatur nach der Logik der Partitur, als Endmoräne des Verfalls der *harmonia* des siebzehnten und achtzehnten Jahrhunderts, welche die Harmonisierung der kontrapunktischen *Linien* betrieb, verstanden werden. Im Extremfall ist die Logik des vierhändigen Klavierspiels parzelliert und unmelodisch – jeder greift nach dem, was nahe- und anliegt.

Zweitens jedoch verweist dieser Konsumcharakter auf eine gewisse *Öffentlichkeit* des Phänomens. Vierhändiges Klavierspiel ist *die* Hausmusik *par excellence*, aber sie stützt sich doch mehr als andere auf einen Markt, auf Veröffentlichung. Sie weist rein klanglich, aber auch einfach aus den für sie typischen und um sie entstehenden Traditionen über den Familienkreis, über die Privatsphäre hinaus. Ebenso wie vierhändige Bearbeitung gewissermaßen öffentliche Musik (also solche, die eigentlich nur in der Kirche, im Konzertsaal oder im Musikverein erfahren oder gespielt werden konnte) ins Private übersetzte, so verwandelte das vierhändig gespielte Instrument die Familie in ein Kleinorchester, einen häuslichen Hofstaat oder eine Miniatur-Gemeinde. Die Wesenheit dieser Verwandlung ist dabei alles andere als klar – sie wird im neunzehnten Jahrhundert immer wieder neu verhandelt. Dabei ist auch der Status der vierhändigen Aktivität als Arbeit immer wieder von Belang: denn das vierhändige Spiel steht irgendwo zwischen (ästhetischer) Zusammen-Arbeit und gemeinsamer Nutzlosigkeit, und gerade die vierhändige Bearbeitung ist nur schwer zwischen absolutem Kunstwerk und heteronomem Gebrauchsgegenstand zu verorten.

Der dritte Eckpunkt hat mit einer gewissen Sicht auf diese Szene sowie mit ihrer Beurteilung zu tun. Denn das vierhändige Klavierspiel, so zeigt sich, hat eine ganz besondere Sichtbarkeit und Unsichtbarkeit: Weil beide Spieler ein Instrument teilen, wird ein anderer Blick erfordert, sogleich aber auch wieder enttäuscht. Denn die Spieler sehen einander ja nicht an oder kommunizieren zumindest nicht primär visuell miteinander – der Beobachter, der ja nur die Visualität hat, ist von einer Teilhabe am musikalischen Geschehen also *a priori* ausgeschlossen. Die Transparenz eines Quartetts (der anderen bevorzugten proto-CD der Heimkultur des neunzehnten Jahrhunderts) hat das vierhändige Klavierspiel also nicht. Der französische Dichter François Coppée (1842–1908) hat

[20] Karl Kraus, *Schriften, Band 10*. Frankfurt am Main: Suhrkamp, 1986, S. 200.

das vierhändige Klavierspiel in einem schönen Gedicht mit dem Titel „Morceau à quatre mains“ beschrieben.[21] Es entstammt einer Sammlung, die 1872 unter dem Titel *Promenades et Intérieurs* erschien. Wie der Titel des Bandes bereits nahelegt, wird das titelgebende „morceau à quatre mains“ in einem „Intérieur“ gespielt, genauer gesagt einem Salon. Das lyrische Ich beobachtet die Spiegelung der Landschaft draußen im Fenster des Salons und setzt diese Beobachtung in Beziehung zum vierhändigen Spiel seiner „zwei jungen Schwestern“:

> Le salon s'ouvre sur le parc
> Où les grands arbres, d'un vert sombre,
> Unissent leurs rameaux en arc
> Sur les gazons qu'ils baignent d'ombre.
> Si je me retourne soudain
> Dans le fauteuil où j'ai pris place,
> Je revois encore le jardin
> Qui se reflète dans la glace;
> Et je goûte l'amusement
> D'avoir, à gauche comme à droite,
> Deux parcs, pareils absolument,
> Dans la porte et la glace étroite.
> Par un jeu charmant du hasard,
> Les deux jeunes soeurs, très exquises,
> Pour jouer un peu de Mozart,
> Au piano se sont assises.
> Comme les deux parcs du décor,
> Elles sont tout à fait pareilles;
> Les quatre mêmes bijoux d'or
> Scintillent à leurs quatre oreilles.
> J'examine autant que je veux,
> Grace aux yeux baissés sur les touches,
> La même fleur sur leurs cheveux,
> La même fleur sur leurs deux bouches;
> Et parfois, pour mieux regarder,
> Beaucoup plus que pour mieux entendre,
> Je me lève et viens m'accouder
> Au piano de palissandre.
>
> [Der Salon öffnet sich auf einen Park,
> Wo die großen Bäume, von einem dunklen Grün,
> Ihre Zweige in einem Bogen vereinigen
> Über den Rasen, den sie in Schatten tauchen.
> Wenn ich mich plötzlich umdrehe
> In dem Fauteuil, in dem ich sitze,
> Sehe ich noch einmal den Garten,
> Wie er sich im Glase spiegelt;
> Und ich koste das Vergnügen aus,

[21] In: François Coppée, *Poésies 1869–1874*. Paris: Lemerre, 1875, S. 139–140.

Zwei Parks, einander völlig gleich,
Zu haben links und rechts,
In der Tür und in dem schmalen Spiegel.
Und durch des Zufalls liebliches Spiel
sitzen die zwei jungen Schwestern,
Bildhübsch, am Klavier,
um ein wenig Mozart zu spielen.
Wie die zwei Parks im Schmuck,
Sind sie einander vollends gleich;
Die gleichen vier goldenen Juwelen
Funkeln auf ihren vier Ohren.
Ich untersuche sie, soviel ich will,
Denn ihre Augen sind auf die Tasten gesenkt,
Dieselbe Blüte auf ihren Haaren,
Dieselbe Blüte auf ihren zwei Mündern;
Und mitunter, um sie besser zu sehen,
Viel eher, als um sie besser hören zu können,
Erhebe ich mich und lehne mich
Ans Klavier aus Palisanderholz.]

In Anbetracht unserer Diskussion soweit dürfte es nicht überraschen, daß sich sowohl das vierhändige Klavierspiel als auch seine Beobachtung im familiären Rahmen vollzieht. Aber, und auch das haben wir schon zuvor bemerkt, das vierhändige Klavierspiel verweist auch auf einen nicht-familiären Kosmos – denn der Parallelismus, der das Gedicht strukturiert, ist ja jener zwischen den Schwestern im Salon und dem Park vor dem Fenster. Beide werden des weiteren als *optische* Phänomene aufgefaßt.

Coppées Gedicht erzählt und lebt von Spiegelungen und Doppelungen. Es handelt vom Spiel zu vier Händen und beginnt doch mit der Beobachtung einer Parklandschaft, die sich in der Scheibe eines offenen Fensterflügels spiegelt: „Wenn ich mich plötzlich umdrehe / In dem Fauteuil, in dem ich sitze, / Sehe ich noch einmal den Garten, / Wie er sich im Glase spiegelt" („Si je me retourne soudain / Dans le fauteuil où j'ai pris place, / Je revois encore le jardin / qui se reflète dans la glace"). Die Spiegelung des Parks im Fenster entspricht der Spiegelung der Klavierspielerinnen ineinander: „Wie die zwei Parks im Schmuck, / Sind sie einander vollends gleich" („Comme les deux parcs du décor, / Elles sont tout à fait pareilles"). Was diese Doppelungen, diese Diptychen, jeweils miteinander verbindet, ist das Wort „jeu": die Schwestern „spielen ein wenig Mozart" („jou[ent] un peu de Mozart"), doch der Zufall („le hasard") vollzieht sein eigenes „charmantes Spiel" („jeu charmant"), indem er eben die vierhändigen Klavierspielerinnen mit dem sich reflektierenden Park paart. Durch diesen Zufall erst kann die Entsprechung, der sich verschränkenden Hände „auf den Tasten" („sur les touches") einerseits und der Bäume, die „Ihre Zweige in einem Bogen vereinigen" („unissent leurs rameaux en arc") andererseits, erkennbar werden.

Freilich ist der volle Umfang dieser ineinander verschachtelten Spiele nur dem Beobachter, also dem lyrischen Ich zugänglich. Denn genausowenig wie der

Park sich an seiner eigenen Spiegelung erfreuen kann, ist den Schwestern ihre optische Doppelung bewußt – das „jeu charmant du hasard“ lebt davon, daß sowohl gespiegelter Park als auch gespiegelte Schwestern Gegenstände *eines* dichterischen Bewußtseins sind und *einem* Bewußtsein ästhetische Freude bereiten: „Und ich koste das Vergnügen aus, / Zwei Parks, einander völlig gleich, / Zu haben links und rechts, / In der Tür und in dem schmalen Spiegel“ („Et je goûte l'amusement / D'avoir, à gauche et à droite, / Deux parcs, pareils absolument“). Doch dieses „Amusement“ am Spiel der Spiegelungen kennt nur das dichterische Subjekt; mehr als Mozart spielen die Schwestern nur als *Objekte*. Und selbst die einfache Beobachtung der Spielerinnen wird erst dadurch möglich, daß die Spielerinnen sich ihrer selbst als Objekte der Beobachtung nicht bewußt sind: Denn „grace aux yeux baissés sur les touches“ kann das lyrische Ich die Schwestern besser unter die Lupe nehmen, „soviel ich will“ („autant que je veux“).

Und hier liegt das symptomatische an Coppées Gedicht beschlossen: Vom Spiel der Hände, vom Klang des Klaviers bekommen wir nichts mit; und zwischen Mozart und, sagen wir, dem Rauschen der „grands arbres“ stellt kein „hasard“ eine Verbindung her, schon gar keine Spiegelung. Welches denn nun das „morceau à quatre mains“ ist, dem das Gedicht seinen Titel verdankt, erfahren wir genauso wenig, wie die Antwort auf die Frage, wie es sich anhört oder wie es auf den Dichter wirkt – denn das vierhändige Klavierspiel wirkt nur als optisches Phänomen. Das lyrische Ich sagt uns nichts vom Klang der Bäume oder vom Klang des Instruments – das „jeu charmant du hasard“ ist bedingt durch das Ausblenden der klanglichen Dimension, als hätte der Dichter einen Fernseher stumm gestellt. Er erklärt selber, daß er sich der Szene nähert, „um sie besser zu sehen, viel eher, als um sie besser hören zu können“ („pour mieux regarder, / Beaucoup plus que pour mieux entendre“), denn es gibt hier nichts zu „entendre“, zu verstehen oder zu hören – das Spiel, welches das Privileg des dichtenden Subjekts ausmacht, ist ein rein visuelles und ist auch nicht zu interpretieren, sondern vielmehr eingängig und dekorativ wie ein symmetrisches Tapetenmuster.

Dieser Tapetencharakter der Vierhändigspielerinnen ist vornehmlich der paradoxen Entkörperlichung der Schwestern im Gedicht geschuldet: Je mehr die Schwestern ins Blickfeld rücken, desto mehr lösen sie sich auch schon auf. Das Gedicht zerteilt die Schwestern in kleine körperliche Parzellen und stimmt diese aufeinander ab, teils um die zwei ineinander zu spiegeln, zum Beispiel wenn es „Dieselbe Blüte auf ihren Haaren, / Dieselbe Blüte auf ihren zwei Mündern“ („La même fleur sur leurs cheveux, / La même fleur sur leurs deux bouches“) beobachtet, teils aber auch um die Individuen in *vier* Organe (ohne Körper, sozusagen) aufzuteilen: „Die gleichen vier goldenen Juwelen / Funkeln auf ihren vier Ohren“ („Les quatre mêmes bijoux d'or / Scintillent à leurs quatre oreilles“). Denn geometrisch sind, wenn das Gedicht ins Detail geht, nicht die zwei Schwestern „tout à fait pareilles“, sondern vielmehr ihre isolierten Körperteile.

Der „dekorativen“ Beobachtungsweise begegnet man in den Beschreibungen des vierhändigen Klavierspiels immer wieder: Wenn man Memoiren, Briefe und Romane konsultiert, in denen *à quatre mains* gespielt wird, so ist die Behandlung des Themas eher kursorisch – sogar Coppées eigene Jugenderinnerungen *Toute une jeunesse* erwähnen lediglich lapidar, daß man hier und da gerne vierhändig gespielt habe.[22] Und selbst wenn der musikalische „Inhalt" des vierhändigen Klavierspiels gestreift wird, geht es viel eher um das Stück, wie es auf dem Papier steht – so zum Beispiel in Strindbergs Erzählung *Richtfest*, in der der monologisierende Erzähler vom vierhändigen Klavierspiel berichtet, um dann seine Meinung zu Brahms' *Ungarischen Tänzen* kundzutun[23]; und auch Cosima Wagners Tagebücher berichten vom vierhändigen Spiel nur, um dann genüßlich Meinungen (im Normalfall Richards) zum Stück selber auszubreiten.[24] Das heißt, das Medium „vierhändiges Klavierspiel" wird als transparent und an sich nicht der Rede wert wahrgenommen. Man redet vom vierhändigen Klavierspiel genausowenig, wie man den Laser in Betracht zieht, wenn man eine Chopin-Etüde auf CD anhört und diese beschreibt. Das ist natürlich um so merkwürdiger, als das vierhändige Klavierspiel ja extrem *körperlich* ist. Anstatt des körperlosen Lasers haben wir hier fast ein Übermaß an Körper, das auf einem kleinen bißchen Klavierbank herumzappelt – das Gewoge der Leiber, das ständige Gehege der Hände ist *die* Erfahrung des vierhändigen Klavierspiels schlechthin, ob nun für den Spieler selber oder für den Beobachter.

Wirklich genaue Beschreibungen dieser Körper erhält man normalerweise nur von denen in der Beobachterposition, die Coppées lyrisches Ich innehat. Denn Coppées Beschreibung zerlegt die Körper und baut sie wieder zusammen, beschreibt Augen, Ohren, Haare. Er zergliedert seine Objekte in kleinere „Teilobjekte", autonomisiert das Organ und löst das körperliche Schema auf. Das mag eine Entsprechung in der Erfahrung der Spielenden selber haben – ausdrücken können sie diese Erfahrung anscheinend nicht. Natürlich gibt es Ausnahmen, doch selbst in Beschreibungen, die sich dem Innenleben der Spielenden widmen (so zum Beispiel in Musils *Mann ohne Eigenschaften*), besteht die Tendenz zur „Stereoskopie", die wir soeben an Coppées lyrischem Ich festgemacht haben: die Tendenz also, die zwei Spieler als ein „jeu charmant du hasard" verbunden zu sehen, also *von außen* verbunden zu sehen. Und schon sind die zwei Gestalten am Klavier keine *Subjekte* mehr, sondern vielmehr die *Objekte*, die mit „auf die Tasten gesenkten Augen" („yeux baissés sur les touches") vom erzählenden/erinnernden/dichtenden Ich ganz nach Belieben beobachtet, goutiert und interpretiert werden können.

Noch ein wichtiger Ausgangspunkt unserer Diskussion läßt sich aus Coppées Gedicht gewinnen. Ganz generell gesprochen müssen die Objekte mit den „yeux baissés sur les touches" zwar nicht paradigmatisch feminin sein – wenn Coppées Gedicht das Geschlecht der Spielerinnen nicht spezifizieren wür-

---

22 François Coppée, *Oeuvres complètes*, Band VI. Paris: Hébert, 1897, S.12.

23 August Strindberg, *Richtfest*. Zürich: Manesse, 2002, S. 18.

24 Siehe zum Beispiel: Cosima Wagner, *Die Tagebücher*. München: Piper, 1976/77, Band 1, S. 804; Band 2, S. 243 und S. 567.

de, ließe nichts zwangsläufig an weibliche Objekte denken –, aber man sollte natürlich darauf hinweisen, daß demütig gesenkte Augen im modernen westlichen Bilderkanon nicht eben Sinnbilder hyperviriler Männlichkeit sind. Viel wichtiger jedoch ist, daß die Person, die diesen vierhändigen Spielern zuschaut, ein Mann ist. Dies stellt das Gedicht (im Gegensatz zu den *soeurs*) grammatisch nie klar und versteckt das Geschlecht des Beobachters hinter dem scheinbar so neutralen *je*. Und doch sollte klar sein, daß hier einem *männlichen Blick* gefrönt wird, dem die Frau eine Quelle des „amusement" ist. Schließlich spielt das Gedicht ja auch mit der Doppelbedeutung der *Reflexion*: Was die zwei Phänomene (gedoppelter Park – gedoppelte Schwestern) vereinigt, ist ja, daß sie beide *se reflètent* – aber sie reflektieren eben nicht *auf* sich, sondern sie reflektieren sich oder einander. Die *reflexion* ergibt sich nur für den Zuschauer, auf sich selber reflektieren können weder der schöne Park noch die schönen Mädchen. Die *optische* Reflexion der Phänomene schließt die Selbstreflexion der Phänomene selber aus – eine Figur, die wir aus der Kunstgeschichte nur zu gut kennen.

Und doch dürfte sich bei dem einen oder anderen Leser ein gewisser Widerspruch gegen Coppées Beschreibung regen. Denn erstens ist es für jeden, der vierhändiges Klavierspiel näher beobachtet hat, wirklich schwer verständlich, wieso sich die zwei Spieler wie Spiegelbilder verhalten sollen. Einmal ganz davon abgesehen, daß der empirische Eindruck häufig der gegenteilige ist: Der Park unterscheidet sich doch von seinem Abbild in der Fensterscheibe ganz essentiell, da letzteres ja nur ein Abbild ist. Original und *eidolon* sind voneinander absolut geschieden, und egal, wer nun wen spiegelt, die zwei Spielerinnen (die sich parallel zum sich spiegelnden Park verhalten) sollten es ihm nachtun. Dies ist aber weder empirisch nachvollziehbar noch scheint es die im neunzehnten Jahrhundert gängigste Sichtweise dieser Szene darzustellen. Vielmehr interessiert das neunzehnte Jahrhundert an den zwei Frauen am Klavier, wie *wenig* sie voneinander zu unterscheiden sind, wie stark sie ineinander aufgehen oder miteinander verschmelzen. Sie sind in der Fantasie des neunzehnten Jahrhunderts also nicht Spiegelbilder oder Doppelgänger, sondern (wie der Musikwissenschaftler Edward T. Cone sie nennt) vielmehr „vierhändige Monster".[25]

Der Unterschied ist klar: Der Doppelgänger ist bedrohlich, weil er die Individualität des Subjekts radikal in Frage stellt; aber körperlich ist er vom Subjekt sehr wohl getrennt. Monster, ganz im Gegenteil, sind körperlich indistinkt, haben zusätzliche Köpfe, unklare Grenzen oder wachsen unkontrolliert über diese Grenzen hinaus. Der Schock, der sich dem Beobachter des vierhändigen Klavierspiels aufdrängt, ist normalerweise nicht der zweier voneinander ununterscheidbarer Subjekte, sondern vielmehr die Schaffung eines musizierenden Etwas, mit vier Händen, zwei wippenden Köpfen und „quatre oreilles". Denn es finden sich ja in jedem Auszug, jeder Partitur Passagen, in denen die Hände ihre Parzellen verlassen, sich berühren oder überkreuzen, Momente erotischer Span-

25 Edward Cone, *The Composer's Voice*. Berkeley und Los Angeles: University of California Press, 1974, S. 135.

nung in einer ansonsten anomischen Anordnung. Und diese sind es natürlich, für die sich die Literatur interessiert: Thackerays *The Adventures of Philip on his Way Through the World* (stark autobiographisch angehaucht) erzählt vom „pretty little duet *à quatre mains*, where the hands cross over, and hop up and down the keys, and the heads get so close, so close. Oh, duets, oh, regrets."[26]

Diese Erotik ist der vierte und letzte Eckpunkt der zu umreißenden Konstellation. Denn anders als beim Duett-, Trio- oder Quartettspiel mit verschiedenen Instrumenten treten die zwei Handpaare im vierhändigen Klavierspiel immer auch als *ein* Geschöpf, *eine* Identität auf. Selbst der Zuschauer (gedacht oder tatsächlich), „the gaze", wie es im Englischen heißt, erkennt hier nicht (wie zum Beispiel im Quartettspiel) Nicken, Augenkontakt oder Vorlehnen – die Kommunikation ist irgendwie privater, interner, intimer. Was ich soeben als „Erotik" dieser Momente bezeichnet habe, ist natürlich erst einmal sehr vage zu verstehen: Es geht primär darum, daß hier etwas, das als durch Arbeitsteilung charakterisiert erscheint, sich in ein Ineinander und Miteinander verwandelt.

„In einem Stück zu vier Händen läßt sich auch mit der Geliebten schwärmen, spielt sie Clavier", bemerkt Robert Schumann.[27] Diese Assoziation des vierhändigen Klavierspiels mit Liebelei ist im neunzehnten Jahrhundert geradezu axiomatisch. Sie scheint lebensweltlich verankert (in Briefen und Lebenserinnerungen finden wir viele Paare, die sich am Klavier fanden oder zu finden versuchten[28]), doch besonders in der Literatur scheint man sie bemüht zu haben. In Thomas Manns früher Novelle *Luischen* begleitet die sadistische Amra ihren gehörnten Ehemann, den sie dazu gebracht hat, sich öffentlich durch ein Lied zu blamieren, auf dem Klavier – vierhändig, und zwar mit ihrem Liebhaber: „Setze es vierhändig, hörst du! Wir werden ihn miteinander begleiten, während er singt und tanzt."[29] In Arthur Schnitzlers *Märchen* macht sich der ältere Herr Wandel an die schöne Klara Theren heran, indem er ihr Noten mitbringt – „wenn Sie mir erlauben, die vierhändigen Sachen mit Ihnen durchzuspielen".[30] Fritz Anders' „Skizzen aus unserm heutigen Volksleben" (1903) exerzieren diesen Topos im Schnelldurchlauf vor: „Beim Spiel hatten sich ihre Hände gefunden. Eva, die erst wirklich eine Scheu vor dem Zusammenspiel gehabt, aber dann Geschmack an der Sache gefunden hatte, hatte errötend gelacht, und dann war das übrige

---

26 William Makepeace Thackeray, *The Works of William Makepeace Thackeray in Twelve Volumes, Band VI*. Boston: Osgood, 1872, S. 321.

27 Robert Schumann, *Gesammelte Schriften über Musik und Musiker, Zweiter Band*. Leipzig: Breitkopf und Härtel, 1891, S. 204.

28 Ein prominentes Beispiel in der Musikwelt ist Edvard Grieg, der seiner Cousine Nina Hagerup beim vierhändigen Spiel einer Bearbeitung der ersten Symphonie Robert Schumanns seine Liebe gestand und sie bald darauf heiratete (Ernest Lubin, *The Piano Duet*. New York: Grossmann, 1970, S. 3).

29 Thomas Mann, *Frühe Erzählungen (Frankfurter Ausgabe, Band 2.1)*. Frankfurt: Fischer, 2004, S. 173.

30 Arthur Schnitzler, *Das Dramatische Werk (Werke, Band 1)*. Frankfurt: Fischer, 1977, S. 144.

schnell hinterher gekommen. Und am Ende der Stunde stellten sie sich der erschrockenen Mutter als Brautleute vor."[31]

Auch in der Welt des Theaters tritt das vierhändige Klavierspiel fast ausschließlich im Kontext erotischer Transaktionen auf. So zum Beispiel im Lustspiel *Die Relegierten Studenten* des Leipziger Theaterdichters Roderich Benedix (1811–1873): Der Vater überrascht Emma, die Tochter des Hauses, wie sie den Musiklehrer Lindeneck dazu bringen will, sie zu küssen. „Der Zutritt zu meinem Hause ist Ihnen gestattet worden, damit Sie mit meiner Tochter zuweilen vierhändig spielen. Ist das vierhändig, was ich eben gesehen habe?" Darauf antwortet Emmas Freundin naseweis: „Ganz gewiß! [...] Sie faßten sich bei den Händen, das war also vierhändig."[32]

Doch die wohl ausführlichste erotische Szene ums Vierhändigspiel entwirft der französische Schriftsteller Charles de Bernhard (1804–1850) in der ersten Jahrhunderthälfte. In seinem Roman *Gerfaut* (zwei Bände, 1838) beschreibt er einen veritablen *pas de deux* an der Klaviatur – und die beobachtende Kontrollinstanz, die sich so häufig über den Vierhändigspielern aufbaut, hat der Autor vorsichtshalber in Dornröschenschlaf versenkt. Der Held des Romans, Octave Gerfaut, trifft das Objekt seiner Begierde, die Baronin de Bergenheim, am Klavier an und sieht darin sogleich seine Chance. Doch leider ist die Baronin alles andere als allein: die alte Tante, Madame de Corandeuil, liegt im Mittagsschlaf auf dem Fauteuil. Was sich dann entspinnt, kann als eine klassische (und wohl auch die erotischste) Szene ums vierhändige Klavierspiel der Literatur des neunzehnten Jahrhunderts gelten.

Madame de Bergenheim erklärt, daß Gerfaut sich über die Tante keine Sorgen zu machen brauche: „Ich habe besonderes Talent darin, meine Tante zum Einschlafen zu bringen. [...] Wenn ich es wollte, würde sie bis heute abend schlafen; doch sollte ich aufhören zu spielen, die Stille würde sie aufwecken" („J'ai un talent particulier pour faire faire la sieste à ma tante. [...] Si je voulais, elle dormirait jusque'à ce soir; quand je cesserai de jouer, le silence la réveillera"). Gerfaut antwortet: „Ich bitte Sie, spielen Sie weiter; wecken Sie sie nie auf" („Je vous en supplie, jouez encore; ne l'eveillez jamais"). Also spielt die musikalische Scheherazade „den *Valse du duc de Reischstadt*, indem sie nur den ersten Takt der Begleitung anschlug, um ihrem Liebhaber zu zeigen, wo er seine Finger hinzulegen habe" („la *valse du duc de Reischstadt* [*sic*], en frappant seulement la première mesure de l'accompagnement, pour indiquer à son amant où il devait poser les doigts"). Hier wird ein alter Topos, nämlich die Rede vom vierhändigen Spiel als Tanz, bemüht, aber die Erotik des Tanzes (bezeichnenderweise der skandalöse Walzer, der selbst abseits der vierhändig bespielten Klaviatur als zu kontaktfreu-

[31] Fritz Anders, „Skizzen aus unserm heutigen Volksleben". *Die Grenzboten*, 62. Jg., Nr. 2 (1903), S. 421.

[32] Roderich Benedix, „Die Relegierten Studenten". In: *Ausgewählte größere Lustspiele, Achtzehnter Band*. Leipzig: Weber, 1882, S. 13.

dig und erotisch verschrien war[33]) wird zum Satzende hin von einem viel eindeutigeren Bild abgelöst: Madame de Bergenheim zeigt Gerfaut, so der Text, wo er die Finger hinlegen sollte – von der vermittelnden Klaviatur ist in diesem Bild schon nicht mehr der Rede.

Während im Bild der Frau, die den Liebhaber instruiert, wo genau er denn Hand anlegen soll, der Körper der Klaviatur sich noch zwischen die balzenden Hände schiebt (denn durch den Akt des Bedeutens befinden sich ja nie die Finger beider Spieler auf derselben Taste), finden die unterbeschäftigten Hände der Spieler bald auch physisch zueinander. Aus dem echohaften Spiel wird eine tatsächliche Berührung. Die Möglichkeit dieser Berührung ergibt sich aus der Tatsache, daß beide Spieler ihre „Rollen" besonders gut spielen – Gerfaut spielt mannhaft „la basse", während Madame de Bergenheim „le chant" spielt. Doch bei diesem Spiel in den Extremen der Klaviatur „blieben zwei Hände unbeschäftigt, eben jene, die einander direkt benachbart waren" („deux mains restaient inoccupées, celles-là précisément qui étaient voisines l'une de l'autre"). Was dann kommt, stellt der Erzähler als geradezu unausweichlich dar: „Nun, was sollen zwei solche unbeschäftigten, direkt nebeneinander liegenden Hände tun [...]?" („Or, que peuvent faire deux mains inoccupées et voisines [...]?").[34]

Nachdem sie ihn nach allen Regeln der Kunst auf die Klaviatur gelockt hat und sich nun plötzlich ziert, muß Gerfaut aktiv werden: „Vor Beginn der ersten Wiederholung noch waren die weißen und verjüngten Finger des Violinschlüssels eingesperrt von denen des Baßschlüssels, ohne daß es der Wirkung des Stücks in irgendeiner Form abträglich gewesen wäre, denn die alte Tante schlief immer noch" („Avant la fin de la première reprise, les doigts blancs et effilés de la clef de sol furent en prison dans ceux de la clef de fa, sans que cela fit le moindre tort à l'effet du morceau, car la vieille tante dormait toujours"). Obgleich die neben dem vierhändigen Paar schlummernde Tante wahrscheinlich nur der Logik des Komischen geschuldet ist – ihr Dornröschenschlaf hängt ja wie ein Damoklesschwert über der Liaison am Klavier – zeigt sich in dem Topos aus Tausendundeiner Nacht noch eine ganz andere Assoziation: Die Tante schläft so lange das Vierhändigspiel weitergeht; vierhändig Spielen und Liebelei sind heimliche Bündnispartner, das eine vermag das andere zu kaschieren und es vor den Augen der Tanten dieser Welt geheimzuhalten.

> Einen Moment später hefteten sich Gerfauts Lippen auf diese leicht zitternde Hand, als ob die weiche und parfümierte Haut bis in seine Seele hinein trinken wollte. Zweimal versuchte die Baronin sich loszumachen, [...] zweimal fehlte ihr die Kraft. [...] Es war höchste Zeit für die Tante aufzuwachen, aber sie schlief fester denn je; und wenn sich eine leichte Unsicherheit in der oberen Lage bemerken ließ, so griff die linke Hand dagegen mit einer Energie in die Tasten, die [die Tante] Mademoiselle de Corandeuil in ein zweites Dornröschen verwandelt haben könnte. Als

---

33 Arthur Loesser, *Men, Women and Pianos: A Social History*. New York: Dover, 1990, S. 159.

34 Charles de Bernard, *Gerfaut*. Paris: Calmann Lévy, 1878, S. 230.

Octave eine ganze Weile lang diese Hand, die nicht mehr widerstrebte, gestreichelt hatte, hob er den Kopf, um um neue Gunst zu bitten."

> Un moment après, la bouche d'Octave [Gerfaut] se colla sur cette main un peu tremblante, comme s'il eût voulu en imbiber de son âme la peau tiède et parfumée. Deux fois la baronne essaya des se dégager, [...] deux fois la force lui manqua. [...] Il commençait à devenir urgent que la vieille tante s'éveillât, mais elle dormait mieux que jamais, car la valse continuait toujours; et si une légère indécision se faisait remarquer dans le chant, la main gauche, au contraire, frappait ses grosses notes avec une énergie capable de métamorphoser Mademoiselle de Corandeuil en une seconde Belle au bois dormant. Lorsque Octave eut bien longtemps, bien doucement, bien tendrement caressé cette main qu'on ne lui disputait plus, il leva la tête pour obtenir une faveur nouvelle [...].[35]

Wie genau sich diese Erotik zu der Warte des Beobachters verhält, möchte ich anhand eines ersten Musikbeispiels erörtern. Der dritte Satz der Dritten Symphonie von Johannes Brahms wurde vom Komponisten selber für das Klavier zu vier Händen bearbeitet. Der Satz ist ein zutiefst melancholisches und lyrisches Stück, ein liedhaftes Allegretto in Moll (Brahms' einziges[36]). Trotz seines lyrischen, getragenen Tons stellt sich der Satz in der Klavierbearbeitung alles andere als unkompliziert dar. Denn weil die melodischen und kontrapunktischen Linien ziemlich konsequent durchgehalten werden und somit gänzlich Primo (dem rechts sitzenden Spieler, der normalerweise die oberen Tonlagen abdeckt) oder Secondo (dem links sitzenden Spieler, der normalerweise die unteren Tonlagen abdeckt) überantwortet werden, beginnen die zwei Spieler den Satz in einer äußerst bemerkenswerten Handkonstellation: Die linke Hand des Primo liegt anfangs zwischen den Händen des Secondo; die zwei Spieler sitzen eng beieinander, die Arme über die des anderen gelegt, die Hände verschränkt [Abb. 1].

Binnen weniger Takte ändert sich diese Konstellation jedoch grundlegend: Die Hände entwirren sich, operieren von nun an in ihrer eigenen Sphäre. Die Trennung der zwei Handpaare ist jedoch nicht vollständig: über mehrere Takte lotst die Partitur sowohl den Primo als auch den Secondo auf ein und dieselbe Taste – manchmal verpassen sich die zwei kleinen Finger um eine Achtelnote, manchmal um einen halben Takt, aber das ist natürlich nur im Schriftbild so. In der Praxis berühren sich die Finger immer wieder, und wenn die Hände wieder in ihre eigenen Sphären zurückstieben, mischt sich bei denen, die das Stück noch nicht häufig gespielt haben, womöglich echte Panik in die Reaktion – Panik, die Taste des anderen angeschlagen zu haben, Angst, das Zusammenspiel behindert zu haben. Selbst Spieler, die das Stück gut kennen, erschrecken bei der plötzlichen und, wie es scheint, fehlerhaften Berührung. Nur als Beobachter, so meint

---

35 Charles de Bernard, *Gerfaut*, S. 231.

36 Walter Frisch, *Brahms: The Four Symphonies*. New Haven: Yale University Press, 2003, S. 105.

Abb. 1: Handpositionen zu Beginn des III. Satzes der Symphonie Nr. 3 in F-Dur (op. 90) von Johannes Brahms in der Bearbeitung des Komponisten

man beinahe, ist einem klar, daß hier kein Fehler vorliegt, sondern daß sich die Finger fast zwangsläufig streifen müssen.

Man könnte behaupten, daß der Beginn des „Poco Allegretto“ in seiner vierhändigen Version eine Geschichte vom vierhändigen Klavierspiel *in nuce* erzählt: Wir beginnen mit einem verschworenen Knäuel von Händen, Handgelenken und Armen, das sich dann entwirrt und dessen Elemente, obgleich sie sich in ihre je eigene Sphäre flüchten, einander dennoch immer wieder zutendieren. Statt der ständigen Berührung gibt es nur den momentanen, beinahe zufälligen Kontakt, vor dem sowohl die Hände der Spieler als auch das Stück selber gewissermaßen zu erschrecken scheinen. In diesen kurzen, bruchteilhaften Berührungen liegt so etwas wie eine Erinnerung beschlossen von dem Urknäuel, mit dem alles anfing. In der Konstellation der Handpaare, wie sie sich im Laufe des Stücks entwickelt, liegt also eine klar tragische Narrative: eine idyllische, zur Auflösung bestimmte

Anfangsformation und die atomisierten Akteure, deren Berührungen nur noch zufällig und von kurzer Dauer sind – oh duets, oh regrets!

Und diese Tragik, so bemerkten wir bereits, erschließt sich eigentlich nur dem Betrachter. Ein ungeübter Spieler, der zum Beispiel die Partitur vom Blatt spielt, erkennt gar nicht, daß die Berührungen als kurze, erschrockene, schockhafte Reminiszenzen angelegt sind und nicht etwa der eigenen Unkenntnis des Stückes entspringen. Doch der Beobachter, insbesondere der, der zwecks Umblätterns mitliest, erkennt, daß hier eine Narrative vorliegt, die Geschichte eines Falls aus der Einheit der Elemente zu die Vereinzelung. Um diese Perspektive soll es in den folgenden Kapiteln gehen: Die Perspektive des Beobachters, der Geschichten auf die Klaviatur projiziert oder die nur er dort erkennen kann. Wie es mit dieser Perspektive steht – ob sie nun objektive Geltung hat oder nicht, ob sie wesentlich Projektion oder Erkenntnis ist –, darum soll es nur sehr sekundär gehen. Es ist sozusagen unsere Prämisse, daß, sogar als Projektion, als Fiktion, als *méconnaissance*, diese Sichtweise sich eines Objektiven in der Sache bemächtigt. Daß sie im neunzehnten Jahrhundert omnipräsent war, steht außer Frage – man diagnostizierte, interpretierte und narrativierte die an sich so unscheinbaren zwei Handpaare. Dem Blick des neunzehnten Jahrhunderts auf diese zwei Handpaare folgen heißt, sich der kuriosen Situation auszusetzen, in der zwei Paar Augen in denselben Bewegungen, denselben Abläufen Grundverschiedenes erblicken.

***

1933 schrieb Theodor Adorno eine kurze Glosse mit dem Titel „Vierhändig, noch einmal“. Wie Richard Leppert bemerkt hat, erscheint das „noch einmal“ nicht von ungefähr im Titel.[37] Hier wird etwas Einmaliges wiederholt, eine bürgerliche Phantasie, die in der Wiederholung (und in der Zeit, in die sie wiederholt wird) kryptisch, hieroglyphisch anmuten muß, wie ein Traum, den man anderen nach dem Erwachen zu erzählen versucht. Adorno schreibt:

> Jene Musik, die wir die klassische zu nennen gewohnt sind, habe ich als Kind kennengelernt durchs Vierhändigspielen. Da war wenig aus der symphonischen und kammermusikalischen Literatur, was nicht ins häusliche Leben eingezogen wäre mit Hilfe der großen, vom Buchbinder einheitlich grün gebundenen Bände im Querformat. Sie schienen wie gemacht, umgeblättert zu werden, und ich durfte sie umblättern, längst ehe ich die Noten konnte.[38]

Die Kryptik des „noch einmal“ hat sich, seitdem Adorno diese Zeilen schrieb, wenn überhaupt, noch verstärkt: „Jene Musik, die wir die klassische zu nennen

---

[37] Leppert, „Four Hands, Three Hearts, S. 5.

[38] Theodor W. Adorno, „Vierhändig, Noch Einmal“, in *Die musikalischen Schriften V*. Frankfurt: Suhrkamp, 1971 (GS 17), S. 303.

gewohnt sind", verschließt sich heute als eine vierhändige. Die Kulturkritik und das Feuilleton trauern ihr nach mit dem unterschwelligen Ressentiment, welches sie sich für das Verschwinden dessen aufheben, dessen objektive Existenzgründe sie insgeheim nicht mehr vorhanden wissen. Musizieren rutschte in die Weihnachtsfeste und Musikabende des Kleinbürgertums ab. Dort ließ sich das Vierhändigspielen nicht aufrechterhalten, zum einen, weil die notwendige Muße denen, die für Freizeit arbeiten mußten, fehlte, zum anderen aber, weil sich die Verheißungen, das Begehren des Vierhändigspielens, ihrer eigenen Logik nach, an eine andere, eine höhere Gesellschaftsschicht wandten. Dennoch lassen sich am vierhändigen Klavierspiel in den Formen, in die es sich heute geflüchtet hat, als eine sterbende Kunst, welche die Feuilletons betrauern, einerseits, und in eine hochvirtuose öffentliche Musik andererseits, immer noch die Überreste der libidinalen Verheißungen festmachen, die ihm als Institution einmal innewohnten.

Diese Verheißungen sowie die Ängste, die sich am vierhändigen Klavier entzündeten, versucht die folgende Studie „noch einmal" zu beleuchten. Und wie es mit der Kryptik eines Traumes liegt, daß nämlich das reine Nacherzählen oder Aufzählen dem Phänomen in keiner Weise gerecht wird, so nehmen auch wir an, daß man den sonderbaren Status des vierhändigen Klaviers im Imaginarium des neunzehnten Jahrhunderts nur dann adäquat verorten kann, wenn man bereit ist, sich ihm von allen möglichen Stoßrichtungen zu nähern. Das erste Kapitel nimmt Adornos Behauptung auf, daß vierhändiges Klavierspiel „zur Wohnung" gehört, führt also in einem ersten Schritt den Status des Klaviers als Möbel und Institution ein und beleuchtet sozusagen das „Setting" des vierhändigen Klavierspiels. Das Klavier fungiert im bürgerlichen Haushalt primär als Vermittlungsinstanz, die sowohl die Strukturierung und Konturierung der häuslichen Sphäre gestattet als auch die Interaktion zwischen Haushalt und Außenwelt. Gerade vierhändiges Klavierspiel bietet sich als Königsweg zwischen Innen und Außen, Intimsphäre und bürgerlicher Öffentlichkeit an.

Das zweite Kapitel spricht eine weitere von Adorno erwähnte Tatsache an: durchs Vierhändigspiel zog die symphonische Musik „ins häusliche Leben ein". Es behandelt die vierhändige Musik vornehmlich als Konsumobjekt – das bedeutet, wir werden uns vor allem dem vierhändigen Klavierauszug widmen. Zugegebenermaßen waren natürlich nicht alle Auszüge von Werken, die ursprünglich für Orchester, Chor oder Kammerensemble geschrieben worden waren, für *vier* Hände eingerichtet. Es gab erstens Arrangements für Klavier solo, zweitens für Streichquartett oder Klavierquartett, drittens sogar für vierhändiges Klavier plus zusätzliche Stimmen (menschliche oder instrumentale); und auch diese wurden in der Literatur und der bildenden Kunst dargestellt. Doch scheinen sich die vierhändigen Versionen normalerweise ebenso gut, wenn nicht sogar besser verkauft zu haben – Beethovens Vierte Symphonie verkaufte sich in der vierhändigen Fassung von Lux fast doppelt so oft wie die Soloausgabe von Hummel im selben Verlag; und Schotts Auszug derselben Symphonie von Pauer verkaufte sich ebenfalls bedeutend öfter als die Soloversion.[39] Viel wichtiger ist aber, daß umgekehrt sehr wohl ein Großteil der vierhändigen Partituren, die erschienen, gekauft wurden und in den Wohnstuben standen, Auszüge waren. Dabei rückt vor allem die Betrachtung der Partitur als Fetisch in den Blick: Einerseits wird Musik durch Bearbeitung sammelbar, fungibel und warenhaft, wird also zum Warenfetisch im Marxschen Sinne; andererseits aber eignet gerade der Bearbeitung immer auch ein Bewußtsein ihres eigenen Status als Ersatz für etwas, das die vierhändigen Spieler „an sich" nicht in die Finger zu bekommen vermögen, was sie eher in die Umgebung des freudschen Fetischbegriffs rückt.

Die vierhändige Bearbeitung hat, sowohl objektiv als auch in der Beurteilung der Zeitgenossen, etwas Fetischistisches, und es ist eben das, was die ständige Kontrolle und Beurteilung durch die Außenwelt auf sich zu ziehen und diese Beurteilung zu legitimieren scheint. Doch auch innerhalb des Haushalts, der doch so gierig nach neuen Partituren lechzt, ist das Vierhändigspiel einer äußerst ambivalenten Betrachtung ausgesetzt. Man nimmt es gerne und billigend in Kauf, ist sich aber doch immer auch der ihm inhärenten Bedrohung bewußt. Vierhändiges Klavierspiel strukturiert die häusliche Gemeinschaft und droht, sie zu zerstören. Anhand verschiedener literarischer Beispiele aus ganz Europa versucht das dritte Kapitel, ein genaueres Bild dieser seltsamen Dynamik zu entwickeln, zu zeigen, was Vierhändigspiel wie bedroht.

Das vierte Kapitel bleibt beim Thema der Bearbeitungen und versucht zu erörtern, welche Konsequenzen aus der Bearbeitungspraxis des neunzehnten Jahrhunderts für den alltäglichen „Konsum", wie wir ihn im zweiten Kapitel darstellten, erwuchsen. Anders gefaßt, wird hier nicht mehr die Frage gestellt, was denn der Konsument mit den vierhändigen Bearbeitungen anfing, sondern vielmehr die umgekehrte Frage, was diese Bearbeitungen mit ihrem Konsumenten anstellten. Dabei rückt die Frage der „Stimme" in den Blick, denn insofern beim Klavier von so etwas gesprochen werden kann, bestimmen ja im Vierhändigspiel zwei Subjekte den Klang des Instruments. Tatsächlich stellt sich die Sache noch weitaus dichotomischer dar: Da die Pedale normalerweise dem *Secondo* überlassen werden, der *Primo* aber im Normalfall die Melodieführung übernimmt, „singt" der eine Spieler, während der andere sozusagen den Ton bestimmt. Dieses unheimliche Arrangement wird im neunzehnten Jahrhundert gerade von E.T.A. Hoffmann, selber Komponist und Musikkritiker, kommentiert – in seinen Geschichten erscheint es in der Form musikalischer Doppelgänger, Unwesen mit überzähligen Gliedmaßen und singender Automaten.

Das fünfte Kapitel beschäftigt sich mit einem weitaus weniger offen kommentierten Teilaspekt des vierhändigen Klavierspiels: der Hand. Tatsächlich sparen sowohl visuelle als auch literarische Darstellungen des vierhändigen Klavierspiels die Hände selber gerne aus. Doch begegnet man gerade im späten neunzehnten Jahrhundert einem regelrechten Handkult, der glaubte, an Größe,

---

[39] Loos, *Zur Klavierübertragung von Werken für und mit Orchester des 19. und 20. Jahrhunderts*, S. 10.

Form und Aussehen der Hand alles mögliche über Erbmaterial, Veranlagung und Gesinnung herauslesen zu können. In den physiognomischen Alben eines Cesare Lombroso (oder den Fotobildbänden, die im frühen zwanzigsten Jahrhundert weitere Verbreitung fanden) arbeitete man vor allem mit Montage und Vergleich: Zwei verschiedene Hände (oft genug „Handtypen“) wurden einander gegenübergestellt, um Vergleiche zu ermöglichen oder zu suggerieren. Gleichzeitig war die Hand im Klavierspiel der Zeit weitaus stärker stillgestellt, als das heute der Fall ist – Armbewegungen und Mobilität des Oberkörpers waren Ikonoklasten und Virtuosen vorbehalten. Die Handhaltung, die das Klavierspiel während der für uns wichtigen Epoche einforderte, war also gerade für Handbeobachtung ideal – und gerade das vierhändige Klavierspiel erlaubte, dank seiner Stillstellung der Hand im je eigenen Gehege, Gegenüberstellungen à la Lombroso.

Während das fünfte Kapitel es mit Erbgut und seiner Zurschaustellung zu tun hat, geht es im sechsten Kapitel um das Üben, um die Zurschaustellung der Arbeit. Im Klavierspiel wird der Körper abgerichtet und als abgerichteter zur Schau gestellt. Gerade das vierhändige Klavierspiel hatte hier eine wichte Rolle inne – ob in der Form vierhändiger Etüden oder der (besonders in England populären) „Logier-Methode“ des Musikunterrichts, bei der je zwei Eleven geradezu an eine Klaviatur gekettet wurden. Logiers Methode, die in Deutschland äußerst umstritten war, dient uns als Anlaß, die Frage zu erörtern, wie sich Arbeit und Erotik im vierhändigen Klavierspiel zueinander verhalten, und umgekehrt, inwiefern sich Arbeitsverhältnisse durch das vierhändige Klavierspiel darstellen, allegorisieren und kommentieren lassen. Letzteres ist das Thema des siebten Kapitels: Das vierhändige Klavierspiel ist arbeitsähnlich und in den Augen vieler Zeitgenossen scheint das das Phänomen zu verdammen – was wie trautes Zusammensein aussieht, ist in Wahrheit Industrie. Doch andere Zeitgenossen scheinen auf die umgekehrte Möglichkeit hinzuweisen: daß vierhändiges Klavierspiel als Modell herhalten könnte für eine bessere Form der Arbeit, ein unentfremdetes, produktloses Schaffen.

Wir schließen unsere Studie mit einem zeitlich und örtlich eingegrenzteren Phänomen: Das ausgehende Habsburgerreich scheint von seinen Einwohnern mit Vorliebe vermittels musikalischer Szenen charakterisiert worden zu sein, unter anderem auch der Szene des vierhändigen Klavierspiels. Im sechsten Kapitel widmen wir uns zwei Texten, die die Konfiguration an der Klaviatur in äußerst verschiedener Absicht und mit äußerst verschiedenen Mitteln darstellen: Joseph Lux' Romane zu Grillparzer und Schubert fiktionalisieren „Wiens klassische Zeit“ und lassen im Spiel zu vier Händen die heile Welt der Doppelmonarchie lebendig werden – daß Lux' Grillparzer-Buch von 1913 stammt, und somit aus der Zeit des Niedergangs eben jener Monarchie, erweist sich dabei als alles andere als nebensächlich. Das vierhändige Klavierspiel dient Lux zur nachträglichen Stabilisierung eines Österreichs und einer Welt, die so nie existiert haben dürfte.

Der zweite Roman spielt 1913, wurde aber 1930, und somit nach dem Untergang der Donaumonarchie, veröffentlicht. Es handelt sich um Robert Musils *Mann ohne Eigenschaften*, der die wahrscheinlich detailliertesten und vielschichtigsten Szenen vierhändigen Klavierspiels enthält, die die Literatur überhaupt zu bieten hat. Bei Musil fungiert das vierhändige Klavierspiel gewissermaßen als ästhetisches Pendant zur k.u.k. Doppelmonarchie einerseits, aber auch zu der im Roman thematisierten „Parallelaktion". Dabei ist Musils Verwendung der vierhändigen Szenerie Luxens frappierend ähnlich, so ungleich die Romane in allen sonstigen Aspekten auch sein mögen. Was Lux als gutes, altes Östereich verkitscht, wird bei Musil als „Kakanien" karikiert und ironisch gebrochen: Dabei hat das Urteil des Erzählers über das vierhändige Klavierspiel Auswirkungen auf das Verdikt über Kakanien *tout court*: Was wie traute Einheit aussieht, von allem Merkantilen, Industriellen, Öffentlichen strikt geschieden, erweist sich bei näherem Hinsehen als nichts weiter als ein ästhetisierter Fordismus.

Kapitel 1: Der Tönende Herd und die „Clavierseuche“

Vierhändiges Klavierspiel war einmal ganz anders, als es heute ist – und Teil unserer Arbeit wird darin bestehen, ein Massenphänomen wieder aufleben zu lassen, von dem wir vergessen haben, daß wir es vergessen haben. Natürlich spielen auch heute noch viele Musikfreunde gerne vierhändig – aber als ein in der gesamten westlichen Welt, quer durch Klassen und Nationen präsentes Schibboleth ist uns das vierhändige Klavierspiel nicht weniger fremd als *ether frolics*, die *carte-de-visite* oder das Kaiserpanorama. Um Licht auf dieses heute verborgene Allerweltsphänomen zu werfen, soll der erste Teil dieses Kapitels dreierlei leisten: er soll die Position des Klaviers als *Möbel* im Interieur des neunzehnten Jahrhunderts aufzeigen; er soll bestimmen, welche *Funktion* das Möbel Klavier hatte; er soll schließlich aufzeigen, welche der Vollzüge rund ums Klavier insbesondere für das *vierhändige* Klavierspiel gelten – wie ist das Vierhändigspiel in der Bürgerwohnung des neunzehnten und frühen zwanzigsten Jahrhunderts zu verorten?

Der Rest des Kapitels wird sich mit der Wahrnehmung (analog in etwa dem, was Michael Baxandall als „period eye“ bezeichnet hat) beschäftigen, die sich aus dieser „historischen Topographie“[1] des vierhändigen Klavierspiels ergibt, die Formen der Aufmerksamkeit, die von ihr quasi herausgefordert werden. Aufgrund dieser Stoßrichtung werden wir einige Male vom zweihändigen auf das vierhändige Klavierspiel, vom Klavier generell auf das vierhändig bespielte überwechseln müssen. Welchen Blick ist das neunzehnte Jahrhundert auf das Klavier zu werfen gewohnt, welchen auf die, die daran spielen? Und welche Konsequenzen ergeben sich aus diesem Blick für die „kulturelle Wahrnehmung“ des Spiels zu vier Händen, um die es uns geht? Denn was man ganz generell am Klavier wie beobachten konnte (oder beobachten zu können glaubte), das hatte Auswirkungen darauf, wie man zwei Handpaaren auf der Klaviatur gegenübertrat, wonach man in ihren Bewegungen spähte.

Das Klavier ist, wie Siegfried Kracauer es beschreibt, „ein privates Geschöpf“, also Teil der häuslichen Sphäre, in der man nicht arbeitet, sondern in der man sich frei vom Zwang des Wirtschaftlichen versammelt.[2] Der Spannung, daß nämlich das vierhändige Klavierspiel einerseits Teil einer Sphäre ist, die Arbeit konstitutiv verbannt, daß es andererseits aber doch irgendwie selber Arbeit oder arbeitsähnlich ist, werden wir in den folgenden Kapiteln immer wie-

---

1 Dolf Sternberger, *Panorama oder Ansichten vom 19. Jahrhundert.* Frankfurt: Suhrkamp, 1974, S. 7.

2 Siegfried Kracauer, „Das Klavier“, In *Schriften, Band 5.1.* Frankfurt: Suhrkamp, 1971, S. 345.

der begegnen. Am Klavier abarbeiten konnte man sich nur, wenn man sich um den Broterwerb anderweitig nicht sorgen mußte – und doch war das neunzehnte Jahrhundert versessen auf Fingerfertigkeit, auf laufend wiederholte Etüden, auf Stunden und Stunden täglichen Übens, die zusammengenommen die Bürgerkinder im Salon denen annäherten, die in den Textilfabriken schuften mußten.

Der Kritiker Eduard Hanslick bemerkt, daß „das musikalische Dilettantentum in Wien [...] sich überwiegend in den Grenzen des Familienkreises" hielt – denn Musik konnte man in einer Stadt wie Wien natürlich öffentlich auch häufig genießen: „Oper, Kirche, Tonkünstler-Societät", und selbst nichtbürgerliche Schichten konnten sich an Tanzmusik, Militärkapellen und Kirchenmusik ergötzen.[3] Doch mit dieser Musik kam man nur in einer wie auch immer gearteten Öffentlichkeit in Berührung – erst das Klavier ermöglichte es, öffentliche Musik im großen Stil in die Privatsphäre zu übersetzen. Und genau das ist im neunzehnten Jahrhundert seine Hauptfunktion: Es war, wie Adolf Bernhard Marx es bezeichnet, „das universale Instrument", das alles das zu fassen vermochte, was sonst nur größere Ensembles hervorbringen konnten, und das doch in die Privatwohnung passte.[4] „Das Klavier ist auch seinem ganzen musikalischen Wesen nach ein bürgerliches Hausinstrument", befand Max Weber in *Die rationalen und soziologischen Grundlagen der Musik* und machte dies vor allem an der bestimmten Art Binnenraum fest, in der sich Klavierspiel entfaltet[5]: er beschreibt einen Binnenraum, der Sichtlinien erlaubt, aber nicht (wie etwa eine Kirche) Aufmerksamkeit auf einen Punkt lenkt; einen Binnenraum zu klein um öffentlich zu sein, aber zu groß um doch ganz im Privaten aufzugehen:

> Wie die Orgel den Riesenbinnenraum, fordert es den mäßig großen Binnenraum, um seine besten Reize zu entfalten. [...] Träger der Klavierkultur sind daher nicht zufällig die nordischen Völker, deren Leben schon rein klimatisch hausgebunden und um das „Heim" zentriert ist, im Gegensatz zum Süden. Weil dort die Pflege des bürgerlichen Hauskomforts aus klimatischen und historischen Gründen weit zurückstand, breitete sich [...] das dort erfundene Klavier nicht wie bei uns schnell aus und erlangte auch bis heute nicht in dem Maße die Stellung eines bürgerlichen „Möbels", wie dies bei uns schon längst selbstverständlich ist.[6]

---

[3] Eduard Hanslick, *Geschichte des Concertwesens in Wien*. Wien: Braumüller, 1869, I, 67.

[4] Adolf Bernhard Marx, *Die Musik des neunzehnten Jahrhunderts und ihre Pflege*. Leipzig 1855, S. 273.

[5] Wie Jeffrey Kallberg gezeigt hat, läßt sich das sogar am musikalischen Genre, zum Beispiel bei Satzbezeichnungen, festmachen. Dort fand nämlich ein Übergang von vom Tanz geprägten Bezeichnungen (so zum Beispiel bei Bach „Gavotte", „Allemande" usw.) zu stimmungsgeprägten Bezeichnungen statt – die neuen Satzbezeichnungen verwiesen nicht mehr primär auf (halb-) öffentliche Veranstaltungen, sondern auf die Privatsphäre und die Emotion, die „ausgedrückt" werden wollte (Jeffrey Kallberg, *Chopin at the Boundaries: Sex, History, and Musical Genre*. Boston: Harvard University Press, 1998, S. 6).

[6] Max Weber, *Die rationalen und soziologischen Grundlagen der Musik*. Tübingen: J.C.B. Mohr (Paul Siebeck), 1972, S. 77.

Die Größe dieses Binnenraums war äußerst variabel und überschritt gelegentlich auch die Privatsphäre gänzlich in Richtung „Hauskonzert". Wenn zum Beispiel Sigismund Thalberg im Haus des Fürsten von Metternich spielte, war dies kaum mehr Hausmusik.[7] Doch auch in wohlhabenden Bürgersalons der ersten Jahrzehnte des neunzehnten Jahrhunderts waren über einhundert Gäste keine Seltenheit. Der Siegeszug des Klaviers im Laufe des Jahrhunderts gestattete es jedoch immer kleineren und bescheideneren „Binnenräumen", Salons oder ähnliche Zusammenkünfte auszurichten. Die um das Klavier gescharten Gruppen wurden somit kleiner und intimer. Und auch ihre Vollzüge ändern sich: Während bei den Schubert-Abenden von Spauns oder den großen Salons der Wiener Bankiers nicht nur dem Klavier gelauscht und gesungen, sondern auch getanzt, gespielt und fein diniert wurde, scheinen die Musikabende der zweiten Jahrhunderthälfte (man denke nur an das Haus Wahnfried) vornehmlich auf die Familie, auf die Musik und vor allem aufs Klavier zentriert gewesen zu sein.

Doch nur weil das Klavier im Laufe des Jahrhunderts ein in immer weiteren Kreisen präsentes Möbel ist, das sogar für die von Weber beschriebene Heimkultur charakteristisch ist, bedeutet dies nicht, daß es sich als ein solches problemlos ins Mobiliar fügt. Auf den ersten Blick mag es symptomatisch wirken: „Der allererste Eindruck vom bürgerlichen Interieur nach der Jahrhundertmitte", schreibt der englische Historiker Eric Hobsbawm, „ist Überladenheit und Verhüllung: eine erdrückende Fülle von Gegenständen".[8] Diese Überfrachtung fand ihre „charakteristische Gestalt" in der Form „des Flügels, eines ungeheuer ausladenden, ungeheuer kunstvoll gearbeiteten und ungeheuer kostspieligen Instruments. [...] Keine bürgerliche Einrichtung war komplett zu nennen ohne dieses Instrument, und es gab keine Bürgertochter, die nicht endlose Tonleitern auf ihm hätte üben müssen."[9] Doch obgleich „charakteristisch", ist das Klavier kein Möbel wie jedes andere. Vielmehr mutierte das Instrument von einem Möbel unter anderen zum Mittelpunkt des bürgerlichen Haushalts (was Thomas Christensen ironisch einen „sonic hearth", einen tönenden Herd genannt hat[10]).

Dies zeigt sich selbst in den Formen, die das Klavier vor der Dominanz des Flügels durchmachte: Das Clavicytherium (eine Art vertikaler Flügel) zum Beispiel war komplett verschließbar und sah von außen aus wie eine Kommode. Eine interessante Ambivalenz äußert sich in diesem Design, eine Ambivalenz, die sich auch im Flügel noch zeigt. Einerseits wird das Klavier möbelhafter,

---

[7] Alice M. Hanson, *Die Zensurierte Muse: Musikleben im Wiener Biedermeier*. Wien: Böhlau, 1987, S. 134.

[8] Eric Hobsbawm, „Zum Zusammenhang von Erwerbsleben und bürgerlicher Familienstruktur". In: Heidi Rosenbaum (Hrsg.), *Seminar: Familie und Gesellschaftsstruktur*. Frankfurt a.M.: Suhrkamp, 1978, S. 405.

[9] Hobsbawm in Rosenbaum, S. 406.

[10] Thomas Christensen, „Four-Hand Piano Transcription and Geographies of Nineteenth-Century Musical Reception". *Journal of the American Musicological Society*, Vol. 52, No. 2 (1999), S. 284.

scheinbar praktischer: es läßt sich verstauen, ins sonstige Mobiliar integrieren. Andererseits, bemerkt Leppert, „wenn man es spielt [...], ist das Instrument geradezu penetrant *un*praktisch; der Irrwitz seiner Form hat etwas vom Adel und Privileg, insofern als das Unpraktisch-sein ein Index für den Klassenunterschied darstellt" („when played [...] the instrument appears eminently *im*practical, the preposterousness of its shape mirroring aristocratic privilege, where impracticality is a mark of class distinction").[11] Ein Stück Mobiliar, welches doch in seinem Exzess die Freiheit des Bürgers von der Notwendigkeit zur Schau trägt: so ließe sich auch der Flügel beschreiben. Auch deswegen ist er ein Möbelstück, das sich in keinen Raum wirklich eingliedert – in welchem Zimmer es auch steht, das Zimmer heißt Klavierzimmer.

Siegfried Kracauer hat auf diese einsame Dominanz des Möbels Klavier hingewiesen: „Mit den übrigen Einrichtungsgegenständen pflegt das Klavier keinen Verkehr."[12] Auch der Kunstkritiker und Autor Joseph August Lux bedauert im Jahr 1905, daß das moderne Klavier „in den verhältnismäßig kleinen Wohnzimmern den besten Raum" verstellt, daß es „breit und sperrig" dasteht und „jede irgendwie versuchte harmonische und zweckvolle Gliederung des Gemaches" unmöglich macht.[13] Insofern ist Christensens spöttische Charakterisierung vom tönenden Herd absolut zutreffend: Der Flügel ist genauso Möbel wie der Rest der von Hobsbawm beschriebenen „erdrückenden Fülle von Gegenständen" – wie Sekretär, Bibliothek, Nähtisch usw. –, andererseits aber strukturiert der Flügel die bürgerliche Lebenswelt (wie der Herd die Hütte) und fundiert sie gewissermaßen mit einem Gewicht, demgegenüber Sekretär, Bibliothek, Nähtisch disponibel, subaltern und rein ornamental wirken.

Das hat vornehmlich mit der Tatsache zu tun, daß das Klavier alle Bewohner der Wohnung dominiert, betrifft oder auch anspricht. Anders als das übrige Mobiliar ist es nicht auf einen Benutzer und eine Benutzung ausgerichtet. Vielmehr ermöglicht es ein ganzes Spektrum sozialer Vollzüge, die darüber hinaus nie nur ein einzelnes Familienmitglied sozusagen persönlich betreffen, sondern alle mit einbeziehen. Denn als sich der Kritiker Eduard Hanslick 1867 über die regelrechte „Clavierseuche" ausließ, die unter seinen Zeitgenossen grassierte, meinte er nicht nur, daß in jedem beliebigen Haus nunmehr ein Klavier stünde. Zwar beklagt die Glosse zur „Clavierseuche" auch die möbelhafte Ubiquität des klingenden Möbels: „Kaum gibt es in den Großstädten ein Haus, in welchem nicht ein bis zwei Pianos oder auch mehr zu finden wären."[14] Die „Clavierseuche" besteht aber eben besonders auch darin, daß die Bürger sich ums Klavier scharen wie um kein anderes ihrer Möbel. Christensens Bild vom „tönenden

---

[11] Richard Leppert, „Sexual Identity, Death, and the Family Piano", *19th-Century Music* 16 (1992), S. 114.

[12] Kracauer, „Das Klavier", S. 345.

[13] Joseph August Lux, *Die Moderne Wohnung und ihre Ausstattung*. Wien: Wiener Verlag, 1905, S. 116.

[14] Eduard Hanslick, *Suite: Aufsätze über Musik und Musiker*. Wien: Prochaska, 1884, S. 165.

Herd" meint auch das: die Familie kauert um das Klavier, gierend nach häuslicher Verbundenheit, Wärme und Geborgenheit. Walter Benjamin beschreibt das Klavier als das „Möbel, das in der Kleinbürgerwohnung das eigentliche dynamische Zentrum der in ihr herrschenden Traurigkeit und Zentrum aller Katastrophen in der Wohnung ist".[15]

Eine ähnliche Vision hat der Protagonist Ulrich in Robert Musils *Mann ohne Eigenschaften*, dem das Hausinstrument als gefräßiger, alles dominierender Moloch erscheint: „Ulrich hatte dieses stets offene Klavier mit den gefletschten Zähnen nie leiden mögen, diesen breitmäuligen, kurzbeinigen, aus Teckel und Bulldog gekreuzten Götzen, der sich das Leben seiner Freunde unterworfen hatte, bis zu den Bildern an der Wand und den spindeldürren Entwürfen der Kunstfabrikmöbel."[16] Der „tönende Herd" kolonisiert den Innenraum: Walter Benjamin hat das „Interieur des 19ten Jahrhunderts" beschrieben als Ort, wo „die Dinge langsam Besitz von der Wohnung ergreifen",[17] doch bei Musil wird diese Besitzergreifung als geradezu gewalttätig dargestellt. Das Klavier ist nicht Herd, sondern Götze, nicht wärmend, sondern rachsüchtig, ein schwarzweißer Baphomet, der krakenhaft den häuslichen Binnenraum annektiert.

Das Ausmaß der Andacht, die dieser Götze von seinen Kultisten verlangte, wird im neunzehnten Jahrhundert immer wieder angesprochen. Der Humorist Friedrich Schlögl beschreibt 1881 Wiener Haushalte, von der allgemeinen „Verarmung" betroffen,[18] deren Leben dennoch ohne den allwöchentlichen Klavierabend nicht auskommt:

> Man hält noch mühsam die Ehre des Hauses aufrecht und gibt allwöchentlich seinen Abend; man ist liebenswürdig und geistreich, bespricht die neuesten Erscheinungen in Kunst und Literatur, gibt Bonmots zum besten, produziert sich mit Stimmporträts, und die Töchter des Hauses spielen auf allseitiges Verlangen auch noch den Lisztschen Faust-Walzer vierhändig und ernten Beifall.[19]

Auch Adalbert Stifter beschwert sich: „In tausend Häusern hämmert das Pianoforte."[20] Ganz ähnlich beschreibt zum Beispiel Charles Sealsfield (eigentlich Karl Postl) einen typischen Sonntag in Wien zur Jahrhundertmitte: „Von drei Uhr nachmittags bis elf Uhr nachts befindet sich die ganze Stadt in einem förmlichen Taumel von Musik und Vergnügen. Straßauf und straßab hört man nur Musik. In jedem Bürgerhaus ist denn auch das Klavier das erste, was man erblickt. Kaum hat der Gast Platz genommen und sich an gewässertem Wein und Preßburger Zwieback erquickt, so wird das Fräulein Karoline, oder wie es sonst heißen mag,

---

15 Walter Benjamin, *Moskauer Tagebuch*. Frankfurt a.M.: Suhrkamp, 1980, S. 41.

16 Mann ohne Eigenschaften, S. 48.

17 Walter Benjamin, *Das Passagen-Werk*. Frankfurt am Main: Suhrkamp, 1981, S. 288.

18 Friedrich Schlögl, „Die Saison der Wurst". In: *Wienerisches*. Wien und Teschen: Karl Prochaska, 1883, S. 85.

19 Friedrich Schlögl, „Die Saison der Wurst", S. 91.

20 Adalbert Stifter, *Aus dem alten Wien: Zwölf Studien*. Frankfurt: Insel, 1909, S. 235.

von den Eltern aufgefordert, dem Gast etwas vorzuspielen."[21] Das Klavier ist gleichzeitig Herd (es vereint die Familie), Repräsentationsobjekt (es repräsentiert die Familie für die Außenwelt) und Vestibül – denn das Spiel des „Fräulein Karoline, oder wie es sonst heißen mag", ist eine Form der Initiation in die Familie.

Das Klavier, das erste, was „der Gast" erblickt, fungiert gewissermaßen als Bindeglied, über das die Familie neue Mitglieder integrieren kann oder sich umgekehrt neue Mitglieder in den familiären Kreis einschmeicheln können. Denn einerseits stellen die zeitgenössischen Quellen klar, daß das „Fräulein Karoline, oder wie es sonst heißen mag", dem Gast nicht aus reinem Kunstsinn etwas vorspielen soll – an der Klaviatur konnte man Partien machen, familiäre Allianzen schmieden. Andererseits konnte man sich so zu Rang und Würden spielen – wie zum Beispiel ein Wiener Herr namens Freund, von dem Karl Kraus behauptet, daß er „Regierungsrat wurde ..., als man seine Fähigkeit entdeckte, mit einem Erzherzog vierhändig Klavier zu spielen."[22]

Eduard Hanslicks Buch zur *Geschichte des Concertwesens in Wien* zitiert den folgenden Bericht eines Korrespondenten der *Leipziger Musikzeitung* von 1808, der das „emsige, mitunter passionierte Musiktreiben" in Wien schildert:

> Um einen Begriff von der Ausdehnung der hiesigen Dilettantenschaft zu geben: Jedes feine Mädchen, habe sie Talent oder nicht, muß Clavierspielen oder Singen lernen; erstlich ist's Mode, zweitens ist's die bequeme Art, sich in der Gesellschaft hübsch zu produciren und dadurch – wenn das Glück es will – eine in die Augen fallende Partie zu machen. Die Söhne müssen ebenfalls Musik lernen, erstens gleichfalls weil es gehörig und Mode ist, zweitens weil es auch ihnen zur Empfehlung in der feinen Gesellschaft gereicht und die Erfahrung lehrt, daß gar mancher sich hier an die Seite einer reichen Frau oder in eine sehr einträgliche Bedienung musicirt hat.[23]

Solche Dilettantenmusik spielte sich laut Hanslick „überwiegend in den Grenzen des Familienkreises" ab – doch liegt sie (Hanslicks Beschreibung selber legt das nahe) immer auch an der Grenze dieses Kreises, an der Schnittstelle zwischen Innen und Außen. Dies läßt sich auch an den Gemälden der Zeit festmachen: Bilder von insbesondere jungen Frauen beim Üben mit dem Klavierlehrer oder beim Duett (sei es nun Klavierduo oder ein Klavier und eine Geige) waren so zahlreich im achtzehnten und neunzehnten Jahrhundert, daß sie ein eigenes Genre darstellten. Dem Setting nach sind dies häusliche Genregemälde, aber häufig ist die zweite Person am oder beim Klavier als öffentlicher „Eindringling" in die häusliche Sphäre gekennzeichnet – das bedeutet, diese Person ist im Normalfall ein Mann. In der bildenden Kunst stellte man insbesondere den Musikun-

---

21 Charles Sealsfield (Karl Post), *Österreich, wie es ist: Oder, Skizzen von den Fürstenhöfen des Kontinents*. Wien: Schroll, 1919, S. 189.

22 Karl Kraus, *Schriften*, Bd. 1, S. 170.

23 Zitiert in: Hanslick, *Geschichte des Concertwesens in Wien*, I, 67.

terricht als „Gelegenheit zur Verführung einer, bei aller Unschuld, sexuell neugierigen Jungfrau dar“ („an opportunity for the seduction of a virgin who was nonetheless commonly presented as sexually curious“). Im Laufe des neunzehnten Jahrhunderts, so Leppert, wurden solche Darstellungen „weniger komisch, zunehmend voyeuristisch“ („less comic, more voyeuristic“).[24]

Auch ein Blick in die Literatur zeigt, daß sich am Klavier prekäre Vermittlungsmanöver zwischen familiärer Privatsphäre und Öffentlichkeit abspielten, paradigmatisch in der Figur des Klavierlehrers. Wir können davon ausgehen, daß Ossip Schubin (eigentlich Aloisia Kirschner) einen allseits bekannten Topos bemüht, wenn sie in einer Erzählung „ein Mädchen aus gutem Haus“ einführt, „das, kaum sechzehnjährig, mit [ihrem] Klavierlehrer durchgegangen ist“[25] – „hat sie sich als halbes Kind für ihn interessiert, hat sie sich nicht interessiert – was weiß ich!“[26] Das wohl berühmteste literarische Beispiel für die Figur des Musiklehrers-als-Eindringling ist der Lehrer Truchatschewskij in Tolstois *Kreutzersonate*. Die fast schicksalshafte Notwendigkeit, mit der der gesellschaftliche Aufstieg dem Protagonisten Posdnyschow den Geiger Truchatschewskij ins Haus bringt, die Erotik der Musik und die (homo)erotischen Valeurs,[27] die die Dreiecksbeziehung langsam auf die Katastrophe zutreiben, finden wir, weniger überspitzt, auch an der Klaviatur des Bürgersalons. Der Eindringling, der die häusliche Sphäre zerstört, tritt als „gefährliches Supplement“[28] an diese Sphäre heran – sie empfindet ihn zwar als Bedrohung, gewährt ihm aber mit fatischer Notwendigkeit Einlaß. Denn Posdnyschow *will* ja den Eindringling, *braucht* ihn als Zeichen seines sozialen Aufstiegs und sexualisiert nicht nur die Beziehung seiner Frau mit dem Klavierlehrer, sondern merkwürdigerweise auch den Lehrer selber. Die schicksalhafte Unausweichlichkeit, mit der Posdnyschow diese Sequenz im Rückblick schildert, benennt wohl etwas Objektives: Die Sequenz „muß“ so verlaufen, da sie einen ebenso gefährlichen wie notwendigen Kontakt zwischen zwei einander antagonistisch gegenüberstehenden und doch aufs innigste verschränkten Sphären darstellt.

Doch die Angelfunktion des Klaviers kennt zwei Richtungen: Über das Spiel am Klavier wird die Öffentlichkeit in die Privatsphäre eingeladen, wird familiarisiert. Aber viele Zeitgenossen wetterten gleichzeitig, daß dieses penetrante Musikspiel im Grunde einer übergroßen, schamlosen Offenheit gleichkam. Die Familie wusch sozusagen ihre musikalische Schmutzwäsche vor dem arglosen Gast. So schreibt Johanna Kinkel in ihren *Acht Briefen an eine Freundin über Clavier-Unterricht* von 1852: „Ein gebildetes Haus, in dem kein Clavier stünde,

---

[24] Richard Leppert, *The Sight of Sound – Music, Representation, and the History of the Body*. Berkeley: University of California Press, 1993, S. 161.

[25] Ossip Schubin, *Toter Frühling*. Braunschweig: Westermann, 1893, S. 39, 40.

[26] Schubin, *Toter Frühling*, S. 190.

[27] Richard Leppert, *The Sight of Sound*. Los Angeles: University of California Press, 1993, S. 153–175.

[28] Jacques Derrida, *Grammatologie*. Frankfurt a. M.: Suhrkamp, 1988, S. 249.

gälte für eine Unmöglichkeit. Mädchen, die kein Gedicht richtig vorlesen können, lernen dennoch singen. Kaum, daß man eine Gesellschaft besuchen kann, ohne Musik ausstehen zu müssen, und was für entsetzliche Musik! Musik*freunde* und Musik*feinde* werden gleich empfindlich durch den Anblick eines geöffneten Claviers mit zwei Lichtern darauf berührt, wenn sie einen Salon zur Erholung betreten."[29]

Der Dominanz des Klaviers in der häuslichen Sphäre wohnt ein Moment des Dämonischen inne – anders als der Herd unterwirft es sich die Vollzüge des häuslichen Lebens und selbst den physischen „Binnenraum", in dem sich dieses entfaltet. Denn das Klavier kann rein klanglich auch noch die größte Bürgerwohnung beherrschen (eben dies macht es zum domestizierten Abkömmling der Kirchenorgel) – nicht nur als physisches Möbel dominiert das Klavier, sondern eben auch als *klingendes* Möbel. Jeder, der jemals in einem Altbau unter dem Musikzimmer einer Bürgerwohnung gelebt hat, weiß auch, daß dieses Möbel tatsächlich nicht nur die ihm eigene Wohnung beherrscht, sondern auch angrenzende Etagen oder sogar Grundstücke terrorisieren kann – Hanslick spricht in einer Glosse zur „gemeinschädliche[n] Klavierspielerei" vom „Tasten-Vampyr nebenan".[30] Geschick und Ungeschick, Spielgewohnheiten, Repertoire und Kenntnis am Klavier sind nicht Privatsache, wie zum Beispiel heutzutage Fernsehprogramme – ungleich dem, der behauptet, er schaue Dokumentarkanäle, und doch heimlich Privatfernsehen bevorzugt, treten beim Klavierspieler Peinlichkeiten des Könnens und der Kenntnis (halb)öffentlich zutage. Musils Erzähler vermerkt dazu: „Jedoch die Wohnung vermochte das Klavier dröhnen zu machen und war eins jener Megaphone, durch welche die Seele ins All schreit wie ein brünstiger Hirsch, dem nichts antwortet als der wetteifernde gleiche Ruf tausend anderer einsam ins All röhrender Seelen."[31]

Die Position des Klaviers an der Schnittstelle zwischen trautem Heim und weiter Welt, seine einsame Dominanz, die dem „tönenden Herd" den Status eines *primus inter pares* im bürgerlichen Mobiliar garantiert, hat Auswirkungen sowohl auf den Status des vierhändigen Klavierspiels als auch auf den Blick, den Heim und Welt auf das Vierhändigspiel werfen. So bemerkt ein Artikel zu „Schuberts Werken für Klavier zu vier Händen" von 1906: „Das Klavier ist leider allzusehr zur Einsamkeit verdammt, nur mit der Violine und der Singstimme ist es in einen engeren Bund getreten; doch schon beim Trio und Quartett klagt man, und nicht mit Unrecht, es fiele zu sehr aus der Gemeinschaft heraus."[32] Die

---

[29] Johanna Kinkel, *Acht Briefe an eine Freundin über Clavier-Unterricht*. Stuttgart: Cotta, 1852, S. 37/38.

[30] Eduard Hanslick, „Gemeine, schädliche und gemeinschädliche Klavierspielerei". In: Ders. *Aus neuer und neuester Zeit*. Berlin: Allgemeiner Verein für Deutsche Literatur, 1900, S. 106.

[31] Robert Musil, *Der Mann ohne Eigenschaften*, S. 48.

[32] Hermann Wetzel-Stettin, „Schuberts Werke für Klavier zu vier Händen". *Die Musik*, Jahrgang VI, Nr. 7, S. 37.

Frage der *Gemeinschaft* ist also im Fall des vierhändigen Klavierspiels, gerade wegen des einzigartigen Status des Möbels Klavier, sowohl dringlicher als auch komplizierter. Da, wie der Artikel behauptet, sich das Klavier mit anderen Ensembles nicht verträgt, die Vierhändigspieler andererseits jedoch selber eine Art Ensemble darstellen, sind die zwei Spieler weitaus autarker als andere Instrumentegruppen und besonders intim verschworen. Sie sind ein Ensemble, das sich nicht erweitern läßt, nicht reduzieren läßt, nicht kombinieren läßt – es „fiele zu sehr aus der Gemeinschaft heraus". Es ist eine minimale Gemeinschaft, aber gleichzeitig eine, die keiner Öffnung nach außen hin bedarf oder auch nur fähig ist. Obwohl sich über diese Charakteristik empirisch sehr wohl streiten läßt, scheint eben solches Denken die zeitgenössische Sichtweise auf Duettisten am Klavier bestimmt zu haben.

An der Klaviatur, die vierhändig im eigenen Heim bespielt wird, verläuft eine der von Jürgen Habermas beschriebenen „Faltlinien", entlang derer sich Öffentlichkeit und Privatsphäre *im Privaten* ineinander verkanten: „Die Linie zwischen Privatsphäre und Öffentlichkeit *geht mitten durchs Haus*", schreibt Habermas. „Die Privatleute treten aus der Intimität ihres Wohnzimmers in die Öffentlichkeit des Salons hinaus; aber eine ist streng auf die andere bezogen."[33] Insofern ist es natürlich bezeichnend, daß man vierhändige Klaviermusik im neunzehnten Jahrhundert sowohl als *Hausmusik* oder *Kammermusik* als auch als *Salonmusik* bezeichnete. Adorno schreibt: „Mehr als jene andere schickte sich diese Musik in die Wohnung. Sie wurde auf dem Klavier als einem Möbel hervorgebracht, und die sie ohne Scheu vor Stockungen und falschen Noten traktierten, gehörten zur Familie."[34]

Tatsächlich finden wir das vierhändige Klavierspielen im neunzehnten Jahrhundert scheinbar unproblematisch mit der Familiensphäre verknüpft. Das Spiel am selben Instrument war Ausdruck des engen familiären Zusammenhangs. Von Henri Bertini (1798–1876) gibt es z. B. zwei Bücher mit je „4 petits Duos" – eines hieß „Frère et soeur", das andere „Mère et fille". Winifred Wagner, glaubt man ihren Briefen, eroberte sich übers vierhändige Spiel des „Meisters" ihre Position in der Bayreuther Großfamilie. Dabei ging es ebenso intim wie rücksichtslos zur Sache: „Nur war sie so eine präpotente Natur, und sie hat so ungefähr drei Viertel des Klaviers für sich eingenommen, und ich saß da ganz oben, hatte also kaum ein Viertel für mich."[35] Die Rollenbelegung an der Tastatur ist familiär, obwohl wir uns nie sicher sein können, ob diese Rollenbelegung möglicherweise metaphorisch ist – ob Bertini seine Etüden für „frère et soeur" konzipiert hat oder ob man durch ihr Spiel „frère et soeur" *wird*, bleibt offen.

---

33 Jürgen Habermas, *Strukturwandel der Öffentlichkeit*. Frankfurt a.M.: Suhrkamp, 1990, S. 109.

34 Theodor W. Adorno, „Vierhändig, Noch Einmal". In: *Musikalische Schriften IV (GS 17)*. Frankfurt: Suhrkamp, 1971, S. 303.

35 Zitiert in Brigitte Hamann, *Winifred Wagner oder Hitlers Bayreuth*. München: Piper, 2002, S. 47.

Denn wenn die Klaviatur generell als Drehkreuz zwischen Innen und Außen, zwischen Familie und weiter Welt, fungiert, so ist das vierhändige Klavierspiel der Inbegriff dieser Funktion: Über das vierhändige Klavierspiel kommen neue, manchmal unwillkommene Mitglieder in die Familie, oder werden häusliche Energien in ein öffentliches Produkt umgesetzt. Der Berliner Theaterschriftsteller Adolph L'Arronge hat diese Konstellation in einer schönen Szene dargestellt: Der Klavierlehrer, den sich der gute Bürger ins Haus holen muß, um eben bürgerlich zu sein, macht sich automatisch an die Tochter des Hauses heran, ohne daß irgend jemand sich darüber wundert. Die junge Anna berichtet ihrer Mutter von den Avancen, den „verfänglichen Anspielungen" ihres Klavierlehrers Mehlmeyer; doch die „Anspielungen" (ebenso wie die „Verfänglichkeit") sind nicht metaphorisch gemeint, denn die „Anspielungen" sind eine Sache der Fingerfertigkeit, nicht der Sprache.

> Neulich, als wir zusammen vierhändig spielten, machte er allerlei verfängliche Anspielungen. Wenn meine rechte Hand im Diskant zu tun hatte, suchte seine linke Hand immer den Baß, und wenn ich mit dem einen Fuß den Pianodämpfer drückte, drückte er mit dem andern Fuß immer den Fortezug. Ihr sollt sehen, er macht mir nächstens einen Antrag.[36]

Die umgekehrte Version dieses Initiationsrituals (und eine besonders freudsche) beschreibt Franz Grillparzer in seiner *Selbstbiographie*.[37] Bei ihm ist die Stoßrichtung exakt gegenläufig: Hier beeinflußt nicht die Außenwelt den Familienkosmos, sondern familiäre Dynamik drückt sich in öffentlicher Wirkungsmacht aus. Hier wird nämlich die Klaviatur zum Schauplatz für die Sublimierung inzestuöser Energien in produktive gesellschaftliche Arbeit. Eine Mutterbindung wird umfunktioniert in eine exogame Erotik, die wiederum die Basis der gesellschaftlichen Aktivität darstellt.

Die Episode verläuft wie folgt: Grillparzer spielte „mit meiner Mutter häufig Kompositionen großer Meister, für das Klavier eingerichtet, vierhändig", wobei ihm die „Gedanken-Embryonen" seiner *Das Goldene Vließ*-Trilogie („Der Gastfreund", „Die Argonauten", „Medea") aufkeimten: „Bei all diesen Symphonien Haydns, Mozarts, Beethovens dachte ich fortwährend an mein goldenes Vließ, und die Gedanken-Embryonen verschwammen mit den Tönen in ein

---

[36] Adolph L'Arronge, „Mein Leopold". In: *Dramatische Werke, Band I*. Berlin: Stilke, 1908, S. 8.

[37] Tatsächlich ist die seltsame Psychodynamik dieser Szene seitens der Psychoanalyse nicht unbemerkt geblieben. Frieda Teller erwähnt sie im Jahr 1916 in einem Artikel in der psychoanalytischen Zeitschrift *Imago* (Frieda Teller, „Musikgenuß und Phantasie". *Imago: Zeitschrift für Anwendung der Psychoanalyse auf die Geisteswissenschaften*, Band IV. Leipzig und Wien: Heller, 1916, S. 13). Für weitere frühe psychologische Deutungen der Episode siehe: S. Rahmer. *Aus der Werkstatt des dramatischen Genies – Eine psycho-physiologische Studie*. München: Ernst Reinhardt, 1906, S. 16; Wilhelm Jerusalem, *Die Urtheilsfunction: eine psychologische und erkenntniskritische Untersuchung*. Wien und Leipzig: Wilhelm Braumüller, 1895, S. 10f.

ununterscheidbares Ganzes.“ Doch der Selbstmord seiner Mutter unterbricht den Ritus, und die Dramen-„Embryonen“ können nicht gedeihen. Erst das Zusammenspiel mit der Tochter einer Freundin ermöglicht das erneute Gedeihen seiner Projekte: „Ich wußte auf einmal wieder, was ich wollte.“[38] Die Übersetzung des familiären Ritus in die öffentlichste aller Künste (das heroische Theater) unterstreicht einen Libidotransfer, eine Umwandlung häuslicher Energien in ein öffentliches Produkt. Diese Umwandlung funktioniert erst, als Grillparzer die Mutter durch eine andere Frau (zumindest als Duettpartnerin) ersetzt hat. Doch gleichzeitig scheint seine Produktivität mit dem Repertoire zu tun zu haben, das er mit seiner Mutter und seiner Bekannten spielt: „Da ereignete sich nun, daß wie wir auf jene Symphonien gerieten, die ich mit meiner Mutter gespielt hatte, mir alle Gedanken wieder daraus zurückkamen, die ich bei jenem ersten Spielen halb unbewußt hineingelegt hatte.“[39] Erst diese Gedanken ermöglichen es ihm, die persönliche Krise zu überwinden und wieder „an die Arbeit“ zu gehen.

***

Aus der Position des Klaviers im bürgerlichen Haushalt, oder vielmehr aus seiner Position an der Schnittstelle zwischen Haushalt und Außenwelt, ergibt sich eine besondere Sichtweise auf den dortigen Verkehr, die besonders interessant ist, sobald sich zwei Handpaare auf der Klaviatur begegnen. Wir erwähnten bereits, daß erst die Normierung und Industrialisierung der Klavierproduktion in der ersten Hälfte des neunzehnten Jahrhunderts das Instrument zum „tönenden Herd“ machte. Es bedurfte aber natürlich einer weiteren Veränderung des Instruments, um das *À-quatre-mains*-Spielen möglich zu machen: zwei Personen (und zwei paar Hände) mußten auf der Klaviatur genug Platz finden.[40] Denn das späte achtzehnte und frühe neunzehnte Jahrhundert kannten jede Menge Klaviere, alle in verschiedenen Größen, Breiten und Oktaven und häufig mit äußerst verschiedenem Klang. Christian Friedrich Daniel Schubarts *Ideen zu einer Ästhetik der Tonkunst* von 1806 unterschieden zum Beispiel folgende Klaviertypen: Flügel, Fortepiano, Clavicord, Pantalon (Zwergpiano), Harmonika, Melodika und Portativ-Claviere.[41] Tatsächlich wurde das Klavier zu Beginn des neunzehnten Jahrhunderts nicht nur verlängert, sondern auch verbreitert. Es gab zwar auch kleinere Klavierformen (so zum Beispiel Boudoirklaviere, die auch als Schmink-

---

38 Franz Grillparzer, *Grillparzer's sämmtliche Werke, Band 9*. Stuttgart: Cotta, 1872, S. 118.

39 Ebd.

40 Pascale Vandervellen, *Le Piano de style en Europe des origines à 1850*. Liège: Mardaga, 1994.

41 C. F. D. Schubart, *Ideen zu einer Ästhetik der Tonkunst*. Wien: Degen, 1806, S. 287.

tische benutzt werden konnten[42]), doch setzte sich besonders in der für Klavier geschriebenen Literatur sehr bald das Fortepiano durch.[43]

Obgleich natürlich die Fantasie der Zeitgenossen insbesondere für den Flügel entflammte, ist das Instrument des vierhändigen Klavierspiels oft entweder ein Halbflügel oder ein einfaches *upright piano*. Es ist zum Beispiel klar, daß viele vierhändige Bearbeitungen nicht einfach fürs *Klavier* geschrieben sind, sondern noch spezifischer fürs „Pianino". Hinter dieser Bezeichnung versteckt sich nichts anderes als das auch heute noch omnipräsente aufrecht stehende Klavier im Gegensatz zum Flügel. Als Beispiel könnte man die vierhändige Bearbeitung der siebten Symphonie Anton Bruckners nehmen: Das Streichertremolando, welches in den ersten Takten der Originalfassung der Symphonie einen wunderbar schwebenden Charakter erzeugt, wird auf dem Kavier ebenso durch ein schnelles Tremolo erzeugt – allerdings verlangt die Partitur, daß das Tremolo *pianissimo* gespielt werden soll, was den Klavierspieler zu einem schwierigen Balanceakt zwischen Schnelligkeit und Lautstärke zwingt. Auf einem Flügel ist dieser Balanceakt für einen Laien kaum zu erzielen: Sobald genug Druck auf die Tasten ausgeübt wird, um den Tremoloeffekt zu erzielen, ist die Lautstärke schon weit jenseits des *piano*. Und selbst wenn man den Druck verringert, sind die zwei Noten des Tremolo plötzlich separat hörbar, und das wunderbar Schillernd-Schwimmende der Brucknerschen Eröffnung ist gänzlich verlorengegangen. Nur das dünnere Klangvolumen und der kleinere Resonanzkörper des „Pianino" oder des Halb- oder Stutzflügels (im neunzehnten Jahrhundert keine seltene Klavierform) können diesen Effekt erzielen.

Die Erweiterung und weitgehende Normierung der Klaviatur hatte weitere Veränderungen zur Folge, wie wir im nächsten Kapitel sehen werden: Sie gestattete es, Musik nicht nur fürs Klavier original zu schreiben, sondern auch vorzugsweise Orchester- oder Kammermusik fürs Klavier zu *bearbeiten*: „Die Erweiterung des Oktavumfangs" ist der Grund, „warum erst um die Wende des [neunzehnten] Jahrhunderts die regelmäßige Bearbeitung von Orchesterwerken für vier Hände einsetzt".[44] Damit wurde das Klavier, das ohnehin schon *das* Möbelstück des bürgerlichen Interieurs war, plötzlich zu *dem* Instrument des Bürgertums; das, mit dem sich der musikalische Kanon erschließen, erfahren und besitzen ließ; mit dem man sich weiterbilden und die Kinder ausbilden konnte.

Allerdings übernahm der eigentlich überdimensionierte Flügel den „semiprivaten"[45] Charakter (Leppert) des Boudoirklaviers, das sogar mit einem Spiegel ausgestattet war. Genauso wie die Spielende (denn das Boudoirklavier war eindeutig für Frauen konzipiert) als *Vanitas* auf das eigene Spiegelbild blicken sollte,

---

42 Leppert, „Sexual Identity, Death, and the Family Piano", S. 114.

43 Für eine (beinahe) zeigenössische Darstellung, siehe zum Beispiel Edgar Brinsmead, *The History of the Pianoforte*. Buren: Frits Knuf, 1879, S. 117ff.

44 Max Wilhelm Eberler, *Studien zur Entwicklung der Setzart für Klavier zu vier Händen von den Anfängen bis zu Franz Schubert*. Diss., München, 1922, S. 3.

45 Leppert, „Sexual Identity, Death, and the Family Piano", S. 116.

ein Blick, der sozusagen (wie bei der *Vanitas* der bildenden Kunst) eine Lizenz für einen männlich figurierenden Außenblick darstellte, so findet sich auch noch die am Flügel Sitzende mit sich selbst allein, aber dennoch auf dem visuellen Präsentierteller, *for all to see.*[46] Und alle sahen hin: Die Romanciers für ihre Sittengemälde, die Maler für ihre Porträts, die Psychiater für ihre Diagnosen, die Familienväter zur Überwachung – es waren, und darauf stützt sich unsere Untersuchung, jede Menge Augen auf die paar Hände auf der Klaviatur geheftet. Gerade im vierhändigen Spiel war diese Beobachtung erlaubt und sogar erwünscht – die Szene, die Gisela Andretzi in ihrem Roman *Frauenherzen* (1890) schildert, kann als paradigmatisch gelten: „Lischen und Agnes spielten vierhändig, Leo begleitete sie auf der Violine. Hinter den beiden Mädchen stand Hans, hin und wieder ein scherzhaftes Wort flüsternd, augenscheinlich mehr in den Anblick der beiden Gestalten als in das Anhören der Musik vertieft."[47]

Um das Wesen dieses Blickes und seines Gegenstandes genauer zu entwickeln, sind der Vergleich mit und der Kontrast zu Darstellungen *einzelner* Personen (normalerweise Frauen) am Klavier instruktiv – ein Vergleich, der sowohl bildende Kunst als auch Literatur in Betracht ziehen muß. Richteten Maler und Dichter denselben Blick auf die Einzelfigur am Klavier wie auf das vierhändig spielende Paar? Im nebenstehenden Bild zum Beispiel finden wir den Blickwinkel wieder, dem wir bereits in Coppées „Morceau à quatre mains" begegnet sind [Abb. 1]. Das Bild erschien im *Harper's Magazine* im Jahr 1885, wo es eine kurze Erzählung des Schriftstellers Eustace Clare Grenville Murray (1824–1881) begleitete, und basierte auf einer Zeichnung von C.S. Reinhart.[48] Es zeigt eine junge Frau im Abendkleid, die unter den Augen eines jungen Mannes Klavier spielt. Es handelt sich eindeutig um eine häusliche Szene, an Büsten und Vasen leicht zu erkennen. Der junge Mann aber ist ein Gast in dieser Welt, denn er trägt eindeutig eine Reiteruniform (die begleitende Geschichte spricht von einer „Husarenuniform"[49]), sogar seine Stiefel haben Sporen. Der junge Mann, so zeigt sich in Grenville Murrays Erzählung, ist nicht einfach irgendein Offizier, er ist sogar ein Kronprinz, und seine militärische Uniform stellt so etwas dar wie Insignien der *Öffentlichkeit*, *Geschichtlichkeit* und der *Männlichkeit*, gegenüber der klassischen Selbstgenügsamkeit, der Geschichtslosigkeit (die klassische Büste) und der Weiblichkeit der häuslichen Sphäre.

---

[46] Tatsächlich findet sich in Porträts von Frauen am Klavier entweder ein allegorisches Spiegelbild (zum Beispiel ein aufs Klavier gestelltes Bild), oder aber die Frau spiegelt sich im Lack des Instruments selber, so zum Beispiel in Walter Sickerts Gemälde „Gladys at the Piano" (Wendy Baron, *Sickert: Paintings and Drawings*. New Haven: Yale University Press, 2007, S. 405, Nr. 411).

[47] Gisela Andretzi, *Frauenherzen – Roman*. In: *Oesterreichische Lesehalle*, Jg. X, Nr. 112 (April 1890), S. 108.

[48] *Harper's Magazine*, Vol. LXXI, No. CCCCXXII (July 1885), S. 227–240. Die Erzählung wurde erneut abgedruckt in: Eustace Clare Grenville Murray, *Imprisoned in a Spanish Convent with Other Narratives and Tales*. London: Vizetelly, 1886, S. 149–191.

[49] *Harper's Magazine*, S. 230.

Abb. 1: „When she went to the piano, he followed her and turned her music.“
Zeichnung von C.S. Reinhart aus dem *Harper's Magazine* (New York Public Library)

Grenville Murrays Erzählung trägt den Titel „His Royal Highness's Love Affair“ und ist das, was man in der englischen Literaturgeschichte eine „Ruritanian romance“ nennt, allerdings *avant la lettre*, da das Fantasieland „Ruritanien“ erst 1894 von Anthony Hope erfunden wurde. „Ruritanian romances“ spielen bevorzugt in fiktiven, deutschsprachigen, mitteleuropäischen Kleinstaaten – bei Grenville Murray heißt dieses Land „Gothia“. Die britische Familie Chowery hat sich in Gothia niedergelassen und wird in höchste Staatsangelegenheiten verwickelt, als sich Gothias Kronprinz in die bildhübsche Mabel Chowery verliebt. Es sind seine romantischen Nachstellungen, die Reinharts Zeichnung darstellt. Die Bildunterschrift, Grenville Murrays Text entnommen, lautet wie folgt: „If she went to the piano, he followed her, and turned her music.“

Natürlich tut er viel mehr als „Musik umblättern": Seine Augen sind nicht auf die Noten gerichtet, sondern eindeutig auf die am Klavier Sitzende – ob er nun ihre Hände, ihren Kopf oder ihr Décolleté im Auge hat, ist nicht zu erkennen. Dennoch speist sich die Spannung zwischen Bildunterschrift und Bildinhalt aus der Tatsache, daß er eben nicht das tut, was die Unterschrift behauptet – man kann also davon ausgehen (auch sein Gesichtsausdruck legt das nahe), daß seine Intentionen alles andere als löblich sind. Sie jedoch bekommt von alledem nichts mit, aus eben dem Grund, den wir schon aus Coppées Gedicht kennen: „Grace aux yeux baissés sur les touches" kann sie nicht erkennen, daß es ihrem Buhler um alles andere als die Musik geht. Ihre Augen sind selbstgenügsam auf die Tastatur gesenkt, sie blickt entweder auf die Noten oder auf ihre Hände. Grenville Murrays Text erzählt:

> Es gab Momente, da die Hartnäckigkeit des Kronprinzen ihr Angst machte. Sie wagte es nicht aufzublicken, da sie Angst hatte, ihm in die Augen zu sehen. Wenn sie sich umsetzte, setzte auch er sich um. Wenn sie zum Klavier ging, folgte er ihr und blätterte ihr die Noten um. Bei Tisch aß er kaum, sondern saß da und verschlang sie mit seinen Augen.
>
> There were times when she was really frightened by the pertinacity of the Prince's attentions. She dared not raise her eyes lest they should meet his. If she shifted her position, he changed his. If she went to the piano, he followed her and turned her music. At table he scarcely ate, but sat devouring her with his eyes.[50]

Es ist natürlich wiederum der Betrachter von außen (sowohl in Reinharts Zeichnung als auch in Grenville Murrays Erzählung), dem sich diese Szene in ihrer ganzen Bedeutung erschließt – nicht zuletzt deshalb, weil nur der Betrachter auch die Bildunterschrift im Blick hat, die die Dissonanz zwischen den angeblichen Intentionen des jungen Kronprinzen und seinem tatsächlichen Gebaren erst vollends offenlegt. Und die Frau, selbstvergessen mit gesenktem Blick, ist wiederum nur Objekt – das unbewußte Objekt der Avancen des Prinzen und das ebenso unbewußte Objekt des Zeichners und des Betrachters. Doch es ist natürlich in der Kunst häufig so, daß das Objekt, obwohl des Betrachters sich nicht bewußt, sich doch für ihn in Pose wirft. Der gesenkte und nach links gedrehte Kopf stellt ihre ebenmäßigen Züge zur Schau – und nur durch diese Haltung kann der Betrachter ihre schamvoll gesenkten Augen überhaupt sehen. Die Augen und ihr Gesichtsausdruck verstärken allerdings das Kokette ihrer Kopfhaltung – sie flirtet, so scheint Reinharts Bild nahezulegen, ohne es zu wollen oder gar ohne es zu wissen.

Das ist im neunzehnten Jahrhundert nicht eben selten: Klavierspielerinnen bieten sich ganz unschuldig dem Auge des Betrachters dar, sind aber doch Komplizinnen in ihrer eigenen Objektifizierung. Die junge Mabel Chowery weicht dem Blick des Kronprinzen aus, doch das macht sie nur um so mehr zum fügsa-

---

50 *Harper's Magazine*, S. 230.

men Objekt seines Blickes und seiner Begierde. Und dies gilt fast ausschließlich für Frauen: Denn die „Clavierseuche" – und das ist für unsere Betrachtung des vierhändigen Klavierspiels von ganz zentraler Bedeutung – ist gewissermaßen eine Geschlechtskrankheit, die vor allem beim weiblichen (oder verweiblichten) Geschlecht auftritt. Nach dem Klavier süchtig waren (angeblich) vor allem Frauen, und umgekehrt näherte sich der Mann der Weiblichkeit an, wenn er dieser Sucht erlag. Wie Edmond de Goncourt in seinem Roman *Chérie* behauptet, ist Musik nichts anderes als „das *Haschisch* der Frauen":

> Als sie älter wurde, erfüllten die Liebkosungen der Töne sie mit einer mysteriösen Trunkenheit. Es gab ihr ein erhabenes Wohlbefinden, eine Lebensfülle, ein gnadenloses Aufpeitschen der Vorstellungskraft, eine Erweiterung ihres sinnlichen Wesens, schließlich ein kleines Bißchen jener übernatürlichen Freuden, welche den Männern die Rauschmittel verschaffen: denn vielleicht ist die Musik nichts anderes als das Haschisch der Frauen?

> Quand elle fut plus grande, les caresses physiques du son la remplirent d'une ivresse mystérieuse. Ca lui donnait un bien-être exalté, une plénitude de la vie, un fouettement des facultés imaginatives, une augmentation de son être sensitif, enfin un petit rien des jouissances surnaturelles que procurent aux hommes les stupéfiants: car la musique n'est peut-être point autre chose que le *haschisch* des femmes?[51]

Die Klaviatur war ein weiblicher Ort, ein Kunsttempel, aber gleichzeitig ein Ort, der nach ständiger Kontrolle verlangte. Die viktorianische Malerei zum Beispiel zeigt bevorzugt laszive Frauenfiguren in erotisch aufgeladenen Posen allein am Klavier, häufig mit entblößten Armen und unter dem Kleid hervorschauenden nackten Beinen.[52] Das Spiel allein figurierte in diesen Bildern als Masturbation oder stand zumindest unter Verdacht – Edmond de Goncourt selber zum Beispiel stellt ausdrücklich eine Verbindung zwischen dem (weiblichen) Soloklavierspiel einerseits und Onanie andererseits her.

Aber auch Hanno Buddenbrooks Improvisation am Klavier stellt diesen Zusammenhang explizit dar: „Es lag [...] etwas Lasterhaftes in der Maßlosigkeit und Unersättlichkeit, mit der [die Melodie] genossen und ausgebeutet wurde, [...] etwas wie Wille zu Wonne und Untergang in der Gier, mit der die letzte Süßigkeit aus ihr gesogen wurde, bis zur Erschöpfung, bis zum Ekel und Überdruß, bis endlich, endlich in Ermattung nach allen Ausschweifungen ein langes, leises Arpeggio in Moll hinrieselte."[53] Hannos Spiel ist sowohl ästhetisch verklärt als auch erotisch aufgeladen – ähnlich wie die Vanitas am Klavier in der viktorianischen Malerei nicht tatsächlich entgleist, indem sie das Solospiel erotisiert, sondern vielmehr seine Logik *ad extremum* weitertreibt. Sowohl die Spielerinnen

---

51 Edmond de Goncourt, *Chérie*. Paris: Charpentier, 1884, S. 105.

52 Leppert, *The Sight of Sound*, 1993, S. 153ff.

53 Thomas Mann, *Buddenbrooks*. Frankfurt: Fischer, 1967, S. 570.

der viktorianischen Malerei als auch Manns Hanno sind gewissermaßen heilige Huren am Klavier.[54]

Vanitas, Hetäre, *inverti*, „masturbating girl"[55] – sie alle wollen kontrolliert werden, verlangen nach dem Wissen, dem sie sich verschließen. Der Zuschauer wird zum Arzt, zum Diagnostiker, aber auch zum Voyeur, wird zu Marcel vor dem Fenster der Odette de Crécy – und es ist immer das falsche Fenster. Wenn nun das Solospiel am Klavier immer im Verdacht der Autoerotik steht, was geschieht dann, wenn sich ein zweites Handpaar hinzugesellt? Schon Hannos Freundschaft mit dem Mitschüler Kai, der „weiß, warum du spielst",[56] trägt ja eindeutig (homo)erotische Züge. Wird diese Szenerie genau so beobachtet, genau so wahrgenommen und genau so interpretiert? Fanny zu Reventlow, die als „Schwabinger Gräfin" berühmt gewordene Muse der Münchener Bohème, beschreibt in ihrem satirischen Roman *Der Geldkomplex* (1916) folgende Szene: Drei Freunde entdecken, daß die Braut ihres Bekannten Balailoff („sozusagen unser Freund") ihn mit seinem Privatsekretär betrügt. Freund samt Braut bewohnen dasselbe Gebäude, „der Pavillon der Braut liegt nahe an unserem Separatflügel, und man hört sie allabendlich Klavier spielen". In die Wohnung Balailoffs hineinsehen können sie nicht, aber die Affäre verrät ihnen das Instrument selber:

> An diesem Abend nun unterhielten wir uns ganz friedlich. Henry hatte Wein aus dem Bureau heraufgeschafft, und Baumann, der einen ziemlichen Schwips hatte, sagte auf einmal nachdenklich: „Hört nur, das ist wirklich merkwürdig ... sie spielt ja vierhändig." Wir schwiegen und hatten so unsere Gedanken dabei, während Baumanns Freundin ihn im tiefen Ernst zu überzeugen versuchte, daß es unmöglich sei, allein vierhändig zu spielen. Natürlich wollten wir in ihrer Gegenwart unseren Verdacht nicht äußern, aber nachdem sie fort war, machten wir das Licht aus und warteten gespannt am Fenster, bis das Klavierspiel verstummte. Kurz nachher sahen wir denn auch den Privatsekretär vorsichtig durch den Garten schleichen.[57]

Es ist einerseits eine humoristisch sehr wirkungsvolle „Merkwürdigkeit", eine einzelne Frau vierhändig spielen zu lassen; aber andererseits hängt diese Wirkung mit einem genauen Verständnis dessen zusammen, was denn „Vierhändigspiel" solo zu bedeuten haben mag. Hier weist es auf amouröse Verwicklungen hin, in späteren Kapiteln werden wir Texten begegnen, in denen dieselbe paradoxe Konfiguration ein Verdachtsmoment auf ganz anderes darstellt, ein aufgeblähtes Selbstbewußtsein, zum Beispiel, oder eine überdramatische Klaviertechnik. In

---

[54] Gerald Izenberg, *Modernism & Masculinity – Mann, Wedekind and Kandinsky Through World War I*, Chicago: Chicago University Press, 2000, S. 111.

[55] Eve Kosofski Sedgwick, „Jane Austen and the Masturbating Girl". *Critical Inquiry*, 17 (1991), S. 818–837.

[56] Mann, *Buddenbrooks*, S. 565.

[57] Franziska Reventlow, *Der Geldkomplex/Herrn Dames Aufzeichnungen*. München: Biederstein, 1958, S. 63.

jedem Fall weist das Spiel zu vier Händen immer schon über die Privatsphäre hinaus, erlaubt anderen Einblicke in die Textur dieser Sphäre und ermöglicht damit einen noch unbändigeren Voyeurismus als das Klavier als Instrument oder das Klavierspiel allein – nicht zuletzt, weil es dem Voyeur so viel mehr Interpretationsmöglichkeiten liefert. Was an dieser Szene so verblüffend ist, ist also zweierlei: Den passionierten CD-Konsumenten verblüfft natürlich, daß die gemütlich im Wohnzimmer parlierenden Zuhörer gewissermaßen *en passant* erkennen können, ob hier zwei- oder vierhändig Klavier gespielt wird. Wenn dies nicht nur humoristischen Diktaten geschuldet ist, sondern den Tatsachen entspricht, würde dies zeigen, wie viel besser das neunzehnte Jahrhundert vierhändiges Klavierspiel zu erkennen vermochte.

Doch was weiterhin verblüfft, ist die ungemeine Sicherheit, mit der die dinierenden Freunde das vierhändige Klavierspiel einzuordnen wissen. Die vier Hände am Klavier sind, wie Reventlov die Szene schildert, geradezu überdeutlich lesbar, zu dem Grade, daß das Unverständnis der Freundin Baumanns als unsäglich naiv erscheint? Ob dem einen wie dem anderen nun objektiv so war – ob also erstens ein Musikkenner über einen Hinterhof hinweg erkennen konnte, ob nun vier oder doch nur zwei Hände an der Tastatur zugange sind, und ob zweitens dieser Kenner sogleich wissen würde, wie das vierhändige Klavierspiel einzuordnen sei – ist fraglich, aber irrelevant; das neunzehnte Jahrhundert empfand die Klaviatur – und insbesondere die mit vier Händen bespielte – als eminent entzifferbar, als ein offenes Buch. Gewiß, man durfte nicht so naiv daran herangehen wie Baumanns Freundin, aber wenn man das methodische Sesam-öffnedich kannte (ob es nun musikalisch, medizinisch oder psychologisch war), war die Szene deutbar. Und: Sie ist für die Voyeure im Nebenappartement besser deutbar als für jene, die, wie Balailoffs Braut, am Klavier sitzen und sich einbilden, es komme ihnen eh keiner auf die Schliche, oder es gebe gar keine Schliche, auf die man ihnen kommen könne.

Hier wird also gewissermaßen die seltsame Mischung von Heiligkeit und Laszivität, die die einsame (Frauen)Gestalt an der Klaviatur charakterisierte, auf das Zusammenspiel übertragen – die ungebührliche Autoerotik wird zur ungebührlichen Alloerotik. In gewisser Weise benennt also die Freundin Baumanns, wenn sie unbedarft zu bedenken gibt, „daß es unmöglich sei, allein vierhändig zu spielen“, unbewusst die Grundschwierigkeit, mit der das vierhändige Klavierspiel das neunzehnte Jahrhundert konfrontierte. Vierhändig spielt man nie allein, beim vierhändigen Spiel sitzt ein Paar am Klavier – und im Nebenzimmer sitzen immer die Protagonisten Reventlows und fragen sich, wer da wohl vierhändig spielt und warum. Das zweite Paar Hände bringt also nicht die Seifenblase, das Geheimnis der einsamen Spielerin zum Platzen – im Normalfall zumindest wird die zweite Person am Klavier in den Augen des Beobachters zum Komplizen des einsamen Spielers. Es ist gerade die Pathologisierung des semiprivaten Raums zwischen dem spiegelnden Körper und den Noten, diese narzißtische Belegung einer Sphäre weiblichen *genders*, die besonders interessant wird, wenn plötzlich

Abb. 2: „Ellen et sa Grandmère" von Paul Helleu
(New York Public Library)

vier Hände in dieser Sphäre agieren und wenn *vier* Hände die Augen der Beobachter auf sich ziehen.

Zumindest auf visuellem Gebiet mag es anfänglich so scheinen, als verfliege die erotische Dimension des Klavierspiels allein, wenn man ein zweites Paar Hände an die Klaviatur setzt. Die Darstellungen vierhändigen Klavierspiels spielen nämlich nicht nur (notwendigerweise) nicht mit autoerotischen Codes, sondern sind geradezu un- oder antierotisch. Die Zeichnung „Ellen et sa Grandmère" von Paul Helleu (1859–1927), einem Freund der Goncourt-Brüder, ist von einer geradezu herausfordernden Unschuld [Abb. 2]; der Maler Walter Sickert, selber ein passionierter Maler von Duett- und Soloszenen am Klavier, nennt es

„prätentiös, oberflächlich und vulgär" („pretentious, superficial and vulgar"[58]). Ähnlich verhält es sich mit John Constables Bild *The Bridges Family* von 1804: Der Maler (1776–1837) zeigt die Familie rund ums Klavier gruppiert, auf welches die zwei älteren Töchter ihre Hände gelegt haben [Abb. 3]. Die Hände der ältesten wirken sogar, als ob sie tatsächlich in die Tasten greifen.

Vergleicht man Constables Familie, die fast die gesamte Bildfläche einnimmt, oder auch Helleus aufmerksame, aufrecht sitzende, keusche Gestalten (deren Verwandtschaft auch ohne die Bildunterschrift sogleich klar ist) mit Gemälden wie zum Beispiel Frank Huddlestone Potters *Girl Resting at a Piano* [Abb. 4], so ist der ikonographische Kontrast kaum zu übersehen. Das einzelne Mädchen am Klavier sieht verträumt, aber auch herausfordernd in die Ferne; ihre Pose ist, wie häufig, wenn am Klavier ganz anderes als Musik dargestellt oder nahegelegt werden soll, fürs Klavierspiel eigentlich ungeeignet, und der Fächer gibt ihrer Pose eine Koketterie, die, weil so demonstrativ in keiner Weise mit dem Instrument verknüpft, umso gefährlicher wirkt.

Helleus Zeichnung dagegen zeigt die zwei Gestalten sicher eingebunden in eine Aktivität, ohne jegliche gefährliche, weil nicht zielgerichtete, Aufmerksamkeit oder Energie. Die Blickrichtungen bedeuten keinen Bezug auf ein der Familie Entgegengesetztes oder Äußerliches – wenn nicht auf die Noten fixiert, so ist der Blick der Familie Bridges auf andere Familienmitglieder gerichtet, Indiz der Suisuffizienz der familiären Zelle. Etwas der Klaviatur oder dem Umfeld des Instruments Äußerliches gibt es eigentlich nicht – bei Constable ganz rechts ein Fenster, bei Helleu ein äußerst schemenhaftes Bild am anderen Ende des Klaviers. Anders als in den Bildern von Frauen allein am Klavier, wie zum Beispiel Potters Mädchen mit dem Fächer, gibt es hier nichts Externes, das die Szene ums Klavier kommentieren, konterkarieren oder allegorisieren oder ein Objekt für weibliches Begehren abgeben könnte – während sich um die einzelne Gestalt am Klavier ein Nimbus von Zweideutigkeit legt, ist, so scheint es, das vierhändige Klavierspiel von geradezu penetranter Eindeutigkeit.

Und doch schleicht sich eine gewisse Zweideutigkeit auch in diese scheinbar geradezu klaustrophobisch luftdichte Idylle. Denn es ist bei Helleu eine seltsame perspektivische Verschiebung zu beobachten: So genau die Figuren gezeichnet sind, so schemenhaft ist das Instrument, auf dem sie spielen. Darüber hinaus ist das Klavier nicht perspektivisch korrekt wiedergegeben, und es sieht beinahe so aus, als stünde das Klavier im Bildhintergrund höher als vorne. Der Grund für diese bewußte Verzerrung des Bildes scheint zu sein, daß nur durch diesen Kunstgriff sowohl die Gesichter als auch beide Handpaare ins Bild gerückt werden. Gerade die Hände sind mit außerordentlicher Sorgfalt dargestellt, als ob es hier etwas zu lesen, zu vergleichen, zu erkennen gäbe. Tatsächlich sind die Hände der Spielerinnen äußerst verschieden, was nicht nur dem Alter geschuldet ist –

[58] Walter Sickert, „The Royal Society of Painter-Etchers", In: *The Speaker*, 20. März 1897, (abgedruckt in *The Complete Writings on Art*. Oxford: Oxford University Press, 2000, S. 149–50).

Abb. 3: „The Bridges Family" von John Constable
(Tate Gallery London)

Abb. 4: „Girl Resting at a Piano" von Frank Huddlestone Potter
(Tate Gallery London)

ob hier aufmerksame Beobachtung zugrundeliegt oder ob diesem Bild doch eine gewisse Tiefendimension eignet, werden wir später zu erörtern haben. Klar ist zunächst einmal, daß eben dieses Detail, die uns dargebotenen Hände, die scheinbare Selbstgenügsamkeit der Szene durchbricht. Es gibt einen Beobachter, einen Deuter, auf den diese Szene ausgerichtet ist – und dessen Anwesenheit zumindest perspektivisch nicht einen Zufall darstellt, sondern vielmehr die *raison d'être* der Zeichnung.

Die Hände der Schwestern Bridges kann man dagegen nicht sehen – einen Verweis auf einen Beobachter, der die Szene irgendwie zu interpretieren, zu analysieren und somit zu kontrollieren hätte, scheint es nicht zu geben. Aber dennoch: Einen Eindringling in den Familienkreis gibt es – nur ist dieser nicht (wie Reinharts Prinz, der so hilfreich „die Noten umblättert") im Bild zu sehen, sondern ist vielmehr Constable selber. Manchmal gehört der Blick des Eindringlings auch einfach dem Maler. Constable verliebte sich anscheinend in eine der beiden Schwestern, die im Gemälde vierhändig Klavier spielen, und „ihm wurde in Folge von weiteren Besuchen abgeraten" („his visits were in consequence discouraged").[59] Auch in seinen Skizzen und Studien zu diesem Bild ist Mary Ann, die älteste der Bridges-Töchter, der eindeutig sein visuelles wie erotisches Hauptinteresse galt, beim Spiel zu vier Händen zu sehen.[60]

Auf literarischem Gebiet stellt Frank Wedekind in der kurzen autobiographischen Erzählung „Ich langweile mich" (1883) dar, was passiert, wenn sich in die latent autoerotische Szenerie des einsamen Klavierspiels ein zweites Paar Hände einmischt. Der Erzähler will (aus der titelgebenden „Langeweile" heraus) die Klavierlehrerin Wilhelmine verführen, die aber ihrerseits das Bild eines Startenors geradezu fetischistisch vergöttert. Sie trägt das Bild ständig mit sich und behandelt es wie eine religiöse Reliquie. Beim gemeinsamen Spiel auf dem Klavier stellt sie das angebetete Bild auf den Notenhalter; „während wir vierhändig spielen, drückt sie bei jeder Viertelpause einen Kuß auf die angebeteten Züge".[61] Das Bild der *Vanitas* am Klavier wird hier also alloerotisch umgepolt: anstatt sich selbstversunken im Spiegel der Musik zu sonnen und somit einen männlichen Blick zuzulassen, betrachtet die *Vanitas* das Bild eines Liebesobjekts auf dem Klavier. Daß es sich dabei pikanterweise nicht um den neben ihr sitzenden Mitspieler handelt, zeigt, wo die Unheimlichkeit des vierhändigen Arrangements beschlossen liegt: Die selbstvergessene Autoerotikerin am Klavier verlangt, zumindest im Blickwinkel des Voyeurs, nach einem Mann, egal welchem, der ihr die Musik ersetzt, sie der Musik entwöhnt. Doch Wedekinds Erzählung wirft die Frage auf: Was, wenn Vanitas ein Liebesobjekt hätte, und dies Objekt wärest nicht du?

> Nach Schluß der Etüde verfällt sie in absolute Agonie, sinkt in der Sofaecke zusammen und läßt sich ohne das geringste Widerstreben von mir liebkosen. Nur hin und wieder stammelt sie mit ersterbender Stimme: „Ach, du bist so unappetitlich, so unappetitlich!"[62]

Zumindest zu diesem Zeitpunkt kann sie nur über das Bild des Tenors zum Erzähler ein erotisches Verhältnis aufrechterhalten; nur in der Zwiesprache mit dem Objekt auf dem Notenständer ist er nicht „unappetitlich". Die Frage nach

---

[59] D.S. MacColl, „Constable as a Portrait-Painter". *The Burlington Magazine*, XX, 1912, S. 286:

[60] Anne Lyles und Robin Hamlyn, *British Watercolours from the Oppé Collection with a Selection of Drawings and Oil Sketches*. Ausstellungskatalog, Tate Gallery, London, 1997, S. 194.

[61] Frank Wedekind, „Ich langweile mich". In *Mine-Haha und andere Erzählungen*. Hamburg: Rowohlt, 1955, S. 82.

[62] Frank Wedekind, „Ich langweile mich", S. 82.

der Möglichkeit der Geschlechterbeziehung ist, wie wir sehen werden, in der Interpretation des vierhändigen Klavierspiels im neunzehnten Jahrhundert immer präsent. Können zwei Subjekte die Einheit, die das Werken an der gleichen Klaviatur suggeriert, tatsächlich einlösen? Oder spielt bei dieser Einheit immer ein Phantasma mit, ein Traumbild, wie etwa die Abbildung des Tenors?

Denn die berauschende Vereinigung, die perfekte Beziehung an der Klaviatur erleben, so scheint es, immer nur die anderen. Nur in den Augen des Betrachters stellt sich diese fantasierte Einheit dar, im Vollzug scheint sie für die Beteiligten zu zerfallen. Ein Beitrag Wilhelm Reichs in Magnus Hirschfelds *Zeitschrift für Sexualwissenschaft* beschreibt 1924 folgenden Patiententraum: „Ein junger Mann kommt zu meiner Schwester, sie sitzen im Nebenzimmer und spielen Klavier; ich werde eifersüchtig und will auf dem eigenen Klavier spielen. Ich suche Noten und die nehmen sie mir weg."[63] Es bedarf nicht viel psychoanalytischen Scharfsinns, die Bedeutung solcher und ähnlicher Szenen zu decodieren: das Wort „Eifersucht" ist Indiz genug. Was dem Voyeurismus und der unerreichbaren Erotik im „Nebenzimmer" eine interessante Wendung gibt, ist die Tatsache, daß es sich nicht um einen Patienten, sondern eine Patientin handelt.

Die junge Träumerin ist in derselben Position wie Reventlows Abendgesellschaft, aber den Sex, den sie (obgleich kodiert) erlebt, will sie selber haben. Sie ist gezwungen, „mit dem eigenen Klavier" zu spielen (was Reich auch sofort als „Onaniewunsch"[64] identifiziert), doch auch dies geht nicht, weil „sie" ihr die Noten abnehmen. Der Traum spielt also die fantastische Erfüllung der Sexualität im Vierhändigspiel einerseits und das dazugehörige Mangelbewußtsein (wäre der Träumer ein Mann, würde Reich sicherlich sagen: Kastration) des Beobachters vierhändigen Spiels andererseits gegeneinander aus: dem Voyeur ist selbst das Spiel mit sich selbst versagt. Es ist eben die Perfektion der Zweierbeziehung im „Nebenzimmer", die ihn des symbolischen Phallus beraubt.

Die Form des Bezuges, die diesem Beobachter eignet, nämlich die, daß ihm mangelt, was die Beobachteten ohne jedes Bewußtsein genießen, ist wahrscheinlich nicht nur psychoanalytisch zu fassen. Auch in der Phänomenologie des vierhändigen Klavierspiels zeigt sich diese Dynamik im neunzehnten Jahrhundert immer wieder. So zeigen auch die Texte rund ums vierhändige Spiel, je positiver sie es fassen, eine gewisse Scham angesichts der Tatsache, daß sie etwas zur Sprache zerren, etwas visuell-gegenständlich darstellen, was ja gerade aufgrund der sprachlos-taktilen Kommunikation der Spieler überhaupt erst bemerkenswert ist. Scham auch vor der Szene, die die Gegenständlichkeit des Beobachtens vierhändigen Spiels konfrontiert mit der radikalen „Zuhandenheit" der vierhändigen Konfiguration. Der Außenblick rekapituliert die Entfremdung, die er im Vierhändigspiel als aufgehobene erblickt. Die Narrative, die sich um das Vierhändigspiel aufbauen, sind sozusagen Indizien dieser Entfremdung – denn obgleich wir

---

63 Wilhelm Reich, „Der psychogene Tic als Onanieäquivalent". In: *Zeitschrift für Sexualwissenschaft*, Band XI (1924–25), S. 307.

64 Ebd., S. 308.

bereits Figuren begegnet sind (de Bernhards Gerfaut, zum Beispiel), die durchaus mit Hintergedanken vierhändig spielen, so ist doch die Hauptattraktivität des vierhändigen Spiels wahrscheinlich darin zu suchen, daß hier zwei Menschen nebeneinander sitzen, sich berühren und gemeinsam bewegen, ohne gleich dies oder jenes bedeuten zu müssen.

Doch eben dieser utopische Versuch der Bedeutungslosigkeit stellt für die Warte des Außenstehenden einen Skandal dar, der daher umso obsessiver mit möglichen latenten Bedeutungen versehen wird. Denn was sich nach außen hin als mögliche Erotik darstellt, ist zunächst einmal nichts weiter als eine Form des Musizierens, in der der Blick (außer dem obligatorischen auf die Noten) keine Rolle spielt, in der sämtliche Zeichen vom einen Spieler zum anderen taktil sein müssen – oder eben ein geflüstertes Wort. Ebenso ist die Selbstgenügsamkeit der Klavierspieler, die die vielen Analogien zur Ehe, zur Freundschaft, zum Geschlechtsakt zu unterfüttern scheint, phänomenologisch einfach der Tatsache geschuldet, daß die zwei Spieler nicht wie die Mitglieder eines Quartetts ihr Publikum sehen können, sondern vielmehr vollständig in den Mikrokosmos zwischen Klavierschemel, Klaviatur und Notenhalter eingebunden sind. Ob ihnen jemand zusieht, ob die Zusehenden das Zimmer längst verlassen haben und welcher Art die Blicke sind, die die Anwesenden auf sie werfen, das ist den Spielern nicht *egal* – es ist ihnen schlicht gar nicht einsehbar.

Diese Spannung zwischen der projizierten Erotik und der Phänomenologie des tatsächlichen Spiel ist für das Konstrukt vierhändiges Klavierspiel im neunzehnten Jahrhundert konstitutiv. Denn das Verhältnis der Erotik und der Zuhandenheit ist nicht primär durch Fehldeutung bestimmt, sondern bezeichnet vielmehr einen Punkt, in dem sich die beiden, Eros und Zusammen-Sein, tangieren. Nur weil das vierhändige Klavierspiel einen gewissen „Voyeurismus“ anzieht, bedeutet das nicht, daß Vierhändigspiel (oder Solospiel) „nur“ oder eindeutig erotisch wäre. Was man hier zu beobachten meint, hat es zwar mit einer immer auch körperlichen *Vereinigung* zu tun, aber diese Vereinigung ist eben nicht rein sexuell. Vielmehr, so werden wir zu zeigen versuchen, handelt es sich beim Vierhändigspiel um eine Art Kippfigur, in der sich Eros, Arbeit und Gemeinschaft ineinander abbilden lassen. An der Klaviatur lassen sich beim Vierhändigspiel Partnerschaften erotischer und familiärer Natur durchspielen oder beobachten – ob diese Liaison nun eine mögliche, eine tatsächliche oder eine metaphorische ist. Tatsächlich werden am Klavier ein ganzes Spektrum von Familiensystemen vor- und durchgespielt – von der Eindeutigkeit der Familie Bridges und Ellen und ihrer Großmutter bis zur klaren Erotik Wedekinds. Manchmal sind die Texte selber nicht ganz sicher, wo das vierhändige Klavierspiel zu verorten ist.

Wie wir sahen, ist das Klavier im Bürgersalon sowohl dominant als auch einsam – es gehört zum Mobiliar, steht aber ziemlich allein im Raum. Die, die sich an dieses Möbel setzten, waren daher auch nicht Teil eines Ensembles, sondern anscheinend immer für sich. Und wenn sie vierhändig spielten, so wurde das

Miniaturensemble, das sie dadurch bildeten, darum nur noch umso abgeschotteter, selbstgenügsamer. Es ist eben jene Verknüpfung der „Einsamkeit" dieses Instruments einerseits mit seiner vierhändigen Bespielung, die den speziellen Blick schärft, den das neunzehnte Jahrhundert aufs Vierhändigspiel wirft. Denn einerseits ist das Klavier als Instrument autark, andererseits ist es, wenn es denn vierhändig bespielt wird, geteilt – welcher Art ist also diese Form des Zusammenseins, die keines Äußeren bedarf oder keinen Dritten im Bunde zuzulassen scheint? Und diejenigen, die sich mit dieser Form des Zusammenseins von außen beschäftigen, befinden sich ebenfalls in einer besonderen Rolle: Denn Vierhändigspiel ist nicht auf einen Zuschauer ausgerichtet, scheint aber, zumindest in der Kunst, Literatur und Journalistik des langen neunzehnten Jahrhunderts, irgendwie immer welche zu haben – gerade die Suisuffizienz der Dyade am Klavier macht den Zuschauer supplementär, zum Voyeur, der sich irgendwie rechtfertigen muß.

Als eine irreduzible und nicht erweiterbare Zweierbeziehung, ein, wie Hermann Wetzel-Stettin 1906 schreibt, „von Natur zur Vereinigung bestimmtes Ensemble",[65] bietet sich das vierhändige Klavierspiel für Vergleiche mit anderen Formen zwischenmenschlicher Intimität geradezu an (der Versuch, es auch zu weiter gefaßten gesellschaftlichen oder gemeinschaftlichen Phänomenen in Beziehung zu setzen, ist aus demselben Grund, wie wir im siebten Kapitel sehen werden, dafür um so schwieriger) – gerade mit Phänomenen aus dem Bereich der Erotik, der Familie oder der Schule. Ob und wie nun das Verhältnis an der Klaviatur gefasst ist und aufgefasst wird – ob als Liebesbeziehung, Familienband, Arbeitsverhältnis oder Unterricht –, das wird uns darum in den nächsten Kapiteln immer wieder beschäftigen. Hanslick betont, daß man im gemeinsamen Spiel zu etwas werden muß, was ein „passionierter Dilettant" ihm gegenüber einmal „einen Vierhändigen" nannte, „so ganz die Persönlichkeit negierend und blos die musikalische Nützlichkeit betonend".[66] Ein „Vierhändiger", so Hanslick, „steigt im Werthe, je weniger er zweihändige Prätentionen macht".[67] Es liegt also im vierhändigen Spiel einerseits eine von innen kommende Harmonie, andererseits aber eine Zurücknahme des eigenen Machtanspruchs und, oft genug, des eigenen Könnens. So bemerkt Adolf Bernhard Marx:

> Auf der andern Seite wird aber dem Klavierspiel in der Vierhändigkeit eine seiner vorzüglichsten Seiten gelähmt oder doch entkräftet: das ist die vollkommne Freiheit der Darstellung durch den einzigen, ganz ungehemmt sich selbst überlassnen Spieler, unter dessen alleinigem Walten *wirklich und wahrhaft*, nicht gleichsam und beinah, Alles aus Einem Geist und Herzen hervortritt. [...] Die vier Hände verdoppeln nicht etwa das Vermögen, son-

---

65 Wetzel-Stettin, „Schuberts Werke für Klavier zu vier Händen", S. 37.

66 Eduard Hanslick, *Aus dem Concert-Saal – Kritiken und Schilderungen aus 20 Jahren des Wiener Musiklebens*. Wien und Leipzig: Braumüller, 1897, S. 459.

67 Hanslick, *Aus dem Concert-Saal*, S. 460.

> dern rauben auch äußerlich jedem der an einander gedrängten Spieler einen erheblichen Teil seiner Wirksamkeit.[68]

Wie bei Hanslick ist hier zweihändiges Spiel gewissermaßen mit ungehemmter Machtausübung assoziiert, vierhändiges dagegen mit der teilweisen Aufgabe eben dieser Macht. Vereinigung und freiwillige Selbstbeschränkung – der Verzicht auf Wirksamkeit im Namen einer Gemeinschaft mit einem anderen. Man kann sagen, daß hier das Spiel selber seine oben beschriebene Situation im bürgerlichen Haushalt noch einmal spiegelt: Ebenso wie sich an der vierhändig bespielten Klaviatur die eigentlich selbstgenügsame Familie plötzlich doch einem ihr Äußeren, ja sogar Gefährlichen öffnen muß, unternehmen die einzelnen Spieler im vierhändigen Spiel ein paralleles Wagnis, nämlich nicht mehr ganz Herr über das eigene Spiel zu sein und, statt die eigene Subjektivität in der Autonomie zu gründen, sie zumindest teilweise dem Einfluß eines Fremden auszusetzen. Es ist diese Konstellation, die der Analogisierung des vierhändigen Klavierspiels Vorschub leistet: Ist das vierhändige Klavierspiel *wie* eine andere gesellschaftliche, erotische oder biologische Konstellation? Oder ist umgekehrt eine solche Konstellation *wie* das vierhändige Klavierspiel zu denken? Freiheit durch Selbstbeschränkung finden wir (nicht zuletzt bei Hegel oder bei den verschiedenen Figuren in Goethes *Wahlverwandtschaften*[69]) mit der Liebe und der Ehe in Verbindung gesetzt. Wortlose Kommunikation, körperliche Übereinstimmung, vollständige Vereinigung der Persönlichkeiten und teilweise Rücknahme des eigenen Willens – dies beschreibt denn auch im neunzehnten Jahrhundert sowohl die Theorie der Ehe als auch des vierhändigen Klavierspiels.

Theodor Fontane mokiert sich 1893 in einem Brief an Georg Friedlaender über die (anscheinend verbreitete) Vorstellung, daß vierhändiges Klavierspiel Ehen retten könne: „Es ist ein Unsinn zu glauben, man könne glücklich werden, wenn man vierhändig eine Sonate spielen kann. Die Ehe ist auf andern Sachen aufgebaut."[70] *Ex negativo* beleuchtet Fontanes ironische Bemerkung die ungeheure Suggestionskraft des vierhändigen Klavierspiels. Es mag „Unsinn" sein zu glauben, daß vierhändiges Klavierspiel eine Basis für eine Ehe darstellen kann, aber es scheint auch ein Unsinn zu sein, den viele geglaubt haben – wir werden in den folgenden Kapiteln nicht wenigen begegnen, zum Beispiel einem Paar, das nicht zueinander finden kann, weil es den Takt gemeinsam nicht halten kann;

---

68 Adolf Bernhard Marx, *Die Lehre von der musikalischen Komposition, Dritter Teil.* Leipzig: Breitkopf und Härtel, 1845, S. 573.

69 So schreibt in den *Wahlverwandtschaften* Otilie den folgenden Aphorismus in ihr Tagebuch: „Freiwillige Abhängigkeit ist der schönste Zustand, und wie wäre der möglich ohne Liebe" (Johann Wolfgang von Goethe, *Goethes Sämtliche Werke, Band 19.* Stuttgart: Cotta, 1894, S. 174).

70 Brief vom 1. März 1893; Theodor Fontane, *Briefe an Georg Friedlaender.* Heidelberg: Quelle & Meyer, 1954, S. 213. Auch in Fontanes Romanen findet das vierhändige Klavierspiel immer wieder Erwähnung, so zum Beispiel in *Unwiederbringlich* und *Der Stechlin.*

oder aber dem Paar, das nur im vierhändigen Klavierspiel funktioniert, ansonsten aber eine Mésalliance ist.

Doch stellt die Ehe nur ein mögliches Modell bereit, die Teilaufgabe der Subjektivität im vierhändigen Spiel zu beschreiben – ein anderes finden wir in Friedrich Bodenstedts Lustspiel *Wandlungen* (1875), wo sich die Freundinnen Irma und Emma über ihr vierhändiges Klavierspiel austauschen. Irma erklärt: „Selbst das Klavierspiel macht mir keine rechte Freude mehr, seit wir nicht mehr zusammen vierhändig spielen." Darauf entgegnet Emma: „Auch ich habe mich so an unser Zusammenspiel gewöhnt, daß mir immer zwei Hände fehlen, wenn ich allein spiele, als wäre ich vierhändig geboren."[71] Hier ist es also die Freundschaft, die als Analogon des vierhändigen Klavierspiels fungiert. Doch die Stoßrichtung scheint, zumindest bei Irma und Emma, eine ähnliche zu sein wie bei denen, die Fontane karikiert: Im Vierhändigspiel, wie in der Freundschaft, gibt man ein bißchen von sich selber auf im Namen eines übergreifenden Ganzen. Allerdings verweist Emmas „als wäre ich vierhändig geboren" auf eine ganz andere Dimension hin: Im Vierhändigspiel ist man entindividualisiert, das Subjekt ist a priori nicht mehr zu halten.

Daß die Dekonstruktion des Subjekts durch das Aufgehen im Vierhändigspiel mit gewissen philosophischen Bestrebungen, insbesondere des späten neunzehnten Jahrhunderts, einiges gemein hat, ist klar – unter anderem natürlich mit der Philosophie des passionierten Vierhändigspielers Friedrich Nietzsche. Und tatsächlich: eines seiner Stücke, die Nietzsche immer wieder erwähnt, ist ein vierhändiger „Hymnus an die Freundschaft".[72] Nietzsche beschäftigt sich gerade in seinen früheren Schriften (insbesondere im Siebenten Hauptstück von *Menschliches, Allzumenschliches*) mit Fragen der Freundschaft und Liebe; er argumentiert in diesen Texten, daß Freundschaft höher einzuschätzen sei als Liebe – wie in der Musik soll in der Freundschaft der „gemeinsame höhere Durst nach einem über [dem Einzelnen] stehenden Ideale" im Zentrum stehen.[73] Bei Nietzsche scheint also die Überschreitung des *principium individuationis* eher im Zeichen der Freundschaft als dem der Liebe zu stehen – und es ist eben dieser Freundschaft, der Nietzsche seine wohl umfangreichste vierhändige Komposition widmet.

Doch ist das Überschreiten der Grenzen des Individuums im Vierhändigspiel ja nicht (oder nicht nur) geistig zu fassen – wenn Emma meint, „vierhändig geboren zu sein", sind es Organe, die ihr fehlen, beziehungsweise von denen sie zu viele hat. Dieser körperliche Überschuß wird im neunzehnten Jahrhundert in

---

71 Friedrich Martin von Bodenstadt, „Wandlungen – Lustspiel in vier Akten". In: *Kaiser Paul/Wandlungen*. Berlin: G. Grotem 1876, S. 167.

72 Nietzsche an Malwida von Meysenburg, 2. Januar 1875. In: Giorgio Colli und Mazzino Montinari (Hrsg.). *Nietzsche: Briefwechsel (Kritische Gesamtausgabe, Band II,5*. Berlin: De Gruyter, 1980, S. 7

73 Friedrich Nietzsche, *Die Fröhliche Wissenschaft*. In: *Werke, Band II*. München: Hanser, 1954, S. 48.

einer ganzen Reihe Disziplinen – der Biologie und Eugenik, aber auch in der Photographie und Literatur – an der Figur des Monsters festgemacht. Der Musikwissenschaftler Edward T. Cone spricht daher auch davon, daß vierhändige Spieler in „ein einziges vierhändiges Monster" verschmelzen müssen, um effektiv spielen zu können. In diesem Bild, das Cone im zwanzigsten Jahrhundert bemühte, das aber auch im neunzehnten Jahrhundert schon immer wieder Verwendung fand, wird die Aufgabe der Subjektivität gewissermaßen auf die Spitze getrieben: Wie bei Nietzsche ist die Verschmelzung der Individuen, die Aufgabe der eigenen Subjektivität so vollkommen, daß am Schluß nur noch ein Körper mit zwei Herzen übrig bleibt – wie das amerikanische Journal *Newsweek* im Jahr 1943 schreibt: „Zwei Hirne müssen wie eines denken; zwanzig Finger wie zehn spielen" („Two minds must work as one; twenty fingers must strike as ten").[74]

Diese Figurationen des vierhändigen Klavierspiels sind, wenn man vom a priori kontrollbedürftigen Monster einmal absieht, allesamt durch Privatheit gekennzeichnet. Die zwei Spieler am Klavier werden in jedem Fall als eine Einheit verstanden, die von der Außenwelt streng geschieden und sozusagen gegen sie eingeigelt ist. Dies hat zwei wichtige Konsequenzen, mit denen sich die folgenden Kapitel immer wieder beschäftigen werden: Einerseits nämlich ist das vierhändige Klavierspiel nie ganz so privat, wie es sich in der Idealisierung darstellt – und auch die Beobachter, die es anzieht, interpretieren es immer wieder auf seine *öffentlichen* Konsequenzen hin. Ob sie es dabei als Problem, als Chance, als Indiz oder als Symptom begreifen, es geht immer darum, was denn mit einem Vierhändigspieler passiert, sobald er oder sie den Salon verläßt.

Umgekehrt aber gibt es auch immer wieder etwas, das man als „Politik des Vierhändigspiels" bezeichnen könnte. Denn eine harmonische Zusammenarbeit, in der zwei Personen sich aus freien Stücken vereinigen und einen Teil ihrer Selbständigkeit aufgeben, hat nicht nur auf dem Gebiet der Intimität eine gewisse Attraktivität, sondern auch im gesellschaftlich-politischen Leben. Der Vierhändigspieler, der bereit ist, sein Instrument zu teilen, mit dem anderen Kompromisse einzugehen und dabei die eigenen Machtansprüche zurückzustecken, ist, mit anderen Worten, nicht nur ein guter Ehepartner oder Freund – er ist auch ein guter Bürger. In seiner Studie *Duo-Pianism* (1950) vergleicht Hans Moldenhauer Vierhändigspieler daher auch mit einer „Republik", in der alle Fragen über Gefühl, Kommunikation und Kompromiß geklärt werden müssen. „Keinem der Spieler wird somit eine absolute Autorität *a priori* zugebilligt [...], sondern Führung wird rein zufällig" („Thus, no absolute or *a priori* authority is ever invested in any one [...], but all leadership becomes incidental"). Aufgrund seines Schriftverkehrs mit berühmten Vierhändigspielern spricht Moldenhauer sogar von der „möglichen Gefahr einer absoluten Führerschaft" („potential threat of an absolute leadership"). Vierhändigspiel wendet sich somit gegen die autokratischen Dimensionen, die das Subjekt im Solospiel und im Orchester annimmt – es stellt

[74] „Twenty that Strike as One", *Newsweek*, 27. Dezember 1943, S. 84.

eine Form der Selbstzurücknahme dar, aber keine Form der Zurichtung. Es nimmt nicht wunder, daß Moldenhauer (1906–1987), der 1938 aus Deutschland emigrierte, und viele der von ihm Interviewten, die ebenfalls vor den Nazis nach Amerika flohen, gerade das Fehlen einer „absoluten Führerschaft“, die Absenz des musikalischen „Führerprinzips“ als einen der attraktivsten Aspekte „duopianistischer“ Praxis (also Vierhändigspiel an ein oder zwei Klavieren) hervorheben. Denn am stärksten bedroht, so sieht es Moldenhauer, wird die vierhändige Republik durch „diktatorische Praktiken“ („dictatorial practices“), diese hätten aber „im Vierhändigspiel keinen Raum“ („no place in duo-pianism“).[75]

Die Position des Klaviers an der Schnittstelle zwischen Innen und Außen und der Status des vierhändigen Spiels als bevorzugtes Bindeglied zwischen Familie und Gesellschaft erzeugen somit einen Blick, der konstitutiv von der Übertragung vom einen Bereich in den anderen lebt. Privates wird in öffentliche Codes übersetzt oder die Öffentlichkeit als Modell für die private Praxis bemüht. In beiden Fällen ist es die Öffnung des Haushalts und des Subjekts auf ein ihm je anderes hin, die jene Übersetzungen leitet und motiviert. Ob diese Öffnung als notwendige, aber gefährliche, oder als eine politisch-utopische gefaßt wird – in jedem Fall ist es die seltsame organische „Verschmelzung“ der Horizonte im vierhändigen Klavierspiel einerseits, andererseits aber die Autarkie der vierhändigen Einheit, die den Skandal, die Chance oder die Bedrohung ausmachen.

Zunächst wird uns nicht die utopische „Politik des Vierhändigspiels“ beschäftigen, sondern vielmehr die gegenläufige Beurteilung der Familieneinheit durch die Außenwelt übers Vierhändigspiel. Denn bei aller Idealisierung kann sich die vierhändige Einheit dem Außenblick, den das Klavier als Angelpunkt zwischen Haushalt und Öffentlichkeit konstitutiv anzuziehen scheint, nicht entziehen. Um die primäre Verbindung von Privatsphäre und Öffentlichkeit, die das vierhändige Klavierspiel ermöglicht, soll es im nächsten Kapitel gehen: die Tatsache, daß die Familie im neunzehnten Jahrhundert sich die Gesamtheit der klassischen Musik in der Form vierhändiger Bearbeitungen ins Haus holen konnte. Vierhändige Musik war Konsumobjekt, ein Versuch an und für sich „öffentliche“ Musik und musikalische Praxis zu domestizieren, aber eben auch Ware, die es erforderte, daß sich die häusliche Sphäre über und durch „Ver-Öffentlichungen“ konstitutierte.

---

[75] Hans Moldenhauer, *Duo-Pianism: A Dissertation*. Chicago: Chicago Musical College Press, 1950, S. 193.

Kapitel 2: Das Vierhändige Klavierspiel zwischen Hausmusik und Kulturindustrie

Im Herbst 1863 schreibt der neunzehnjährige Friedrich Nietzsche aus dem Internat Schulpforta an seine Mutter Franziska. Er beschwert sich über die „zum Erbarmen dürr[e]" Martinsgans, die man ihm auftischt, freut sich aber auf die bevorstehende Heimkehr zu Weihnachten. Dann bemüht er eine Tradition, die auch jedem, dem Martinsgänse und Internate fremd sind, äußerst geläufig sein dürfte: er übermittelt der Mutter seine Weihnachtswünsche, die da wären: „1.) Grand Duo von F. Schubert, vierhändig; 2) [*sic*] Düntzer, Goethe's lyrische Gedichte."[1] Musik fürs vierhändige Klavier, das war also Musik, die ein junger Mann sich zu Weihnachten wünschte, die er stolz, gemeinsam mit „Goethe's lyrischen Gedichte[n]", zurück nach Pforta brachte. Wie Jugendliche sich heute CDs und MP3-Spieler zu Weihnachten wünschen, wünschten sie sich im neunzehnten Jahrhundert vierhändige Partituren.

Das Vierhändigspielen gehört, wie wir sahen, zum bürgerlichen Interieur des neunzehnten Jahrhunderts. Um genau zu sein zeigt sich hier, in der von Walter Benjamin beschworenen „Traumwelt" der Phantasmagorie, ein Typ Musik, der gewissermaßen bereits zum Mobiliar gehört. Wie Theodor Adorno schreibt: „Die vierhändige Musik: das war die, mit welcher sich noch umgehen und leben ließ, ehe der musikalische Zwang selber Einsamkeit und geheimes Handwerk befahl".[2] In anderen Worten: Vierhändige Musik hat Warencharakter; sie wurde in ihrer circa hundertjährigen Geschichte (von Haydn bis nach Brahms) produziert, damit sich das bürgerliche Publikum ihrer als *Gebrauchsgegenstand* erfreue, nicht etwa damit es sich Karten für Musikabende kaufe. Um eben die Frage des Konsums soll es in diesem Kapitel gehen; was denn die Spieler mit dem vierhändigen Auszug anstellten, wenn sie ihn gekauft hatten, wird im nächsten Kapitel behandelt; die gegensätzliche Frage, was denn der vierhändige Auszug mit den Spielern anstellte, ist das Thema des vierten Kapitels.

Der Kritiker Eduard Hanslick beschreibt die folgende Situation, von der wir annehmen dürfen, sie habe sich im neunzehnten Jahrhundert tausendfach in Europa wiederholt:

> Es lag ein Paket Novitäten auf meinem Clavier, uneröffnet, wie seit geraumer Zeit dieses selbst. Nicht ohne freudige Bewegung gingen wir an die kleinen Vorbereitungen; der Eine eröffnete das Paket, der Andere das Piano. Es verstand sich von selbst, daß mit vierhändigem Spiel der Anfang

[1] Friedrich Nietzsche, *Sämtliche Briefe (KSA), Band 1 – Juni 1850-September 1864*. Berlin: Walter de Gruyter, 2003, S. 266.

[2] Theodor W. Adorno, „Vierhändig, Noch Einmal." In: *Musikalische Schriften IV (GS 17)*. Frankfurt: Suhrkamp, 1971, S. 303.

gemacht werde. Ist es doch die intimste, die bequemste und in ihrer Begrenzung vollständigste Form häuslichen Musicierens.[3]

Die Episode verweist auf die wirtschaftliche Seite des Phänomens Vierhändige Musik, nämlich die musiksoziologische Anomalie, daß im neunzehnten Jahrhundert eine „reading public" für Partituren existierte – ein Publikum also, das auf Neuer-scheinungen von bestimmten Autoren wartete, das „Novitäten" aus Katalogen bestellte und das Sammlungen komplettierte. Wie stark andererseits Vierhändigkeit und Veröffentlichung bereits im frühen neunzehnten Jahrhundert verwoben waren, zeigt sich anhand einer scheinbar unauffälligen, aber doch sprechenden Tatsache, auf die Maurice J. E. Brown aufmerksam gemacht hat: „Eines fällt auf", so bemerkt er, wenn man sich die Liste der vierhändigen Stücke des reifen Schubert ansieht, nämlich, „dass jedes einzelne [dieser Stücke] kommerziell verlegt wurde. Das heißt, kein einziges von ihnen harrte der Veröffentlichung seitens der Herausgeber der *Gesamtausgabe*" („that every single one was published commercially. By that is meant that none of them remained to be published by the editors of the *Gesamtausgabe*").[4] Vierhändige Musik war also mehr als jede andere *a priori* für den Druck bestimmt, für den Versand gedacht und auf den Sammler ausgerichtet.

Weil als „tönender Herd" ein Klavier zur Grundausstattung des bürgerlichen Haushalts gehörte, konsumierte diese „reading public" vornehmlich Klavierpartituren, und zwar zunehmend *Auszüge*, das heißt Bearbeitungen zu zwei oder vier Händen von Stücken der Kammermusik, der Oper, der Orchestermusik oder der Chormusik.[5] Das *vierhändige* Klavier war dabei kommerziell am sinnvollsten, da es einerseits eine genauere Reproduktion der ursprünglichen klanglichen Textur erlaubte (wie genau es das tat, wird im vierten Kapitel behandelt), während es andererseits vergleichsweise geringeres Können vom „Benut-

---

[3] Eduard Hanslick, *Geschichte des Concertwesens in Wien*. Wien: Braumüller, 1869, S. 405.

[4] Maurice J.E. Brown, *Essays on Schubert*. New York: Saint Martin's Press, 1966, S. 85.

[5] In solchen Listen ist mit dem Terminus „vierhändiges Arrangement" etwas Bestimmtes gemeint, doch diese Pragmatik des Begriffs deckt sich nicht immer vollständig mit der zum Beispiel von Musikverlagen und -zeitschriften verwendeten Terminologie. Denn es gab im neunzehnten Jahrhundert genau wie heute zweierlei Sinn, in dem eine Partitur eine „Klavierbearbeitung", ein „Klavierauszug" oder ein „Klavierarrangement" sein kann: Erstens kann die Bearbeitung einer Oper dem Klavier die Rolle des Orchesters überantworten, gleichzeitig aber die individuellen Singstimmen beibehalten; zweitens aber kann die Bearbeitung sämtliche Stimmen, die Gesamtheit des Werks, dem Klavier zu zwei oder vier Händen übergeben. Die beiden Formen sind nicht nur der Verwendung nach äußerst verschieden, sie richten sich auch an ein je grundverschiedenes Publikum: Die erste Form wendet sich als praktische Übungs- oder Studienhilfe an Profis, Rezensenten oder anderweitig mit der Aufführung des Werkes Befaßte; die zweite aber wendet sich an den, der ohne größeren Aufwand das öffentliche Werk an ein Instrument holen will. Fast alle der in der *AmZ* beworbenen, rezensierten und bei Hofmeister aufgeführten Werke fallen in diese zweite Kategorie – denn nur sie konnten ja guten Gewissens als Hausmusik vermarktet und gekauft werden (vgl. Helmut Loos, *Zur Klavierübertragung von Werken für und mit Orchester des 19. und 20. Jahrhunderts*. München: Katzbichler, 1983, S. 16).

zer“ erforderte als die Bearbeitung für einen einzelnen Pianisten. So schreibt der Komponist und Musiktheoretiker Adolf Bernhard Marx (1795–1866) in seiner *Lehre von der musikalischen Komposition* (1845):

> Die Vierhändigkeit hat, wie sich von selbst versteht, das voraus, dass durch sie Vieles leichter ausführbar – oder gar erst möglich wird, was die Zweihändigkeit sich versagen muss. Diese vollen Akkorde, diese in Oktaven rollenden Bässe, diese klar und leicht darstellbare und im Vortrag sicher zu unterscheidende Polyphonie, – welcher Spieler hätte sich nicht schon an ihr erfreut?[6]

Der Triumphzug der vierhändigen Musik und insbesondere des vierhändigen Klavierauszugs wurde von den Zeitgenossen immer wieder konstatiert. So beschreibt zum Beispiel die in Leipzig erscheinende *Allgemeine musikalische Zeitung* im Jahr 1832 die „zahllosen Arrangements, mit welchen das Publicum, so zu sagen, überschwemmt wird“.[7] Diese „Überschwemmung“ läßt sich tatsächlich empirisch festmachen, wenn auch nur in Grenzen. Viele Auszüge, die die Zeitgenossen erwähnen, finden wir in keiner der einschlägigen Musikzeitschriften erwähnt, bei vielen handelte es sich wahrscheinlich auch um unautorisierte Arrangements, möglicherweise sogar Raubdrucke, die man natürlich nicht in Fachpublikationen oder Katalogen bewarb.[8] Viele Arrangements, die berühmte Komponisten von den Werken ihrer Kollegen erstellten, waren Freundschaftsdienste und somit nur einem begrenzten Personenkreis zugänglich. Und nur wenige Komponisten, die sich mit Arrangements ein Zubrot verdienten, schrieben über die Arbeitsbedingungen mit der Offenheit, die der Komponist und Kapellmeister Franz Gläser (1798–1861) in seinen Memoiren an den Tag legte: „Für das Arrangement einer ganzen Oper fürs Piano-Forte erhielt ich zwanzig Gulden Wiener Währung. [...] Ich wäre noch sehr froh gewesen, viele Bestellungen dieser Art zu erhalten. Doch ich mußte nebstbei mich sehr viel mit Copieren beschäftigen.“[9] Richard Wagner dagegen erwähnt in *Mein Leben* mit keinem Wort, daß er während der mageren Pariser Jahre seinen Geldnöten mit Opernarrangements zu vier Händen abzuhelfen versuchte – Wagner schwieg sich so beharrlich aus, daß bis heute umstritten ist, welche Arrangements, die entweder

---

[6] Adolf Bernhard Marx, *Die Lehre von der musikalischen Komposition, Dritter Teil.* Leipzig: Breitkopf und Härtel, 1845, S. 573.

[7] *Allgemeine musikalische Zeitung* (*AmZ*), No. 46 (14. November, 1832), S. 754.

[8] Loos nennt folgendes Beispiel: Brahms’ Serenade Nr. 1, op. 11 erschien zunächst als vierhändige Bearbeitung bei Breitkopf und Härtel; eine identische Version erschien unter anderem Namen bei Simrock (Loos, *Zur Klavierübertragung von Werken für und mit Orchester des 19. und 20. Jahrhunderts*, S. 24).

[9] Zitiert in Loos, *Zur Klavierübertragung von Werken für und mit Orchester des 19. und 20. Jahrhunderts*, S. 23.

anonym oder einfach unter dem Nachnamen „Wagner“ erschienen, nun eigentlich vom späteren Meister von Bayreuth stammen.[10]

Vom Konsumverhalten wissen wir recht wenig, und auch von der publizistischen Seite kennen wir nur einen bestimmten Aspekt. Um dennoch zumindest eine Vorstellung von den Dimensionen des Phänomens zu erhalten, lohnt sich ein Blick in Adolph Hofmeisters *Handbuch der musikalischen Literatur*, ein „allgemeines systematisch geordnetes Verzeichnis der in Deutschland und in den angrenzenden Ländern erschienenen Musikalien“, das einmal jährlich in Hofmeisters eigenem Verlag in Leipzig erschien. Das Volumen der in Hofmeisters Katalog zusammengestellten Ver-öffentlichungen spricht eine klare Sprache: Das „Jahresverzeichnis“ vermerkt 322 neu erschienene oder neu aufgelegte Partituren für vier Hände (vier Hände an einem Klavier) im Jahre 1880; 1890 sind es 287, 1900 sind es 163, 1913 noch 134, 1925 nur noch 27 und 1960 schließlich 26. Während die Zahl der Werke für vier Hände nach dem Ende des Ersten Weltkriegs rapide abnimmt, steigt die Zahl der Werke für zwei Pianisten an zwei Klavieren, wenn auch nur geringfügig. Doch dies markiert genau, *wie* diese Ära zu Ende geht: denn zwei Klaviere sind keine Hausmusik mehr, sondern eindeutig für den Konzertsaal konzipiert (dazu im achten Kapitel mehr).

Eine solche stichprobenhafte Untersuchung ist zugegebenermaßen ziemlich unwissenschaftlich. Hofmeisters knappe Notizen unterscheiden nicht zwischen Neuveröffentlichungen und Neuauflagen. Des weiteren macht unsere?Zählung keinen Unterschied zwischen einem Eintrag für einen „kleinen Walzer“ zu vier Händen und einer Notiz, daß „Symphonien“ Bruckners erschienen seien. Es scheint auch, als ob bei Hofmeister Originalkompositionen verhältnismäßig überrepräsentiert sind, insbesondere wenn man die Angaben der Neuerscheinungen in den Musikzeitschriften zu Rate zieht. Dennoch ist die reine Masse der Publikationen (und insbesondere der Arrangements) frappierend: In manchen Jahresverzeichnissen tauchen dieselben Opern Lortzings, Wagners oder Meyerbeers, dieselben Symphonien Haydns oder Mozarts gleich in mehrfachen Bearbeitungen auf – innerhalb desselben Jahres hatten also verschiedene Verlage Arrangements desselben Stückes entweder publiziert oder neu herausgegeben! Dieselbe Ausgabe des *Handbuchs* listet sieben miteinander konkurrierende Bearbeitungen der Mozartschen Symphonien, und zwar von André, Bagge, Brissler, Conradi, Gleichauf, Markull, Mockwitz und Czerny.[11]

Zwischen den Bearbeitungen eins-zu-eins und den Originalkompositionen liegen die vielen Potpourris und Variationen zu den Melodien berühmter Stücke. Zwischen 1852 und 1859 erschienen folgende Potpourris der Melodien berühmter Opern, bearbeitet von einem gewissen „G. W. Marks“ im Hamburger Ver-

---

[10] Siehe Richard Wagner, *Sämtliche Werke – Band 20, IIA*. Mainz: Schott, 1974. Wagner erwähnt in *Mein Leben* allerdings einige Originalwerke für das Klavier zu vier Händen, die er in der Studienzeit um 1830 schrieb.

[11] Friedrich Hofmeister (Hrsg.), *Handbuch der Musikalischen Literatur*, Fünfter Band. Leipzig: Hofmeister, 1860, S. 95.

lagshaus Cranz: Meyerbeers „Robert le Diable", „Les Huguenots", „Il Corciato" und „Le Prophète"; Donizettis „La Fille du Régiment", „Lucia di Lammermoor" und „Maria di Rohan"; Mozarts „Don Juan", „Zauberflöte" und „Clemenza di Tito", Rossinis „Siège de Corinthe" und „Otello", Verdis „Rigoletto", „Traviata" und „Luisa Miller", Beethovens „Fidelio", Wagners „Tannhäuser" sowie die Zwischenmusik aus Mendelssohns „Sommernachtstraum".[12] Marks' außerordentliche Schaffenskraft erklärt sich unter anderem dadurch, daß er aller Wahrscheinlichkeit nach keine reale Person war – vielmehr handelte es sich um ein Pseudonym, unter dem eine ganze Reihe Namenloser Bearbeitungen und Potpourris wichtiger Opern und Orchesterwerke anfertigten, unter anderem wahrscheinlich der junge Johannes Brahms.[13] Für Potpourris zu „Tannhäuser", „Rigoletto", „La Traviata", „Fidelio" und „Lohengrin" brauchte sich der Konsument nicht dem anonymen „Marks" anzuvertrauen, er hatte gleich mehrere Auswahlmöglichkeiten: auch Beyer, Cramer, Diabelli, Krug, Östen, Horr und Onslow bearbeiteten dieselben Opern in denselben sieben Jahren!

Die Neuerscheinungen auf dem Musikalienmarkt, die die Leipziger *Allgemeine musikalische Zeitung* in den 1840er Jahren viermal im Jahr zusammentrug und kurz kommentierte, zeigen, daß dieses Veröffentlichungsvolumen kein Novum der zweiten Jahrhunderthälfte war. Des weiteren belegt sie auch, daß ein Großteil der vierhändigen Literatur keine Originalkompositionen waren: das Gros der dem Verlag zugesandten Werke, so der hin und wieder süffisante Kommentar, seien Arrangements, Potpourris und Bearbeitungen. In der zweiten Hälfte des Jahres 1840 verzeichnet die Zeitung „58 meist arrangierte Werke",[14] in den ersten drei Monaten des Jahres 1841 „37 meist arrangierte Werke",[15] „vom ersten April bis zum Johannisfeste [am 24. Juni]" sind es „51 Ausgaben, also 14 mehr als in der letzten Berechnung". [16] „Vom Johannis- zum Michaelisfeste [am 29. September]" ist es dann „eine Summe von 40 Heften, also eilf weniger, als die der vorigen Rechnung". Und auch hier wieder der Vermerk: „es besteht, wie gewöhnlich, meist aus Arrangiertem".[17]

Es war gerade der Gebrauchs- und Sammelcharakter insbesondere der *Auszüge*, der für diesen „Boom" der vierhändigen Klaviermusik verantwortlich war. Für klassische symphonische Werke existierten oft ein Dutzend konkurrierender Auszüge; Musikverlage hielten sich Haus-Transkriptoren (so begann, wie gesagt,

---

12 Ebd., Fünfter Band. Leipzig: Hofmeister, 1860, S. 94.

13 Kurt Hofmann, „Brahms the Hamburg Musician 1833–1862". In: The Cambridge Companion to Brahms, 3–31, S. 18. Für eine Stimme gegen die Identifikation von „Marks" und Brahms siehe: Karl Geiringer, *Brahms*. London: Allen & Unwin, 1947, S. 41.

14 *AmZ* 3/1841 (20. Januar), S. 51.

15 *AmZ* 13/1841 (31. März), S. 267.

16 *AmZ* 1841, S. 540.

17 *AmZ* 40/1841 (6. Oktober), S. 813/14.

Brahms seine Karriere[18]) – Christensen listet folgende Beispiele: Theodor Kirchner und Hugo Ulrich (Peters), August Horn (André), Robert Keller (Simrock), Otto Singer (Universal).[19] Bei Breitkopf & Härtel in Leipzig ließ man sich regelmäßig neu eingegangene Bearbeitungen vortragen, und man entschied dann, ob diese einerseits dem bearbeiteten Stück und dem „Geist" des Komponisten, andererseits aber den Ansprüchen des Publikums genügten. Entfernte sich die Bearbeitung zu weit vom Original oder war das Resultat dem Laienpublikum nicht zuzumuten, schickte man das Manuskript umgehend zurück (ein Beispiel dieses Verfahrens werden wir im vierten Kapitel analysieren).

Anscheinend haben es die Arrangeure im Normalfall recht gut getroffen, denn häufig lagen zwischen der Komposition einer Oper oder Symphonie und ihrer Verarbeitung fürs vierhändige Klavier nur Monate. Selbst Franz Schubert, vornehmlich für Originalwerke zu vier Händen bekannt, versuchte sich an Variationen populärer Stücke. Mit welcher Schnelligkeit der Zyklus von Bearbeitung und Vertrieb funktionierte zeigt das Beispiel der Variationen zu einem Thema aus Hérolds Marie (Opus 82, No. 1, D 908). Hérolds Oper erlebte ihre Wiener Premiere am 18. Dezember 1826, und Schubert hatte die Bearbeitung bereits im Februar des nächsten Jahres abgeschlossen. Die Variationen wurden noch 1827 gedruckt, und erste Rezensionen (zum Beispiel von G.W. Fink in der Leipziger *Allgemeinen Musikalischen Zeitung*) erschienen Anfang 1828.[20] Insbesondere wurden aber auch klassische Werke, so zum Beispiel die Symphonien Haydns und Mozarts, immer wieder neu bearbeitet. Die *AmZ* kommentiert, daß „unaufhörlich hundert berufene – und unberufene Hände damit beschäftigt" seien, „diese Werke auf die bereits erwähnte Art in jenes, wenn auch tonarme, doch harmoniereiche Allerwelts-Instrument einzuführen".[21] Carl Czerny, heute nur noch für seine Etüden bekannt (von denen im sechsten Kapitel die Rede sein wird), war eine veritable Ein-Mann-Fabrik – unter anderem bearbeitete er sämtliche (zweihändigen) Klaviersonaten Mozarts und Beethovens fürs Klavier zu vier Händen.

Es mag erstaunen, wie industriell man hier verfuhr – auch die *AmZ* spricht kopfschüttelnd von „Fabrikarbeit".[22] Wenn man jedoch in Betracht zieht, daß im neunzehnten Jahrhundert, lange vor Radio und Schallplatte, mit viel beschränkteren Möglichkeiten, Musik „live" zu erleben, man sich klassische Musik im

---

[18] Vgl. Valerie Woodring Goertzen, *The Piano Transcriptions of Johannes Brahms* (Dissertation, University of Illinois, 1987), unveröffentlicht; Robert Komaiko, *The Four-Hand Piano Arrangements of Brahms and Their Role in the Nineteenth Century* (Dissertation, Northwestern University, 1975), unveröffentlicht, S. 15.

[19] Thomas Christensen, „Four-Hand Piano Transcription and Geographies of Nineteenth-Century Musical Reception". *Journal of the American Musicological Society* 1999, vol. 52, no. 2, S. 267.

[20] Dallas A. Weekley, Nancy Arganbright, *Schubert's Music for Piano Four-Hands*. London: Kahn & Averill, 1990, S. 67.

[21] *AmZ* 46/1832 (14. November), S. 753.

[22] Ebd.

Regelfall nicht „erhörte“, sondern sich vielmehr „erspielte“, wird klar, daß eine musikalische Bildung die Beschäftigung mit Klavierauszügen gewissermaßen notwendig machte.[23] Wie sonst sollte ein durchschnittlich betuchter Musikfreund in einer deutschen Provinzstadt die Sieben Letzten Worte von Haydn, die Symphonien Mendelssohns und die Opern Wagners kennenlernen? Das vierhändige Klavierspiel war, so faßt es Hanslick zusammen, ein unverzichtbares Mittel „für die bestmögliche Kenntnis der Orchester-Literatur aus der eigenen Stube.“[24] Es ist ziemlich wahrscheinlich, daß vielen Musikliebhabern im neunzehnten Jahrhundert ein Großteil des klassischen Musikrepertoires nur in der Klavierbearbeitung bekannt war und daß die Musik, die sie neu kennenlernten, ebenfalls vornehmlich vom Klavier und nicht vom Konzertsaal ausging. So beschreibt Arthur Schnitzler in der Erzählung „Frau Bertha Garlan“ die Protagonistin als eine ehemalige Klaviervirtuosin, die aber mittlerweile „in der kleinen Stadt wohnte, wo gelegentliche Dilettantenkonzerte das Höchste waren, was an künstlerischen Genüssen geboten wurde. Im ersten Jahre ihres Hierseins hatte sie bei einem solchen Abend im Gasthof ‚Zum roten Apfel‘ mitgewirkt, das heißt, sie hatte mit einer anderen jungen Dame der Stadt zwei Märsche von Schubert vierhändig gespielt.“[25]

Aus der selben Zeit und ebenfalls aus dem ehemaligen Österreich-Ungarn kommt der folgende Bericht, der allerdings weitaus positiver über die vierhändige Ersatzhandlung urteilt als Schnitzlers Heldin, die im Vierhändigspiel vornehmlich einen Ausdruck kleinstädtischer Tristesse zu sehen scheint. Nicholas Goldschmidt, in Mähren geboren, aber vor allem in Kanada als Musikpädagoge, Operndirektor und Dirigent bekannt geworden, beschreibt seiner Biographin folgende Episode aus der Zeit vor 1920. Goldschmidt wuchs in der Kleinstadt Tavíkovice auf und seine musikalisch interessierten Eltern mußten auf vierhändige Musik zurückgreifen, um ihren Söhnen den klassischen Kanon nahezubringen:

> Die nahe Stadt Brno hatte eine berühmte Leihbibliothek in privater Hand, in der es auch eine umfangreiche Abteilung mit großer Musikliteratur in der Bearbeitung für vier Hände gab. Symphonien, Opern, Kammermusik, alles war vorhanden. Ungefähr einmal im Monat bestellten die Jungen eine neue Auswahl aus dem Katalog, häufig ohne zu wissen, was sie erwartete, wenn die Post kam. Schuberts Forellenquintett, eine Brucknersymphonie, alles was auf der Liste interessant aussah oder vom Lehrer empfohlen wurde, alles wurde ausprobiert. [...] Die Jungs gingen begierig aufs örtliche Postamt, um die Musikpakete in Empfang zu nehmen, von denen eines besonders eindrücklich war: „Ich erinnere mich, es war so riesig, daß wir es kaum hochheben konnten; man hatte uns die vierhändige Fassung von

---

23 Zum „Leben vor der Tonaufnahme“ („Life before Recordings“) siehe: Robert Philip, *Performing Music in the Age of Recording*. New Haven: Yale University Press, 2004, S. 4–25.

24 Hanslick, *Geschichte des Concertwesens in Wien*, S. 405.

25 Arthur Schnitzler, *Gesammelte Werke – Die erzählenden Schriften 1*. Frankfurt am Main: Insel, 1961, S. 399/400.

> Wagners *Götterdämmerung* geschickt. Sie können sich vorstellen, wie lang wir brauchten, um sie durchzuspielen!"
>
> The nearby city of Brno boasted a notable lending library, a private business, containing a large section devoted to the world's great musical literature all transcribed for piano four hands. Symphonies, opera, chamber music, they were all available. Every month or so the boys ordered a new selection from the catalogue, often not sure of what to expect when it arrived. Schubert's *Trout Quintet*, a Bruckner symphony, whatever was on the list that looked appealing or was recommended by their teacher, they tried them all. [...] The boys went eagerly to the local post office to pick up the parcels of music, at least one of which was especially impressive. „I remember one that was so huge we could hardly lift it; they had sent us the four-hand version of Wagner's *Götterdämmerung*. You can imagine how long it took us to play it!"[26]

Hier ist der Warencharakter der vierhändigen Bearbeitung, aber auch das sinnliche Versprechen, das ihr innewohnt, besonders klar herausgestellt: Die fetischistische Begierde, mit der die Kinder Bearbeitungen bestellen, von denen sie nur die Namen kennen, die Spannung, wenn das von diesem Namen benannten Objekt tatsächlich spielbar auf dem Postamt liegt – wir alle kennen die Magie, die Kataloge auf die Vorstellungskraft von Kindern ausüben, aber in diesem Kontext ist uns diese Magie heute äußerst fremd. Dennoch kann man sich leicht vorstellen, wie das Wort „Götterdämmerung" die Fantasie eines Jungen entfachen könnte, wie dieser dem Wort und seiner Erfüllung, das heißt der musikalisch-sinnlichen Wirklichkeit, die sich hinter dem Wort versteckt, entgegenfiebert und wie das Wort, das Werk, das bevorstehende Spiel sich zunächst einmal in einem telefonbuchgroßen Wälzer manifestiert.

Aber die Geschwister Goldschmidt scheinen, bei allem Schock, die „Götterdämmerung" gespielt zu haben – und sie werden die Oper auf Jahre hinaus primär mit dem riesigen Wälzer assoziiert haben, den sie vom Postamt nach Hause schleppen mußten, nicht mit eventuell später besuchten Aufführungen. Der niederländische Komponist Marius Flothuis (1914–2001) hat diese Situation in einem Interview beschrieben:

> Mein Bruder brachte eines Tages die Erste Symphonie von Gustav Mahler mit, in der Fassung für Klavier zu vier Händen. Der Anfang des Werkes ist natürlich auf dem Klavier nicht zu realisieren. Aber es war für uns die Möglichkeit, diese Werke kennenzulernen. Und ich muß sagen: als ich zum ersten Male in den Konzertsaal kam und Beethoven und Haydn und

26 Gwenlyn Setterfield, *Niki Goldschmidt: A Life in Canadian Music*. Toronto: University of Toronto Press, 2003, S. 13.

> Mozart hörte, da hörte ich nur Dinge, die ich schon längst kannte. Nur die Instrumentation kannte ich noch nicht.[27]

Auch der Philosoph Frithjof Rodi vermerkt, er habe „die meisten Sinfonien von Mozart, Beethoven und Schubert durch Klavierauszüge kennengelernt, aus denen mein Vater meist vierhändig, zusammen mit einer meiner Schwestern, spielte; dazu Vorspiele zu den Wagner-Opern, Concerti grossi von Händel oder Teile der Matthäus-Passion".[28] Diese Form des Konsums veränderte natürlich auch die Strategien derer, die Musik schrieben und von ihrem Verkauf leben mussten. Zur „reading public" gehört somit auch ein Komponist, dessen Verhältnis zur Veröffentlichung sich stark gewandelt hat. Im ausgehenden achtzehnten Jahrhundert verschwand die Figur des Hofkomponisten rapide von der Bildfläche, der Komponist mußte sich daher als Lehrer, Dirigent – oder eben als „freier Autor" – ein regelmäßiges Salär sichern.[29] Verlage interessierten sich für Auszüge und Originalwerke, die als Druckobjekte, nicht als Konzertstücke, in den Kanon aufrückten. Tatsächlich wurden zum Beispiel die Slawischen Tänze Dvořáks zunächst Bestseller im Druck und erst dadurch zu Klassikern, daß viele sie zunächst selber spielten und sie erst später in der konzertanten Fassung zu hören bekamen. Max Reger (selber vierhändiger Bearbeiter mehrerer Opern Richard Wagners) schreibt 1896 an seinen Verleger und mahnt an, daß „absolut dringendst notwendig" sei, „daß die Suite [in e-Moll, op. 16] vierhändig erscheint", um ihm das einzubringen, was man heute Publicity nennt:

> Es gibt so viele Leute, die vierhändig spielen und geradezu einen Heißhunger haben, auch neue Erscheinungen kennenzulernen; und dazu ist gerade die Suite geeignet, in vierhändiger Bearbeitung meine Werke immer gangbarer zu machen. Ich erinnere Sie nur an [Joseph Gabriel] Rheinbergers Orgelsonaten, die auch zu gleicher Zeit vierhändig erschienen und gerade dazu halfen, den Namen Rheinberger bekanntzumachen.[30]

Darüber hinaus unterwarfen die Klavierauszüge natürlich das konzertante symphonische Repertoire der Sammelwut des Bürgertums: Man konnte veritable Bibliotheken schön gestalteter Bände zusammenstellen, die Symphonien Mendelssohn-Bartholdys zum Beispiel in den bibliophilen Auszügen, die bei Breitkopf und Härtel in Leipzig erschienen.[31] Ähnlich wie heute gewisse Musiklieb-

---

27 Hans Ester und Etty Mulder im Gespräch mit Marius Flothuis. In: *Fliessende Übergänge: Historische und theoretische Studien zu Musik und Literatur*. Amsterdam: Rodopi, 1997, S. 51.

28 Frithjof Rodi, *Das Haus auf dem Hügel*. Würzburg: Königshausen & Neumann, 2006, S. 81.

29 Douglas Townsend, „Program Notes for the Musical Heritage Society Recording" (MHS 3911/12/13).

30 Brief vom 21.7.1896; Max Reger, *Der junge Reger: Briefe und Dokumente*. Wiesbaden: Breitkopf & Härtel, S. 54.

31 Der geneigte Sammler hatte allerdings keinen Grund, sich mit den Symphonien Mendelssohns zufriedenzugeben: Im Dezember 1848 schaltete Breitkopf & Härtel eine Anzeige für

haber mit CD-Sammlungen protzen (oder besser noch mit Schallplatten), konnte man über den Umweg der Auszüge Musik physisch besitzen, in Händen halten und aufbewahren. Frithjof Rodi bemerkt, daß an der „Notensammlung meines Vaters", „schon vor Jahren in alle Winde verstreut", „das Spektrum dessen abzumessen" war, „was einem musikalisch gebildeten Laien um das Jahr 1920 an Musikliteratur geläufig sein konnte".[32] Im Medium der Bearbeitungen entschied sich, was man haben konnte und auch was man haben mußte. Einerseits konnte ein Bürger den musikalischen Kanon über Klavierauszüge kennenlernen, andererseits aber entschied sich anhand der Auszüge, was überhaupt in diesen Kanon hineingehörte. Wie Thomas Christensen bemerkt hat, war der Klavierauszug somit „eine der Hauptarten [...], durch die ein sich formierender Kanon musikalischer Meisterwerke entstand und erfahrbar wurde" („a principal means [...] by which a coalescing canon of musical ‚masterworks' was constituted and experienced").[33]

Natürlich – und darauf wiesen wir ja bereits hin – waren nicht alle Auszüge, die von den großen Musikverlagen vertrieben wurden, *Klavier*auszüge, und auch diese waren ja nicht zwangsläufig vierhändig. Es gab Bearbeitungen großer Orchesterwerke fürs Streichquartett, für Klavier Solo und für Klavier mit einem weiteren Instrument. Allerdings durfte sich der *vierhändige* Auszug eben rühmen, *mehr* vom Original einzufangen und dieses Mehr weitaus leichter spielbar aufzubereiten. So zitierten wir bereits Marx' Bemerkung, daß durch die „Vierhändigkeit [...] vieles leichter ausführbar – oder gar erst möglich – wird, was die Zweihändigkeit sich versagen muss". [34] Was aber Bearbeitungen für andere Instrumente angeht, so beschreibt Eduard Hanslick, wie binnen einer Generation die Auszugsliteratur sich in eine Klavier-Monokultur verwandelte:

> Wenn man die Musikalien-Kataloge aus Haydn's und Mozart's Zeit bis über die Mitte von Beethoven's Wirksamkeit durchblättert, so begegnet man kaum einem vierhändigen Arrangement auf Dutzende von Bearbei-

---

eine Gesamtausgabe der Werke Felix Mendelssohn-Bartholdys (Mendelssohn war erst im Jahr zuvor gestorben). Von fast allen in der Ausgabe vertretenen Werken werden auch vierhändige Arrangements angeboten: Das Quartett Nr. 2, op. 13, das Oktett op. 20, der Sommernachtstraum samt Ouvertüre, die Hebridenouvertüre op. 26, die Lobgesang-Symphonie, die Dritte Symphonie und das C-moll Trio in der Bearbeitung durch den Komponisten selber; die Konzertouvertüre „Meeresstille und glückliche Fahrt" in der Bearbeitung von Baldenecker, das Capriccio brilliante, op. 22, der 42ste Psalm und der 114te Psalm und das D-moll Trio, op. 49, bearbeitet von E. F. Richter; das Klavierkonzert Nr. 1, op. 25, die Melusinen-Ouvertüre, op. 32, die Orgelsonaten sowie das Rondo brilliante in der Bearbeitungvon F.L. Schubert. Die Sechs Gesänge, op. 19, sowie das Klavierkonzert Nr. 2, op. 40, wurden vom legendär produktiven Carl Czerny bearbeitet.

32 Rodi, *Das Haus auf dem Hügel*, S. 81.

33 Christensen, „Four-Hand Piano Transcription and Geographies of Nineteenth-Century Musical Reception", S. 256.

34 Adolf Bernhard Marx, *Die Lehre von der musikalischen Komposition, Dritter Teil*. Leipzig: Breitkopf und Härtel, 1845, S. 573.

tungen für drei, vier und fünf verschiedene Instrumente. Auch Beethoven's erste Symphonien waren längst für Streichquartett arrangirt, ehe man sie vierhändig zu setzen begann. Heutzutage bringen unsere Concerte keine Ouvertüre, keine Symphonie, die man nicht sofort im vierhändigen Arrangement vorkosten oder nachgenießen kann.[35]

Der ungekrönte König des vierhändigen Klavierauszugs war zweifellos Brahms, der nicht nur seine vier Symphoniepartituren sofort fürs Klavierduo transkribierte, sondern vielmehr einen Großteil seines gesamten Werkes: die Ouvertüren (Akademische Festouvertüre, Tragische Ouvertüre), die Ungarischen Tänze, die Haydn-Variationen, die Serenade opus 11, darüberhinaus vielerlei Kammermusik, zum Beispiel die Streichquartette Nr. 1 und 3 und die Streichsextette Nr. 1 und 2, sowie frappierenderweise das Klavierkonzert Nr. 1 und sogar das Deutsche Requiem (!) wurden vom Komponisten selber für vier Hände bearbeitet.[36] Von Anfang an bot Brahms seinen Verlegern eine neue Partitur und zugleich ihre Bearbeitung zu vier Händen an. Im August 1860 z. B. schickt er P. J. Simrock die Serenade No. 2, op. 16 und vermerkt: „Als Honorar wünsche ich für das Werk mit dem vierhändigen Klavierauszug 16 Friedrichsdor."[37] 1861 bietet er ein weiteres Sextett (op. 18) an, wieder „zusammen mit einem guten 4händ. Arrangement von mir."[38] Dasselbe Spiel wiederholt sich 1865 mit dem Sextett Nr. 3, welches Brahms für 20 Friedrichsdor inklusive Klavierauszug an den Mann zu bringen weiß.

Interessanterweise bittet Brahms, wenn es um die immer noch handelsüblichen Freiexemplare für Autoren geht, mehrmals nur um den vierhändigen Auszug. Es ist also durchaus möglich, daß nicht nur seine Konsumenten, sondern sogar der Komponist selber nur über die vierhändigen Versionen seiner eigenen Werke verfügte. Das wirkt heute natürlich seltsam, aber es ergibt doch Sinn, daß Brahms keine einzelnen Instrumentalstimmen mit sich herumschleppen wollte und bei den Freiexemplaren nur um Auszüge, aber „keines von den Stimmen" bat.[39] Dennoch scheint es uns heute bizarr, daß, als Brahms die Adaption seiner Klavierquartette für vier Hände unternahm, er den Verleger um die Partituren der eigenen Stücke bitten mußte, „da ich sie nicht besitze"[40] – Brahms, in anderen Worten, sammelte sich selbst, besaß sich selbst genauso wie seine „Leser" ihn besaßen. Ebenso verhielt es sich mit Meyerbeer, der in einem Brief bemerkt, daß sich „zu meinem großen Leidwesen" die Partitur einer Ouvertüre „nicht in meinen Händen" befinde – der Grund ist wieder einmal der Kommerz: „Auf den

---

35 Hanslick, *Geschichte des Concertwesens in Wien*, S. 405.

36 Siehe zum Beispiel Walter Frisch, *Brahms: The Four Symphonies*, New Haven: Yale University Press, 2003.

37 Brief vom 13. August 1860 an P.J. Simrock. Brahms, *Briefwechsel IX*. Tutzing: Hans Schmieder, 1974, S. 20.

38 Brief aus dem Juli 1861. Ebd., S. 31.

39 Brief vom 28. Dezember 1865. Ebd., S. 44.

40 Brief aus dem April 1870. Ebd., S. 93.

Wunsch meines Verlegers habe ich [sie] einem Künstler überlassen, welcher das Stück zweihändig, vierhändig und für zwei Klaviere arrangieren soll."[41] Der Konsum demokratisierte somit gewissermaßen das Verhältnis von Komponist und Publikum – der Autor besaß seine Werke in eben jener Form, in der seine Leserschaft sie besaß.

Die absoluten „Bestseller" unter den Brahmsschen Werken fürs Klavier zu vier Händen waren allerdings keine Bearbeitungen; vielmehr verfuhr Brahms hier umgekehrt und orchestrierte im Nachhinein eine Komposition, die ursprünglich fürs vierhändige Klavier geschrieben worden war – die Ungarischen Tänze, die über Jahre bei Breitkopf & Härtel sowie bei Simrock in Leipzig erschienen. Auch heute noch sind diese Tänze mit die populärsten Stücke fürs Klavier zu vier Händen und stehen noch in vielen Wohnzimmern, aus denen die Brahmsschen Bearbeitungen längst verschwunden sind. Es war aber jener Verleger Simrock, der beim jungen (und damals noch gänzlich unbekannten) Antonin Dvořák die Slawischen Tänze zu vier Händen bestellte, um an den Erfolg, den Brahms' Ungarische Tänze dem Verlagsprogramm beschert hatten, anzuknüpfen.[42] Und auch Max Reger steuerte in den 90er Jahren des neunzehnten Jahrhunderts Walzercapricen (op. 9), Deutsche Tänze (op. 10) und 6 Walzer (op. 22) bei, wobei insbesondere letztere sich stark an Brahms und Dvořák orientieren.

Zunehmend, insbesondere bei Brahms und Dvořák (aber auch im Falle der Regerschen „Deutschen Tänze", der Griegschen „Norwegischen Tänze" und vieler anderer mehr), stellte sich der Sammler nicht einfach Bibliotheken zusammen, sondern *National*bibliotheken. Der Furiant, die Polka, der Ländler und die Dumka konnten somit als Ware die Salons wieder betreten, von denen sie als Tänze eigentlich ausgeschlossen gewesen wären. Nationalismus, der auch die Nationalsprache nur in der Form hoher Literatur goutierte, konnte durch die Hintertür der Bibliophilie auch als Musik reüssieren. Es kann daher nicht überraschen, daß es das Volkstümliche war, das so zum Gebrauchsgegenstand der Nicht-Volkstümlichen wurde: Bei Dvořák künden bereits Titel wie *Aus Böhmens Wäldern* und natürlich die *Legenden* von einem Projekt, das dem der Gebrüder Grimm nicht unähnlich war – eine nationale „Essenz", die außerhalb der Schriftsprache lag, für diese urbar zu machen. Da allerdings, wie J. Barrie Jones gezeigt hat, das Hauptinteresse des musikalischen Nationalismus im neunzehnten Jahrhundert Formen galt, die auf Sprache basierten oder auf Sprache zumindest als Programm rekurrierten (Lied, Oper und symphonische Dichtung), waren es wiederum insbesondere die *Auszüge*, die einen Nationalkanon konstituieren halfen.[43]

---

[41] Giacomo Meyerbeer, *Briefwechsel und Tagebücher, Band 6*. Berlin: Walter de Gruyter, 2002, 291; 10. April 1852.

[42] Dvořák an Brahms, 24.3. 1878. Antonin Dvořák. *Korespondence a Dokumenty 1 (1871–1884)*. Praha: Editio Supraphon, 1987, S. 140.

[43] vgl. J. Barrie Jones, „Nationalism". In: David Rowland (Hrsg.), *Cambridge Companion to the Piano*. Cambridge: Cambridge University Press, 1998, S. 176.

Adorno weist also nicht zufällig auf die „Bibliophilie" der Literatur fürs vierhändige Klavierspiel hin[44]: Das Klavier stellte im neunzehnten Jahrhundert so etwas wie einen transzendentalen *point de capiton* dessen dar, was als Musik anerkannt war. Ob Choralwerk oder Kammermusik, Symphonie oder Streichquartett, Volkslied oder Oper, fürs Klavier (zu zwei oder vier Händen) wurden sie alle bearbeitet. Wie Leppert es im Kommentar auf Adorno formuliert: „Insofern es Musik war, konnte das Klavier es (re)produzieren" („If it was music, the piano could (re)produce it").[45] Die Klaviermusik hat mithin nicht nur Zugang zu allem, was an Musik zur Wahl steht, sie qualifiziert vielmehr, wie eine Enzyklopädie, was unter Musik fällt und was nicht, was man zu kennen hat und was nicht. Obwohl wir uns diesem Punkt im weiteren nicht mehr widmen werden, sei doch vermerkt, daß in der Kanonisierung der Musik durch das Klavier auch ein Moment des Wissens als Macht (des Foucaultschen *pouvoir/savoir*) liegt, daß also diesem Enzyklopädismus auch ein Kontrollverlangen zugrunde liegt.

Aber reißender Absatz und eine perfekte Vermarktungsmaschinerie verweisen noch nicht auf eine weite Verbreitung eines gesellschaftlichen Phänomens – denn es ist ja häufig gerade ein Kennzeichen der Bibliophilie, daß man Bücher zwar sammelt, sie aber nicht unbedingt liest. Und der Konsum einer vierhändigen Bearbeitung erfordert ja einiges mehr an eigenem Arbeitsaufwand als zum Beispiel der Genuß einer in den Salon gehängten Lithographie. Im Fall der Musik zu vier Händen liegt die Sache allerdings anders: Die Partituren und Auszüge bedienten nicht nur die Sammelwut, sondern auch eine historisch belegte Spielwut im bürgerlichen Publikum. Insbesondere die Klavierauszüge symphonischer Werke wurden anscheinend mit derselben Inbrunst durchgespielt, mit der die Jugend der sechziger Jahre des zwanzigsten Jahrhunderts Schallplatten genoß und die der achtziger Mix-Kassetten erstellte.

Doch gerade dieser Begeisterung haftete ein gewisser Makel an, dem Platten- und Kassettenkonsum nicht unähnlich, der zum Beispiel der Bibliophilie nicht eignete. Der Bürger durfte sich das Haus mit Schopenhauer-Prachtausgaben vollstellen und wahrscheinlich sogar mit Beethoven-Partituren. Aber wenn er sich Auszüge kaufte, um sie hintereinander wegzuspielen, zog er den Spott seiner Zeitgenossen auf sich. Und auch die, die diesen Markt so emsig bedienten, waren sich anscheinend der subalternen Natur der vierhändigen Klaviermusik bewußt. Selbst Brahms, der ja beim Bedienen dieser Nische eine geradezu merkantile Mentalität an den Tag legte, bittet in einem Brief an Fritz Simrock: „Lieb wäre mir's, wenn nicht expreß mein Name als Arrangeur auf dem Titel stünde."[46] Später im selben Jahr verlangt der Komponist gar geradezu unwirsch, „daß Sie vom ‚Konzert' (op. 15) und ‚Requiem' jetzt baldmöglich meinen Namen als

[44] Adorno, „Vierhändig, Noch einmal", S. 303.

[45] Richard Leppert, „Four Hands, Three Hearts – A Commentary", *Cultural Critique* 60 (Spring 2005), S. 7.

[46] Brief an Fritz Simrock aus dem April 1870. *Briefwechsel IX*, S. 95.

Arrangeur zu 4 Händen tilgen. [...] Ich kann das ‚Requiem' nicht sehen, ohne mich zu ärgern."[47]

Und tatsächlich wird Brahms bis heute auf den Auszügen normalerweise ausschließlich als Komponist und nicht als „Arrangeur" genannt. Obgleich er die Kunst des vierhändigen Auszugs perfekt beherrschte und enthusiastisch betrieb („wenn ich das Komponieren so gut verstünde wie das Arrangieren...", seufzt er im selben Brief), wollte Brahms sich mit diesem nicht im gleichen Maße identifizieren wie mit seinen Originalkompositionen – eine Tendenz, der seine Jünger bis heute die Treue halten, denn die Auszüge tauchen bei weitem nicht in allen Werkverzeichnissen und Bibliographien auf.[48] In einem Brief schimpft er: welche „Lächerlichkeit in diesem Wiederkäuen der eigenen Werke liegt!"[49]

Tatsächlich scheint es nicht der Ruch des Marktes an sich gewesen zu sein, welcher Brahms zu dieser Zurückhaltung trieb. Es verursachte ihm kein Unbehagen, seine Bearbeitungen mit seinen Partituren gleich mitzuliefern, aber irgendetwas im Konsum dieser Bearbeitungen war für ihn dennoch mit einer gewissen Peinlichkeit behaftet. Und dieser Makel hing irgendwie mit der *Vierhändigkeit* der Auszüge zusammen. In diesem Gefühl steht Brahms alles andere als allein da: Tatsächlich scheint sich der *soupçon* gegen Klavierbearbeitung weitgehend auf die vierhändigen beschränkt zu haben. Wann immer die Mandarine der Musikwelt auf die Uneigentlichkeit der Klavierbearbeitungen schimpften, verwiesen sie auch großmütig auf Gegenbeispiele, zum Beispiel die Wagner-Bearbeitungen Liszts – allesamt höchst kunstvolle Arrangements für *zwei* (dementsprechend virtuose) Hände. So bemerkt Brahms Simrock gegenüber, daß er „ein zweihändiges Arrangement nur für interessant gehalten [hätte], wenn es ein besonderer Virtuos machte".[50] Beim vierhändigen Klavier kannte er keine solchen Vorbehalte.

Auch das Verzeichnis neuer Musikalien, welches die *Allgemeine musikalische Zeitung* in den 1840er Jahren viermal jährlich zusammentrug, behandelte die reine Quantität der Neuerscheinungen zu vier Händen, und natürlich insbesondere die der Bearbeitungen, wie eine regelrechte Peinlichkeit. Während beim *zweihändigen* Klavier die schiere Zahl der Neuerscheinungen als Indiz für die Wichtigkeit der Gattung gewertet wird, und dies obschon es auch unter diesen Neuerscheinungen jede Menge Bearbeitungen und Arrangements gab, scheint der Herausgeber über die Fülle an *vierhändigem* Material geradezu zerknirscht: „In dieser

---

47 Brief vom 15. Oktober 1870 an Rieter, in Brahms, *Briefwechsel* XIV, S. 190.

48 Komaiko, *The Four-Hand Piano Arrangements of Brahms*, unveröffentlicht. Allerdings führt Edwin Evans' *Handbook to the Pianoforte Works of Johannes Brahms* auch die vierhändigen Bearbeitungen auf (Edwin Evans, *Handbook to the Pianoforte Works of Johannes Brahms: Comprising the Complete Solo Works, Works for Piano and Orchestra, also Works for Piano Duet and Organ Works as Applicable to Pianoforte Solo*. New York: Scribner's, 1936).

49 Brief vom 15. Oktober 1870 an Rieter, in: Brahms, *Briefwechsel* XIV, S. 191.

50 Brief vom März 1880 an Fritz Simrock, Brahms Briefwechsel X, S. 143.

Rubrik“, so kommentiert der Herausgeber, „ist selten viel namhaftes, weil das Meiste arrangiert ist“.[51]

An anderer Stelle in dem sonst doch eher neutral gehaltenen Verzeichnis läßt sich der Herausgeber geradezu zu einer Tirade gegen den vierhändigen Klavierboom am Musikalienmarkt hinreißen: „Seit einiger Zeit läßt man auch Bravourwerke arrangieren, damit sie auch wenig geübten Pianofortespielern zugänglich werden.“ Dies möge, so fährt die *AmZ* fort, in kommerzieller Hinsicht „für die Herausgeber anfangs vortheilhaft sein“, aber sie betrachtet die Demokratisierung des musikalischen Kanons mit ausgesprochener Besorgnis. Denn „für die Virtuosen ist es nachtheilig, denn solche um der Erleichterung abgespielte Stücke, von denen bald jeder Anfänger sagen kann: ‚das spiel' ich auch!‘ sind kaum mehr zu gebrauchen“.[52] Auch die (an sich schon eher seltenen) Rezensionen vierhändiger Klavierbände variieren im Ton zwischen süffisant und herablassend: „Es kann nicht fehlen, dass diese melodisch und rhythmisch leicht fasslichen und gefällig anregenden Unterhaltungen mässig geübte Dilettanten zu Freunden gewinnen.“[53] Auch in Anbetracht der Tatsache, daß viele der hier vertretenen Arrangeure vor allem als Schreiber von Etüden erfolgreich waren (so zum Beispiel Czerny, Burgmüller und Bertini), werden die vierhändigen Auszüge oft als bessere Klavierschulen behandelt, „die gerade so viel Inhalt haben, als noch nicht besonders geübten Schülern zuträglich ist, um mit Lust ihre Aufmerksamkeit auf technische Gegenstände mancher Art zu richten“[54] – der vierhändige Spieler als Tölpel, der sich Wagner wünscht und stattdessen doch nur bessere Fingerübungen vorgesetzt bekommt.

In einem Artikel zu Schuberts Klaviermusik zu vier Händen unternimmt Hermann Wetzel-Stettin 1906 eine Ehrenrettung der vierhändigen Musik. „Das vierhändige Spiel dünkt den meisten gegenüber den solistischen Leistungen etwas Minderwertiges zu sein [*sic*]“, „eher ein Kuriosum als eine vollauf zu würdigende Kunstleistung“.[55] Wetzel-Stettin versucht nun insbesondere die Schubertsche vierhändige Musik als eben eine solche „Kunstleistung“ zu vindizieren. Allerdings rückt Wetzel-Stettin die vierhändige Musik auf Kosten der vierhändigen Bearbeitung ins rechte Licht. Denn er eröffnet seine versuchte Ehrenrettung des Komponisten mit einer, in Anbetracht der so oft konstatierten „Seuche“ oder „Überschwemmung“ durch vierhändige Musik, frappierenden Frage: „Wer spielt denn heute überhaupt vierhändig?“ Wetzel-Stettin erklärt die Frage sogleich, indem er eine Einschränkung nachschiebt: „Nicht dass er in Hast und Eile die Hauptorchester-Werke und ein paar Kammermusiken mit einem Genos-

---

51 AmZ 28/1841 (Juli), S. 540.

52 AmZ 28/1841 (Juli), S. 540.

53 AmZ 44/1841 (November), S. 898.

54 Ebd.

55 Hermann Wetzel-Stettin, „Schuberts Werke für Klavier zu vier Händen“. In *Die Musik* VI (1906), Nr. 7, S. 38.

sen durchgehaspelt hat."[56] Auszüge Spielen ist also nicht Vierhändigspiel – der Autor verbannt das ubiquitäre „Durchhaspeln" aus dem Bezirk des „echten" oder „richtigen" Vierhändigspiels. Die Ubiquität des Phänomens wird zum Indiz, daß es gerade *nicht* stattfindet. Dies macht Schubert so wichtig: „Was er für vier Hände bestimmte, ist nie ein Arrangement. Es lag ihm fern, seine Geisteskinder in ein prunkvolles, ihnen nicht passendes Kleid zu stecken."[57] Die vierhändige Musik wird also als künstlerisch wertvoll nur gerettet, insofern sie nicht arrangiert ist. Im Namen seiner Rettungsaktion degradiert Wetzel-Stettin wieder einmal den vierhändigen Auszug zum Phänomen der Mode, nicht der Kunst.

Da diese Süffisanz bei einem so verbreiteten Phänomen einigermaßen überraschend ist, möchten wir versuchen, die Ursachen für diese Sicht auf das vierhändige Spiel, sobald es die Sphäre des reinen Konsums verließ und sozialer *Vollzug* wurde, zu beleuchten. Wieso wurde, in einem Jahrhundert, das das „private vice" (Mandeville) des Konsums doch in einen „publick benefit"[58] uminterpretierte, diese spezifische Form des Konsums plötzlich unheimlich, wenn sie in tatsächliche Benutzung einmündete? Wieso war der obsessive Klavierspieler lächerlich in einem Grade, in dem es Sammler, Modelleisenbahner und Philatelisten nicht waren? Und wieso wurde hier zwischen vierhändigem Spiel und Klavierspiel solo noch einmal unterschieden?

Eine erste Antwort haben wir bereits im vorigen Kapitel gefunden: Das vierhändige Klavier, zwischen den geniebezogenen Formen des Konzerts und des Solos angesiedelt, war zutiefst mit der bürgerlichen Utopie namens Privatsphäre verwoben. Doch das Klavier, als „tönender Herd" einerseits und „universales Instrument"[59] andererseits, stellt eben auch ein Drehkreuz zwischen Innen und Außen dar. Denn der private Vollzug setzt hier, wie Habermas zeigt, immer bereits eine minimale Öffentlichkeit voraus, also irgend jemanden, für den man die Familiensphäre *repräsentieren* muß, dem man sie vor Augen führen muß. Dieser Jemand kommt von außen an die Familie heran, und entweder soll er in sie eingeführt oder aber sie ihm vorgeführt werden. Dies macht auch den *Konsum* zutiefst ambivalent: Denn er ist der Vermittlungspunkt der zwischenmenschlichen Beziehungen der Familie einerseits und des gesellschaftlichen Systems andererseits. Ein Punkt also, an dem man vom einen aufs andere schließen konnte, in dem man öffentliche Probleme im Privaten festmachen konnte: Krankheit, Dekadenz, Kleingeistigkeit, Philistertum, sexuelle Leichtlebigkeit.

Insofern ähnelt der Blick des Jemand von außen der Aufmerksamkeit, die man in den damaligen (und in vielerlei Hinsicht den heutigen) Diskursen um Krankheit, Hygiene oder den Konsum von Drogen findet. Der Beobachter fühl-

---

[56] Wetzel-Stettin, „Schuberts Werke für Klavier zu vier Händen", S. 37.

[57] Wetzel-Stettin, „Schuberts Werke für Klavier zu vier Händen", S. 39.

[58] Bernard Mandeville, *The Fable of the Bees: Or, Private Vices, Publick Benefits*. London: Tonson, 1724.

[59] Adolf Bernhard Marx, *Die Musik des neunzehnten Jahrhunderts und ihre Pflege*. Leipzig: Breitkopf & Härtel, 1855, S. 273.

te sich anscheinend zwanghaft zur Diagnose aufgerufen, welche die Spieler aus einer Machtposition heraus beurteilte – statt Enthusiasmus und geteilter Begeisterung überwiegt in solchen Beurteilungen der Geist der *impassibilité*. Generell gesprochen, so zeigt sich, ist das, was die Konsumenten der vierhändigen Musik (und das heißt im Normalfall der vierhändigen *Bearbeitungen*) so verdächtig macht, die Tatsache, daß sie Fetischisten sind – und zwar gleich im Sinne zweier großer „Diskursbegründer"[60] des neunzehnten Jahrhunderts. Denn einerseits rekapitulieren die Auszüge den „Fetischcharakter der Ware", andererseits aber, als Substitute (wie die Musikzeitschrift *Cäcilia* es nennt: „Surrogate"[61]) für ein dem Spielenden sich immer Entziehendes, sind sie auch dem Freudschen Fetisch verwandt.

Was die Konsumenten des vierhändigen Auszugs suspekt macht, ist also der latente Fetischismus ihres Tuns. Tatsächlich, so werden wir sehen, scheinen hier Marxsche und Freudsche Auffassungen des Fetischs kausal verknüpft: *weil* dem vierhändigen Auszug etwas Essentielles fehlt, müssen seine Konsumenten ihn in zwanghafter Wiederholung konsumieren. Die Sprache, mit der der Konsum der vierhändigen Partituren verdammt wird, ähnelt denn auch einem Diskurs der Sucht (oder des suchthaften Romankonsums, den man vor allem den Frauen attestierte[62]), wie eine Bemerkung in der Leipziger *Allgemeinen musikalischen Zeitung* von 1863 eindrucksvoll belegt:

> Das Vierhändig-Spielen hat namentlich in Dilettantenkreisen eine so außerordentliche Verbreitung gewonnen, dass? trotz der zahlreichen, mehr oder minder brauchbaren Arrangements aller irgend bedeutenden älteren und neueren Werke für Instrumental- und Vocal-Musik den eifrigen à quatre mains-Spielern, welche gewohnt sind, an einem Nachmittag oder Abend ein halbes Dutzend Symphonien, Quartette oder dergl. zu verarbeiten, kaum neues Material genug beschafft werden kann.[63]

Auch Hanslick vergleicht das Spiel mit „meinem Vierhändigen" mit einer Sucht, allerdings nicht der Drogensucht, sondern der Spielsucht: „Mein Vierhändiger also ergreift das Notenpaket, hebt ab wie im Kartenspiel."[64] Egal was wir spielen, scheint die Anekdote zu besagen, solange wir frischen Stoff bekommen, ist uns jeder Auszug im „Notenpaket" recht. Und daß die Notiz in der *AmZ* die tatsächliche Geschwindigkeit, mit der sich die Bürgerfamilien durch die Musiklite-

---

60 Michel Foucault, „Was ist ein Autor?" In: *Michel Foucault: Schriften zur Literatur*. Frankfurt am Main: Suhrkamp, 2003 S. 244f. Foucault nennt Freud und Marx „Diskursbegründer", insofern sie „die Möglichkeit und die Bildungsgesetze für andere Texte [...] geschaffen" haben.

61 „Über Klavierauszüge überhaupt und insbesondere". *Cäcilia*, Nr. 3 (1825), S. 25.

62 Siehe Pamela K. Gilbert, *Disease, Desire, and the Body in Victorian Women's Popular Novels*. Cambridge: Cambridge University Perss, 1997, S. 65f.

63 Zitiert in: Christensen, „Four-Hand Piano Transcription and Geographies of Nineteenth-Century Musical Reception", S. 258.

64 Hanslick, *Geschichte des Concertwesens in Wien*, S. 405.

ratur spielten, nur geringfügig übertreibt, zeigt zum Beispiel ein Blick in das Tagebuch Arthur Schnitzlers. Schnitzler, der vornehmlich „mit Mama" vierhändig spielte, dokumentiert sehr detailliert das Repertoire, das man sich gemeinsam vornahm: Am 3.1. 1905 vermerkt er, daß er „mit Mama die 2. Mahler gespielt" habe, „den größten jetzt lebenden Componisten",[65] am 5.1. steht Beethovens Quartett op. 130 auf dem Programm, am 7.1. Mahlers Fünfte, am 10.1. „ein Quartett von Glasunow", am 14.1. Schumanns Zweite Symphonie. Wenn auch der Verschleiß bei Schnitzlers etwas geringer ausfällt, als die *AmZ* nahelegt, sei dennoch darauf hingewiesen, daß zwischen dem Zeitungsartikel und der Tagebucheintragung mehr als vierzig Jahre liegen – und daß von den erwähnten Stücken zwei (nämlich Mahlers Symphonien Nr. 2 und 5) gut neunzig Minuten lang sind, also eine Zeitspanne, die, nach den Maßstäben der 1860er Jahre, sehr wohl mehreren Symphonien und Quartetten Platz bot.

Doch nicht nur die reine *Masse* der vierhändigen Arrangements wird von der *AmZ* für fragwürdig erachtet, sondern eben auch die Qualität – immerhin ist in der oben zitierten Textstelle von „Brauchbarkeit" und „Material" die Rede. Wie wir bereits feststellten: Nicht nur der „Eifer" der „Dilettantenkreise" hat etwas Uneigentliches, diesem Uneigentlichen entspricht etwas in der Musik, die diesen Eifer bedient. Es gibt in der Tat zwischen beiden einen Zusammenhang, der uns einen tiefen Blick in das Phänomen des vierhändigen Klavierspiels ermöglicht: Daß nämlich die Bearbeitungen auch musikalischer und instrumentaler Logik zum Teil massiv zuwiderliefen, zeigt das oben angeführte Pensum von Arthur und Mama Schnitzler. Denn während ein Glasunow-Quartett oder eine Schumann-Symphonie sich durchaus zur Bearbeitung zu vier Händen eignen, muß doch die Form bei einem Stück wie Mahlers Symphonie Nr. 2 an ihre Grenzen stoßen – wie Mahler selbst bemerkte, als er sich enttäuscht über Max Singers Bearbeitung der Symphonie äußerte.[66] Es ist sogar zu vermuten, daß genau darin ein Stück weit Mahlers Programm liegt – eine Musik zu schreiben, die sich der allzu leichten Kommodifizierung entzieht, die also dem orchestralen Kontext, der orchestralen Textur und dem symphonischen Raum nicht oder nur schwer zu entwinden ist. So argumentierte schon Adorno, daß das, was Mahler häufig als Monumentalität angekreidet wurde, im Grunde genommen ein Aufbegehren darstellte „gegen die bürgerlich private, konventionelle Verengung von Musik", die ja gerade die Klavierbearbeitung verkörpert wie kaum ein anderes Phänomen[67].

Dennoch wurde die Zweite Symphonie fürs Klavier bearbeitet – ein Stück, das an einigen Stellen *ppppp* verlangt und das allein im dritten Satz mit Passagen

---

[65] Arthur Schnitzler. *Tagebuch, 1903–1908*. Wien: Verlag der Österreichischen Akademie der Wissenschaften, 1991, S. 111.

[66] Henry-Louis de la Grange, *Gustav Mahler, Vol. 3 – Vienna: Triumph and Disillusion (1904–1907)*. Oxford: Oxford University Press, 1995, S. 23.

[67] Theodor W. Adorno, „Wiener Gedenkrede". In: *Gesammelte Schriften, Band 16*. Frankfurt: Suhrkamp, 1978, S. 327.

col legno (Schlagen des Bogens auf die Saiten), mit glissandi und häufigem Pizzicato aufwartet. Darüber hinaus arbeiten Mahlers Symphonien mit Distanzeffekten (Schlag- oder Blechinstrumente werden hinter der Bühne oder hinter dem Publikum plaziert); die Bearbeitung fürs Klavier kommt daher auch der Zerstörung des symphonischen *Raumes* gleich. Doch selbst bei traditionellerer Orchestrierung läuft jeder Klavierauszug Gefahr, das Original bis zur Unkenntlichkeit zu verfälschen. So bemerkt Adolf Bernhard Marx: „Gewisse Figuren anderer Instrumente, zum Beispiel des Streichorchesters (oder die langausgehaltenen Töne der Bläser) sind auf dem Fortepiano theils unausführbar, theils ohne Wirkung, oder doch von anderer oder geringerer."[68]

Tatsächlich dürfte sich der Transfer bei einer vierhändigen Bearbeitung schwieriger gestalten, als das bei einer Bearbeitung für *eine* Klavierstimme der Fall wäre: Denn letztere ist ja noch in einem viel stärkeren Maße *Interpretation*, darf sich also durchaus eine Melodie herausklauben und auf den Großteil des Beiwerks verzichten. Aber das vierhändige Klavier hat eben doch einen gewissen Vollständigkeitsanspruch: das zweite Paar Hände verdankt seine Präsenz auf der Klaviatur dem Wunsch, Orchester- oder Kammermusik vollständiger, das heißt detailreicher abbilden zu können, wodurch also Details, die nicht abbildbar sind, stärker ins Gewicht und ins Auge fallen als bei der Klavierbearbeitung zu zwei Händen. Das Fehlen der em-phatischen Multidimensionalität der Mahlerschen Symphonik, ihrer extremen Dynamik, ihrer Manipulationen des Raumes und der Stimme ist in der vierhändigen Bearbeitung klarer zu erkennen als in der für zwei Hände, die sowieso nur skizzenhaft ans Vorbild heranreicht, während die vierhändige mit ungleich unverschämterem Anspruch auftritt.

Ein Stück, das uns im nächsten Kapitel länger beschäftigen wird, parodiert eben diesen Anspruch: Camille Saint-Saëns' *Carnaval des animaux* schickt unter anderem zwei *pianistes* in die Manege: Diese eher seltsamen Tiere exerzieren unisono eine Reihe von Tonleitern durch, nur kurzfristig von Orchesterakkorden unterbrochen. Worin der Sinn von Saint-Saëns' Scherz liegt, ist klar: Vierhändigspieler wollen orchestral sein, sind aber (wie es ja auch die *AmZ* zu sehen scheint) im Grunde genommen nur bessere Klavierschüler. Er erlaubt der (wahren) Hausmusik ihren Moment im Rampenlicht, aber nur um sie zu blamieren. Seine Persiflage klagt also ein, was auch Mahlers Zweite charakterisiert – eine rigide Trennung zwischen Hausmusik und Symphonik. Bei Saint-Saëns wird die peinlich akkordhafte Grundlage („akkordhaft" im doppelten Sinne) der Hausmusik in den Konzertsaal gezerrt und somit die Trennlinie durch Übertretung unterstrichen; Mahlers Symphonik zieht genau so eine Trennlinie, indem sie die Möglichkeit ihrer Adaption in jeder anderen Form als der Symphonie systematisch untergräbt. Unter diesen Umständen ist es nur folgerichtig, daß Saint-Saëns *zwei* Pianisten persifliert und nicht einen einzigen: Es ist die unverschämte

---

[68] Adolf Bernhard Marx, Artikel „Klavierauszug" in *Encyclopädie der gesammten musikalischen Wissenschaften oder Universal-Lexikon der Tonkunst*. Stuttgart: Köhler, 1837, S. 136.

Anmaßung, Symphonik nachbilden zu können, symphonischen Raum im häuslichen erzeugen zu wollen, den Saint-Saëns durch Lächerlichmachung denunziert.

Dennoch ist natürlich historisch gesehen eben diese Anmaßung im späten neunzehnten Jahrhundert immer häufiger. Denn die Verbindungslinie zwischen dem leicht verwertbaren Schumann und dem ungleich schwerer verwertbaren Mahler ist keine andere als die des musikalischen Fortschritts. Die steigende Resistenz gegen Verwertbarkeit verläuft parallel zur steigenden Tendenz zur Verwertung. Es ist also eine weitere Paradoxie der Form, daß, während die vierhändige Bearbeitung ihren Siegeszug antritt, die symphonische Musik sich immer weiter dem Korsett der Bearbeitbarkeit entwindet. So weist Hans Gál darauf hin, daß die Hausmusik um die Jahrhundertwende immer stärker untergraben wurde, durch einen symphonischen Stil, der das Herabstutzen des Klangs „aufs Schwarzweiß des Klaviers" immer problematischer machte.[69] Und auch Adorno schreibt, daß die Musik nach Brahms insbesondere „um der Selbstherrlichkeit ihrer Klangfarben willen" aus dem Bearbeitungsrepertoire ausschied.[70] Während Schubert zum Beispiel nur die Ballettstücke und Ouvertüren seiner Opern für vier Hände setzt, gibt es zu den ungleich schlechter geeigneten Partituren der Wagner-Opern sofort vollständige Bearbeitungen. Je schlechter die neuere Musik sich zur Bearbeitung eignet, desto schneller wird sie durch die Kräfte des Marktes der Bearbeitung zugeführt.

Doch nicht nur die Verletzung der Grenze zwischen Privatmusik (oder Protomusik, wie im Fall der Tonleiter) und Konzertmusik wird den Duettisten angelastet: Es zeigt sich an der kritischen Bemerkung aus der *Allgemeinen musikalischen Zeitung* (wie auch an dem nüchternen schnitzlerschen Protokoll) der seltsam zwanghafte, übermäßige Charakter, den der Beobachter mit dem Vierhändig-Spielen assoziiert (und der ihm wohl auch objektiv anhaftet): Diese „eifrigen" Spieler, die es an einem Nachmittag durch „ein halbes Dutzend" Stücke schaffen, nur um dann gierig auf „neues Material" zu warten, scheinen wenig mit den verklärten und entspannten Gestalten Mozarts und Maria Annas vor dem Klavier im Gemälde de la Croces gemein zu haben. Es mag sein, daß dieser unheimliche Wiederholungszwang allem „Trend" innewohnt, doch die Konsequenz, mit der hier Akkordarbeit, Bedürfnis und Sucht in den bürgerlichen Salon hineinragen, scheint doch bemerkenswert.

In einem zu seinen Lebzeiten ungedruckt gebliebenen englischsprachigen Entwurf zum Thema der Stimme des Radios („Radio Voice") beschreibt Theodor Adorno die Veränderung, die orchestrale Musik durchmacht, wenn sie (damals noch in Mono) als Radioübertragung gehört wird. Adorno vergleicht diese Veränderung als der Photographie analog: Musik zu übertragen heißt, ein Photo von ihr zu machen.[71] Ein sprechendes Bild: Denn genauso wie ein Photo die phänomenale Realität auf einen kleinen, rein visuellen Ausschnitt reduzieren

---

69 Hans Gál, *Franz Schubert and the Essence of Melody*. London: Gollancz, 1974, S. 146.

70 Adorno, „Vierhändig, Noch Einmal", S. 304.

71 Theodor W. Adorno, *Current of Music* (NS 3). Frankfurt: Suhrkamp, 2006, S. 520, 523.

muß, so muß die Radioübertragung jegliche klanglichen Valeurs, die zu fein oder zu laut sind, ganz zu schweigen von den nichtklanglichen Valeurs, für den Transport hinwegabstrahieren. Ähnliches ließe sich von der Bearbeitung zu vier Händen sagen: Denn hier gibt es einerseits Instrumentgruppen, die sich gar nicht übersetzen lassen, es gibt Klänge, die sich beim besten Willen nicht einmal ansatzweise simulieren lassen, und es gibt ein nichtklangliches Element, eine ästhetische Topographie (im Sinne der *aisthesis*, also der sinnlichen Wahrnehmung nicht nur des Schönen, sondern des sinnlich Gegebenen *tout court*), also die räumliche Erfahrung des Konzertsaals (oder der Kirche), die in der Bearbeitung konstitutiv wegfallen müssen.[72]

Tatsächlich ist ein ähnlicher Vergleich schon im neunzehnten Jahrhundert bemüht worden: Kritiker verglichen den vierhändigen Auszug gerne mit der Lithographie, die die „Form" zwar bewahre, die „Farbe" aber nicht zu transportieren vermöge. So, vermerkt die *AmZ*, „steht ein vierhändiges Arrangement zur Original-Partitur ohngefähr im gleichen Verhältnisse, wie ein Kupferstich zu seinem, in lebendigen Farben ausgeführten Original-Gemälde".[73] Und auch E.T.A. Hoffmann notiert: „Das Pianoforte gibt das große Werk, wie ein Umriß das große Gemälde, den die Phantasie mit den Farben des Originals belebt."[74] Obwohl einige Kritiker den Vergleich positiv meinen, wird er normalerweise angestrengt, um den Konsum der vierhändigen Partituren in Mißkredit zu bringen (Hoffmann selber notiert, er sei „nicht sonderlich fürs Arrangieren"[75]). Denn die Demokratisierung und die Kunsterziehung, die sowohl von den lithographischen Reproduktionen von Meisterwerken der Malerei als auch von vierhändigen Bearbeitungen musischer Meisterwerke ausgehen, so argumentieren die Kritiker, werden erkauft um den Preis der Uneigentlichkeit. Die Farbe, die Aura des Werkes geht verloren, wenn man sie der Bearbeitung aussetzt – und anscheinend insbesondere, wenn man sie der *vierhändigen* Bearbeitung aussetzt.

Obwohl die Bearbeitungspraxis in dieser Hinsicht keineswegs uniform war, bestand doch die Tendenz, insbesondere in der Bearbeitung für vier Hände, die Instrumentalpartien der Originalpartitur anzugeben – unter der betreffenden Stelle steht dann zum Beispiel „Violine I" oder „Posaune". In Hugo Ulrichs Bearbeitungen der Symphonien Beethovens zum Beispiel sind die abgebildeten Instrumente in den Noten genannt – allerdings nur soweit sie tatsächlich melodieführend sind. Das ist durchaus nicht immer so, aber es wirft doch eine interessante Frage auf: Was sollen wir, was soll der Spieler mit dieser Information anfangen? Was kann der Spieler an seinem Spiel modulieren, das mit einem Vermerk „Vcello" oder „Clar.Fag." angezeigt werden könnte? Es ist natürlich so,

---

[72] Vgl. Adrian Daub. „Adorno's Schreker – Charting the Self-Dissolution of the Distant Sound." *Cambridge Opera Journal*, 18, 3, S. 247–271.

[73] *AmZ* 46/1832 (14. November), S. 757.

[74] E.T.A. Hoffmann, *Sämtliche Werke in Sechs Bänden, Band 1*. Frankfurt: Deutscher Klassiker Verlag, S. 552.

[75] Ebd., S. 551.

daß dies einer Tatsache geschuldet ist, die zu Beginn dieses Kapitels angesprochen wurde, der nämlich, daß die vierhändige Bearbeitung die Schallplatte des neunzehnten Jahrhunderts war und daß der *Leser* der Partituren natürlich nicht nur die Melodien, sondern auch das *timbre* der Musik kennen wollte. Dennoch ist hier wichtig, daß diese für das Spiel selber recht belanglosen Notationen eben dem „Geist“ der Originalkomposition Tribut zollen: Der Klavierbearbeitung ist ihr supplementärer Charakter sogleich anzusehen; der Vermerk „Vcello“ dokumentiert nichts anderes als die Scham der Bearbeitung, der Kopie vor dem Original.

Tatsächlich betrifft diese Scham vornehmlich das Klavier und die *Klavier*bearbeitung – denn der „transzendentale Maßstab“ Klavier ist eben auch ein „Allerweltinstrument“[76] mit einem Allerweltklang, der, wie Max Weber schreibt, „unwillkürlich mit dem Orchester verglichen und dann freilich zu leicht befunden wird“[77] und dessen der Philister sich schämt. So hört Prousts Erzähler bei einer Soirée der Verdurins ein Motiv, das ihn nicht mehr losläßt. Als er sich nach dem Stück erkundigt, wird ihm gesagt, es handele sich um das Andante aus der Violasonate des (fiktiven) Komponisten Vinteuil – was der „junge Pianist“ vorträgt ist also eine Bearbeitung. Die philiströse Mme. Verdurin bemerkt dazu folgendes: „Sie haben sicher nicht gewußt, daß das Klavier das hergeben kann. Aber das ist ja wahrhaftig kein Klavierspiel mehr, bei Gott! Jedesmal bin ich wieder erstaunt, man meint ein Orchester zu hören. Es ist sogar schöner als Orchester, es ist noch vollkommener.“[78] („Vous ne saviez pas que le piano pouvait atteindre à ça. C’est tout excepté du piano, ma parole! Chaque fois, j’y suis reprise, je crois entendre un orchestre. C’est même plus beau que l’orchestre, plus complèt.“[79]). Das größte Kompliment, welches der Philister dem Klavier zu machen vermag, ist, daß es nicht wie es selbst klingt.

Einen verwandten Topos bemüht Hugo Wolf in einer Rezension. Seine Kommentare betreffen weniger die Musik, die aus freien Stücken oder des Geldes wegen vierhändig oder für zwei Klaviere bearbeitet wird, sondern vielmehr jene Stücke, die nur durch dieses „Surrogat“ überhaupt zur Aufführung gelangten. Unter den Werken, denen nur ihres „instrumentalen Gewandes“[80] entkleidet eine Uraufführung beschieden war, sind einige der Symphonien Anton Bruckners. In seiner Rezension eines „Bruckner-Abends“ im Dezember 1884 weist Wolf auf die „Mißlichkeit“ dieser Situation hin, wobei er aber das Fehlen des

---

[76] AmZ 46/1832 (14. November), S. 753.

[77] Max Weber, *Die rationalen und soziologischen Grundlagen der Musik*. Tübingen: J.C.B. Mohr (Paul Siebeck), 1972, S. 77.

[78] Marcel Proust, *In Swanns Welt*. Frankfurt: Suhrkamp, 1997, S. 282.

[79] Marcel Proust, *Du Côté de chez Swann*. Paris: Éditions de la Nouvelle Revue Française, 1929, S. 293.

[80] Max Kalbeck, „Feuilleton: Pastoral – oder tragische Symphonie“. *Neues Wiener Tagblatt*, 7. Januar 1907.

orchestralen Klangs geradezu als Kastration des „Titanen" Bruckner aufzufassen scheint.

Insgesamt ist Wolf mit der Musik ziemlich, mit der Interpretation der Pianisten (der Brucknerschüler Ferdinand Löwe und der Brucknerpropagandist Joseph Schalk) äußerst zufrieden. Wolf scheint sich nur an einem zu stören: daß Bruckners Symphonien „nur" in der Klavierbearbeitung an die Öffentlichkeit gelangten. „Bruckner, dieser Titane, ist nun angewiesen, vom Klaviere aus dem Publikum sich verständlich zu machen; eine recht mißliche Sache, aber immer noch besser, als gar nicht gehört zu werden." [81] Wie kam es zu dieser mißlichen Situation? „Die Tribunen" des Orchesters, bei dem das Stück Premiere haben sollte, legten „gegen den Beschluß des Dirigenten ihr Veto ein".[82] Was sich Bruckner entgegenstellt, seinen Weg in den Konzertsaal blockiert und ihm den Notbehelf der vierhändigen Klavierpremiere aufzwingt, sind also die Tücken und Widerstände des „Orchesterkörpers", wie Wolf es ausdrückt. Die Metapher ist eine äußerst interessante: Denn der „Orchesterkörper", das ist ebenso der Körper, der sich dem Komponist meuternd in den Weg stellt, wie auch der Körper, der sich ihm als Konsequenz dieser Meuterei entzieht. Denn die Klavierbearbeitung ist entkörperlicht, und der arme Bruckner, dem selbst der ihm freundlich gesonnene Wolf einen „Mangel an Intelligenz" attestiert, bekommt den Orchesterkörper nicht zu fassen.

Auch daß im hausmusikalischen Arrangement eine besondere Form der körperlich-sinnlichen Erfahrung unmöglich gemacht wird und ein symphonisch-öffentlicher Raum annulliert und privatisiert wird, gibt der Vergleich mit der Lithographie her. Interessanterweise allerdings scheint keiner der Kritiker diesen Aspekt der Gleichsetzung von Bearbeitung und graphischer Reproduktion bemüht zu haben – weswegen das Begriffspaar „privat/öffentlich" nie als Basis der Wertung in den Blick der Kritiker geraten konnte, obwohl es ihm objektiv deutlich zugrunde lag. Es geht, anders gesagt, beim Vergleich mit der Lithographie nicht ausschließlich um den Verlust der „Farbe", sondern eben auch um die Privatisierung des Meisterwerks, das den privaten Rahmen eigentlich sprengen sollte – insofern ist vielleicht der Vergleich mit der Lithographie zu kurz gegriffen, und es handelt sich beim Auszug eher um so etwas wie einen photographischen Abzug, den man beliebig vergrößern und verkleinern kann.

Wenn vierhändige Bearbeitungen also auch in gewisser Weise „photographische" Musik sind, dann sind sie dadurch, daß ihnen das, was sie nicht transportieren können, immer schon als Manko eingeschrieben ist, der Photographie noch einmal ähnlicher. Denn, wie Christian Metz einmal bemerkt hat, wohnt jedem Photo, das einen rechteckigen visuellen Ausschnitt der Realität zeigt, zwingend ein Bewußtsein inne, daß da noch etwas anderes, Verlorenes ist, das nicht transportiert werden konnte – Metz nennt es *hors-champs*.[83] Dabei ist die

---

[81] Hugo Wolf, *Hugo Wolfs musikalische Kritiken*. Leipzig: Breitkopf & Härtel, 1911, S. 126.

[82] Ebd., S. 125.

[83] Christian Metz. „Photography and Fetish." *October* 34 (Autumn 1985), S. 81–90.

Landschaft jenseits des Bildrandes nur eine Metonymie für das, was Photographie durch ihre Verfaßtheit als Medium konstitutiv abstrahieren muß. Metz' Vorschlag ist es nun, diesen Moment des Schnitts, in dem Realität vernichtet, dem Vergessen anheim gegeben wird, in dem aber auch eine Spur der vernichteten Realität dem überlebenden Bild (oder Klang, in unserem Falle) eingeimpft wird, mit dem Freudschen Moment der Kastration, und die Erinnerung an das Verlorene mit dem *Fetisch,* gleichzusetzen.

Die Analogie zur vierhändigen Klavierpartitur ist unübersehbar: Auch hier fröhnt man der Imitation einer Erfahrung, die in ihrer Sym-phonik und in ihrer phänomenalen, d.h. immer auch räumlichen Erfahrbarkeit immer nur unvollständig repliziert werden kann. Und in der Klavierbearbeitung eines orchestralen, choralen oder größeren Kammerwerks ist dieser Mangelcharakter (*manque*) immer bereits Teil der Form – sie verdrängt bestimmte klangliche und phänomenale Valeurs (Stimme, *timbre* etc.), aber sie stellt gleichzeitig das Fehlen des Verdrängten zur Schau. Das Fehlende ist in seinem Fehlen immer präsent, die Musik ist also auch „privat" im Sinne der antiken Grundbedeutung der *privatio*, also der Absenz oder des Mangels.[84] Der „Fetischcharakter" der vierhändigen Partitur ist somit nicht nur dem Diktat des Tausches geschuldet, ist also nicht nur ein Fetisch im Marxschen Sinne, sondern die durch den Tausch erzwungene Abstraktion ist auch immer ein Fehlen *am Objekt selber*, also ein Fetisch im Sinne Freuds.

Auch darauf verweist die *Allgemeine musikalische Zeitung* in gewisser Weise in ihrer Verdammung des suchtähnlichen Klavierspiels zu vier Händen: Der Wiederholungszwang liegt nicht nur in der Warenhaftigkeit der Partitur begründet, sondern eben auch in der Tatsache, daß man mit der vierhändigen Bearbeitung nie „die Sache selbst" in Händen hält. Der *oikos*, der sich an einem Nachmittag durch mehrere Symphonien hindurcharbeitet, ist deswegen in Hast, weil jeweils das nächste Objekt den Mangel am gerade vorhandenen Objekt beheben soll. Doch auch diese jeweils nächste Partitur kann das Begehren nur weiterverweisen, auf noch eine Partitur, und so weiter. Worauf die *Allgemeine musikalische Zeitung* hinweist ist also das: Das Phänomen des vierhändigen Klavierspiels ist „überbelegt", es kann der in es investierten Libido nicht gerecht werden – die in das Phänomen À-quatre-mains-Spielen investierten Triebenergien zielen immer über es hinaus, sind immer exzessiv, immer nur enttäuschbar.

Doch müssen wir dieser Wertung des neunzehnten Jahrhunderts unbedingt folgen? In der nostalgischen Rückschau des zwanzigsten Jahrhunderts ergibt sich eine weitere Möglichkeit, daß nämlich der Fetischismus, den die Vierhändigspieler an den Tag legten, das Wesen der Sache sehr viel eher traf als der miß-

---

[84] So weist zum Beispiel Hannah Arendt darauf hin, daß *privatus* eben auch mit der *privatio* zu tun hat, „daß man [im Privaten], wie schon das Wort anzeigt, in einem Zustand der Beraubung lebte, und zwar beraubt der höchsten Möglichkeiten und der menschlichsten Fähigkeit" (Hannah Arendt, *Vita Activa, Oder vom tätigen Leben*. München: Piper, 2002, S. 48).

trauische Blick der Berufskünstler. Adorno zum Beispiel weist darauf hin, daß sich das symphonische Repertoire „allzugut" vierhändig bearbeiten ließ, so gut, „daß mich das Gefühl nicht verläßt, es sei aus dem Bereich des einfarbigen tragisch-intimen Duetts nachträglich erst in die instrumentale Vielfalt erhoben worden".[85] Ziemlich vehement wurde im neunzehnten Jahrhundert vierhändige Musik mit dem „vorkosten oder nachgenießen" assoziiert – sie kam zu früh oder zu spät, das Hauptgericht war sie nie.[86] Hinter Adornos „allzugut" versteckt sich die Vermutung, daß die Rede von der vierhändigen Bearbeitung als Uneigentlichem eine Verdrängung der Tatsache darstellt, daß entweder die Klavierbearbeitung das „Eigentliche" sein könnte oder daß umgekehrt eine solche „Eigentlichkeit" nie existierte, daß die Musik und ihr Genuß, ob daheim oder im Konzerthaus, nur aus „vor" und „nach" besteht. Wenn wir bedenken, daß es sich in vielen Fällen empirisch so verhielt – daß zum Beispiel die vierhändige Version vor der Orchesterversion kam oder die vierhändige Version die nie gehörte oder verschollene Orchesterversion ersetzte – dann hat die eilfertige Rede vom notwendigen Zu-früh oder Zu-spät der vierhändigen Partitur etwas zutiefst Fragwürdiges.

Johannes Brahms' Klavierquintett in f-Moll (op. 34) war ursprünglich ... ja, was war es ursprünglich? Brahms schrieb es als Streichquintett, doch da das musikalische Material „hartnäckigen, passiven Widerstand"[87] leistete, bearbeitete er es als vierhändige Sonate (allerdings für zwei Klaviere), bevor es schließlich zum Klavierquintett mutierte. Daß dieses Hin und Her zwischen den Formen über den Äther der vierhändigen Musik verlief, sollte uns nicht mehr überraschen.[88] Doch vielleicht sollte uns überraschen, daß die in diesem Kapitel ausgeführte Denkart über das Vierhändigspiel uns zur Rede vom „Äther" verleitet hat – denn wieso sollte das Stück in seiner vierhändigen Form „nur" den Charakter des „Mediums" haben, das das „ursprüngliche" Stück in das „eigentliche" oder heute „gültige" Stück übersetzt? Eben dies hinterfragt Adornos „allzugut": Was macht diese vierhändige Fassung sekundär? Kann man noch vom primären Text sprechen, von Original und Kopie? Der Fetischist ist jemand, der den Fehler begeht, von einem Vermittelten anzunehmen, es sei unmittelbar gegeben. Wo ist also der Fetischismus ums vierhändige Klavierspiel zu suchen: Bei dem, der dem immer nächsten Auszug nachhastet, oder bei dem, der glaubt, dies dank Logenplätzen in der Hofoper nicht mehr zu müssen?

---

85 Adorno, „Vierhändig, Noch einmal", S. 305.

86 Hanslick, *Geschichte des Concertwesens in Wien*, S. 405.

87 Max Kalbeck, *Johannes Brahms*. Berlin: Verlag der Brahms-Gesellschaft, 1908, II, S. 52.

88 Marie Agnes Dittrich, „Tradition und Innovation im Klavierquintett in f-Moll op. 34" In: Gernot Gruber (Hrsg.), *Die Kammermusik von Johannes Brahms*. Laaber: Laaber, 2001, S. 175f.

Kapitel 3: „At best an intruder, at worst a voyeur": Das Vierhändige Klavierspiel und die Familieneinheit

Wir haben den von den Zeitgenossen konstatierten Mangel am Konsum der vierhändigen Musik festgestellt, aber wir haben diesen Mangel *nicht* am Warencharakter dieser Musik allein festmachen können. Wenn es um die in das Phänomen investierten Triebenergien geht, dann geht es auch um den *Gebrauch*, den die Familieneinheit, den die Privatsphäre von diesen Gegenständen machte. Die Unheimlichkeit dieser Partituren lag nicht in ihrer Replizierbarkeit, ihrer Reduktion der konzertanten Erfahrung oder in der Obsession, mit der ihre „Benutzer" ihnen entgegenfieberten – sie lag in diesem Gebrauch selber, dem Ritus des Vierhändigspiels (statt in dem Kultus des Sammelns, des Besitzens, des Repräsentierens). Das Versprechen, das Mama und Arthur Schnitzler alle drei Tage gemeinsam ans Klavier trieb, das die „eifrigen" Dilettanten dazu brachte, an einem Nachmittag „ein halbes Dutzend Symphonien, Quartette oder dergl. zu verarbeiten",[1] lag im Spiel selber: in der Fantasie einer gemeinschaftlichen Arbeit, einer arbeitslosen, produktlosen Arbeit, die sowohl von einer *sinnvollen* und gerechten Arbeitsteilung als auch von einem *sinnlichen* Glücksversprechen getragen wurde.

Andererseits war das Vierhändigspiel, wie wir sahen, den Außenstehenden immer auch der Rede wert. Es mag stimmen, daß Arthur Schnitzler und „Mama" das vierhändige Spiel als „Gespräch ohne Worte, Harmonie jenseits der Sprache" praktizierten.[2] Dafür hatten diejenigen, die sich in der Öffentlichkeit über den privaten Vollzug ausließen, umso mehr zu sagen: Wenn sich insbesondere der vierhändige Auszug über den Tellerrand der häuslichen Sphäre hinausreckte, wurde er verspottet. Die Konsequenz, mit der das vierhändige Klavierspiel der häuslichen Welt zugewiesen oder in sie verwiesen wurde, wird uns auch in diesem Kapitel beschäftigen. Doch wird sich zeigen, daß auch innerhalb der Privatsphäre die Position des Vierhändigspiels äußerst ambivalent war. Das vierhändig bespielte Klavier ist einerseits als Versammlungsort unübertroffen, andererseits aber den Mitgliedern des Haushalts immer auch suspekt. Zumindest in der Literatur stabilisiert es die Familie und es bedroht sie, paradoxerweise häufig beides auf einmal.

Wir wenden uns nun von Mama und Arthur Schnitzler ab, die die Außenwelt im neunzehnten Jahrhundert für so eminent lesbar hielt, und wenden uns dem Schnitzler zu, über dessen Lesbarkeit auch heute keine Zweifel bestehen: dem Literaten Arthur Schnitzler. Hier wenden wir uns einem Text zu, in dem das

---

1 Zitiert in: Thomas Christensen, „Four-Hand Piano Transcription and Geographies of Nineteenth-Century Musical Reception". *Journal of the American Musicological Society*, Vol. 52, No. 2 (1999), S. 258.

2 Ulrich Weinzierl, *Arthur Schnitzler: Leben, Träumen, Sterben*. Frankfurt am Main: S. Fischer, 1994, S. 31.

vierhändige Klavierspiel gerade nicht vorkommt. Was uns interessiert ist die Tatsache und der Status dieses Nichtvorkommens selber. Der Text, um den es geht, ist die Novelle „Fräulein Else" (1924), und die Handlung, in der das vierhändige Klavierspiel nicht vorkommt, ist schnell erzählt: Die Novelle spielt in einem italienischen Kurhotel. Die junge Else wird brieflich von ihren Eltern gebeten, den reichen Kunsthändler Dorsday um ein Darlehen von dreißigtausend Gulden zu bitten, um den Vater, einen insolventen und kriminellen Rechtsanwalt, vor dem Zuchthaus zu bewahren. Dorsday erklärt sich bereit, das Geld zu überweisen, knüpft dies aber an eine Bedingung: Er will Else nackt sehen. Die Novelle besteht hauptsächlich aus Elses innerem Monolog, während sie im Tagesverlauf versucht, sich zu entscheiden, ob sie die eigene Selbstachtung dem Eigennutz der Eltern zu opfern bereit ist. Schließlich entblößt Else sich im Musikzimmer des Hotels vor Dorsday und versammelten Gästen und begeht anschließend auf ihrem Hotelzimmer Selbstmord.

Der Voyeurismus Herrn Dorsdays, die Objektifizierung des weiblichen Körpers, der im Laufe des Tages gewissermaßen Komplize seiner eigenen „Feminisierung" wird,[3] und seine letztendliche Entblößung im Musikzimmer: die gesamte Szenerie des vierhändigen Klavierspiels, die wir in den vorigen Kapiteln entwickelt haben, ist in „Fräulein Else" präsent – mit Ausnahme freilich des vierhändigen Klavierspiels selber. Käme vierhändiges Klavierspiel im Text vor, dann wo? Würde Herr Dorsday verlangen, mit Else spielen zu dürfen? Berührung scheint er nicht zu verlangen, er will beobachten; nein, das Fehlen des Vierhändigspiels scheint vielmehr zentral mit dem Fehlen der Familie verknüpft. Es strukturiert gewissermaßen in seinem Fehlen die Familiendynamik der Novelle: Elses Familie selber, obwohl Auslöser der Katastrophe, kommt nur über eine Reihe von Telegrammen zu Wort, ansonsten ist Else in ihrer Entscheidung absolut alleine („Wie allein bin ich da!" ruft sie mehrmals aus[4]). Anders als in der überwältigenden Mehrheit der Texte, in denen wir dem Vierhändigspiel bisher begegnet sind, ist die Familie in „Fräulein Else" immer nur geisterhaft präsent – als Telegramm, als Stimme der Erinnerung, als Element des inneren Monologs. Eine Familieneinheit, in die das Vierhändigspiel Einlaß oder über die es Auskunft gewähren könnte, scheint es nicht zu geben.

Hinzu kommt aber, daß „Fräulein Else" die Familie nicht eben als Inbegriff der Intimität und der zwischenmenschlichen Wärme präsentiert. Zwar scheint Else den fernen Vater abgöttisch zu lieben, doch ist sie sich darüber im Klaren, daß die Eltern sie bewußt zu Geld zu machen versuchen, daß ihre Herabwürdigung zur „Dirne", zum „Luder"[5] nicht nur von den Eltern verursacht, sondern von ihnen sogar in Kauf genommen wurde (zumindest der Vater scheint zu wis-

---

3 Susan C. Anderson, „The Power of the Gaze: Visual Metaphors in Schnitzler's Prose Works and Dramas". In: Dagmar Lorenz (Hrsg.), *A Companion to the Works of Arthur Schnitzler*. Rochester: Camden House, 2003, S. 314.

4 Arthur Schnitzler, *Fräulein Else*. Berlin und Wien: Zsolnay, 1924, S. 31.

5 Schnitzler, *Fräulein Else*, S. 65.

sen, worauf seine Bitte hinausläuft). Es ist also nicht nur das *Fehlen* der Familieneinheit, das „Fräulein Else" von den anderen Texten ums vierhändige Klavierspiel abhebt – es ist auch die Tatsache, daß in der Novelle die Familie eher eine Brutstätte von Unheil denn einen Quell von privatem Glück darstellt. Die Kontur des fehlenden vierhändigen Klavierspiels zeigt sich also im Herzen der fernen Familie, jener intimen und doch brutal ausbeuterischen Einheit, die Else quasi aus der Distanz an Herrn von Dorsday verhökern will. Nicht die Bedrohung des alten Lüstlings also ist es, die vierhändig konturiert ist, sondern die Familieneinheit, die so verlogen die eigene Tochter ihm ausliefert. Von solchen Familien, so scheint es, sollte man das vierhändige Klavierspiel lieber fernhalten.

Und tatsächlich handelt es sich bei der auffallenden Abwesenheit des Vierhändigspiels nicht um eine zufällige: sein Fehlen ist vielmehr Fernhalten, ist Zensur. Denn das vierhändige Klavierspiel kam in „Fräulein Else" sehr wohl vor, nur wurde die betreffende Passage von Schnitzler nicht in die endgültige Fassung der Novelle übernommen. In einem Typoskript mit Entwürfen, die in etwa in den Mittelteil der Novelle passen, charakterisiert der innere Monolog den Vater wie folgt:

> Offenbar wieder Schwierigkeiten des Vaters. Wie lange schon? Sie liebte ihn sehr. Neulich hart am Kriminal vorbei und sie spielten abends miteinander vierhändig.[6]

Elses Liebe, das „Kriminal", all dies hat Schnitzler in den endgültigen Text übernommen – nicht aber das vierhändige Klavierspiel. Was die bewußten oder unbewußten Motive einer solchen Zensur angeht, liegt eines natürlich besonders nahe – wir sind ihm im Laufe des letzten Kapitels begegnet. Vierhändiges Klavierspiel war ja auch für Schnitzlers eigene Familieneinheit charakteristisch – da liegt die Vermutung nahe, daß Elses Spiel mit dem Vater als „Deckphantasie fungiert für die Beziehung Schnitzlers zu seiner Mutter – was auch erklären könnte, daß Schnitzler in der ausgeführten Novelle das Motiv des vierhändigen Klavierspiels wieder fallen ließ".[7]

An einer Psychoanalyse der Person Arthur Schnitzlers wollen wir uns nicht versuchen. Was aber im Kontext unserer Untersuchung dennoch relevant scheint: Inmitten eines Erzähltexts, in dem es ganz zentral um Nacktheit, um Entblößung, ums Öffentlichmachen von Privatem geht, finden wir einen Akt der Zensur, der darüber hinaus, ob bewußt oder unbewußt, auf dem Verhältnis des Autors zum eigenen Privatleben zu fußen scheint. Nicht die Motive dieser Zensur werden uns beschäftigen, sondern vielmehr ihre Form. Zunächst einmal fällt

---

6 Box C, XL, Mappe 140, Blatt 3. Ich danke den Erben Arthur Schnitzlers für die Erlaubnis, aus dem Nachlaß zitieren zu dürfen.

7 Astrid Lange-Kirchheim, „Die Hysterikerin und ihr Autor: Arthur Schnitzlers Novelle *Fräulein Else* im Kontext von Freuds Schriften zur Hysterie". In: Thomas Anz, Christine Kanz (Hrsg.), *Psychoanalyse in der modernen Literatur: Kooperation und Konkurrenz.* Würzburg: Königshausen & Neumann, 1999, S. 129n.

auf, daß hier eine Chiffre der Privatheit aus Gründen der Privatheit ausgelassen wird. Wie sich Vierhändigkeit aussprechen, ver-öffentlichen läßt, ist also in „Fräulein Else" alles andere als klar.

Doch eine weitere Antwort auf die Frage, was Schnitzler durch diese Auslassung zensiert, ist wohl: Durch das Fehlen des Vierhändigspiel wird eine sichere Distanz zwischen Familieneinheit und Novellenhandlung erzeugt. Schwer vorstellbar ist eine verschollene Version des Texts, in dem die Familie mit Else im selben Hotel wohnte – eine so drastische Familienkonfiguration kann wohl auch Schnitzler nicht (oder zumindest nicht im Bürgertum) zulassen. Doch die Distanz erlaubt es auch, die Familie als solche nicht in den Blick kommen zu lassen – Elses Bindung an die Eltern wird zwar klar, doch die Familieneinheit wirkt in Elses aufgebrachtem Monolog „dysfunktional" und somit außerordentlich. Das bedeutet, wir Leser können erleichtert davon ausgehen, daß hier eine kaputte, nicht eine normale oder gar „die" Familie geschildert wird. Eben dies würde eine vierhändige Episode wohl untergraben – zu groß der Wiedererkennungswert des Topos, zu stark wohl auch seine Rolle in der Ideologie des trauten Heims. Spielte Else mit dem Vater vierhändig, dann ließe sich die Scheidung von Heim und Ökonomie nicht mehr halten.

Genau hier liegt das Familiengeheimnis, das Schnitzlers Zensur bewahrt: Die angeblich so intime Familieneinheit (jeweils von Vierhändigspielern verkörpert: Arthur und Mama, Else und Papa) ist in Wirklichkeit von monetären Fragen zutiefst durchdrungen. Die Familie schickt die Tochter anschaffen, und zwar nicht weil der Vater spielsüchtig und die Mutter ein gehörntes Dummchen ist, sondern einfach weil es eine Familieneinheit, die selbstgenügsam jenseits des Geldes und der Ökonomie existierte, nicht gibt. Ob und wie diese Einsicht in Schnitzlers Leben und seinem Werk zu verorten ist und wie er sich zu ihr verhielt, braucht uns im Kontext unserer Untersuchung nicht zu kümmern. Für uns ist interessant, daß die familiäre Praxis des Vierhändigspiels anscheinend von Spuren des Monetären und Ökonomischen in ihrer Ideologie empfindlich getroffen wird.

Um diese seltsame Dynamik stärker herauszuarbeiten, verlassen wir den Bereich der *Bearbeitungen* zu vier Händen, die Arthur und Mama (und wahrscheinlich Else und Papa) miteinander spielten, und wenden uns stattdessen der allerseltensten Kreatur zu: dem Vierhändigspiel im orchestralen Zusammenhang. Camille Saint-Saëns' *Carnaval des animaux* parodiert das Vierhändigspiel, indem er, ähnlich wie der Herausgeber der *AmZ*, ihm nur Übungscharakter zu- und ihm allen Öffentlichkeitswert abspricht. Saint-Saëns' *Carnaval* ist ein seiner selbst bewußtes Stück Warenmusik. Es hat wenig vom Karneval im Sinne Bachtins[8] und handelt vielmehr von Zirkus, Manege und Spektakel – statt Verwirrung und Persiflage paradieren (bei aller Satire) kalkulierte Vignetten durch den Saal. Die ganze Veranstaltung hat etwas Museales: sie zeigt die Vögel nicht in der freien Wild-

---

[8] Michail Bachtin, *Rabelais und seine Welt*. Frankfurt a.M.: Suhrkamp, 1995, S. 59.

bahn, sondern in der *Volière*, die Fische im *Aquarium* und bringt sogar *Fossiles* ins Spiel. Inmitten der Ausstellungswerte wird ein weiteres recht uncharakteristisches Tier vorgestellt: *Les pianistes*. Zwei Klaviere exerzieren eine Reihe von Tonleitern vor, nur kurzfristig durch Orchesterakkorde unterbrochen.

Ist es ein Zufall, daß hier *vierhändige* Klavierspieler persifliert werden? Anders als bei zum Beispiel den *Hémiones* oder beim *Éléphant* liegt der Scherz hier nicht in der Variation, in der eine bekannte Melodie einem unpassenden Tempo oder Instrument überantwortet wird – Offenbachs Cancan im Zeitlupenlargo oder Berlioz' anmutiger Sylphentanz in der Bearbeitung für Kontrabaß. Bei den *pianistes* scheint es vielmehr das Genre selbst zu sein, das unpassend ist – unpassend für den Konzertsaal, unpassend für die Aufführung. Saint-Saëns' Partitur merkt dazu an: „Les exécutants devront imiter le jeu d'un débutant et sa gaucherie." In dieser „gaucherie", so scheint es, ist das vierhändige Klavierspiel der Tonleiter gleich: Beide stehen gewissermaßen hinter aller Meisterschaft, aber weder die Tonleiter noch das Üben am gleichen Flügel haben Platz im Konzertsaal. Wie wenn im Film manchmal die Wände eines Toilettenhäuschens wegfallen und die kauernde Kreatur im Inneren den Blicken der versammelten Menge preisgeben, wird hier eine peinliche Privatsache auf die Bühne gezerrt: das blöde Rauf-und-Runter, das schamhaft und uneingestanden (wie die nackte Else im Musikzimmer) hinter der Bühnenvirtuosität steht. Daß es zwei Pianisten sind, scheint in irgendeiner Form *Teil* dieser Peinlichkeit, dieses Lapsus zu sein. *Zu zweit* spielt man Klavier nur privat, auf die Bühne gezerrt ist die Aktivität lächerlich.

Das bedeutet natürlich nicht, daß im neunzehnten Jahrhundert nicht auch häufig konzertant vierhändig gespielt wurde. Tatsächlich spielte auch Saint-Saëns selber mit keinem Geringeren als Franz Liszt vierhändig im Konzertsaal – wie das *Musikalische Centralblatt* berichtet, spielten die zwei Komponisten im Rahmen der Tonkünstlerversammlung des Allgemeinen deutschen Musikvereins in Zürich im Jahr 1882 Liszts zweiten Mephisto-Walzer (der eigentlich für zwei Hände konzipiert ist) vierhändig.[9] Doch diese Doppelvorstellung zweier Virtuosen finden wir im *Carnaval* nicht wieder: hier sind es die Etüdenspieler, die Czernyjünger, die Tonleitersklaven, die das vierhändige Klavierspiel vertreten müssen – tatsächlich hat man in den *pianistes* eine Parodie Carl Czernys erblickt, wobei wir im sechsten Kapitel ein anderes Vorbild vorschlagen werden.[10]

Im vorigen Kapitel stellten wir fest, daß die Autoren der Musikpresse den vierhändigen Auszug gerne in die Nähe der Übungsliteratur rückten – dem Vierhändigspieler wird mit dem kanonischen Zucker die bittere Medizin der Fingerübung schmackhaft gemacht. Auch diesen Punkt bedient Saint-Saëns' Parodie: die zwei Klaviere exerzieren vor, was eigentlich mit melodischer Zuckerglasur schmackhaft und öffentlichkeitsfähig gemacht werden sollte. Er macht die *pia-*

---

9 *Musikalisches Centralblatt* 32/1882 (10. August), S. 301.

10 Siehe z.B. Brian Rees, *Camille Saint-Saëns – A Life*. London: Chatto & Windus, 1999, S. 261.

nistes aber auch gerade deshalb lächerlich, weil er den *Akkord*, die *Arbeit* hinter der *Kunst* hervorzerrt. Denn auch das ist ja in den hämischen Kommentaren der *AmZ* immer mit gemeint: Die vereinfachten Ausgaben, die eigentlich nur für Klavierschüler mit Anwandlungen von Größenwahn brauchbar sind, sind keine Kunst mehr – sie schleppen den Schweiß der Arbeit ein in die Sphäre der Kunst, die von ihm eigentlich gesäubert sein sollte. Und hier trifft Saint-Saëns einen wunden Punkt: denn Arbeit und Vierhändigspiel hängen natürlich miteinander zusammen, aber eben im Normalfall genau andersherum als in den *pianistes*.

Die Verheißungen der Form speisen sich vor allem aus dem Verhältnis des vierhändigen Klavierspiels zur Arbeit. Auf der einen Seite wohnt diesem Brauch der Salons und der bürgerlichen Kernfamilie ein Moment der *Phantasmagorie* inne – sie ist eine jener Praktiken, mit denen das Bürgertum die Arbeit (und zwar die anderer), auf die sich ihr Reichtum stützt, aus ihrem Reich verbannen will. Benjamin verweist in seiner *Berliner Kindheit um 1900* auf das gläserne Bergwerk, mit dem er bei einer Tante spielen durfte. Er vermerkt dies als etwas Besonderes in einer Zeit, welche „dem Kind des reichen Bürgerhauses den Blick auf Arbeitsplätze und Maschinen“[11] nicht mehr gönnte. Diese Zeit ist auch die Ära des vierhändigen Klavierspiels; allerdings ist sie, wie Benjamins Bergwerk, doch auch eine Phantasmagorie, die Arbeitsprozesse und sogar gemeinschaftliche Arbeitsprozesse wesentlich zum Thema hatte.

Was die Partitur als Gebrauchsgegenstand anbelangt, so hat sie die Eigenheit, daß ihr reiner Erwerb ihr Versprechen in keiner Weise einlöst. Er ist also dem Kauf einer CD zum Beispiel diametral entgegengesetzt. Die Verwirklichung des sinnlichen Versprechens, welches die Simrockschen oder Schottschen Titelblätter, neo-klassizistisch oder später im Jugendstil gehalten, besonders augenfällig vorführen, bedurfte einer kommunalen Anstrengung – oder besser einer *familiären* Anstrengung. Es ist, wie Roland Barthes das genannt hat, „muskuläre Musik“, in der der Körper „selber [...] transkribieren“ muß, „was er liest“.[12] Vierhändige Musik ist auch insofern *musica practica*, als sie im Normalfall von (manchmal äußerst guten) Amateuren gespielt wird und „in uns nicht Befriedigung auslöst, sondern den Wunsch [...] Musik zu *machen*“.[13]

Diese Musik und ihre Sinnlichkeit sind, wie Adorno sagt, „nicht gänzlich privat“.[14] Die vierhändige Musik ist das Modell einer kollaborativen Produktion, die darüber hinaus ihre eigentliche Substanz im Performativen hat. Als solche konstituiert sie eine bürgerliche Gegenwelt zur gesellschaftlichen Arbeit: Sie beschwört das an der Ware, was über deren bloße Objektivität hinausgeht, was man gemeinhin ihren Wert nennt. Dieser Wert wird im vierhändigen Spiel beina-

---

[11] Walter Benjamin, *Gesammelte Schriften, Band IV.1*. Frankfurt: Suhrkamp, 1980, S. 249.

[12] Roland Barthes, „Musica Practica“. In: *Der entgegenkommende und der stumpfe Sinn*. Frankfurt: Suhrkamp, 1990, S. 264.

[13] Roland Barthes, „Musica Practica“, S. 265.

[14] Theodor W. Adorno, „Vierhändig, Noch Einmal“. In: *Musikalische Schriften IV (GS 17)*. Frankfurt: Suhrkamp, 1971, S. 304.

he faßbar. Und das Spiel selbst beschwört eine Art der Kooperation, in der deren Gesamtheit unmittelbar sinnfällig wird. Das tote Ding, das man gekauft hat, bedarf der Menschen, um sich in seiner wahren Substanz entfalten zu können. Und diese Entfaltung ist auch gleich kommunal, von einer guten, sinnvollen Arbeitsteilung bestimmt.

Als gemeinsame Arbeit einer Gemeinschaft (nämlich der privaten), die sich durch die Abwesenheit von Arbeit überhaupt erst definiert, hat das Vierhändigspielen etwas Uneingestandenes. Das gesellschaftliche Begehren, die soziale Libido, wird in den bürgerlichen *petit noyaux* rückübertragen: Die Fantasie von der guten Arbeitsteilung meint eigentlich die gesellschaftliche Arbeit, aber man unternimmt ihre Verwirklichung nur in der Privatsphäre und im Namen der Gemeinschaft. Die *Ästhetisierung* der gesellschaftlichen Arbeit entspricht also auch ihrer *Entpolitisierung*. Und da die Arbeit ja im vierhändigen Klavierspiel auch betont *familiäre* Arbeit ist, wird auch das Glücksversprechen privat anstatt öffentlich. Das Kranken am Falschen wird zur Neurose; das Sehnen nach dem richtigen Zustand weicht dem inzestuösen Wechselspiel.

Vierhändigspielen ist privat, aber dennoch kommunal. Der einzelne „durfte nicht, wie er es mit seinen Griegschen Lyrischen Stücken gewohnt war, Tempo und Dynamik nach Belieben seiner Triebregungen modifizieren, sondern mußte sich nach Text und Vorschrift des Werkes richten, wenn er nicht [...] den Zusammenhang mit dem Partner verlieren wollte."[15] Wie Adorno unterstreicht, besteht das Spiel der vier Hände aus einem Kraftfeld von Begehren und Prohibition. Das Begehren wird gebündelt, es werden die „Triebregungen" zweier Menschen miteinander verkuppelt, darüber hinaus zweier, die durchs Zusammenspiel „zur Familie" gehören[16]. Andererseits fällt dieses gedoppelte Begehren, das Begehren des Begehrens (also die Identität der beiden Begehren), wieder auseinander. Das heißt: die „Triebregungen" müssen, um des Zusammenspiels willen, wieder gezügelt werden, der „Zusammenhang" der beiden „Partner" kann nur durch Arbeitsteilung stattfinden.

Dies macht die Beobachtung des Vierhändigspielens sogleich deutlich: Die vier Hände tendieren aufeinander zu, streifen und streicheln einander im vom Zuschauer fast uneinsehbaren Zwischenraum der Leiber. Die Augen geheftet auf dieselbe Partitur, die Handgelenke manchmal auf denen des anderen ruhend, wirken die zwei Pianisten in ihrer eigenen Welt zärtlich vereint, höflich aber bestimmt abgeschieden von der Außenwelt. Aber diese Einheit ist nur momentan: wie vom Donner gerührt stieben die Hände wieder auseinander, betätigen sich geschäftig an entgegengesetzten Seiten der Tastatur. Die Erotik des Vier-

---

[15] Adorno, „Vierhändig, Noch Einmal", S. 304.

[16] Philip Brett hat gezeigt, daß diese „Familieneinheit" *einerseits* natürlich nicht heteronormativ belegt sein muß, daß ihr *andererseits* allerdings immer schon ein gewisses Maß an subversiver oder verfemter Sexualität innewohnt – Inzest, Homoerotik oder die unstandesgemäße Beziehung *à la* Tolstois „Kreutzersonate" (Philipp Brett, „Piano Four-Hands: Schubert and the Performance of Gay Male Desire". *19th Century Music*, No. 21 (1997)).

händigspielens ereignet sich im Miteinander dieses Moments der Erfüllung und des Moments der Rücknahme, des „Self-denial". Während im einen Moment den Spielern selbst nicht klar zu sein scheint, wer welchen Ton hervorbringt, ist im nächsten bereits jeder für den eigenen Bereich zuständig, beinahe verschämt über die flüchtige Indiskretion. Auch Edward T. Cone hat das so beobachtet: „Eine solche Aufführung ist eine seltsam intime Angelegenheit, und wenn sie denn in der Öffentlichkeit stattfindet, fühlt sich der Zuhörer im besten Falle als Eindringling, im schlimmsten Falle als Voyeur" („Such a performance is thus a peculiarly intimate affair, and when it is undertaken in public, the auditor may feel at best an intruder, at worst a voyeur").[17]

Die erotische, ja laszive Dimension des familiären Musizierens (als Aktivität, die sowohl erotische Belegung provoziert als auch sie einschränkt) hat das vierhändige Klavierspiel mit vielen bürgerlichen Praktiken des neunzehnten Jahrhunderts gemein, wie zum Beispiel Norbert Elias anhand von Badesitten gezeigt hat.[18] Und auch Foucault hat uns „andere Victorianer" („nous autres, victoriens"[19]) schon gewarnt, hinter der Prüderie gewisser gesellschaftlicher Anordnungen des neunzehnten Jahrhunderts nur Repression und nicht ihrerseits wieder Kanalisierung von Eros und Sexualität zu sehen.[20] Tatsächlich war im vierhändigen Klavierspiel die Privatsphäre immer schon erotisch aufgeladen – „the near approach of the hands of the different persons",[21] den bereits der Komponist Charles Burney im achtzehnten Jahrhundert vermerkte, war nur *ein* Grund unter mehreren dafür. Andererseits stellte das vierhändige Klavierspiel einen Freiraum dar, in dem Berührungen und Nähe erlaubt oder gar erwünscht waren, die man sich anderswo nicht leisten konnte: „Das Vierhändigspiel erlaubte im tête à tête der Hände, zudem im Schutze der Kunst, eine unter Brautleuten unübliche und unerlaubte Nähe und war ein willkommener und unangreifbarer Vorwand häufiger Rendezvous'."[22] Ein anderer wichtiger Grund lag darin, daß die Vermittlung durch das weiblich figurierende Medium des Klaviers[23] (und, weiter gefaßt, durch die weiblich figurierende Musik insgesamt[24]) die Positionen, die die Bewohner einer Privatsphäre einander gegenüber einnahmen, erotisch

[17] Edward Cone, *The Composer's Voice*. Berkeley und Los Angeles: University of California Press, 1974, S. 135..

[18] Norbert Elias, *Über den Prozeß der Zivilisation*. Frankfurt: Suhrkamp, 2007, S. 257

[19] Michel Foucault, *La volonté de savoir (Histoire de la sexualité 1)*. Paris: Gallimard, 1976, S. 9f.

[20] Michel Foucault, „We Other Victorians", In: Paul Rabinow (Hrsg.), *The Foucault Reader*. New York: Pantheon, 1984, S. 292ff.

[21] Zitiert im *The New Grove Dictionary of Music and Musicians* – Eintrag „Piano Duet".

[22] Gunilla-Friederike Budde, *Auf dem Weg ins Bürgerleben*. Göttingen: Vandenhoek & Ruprecht, 1994, S. 140.

[23] Arthur Loesser, *Men, Women and Pianos – A Social History*. New York: Simon and Schuster, 1954; Richard D. Leppert, *The Sight of Sound – Music, Representation, and the History of the Body*. Berkeley, CA: University of California Press, 1993.

[24] Brett, „Piano Four-Hands: Schubert and the Performance of Gay Male Desire", S. 154.

überfrachtete: im Mittelpunkt des Blickfeldes ein Paar, allerdings nur in sehr seltenen Fällen (zum Beispiel Richard und Cosima Wagner) ein Ehepaar, das alle möglichen Konstellationen ausdrücken kann. In „Fräulein Else" wurde aus Mutter und Sohn die Konstellation Vater-Tochter; doch damit nicht genug der Alchemie: „Elternteil-Kind, Lehrer-Schüler, Beute-Häscher" („parent-child, teacher-student, pursued-pursuer"), all diese Verhältnisse konnten sich an der vierhändig bespielten Klaviatur entfalten.[25]

Eduard Hanslick kolportiert eine für unser heutiges Empfinden frappierende Frage: „Wer ist Ihr Vierhändiger?" Er kommentiert diese Frage in einer Weise, der man entnehmen kann, daß er sie selber etwas seltsam fand – aber eben doch sachgemäß. Was daran erstaunt ist, daß sie seltsam *indiskret* klingt, als würde man gerne antworten, daß das den Frager rein gar nichts angehe. Die Frage wirkt fast anzüglich („Ihr Vierhändiger") und unterstellt dem vierhändigen Verhältnis eine Intimität und monogame Treue, die tatsächlich die Frage aufwirft, um welche der oben aufgezählten Konstellationen es sich eigentlich handelt.

> „Wer ist Ihr Vierhändiger?" fragte mich einst ein passionierter Dilettant. [...] Nicht Jedermann kann eine Frau, eine Geliebte, einen Herzens- und Geistesfreund sein nennen, aber „einen Vierhändigen" sollte jeder Sterbliche besitzen, gleichsam als engagierter Tänzer für die musikalische Lebenszeit.[26]

Wie monogam das Verhältnis zum „Vierhändigen" sich gestalten konnte, wird am Beispiel des britischen Komponisten Sir Arnold Bax deutlich, dessen „Vierhändiger" ihn 1914 verließ. Ein Jahr nachdem dieser sich nach Übersee eingeschifft hatte, schreibt Bax: „Weißt Du, daß ich seit Du fort bist nicht einmal vierhändig gespielt habe – weil mir nach Dir niemand in dieser Form genügt" („Do you know I have not played a piano duet since you left – because nobody will do after yourself for that form").[27] Wie verhält sich, in Anbetracht solcher Beteuerungen der Monogamie, nun „eine Frau, eine Geliebte, ein Herzens- und Geistesfreund" zum „Vierhändigen"? In Schnitzlers „Frau Bertha Garlan" (1901) ist sich die titelgebende Witwe darüber selber nicht ganz im klaren: am Klavier wird der junge Neffe zum Geliebten, verschmilzt der in der Jugend heiß geliebte Klaviervirtuose mit dem immer nur geachteten verstorbenen Ehemann. Hanslick scheint zu meinen, ein „Vierhändiger" solle sich jenseits dieser Kategorien bewegen – doch Schnitzler scheint klar zu sein, daß diese Kategorien sich nicht nur aus der Vierhändigkeit nicht verbannen lassen, sondern sich im Vierhändigspiel selber verwischen.

Dazu kommt ein Betrachter, der sich noch viel weniger sicher sein kann, welche dieser Konstellationen er nun gerade beobachtet – was für viele Beobach-

---

[25] Philipp Brett, „Piano Four-Hands: Schubert and the Performance of Gay Male Desire". *19th Century Music*, No. 21 (1997), S. 154.

[26] Eduard Hanslick, Geschichte des Concertwesens in Wien. Wien: Braumüller, 1869, S. 405.

[27] Zitiert in Lewis Forman, *Bax: A Composer and his Times*. Rochester: Boydell, 2007, S. 132.

ter ein zentraler Aspekt der Erfahrung vierhändigen Klavierspiels gewesen zu sein scheint. Die russische Pianistin Rosina Lhevinne, die fast vierzig Jahre lang nur zusammen mit ihrem Mann Josef als Klavierduo auftrat, berichtet, die Organisatoren ihrer öffentlichen Auftritte hätten häufig vorgeschlagen, daß die Eheleute im Programmheft verschiedene Nachnamen benutzen. „Sie dachten wohl, es würde Interesse wecken, wenn das Publikum spekulieren würde: ‚Wie verhält er sich zu ihr, wie sie zu ihm?'" („They thought it would stimulate interest if the public were to speculate who is he to her – and who is she to him?'").[28] Diese Form der Beobachtung (von Tolstoi in der *Kreutzersonate* thematisiert) hat zwar gewisse voyeuristische Valeurs, ist aber immer auch ein Versuch von *surveillir et punir*, ein „regard disciplinaire", also ein Blick, der den Körper in ein semiotisches Korsett zwängt, ihm Gehorsam auferlegt und ihn auf mögliche Verstöße hin dechiffriert. Es geht generell darum, den Körper zu beobachten, zu klassifizieren, zu diagnostizieren. Ob dabei, wie Musikwissenschaftler Brett zeigt, Schubert und Josef Gahy als homoerotisches Paar figurieren oder ob der Leser des Tagebuchs Schnitzler ein zu enges Verhältnis zur „Mama" zu attestieren geneigt ist, die Partnerschaft „wird in interessanter Weise Objekt der Beobachtung durch andere Mitglieder des Haushalts" („comes under scrutiny from other members of the household in interesting ways").[29]

Diese „scrutiny" findet sich paradigmatisch bei Gerhart Hauptmann, in dessen *Friedensfest* der Vater, dem Verfolgungswahn verfallend, glaubt, daß seine Frau mit dem Freund des Sohnes „ein schlechtes Verhältnis" unterhält, nur weil diese ohne den „Schatten einer Möglichkeit" mit diesem vierhändig spielt.[30] Doch muß die Diagnostik natürlich nicht unbedingt eifersüchtig-beherrschend sein, häufig genug geht es bei der Diagnose der „members of the household" um die Interessen der Spieler (und insbesondere Spielerinnen) selber. In einem Roman von Ida Gräfin Hahn-Hahn, *Maria Regina* (1860), beobachtet Graf Windeck auf Geheiß eines Arztes seine Töchter Corona und Regina. Die vergeistigte Regina (wie die Autorin selber zum Katholizismus konvertiert) macht eine Glaubenskrise durch, die Vater und Arzt aber nicht zu deuten wissen:

> Er ging in das Zimmer seiner Töchter. Beide saßen am Flügel und spielten vierhändig Beethovens Symphonie aus C-moll. Sie wollten ihr Spiel unterbrechen, als er eintrat; aber er hieß sie fortfahren und setzte sich ihnen gegenüber, um sie zu beobachten und zu vergleichen. Corona's Gesichtchen glühte vor Eifer und Aufmerksamkeit; sie spielte die erste Partie, und ihre hellrosigen Wangen, ihre leicht geöffneten Lippen, der feste Blick, womit sie auf die Noten sah, verrieten, wie vertieft sie in ihrer Aufgabe war. Regina spielte mit viel größerer Leichtigkeit, gab gewandt hie und da

---

[28] Zitiert in Hans Moldenhauer, *Duo-Pianism: A Dissertation*. Chicago: Chicago Musical College Press, 1950, S. 187.

[29] Brett, „Piano Four-Hands: Schubert and the Performance of Gay Male Desire, S. 154.

[30] Gerhart Hauptmann, *Das Friedensfest: Eine Familienkatastrophe*. Berlin: S. Fischer, 1904, S. 55/56.

> der Schwester nach, schlug die Notenblätter um, verriet gar keine Anstrengung; warum brannte denn aber ein so scharfes, abgezirkeltes Rot auf ihren Wangen? Und warum hatten ihre Augen solchen auffallenden Glanz? Sie wird doch nicht hektisch sein! murmelte der Graf beängstigt.[31]

Wie genau das „Rot auf ihren Wangen" zu deuten ist, ist im Kontext unserer Untersuchung unwichtig – tatsächlich versuchen sich Reginas Vater und der herbeigerufene Arzt ein ganzes Kapitel lang an gegenläufigen Diagnosen. Was für uns von Interesse ist, ist der Blick selber, den zwei Autoritätspersonen, Vater und Arzt, auf zwei Vierhändigspielerinnen werfen. Charakteristischerweise ist es nicht nur eine gewisse *Tatsache*, die dieser Blick aus den Spielerinnen herauslesen muß, sondern vielmehr der epistemische Status dieser Tatsache selber. Denn Vater und Arzt sind sich nicht nur in ihrer Diagnose nicht einig; der Vater scheint anzunehmen, er diagnostiziere etwas, was seiner Tochter selber nicht bewußt ist (er glaubt, sie sei krank), wogegen der Arzt zu meinen scheint, es handele sich um ein Geheimnis, das Regina sehr wohl bewußt ist, das sie aber vom männlichen Außenblick kaschiert (er glaubt, sie sei verliebt). Die zwei Männer rätseln also auch über die Frage, ob die Frau nur passives Objekt oder aktive Gegenspielerin ihres kontrollierend-diagnostischen Blickes ist.

Eine etwas ausführlichere Rolle spielt die disziplinarische „scrutiny" der „members of the household", von der Brett spricht, in einer schönen Szene in Charles Dickens' *David Copperfield* (1850). Hier zeigt sich der Zusammenhang zwischen Vierhändigspiel, (männlichen oder männlich konnotierten) Kontrollinstanzen einerseits und weiblicher Verführbarkeit/Verführung andererseits. Der Schulrektor Dr. Strong ist verheiratet mit der jungen Anne, die mit dem durchtriebenen Jack Maldon ein Verhältnis hat. David Copperfield, der Ich-Erzähler, wird sich dieser Tatsache allerdings erst bewußt, als er Anne Strong mit der gutherzigen Agnes Wickfield vierhändig spielen sieht und insbesondere die Reaktion von Agnes' Vater, Mr. Wickfield, beobachtet:

> The Doctor was very fond of music. Agnes sang with great sweetness and expression, and so did Mrs. Strong. They sang together, and played duets together, and we had quite a little concert. But I remarked [...] that Mr. Wickfield seemed to dislike the intimacy between her and Agnes, and to watch it with uneasiness.[32]

> Der Doktor war ein großer Freund der Musik. Agnes sang mit großer Anmut und hohem Audruck, und Mrs. Strong gleichfalls. Sie sangen zusammen und spielten vierhändig, und es gab ein richtiges kleines Konzert. Aber ich beobachtete [...], daß [Mr. Wickfield] die Vertraulichkeit

---

[31] Ida Gräfin Hahn-Hahn, *Gesammelte Werke, Band 1*. Regensburg: Habbel, 1900, S. 407.

[32] Charles Dickens, *The Personal History of David Copperfield*. London: Bradbury & Evans, 1850, S. 199.

zwischen Mrs. Strong und Agnes ungern zu sehen und mit Unbehagen zu betrachten schien.[33]

Es ist erst das „Unbehagen“ in der väterlichen Betrachtung, das David einen schärferen (und einen diagnostischen) Blick auf die heimelige Szene des „kleinen Konzerts“ erlaubt. David schöpft nicht von sich aus Verdacht oder auch nur anhand seiner eigenen Beobachtungen; vielmehr beobachtet er die Beobachter, und erst deren Reaktion gestattet es ihm, die Szene am Klavier „richtig“ zu deuten und sich somit in das „Unbehagen“ der Beobachter mit einzureihen. Die Betrachtung des Betrachters erlaubt es dem jungen Mann, sich den Blick des älteren auf die Frauen anzueignen – und tatsächlich weiß David sogleich, was Mr. Wickfield sieht, was ihn an der „Vertraulichkeit zwischen Mrs. Strong und Agnes“ so beunruhigt.

> And now, I must confess, the recollection of what I had seen on that night when Mr. Maldon went away, first began to return upon me with a meaning it had never had, and to trouble me. The innocent beauty of her face was not as innocent to me as it had been; I mistrusted the natural grace and charm of her manner; and when I looked at Agnes by her side, and thought how good and true Agnes was, suspicions arose within me that it was an ill-assorted friendship.[34]

> Und jetzt erst, ich muß es gestehen, erinnerte ich mich an das, was sich an dem Abende von Mr. Jack Maldons Abreise ereignet hatte, und es gewann eine Deutung, die es bisher für mich nicht gehabt hatte: die unschuldige Schönheit ihres Angesichts erschien mir nicht mehr so unschuldig, ich fing ihrer natürlichen Anmut und dem Zauber ihres Wesens zu mißtrauen an, und wenn ich Agnes neben ihr sah und daran dachte, wie gut und treu diese war, so stieg ein Argwohn in mir auf, ob das eine passende Freundschaft sei.

Es ist das vierhändige Spiel, beziehungsweise seine Beobachtung, welches die „unschuldige Schönheit“ als Schein entlarvt. Einerseits also wird die wirkliche Verdorbenheit Mrs. Strongs erst in dieser Situation voll lesbar, andererseits besteht die Gefahr, daß sich diese Verdorbenheit auf die „gut[e] und treu[e]“ Agnes übertragen könnte.

Bemerkenswert ist des weiteren, daß Mrs. Strongs Verdorbenheit anscheinend ansteckend ist: Der „Argwohn“ Davids und Mr. Wickfields gilt nicht so sehr dem Verhältnis zwischen Mrs. Strong und Jack Maldon, sondern vielmehr dem zwischen den zwei Frauen. Die Sorge ist die, daß Mrs. Strong Agnes verführen und sie dadurch selbst zur Verführerin machen könnte – sie zur Verführung verführen könnte. Während es also nicht direkt um das Begehren zwischen

---

[33] Ich folge hier der Übersetzung von Richard Zoozmann in: *Ausgewählte Werke*. Leipzig: Hesse & Becker, 1909, S. 238. Siehe auch: *Die Lebensgeschichte, Abenteuer, Erfahrungen und Beobachtungen David Copperfields des Jüngeren*. Übersetzt von Gustav Meyrinck. München: Albert Langen, 1910, S. 324.

[34] Charles Dickens, *The Personal History of David Copperfield*, S. 199.

zwei Frauen geht, ist es eben das Verhältnis der beiden zueinander und zum Begehren andererseits, welches hier vor den Augen eines männlichen Beobachtergremiums (Dr. Strong, Mr. Wickfield, David) verhandelt wird. Da ist es nicht unwichtig, daß eben jene Agnes Wickfield, um deren Unschuld und Treue sich David hier Sorgen macht, am Ende des Romans David Copperfields Frau wird – hier findet also eine Übertragung der väterlichen Blickkontrolle auf den zukünftigen Ehemann statt. Das männliche „Mißtrauen" gegenüber der Frau stellt sozusagen eine Übertragung der maskulinen Souveränität von einer Generation zur nächsten dar.

Eine ähnliche Konstellation findet sich in der *Goldelse*, einem Roman von Eugenie Marlitt, der 1866 zuerst in der *Gartenlaube* erschien – also sechs Jahre nach Ida Gräfin Hahn-Hahns Roman und sechzehn Jahre nach Dickens'. Die Szenerie ums vierhändige Klavierspiel ist eher atypisch, denn das Vierhändigspiel wird hier nicht als Inbegriff der Bürgerlichkeit, sondern vielmehr als seine Bedrohung seitens des Adels behandelt. Trotz dieser interessanten Verschiebung der Klassendynamik ums vierhändige Klavierspiel begegnen wir aber der Bedrohlichkeit des Vierhändigspiels und seiner sorgsamen Überwachung, dem „Argwohn" des Mr. Wickfield, hier geradezu unverändert wieder. Was die grundsätzliche Plotstruktur betrifft, verfährt *Goldelse* nach dem aus anderen Marlitt-Romanen bekannten Schema: Eine Tochter des (Klein-) Bürgertums gerät unter den Adel, wird von dessen Lebensstil in Versuchung geführt, vermag sich dank ihrer moralischen Stärke der Vereinnahmung aber zu entwinden. In diesem Falle ist es die junge Goldelse des Titels, die in die schöne, aber falsche, faule Welt des Adels vordringt. Elisabeth ist Klavierlehrerin, und ihre Verführung findet über eine Einladung zum vierhändigen Klavierspiel statt.

Die Verbindung von Klavier und insbesondere bürgerlichem Heim, die in der Wahrnehmung des Phänomens vierhändiges Klavierspiel ja immer mitschwang, ist bei Marlitt geradezu penetrant: Die bürgerliche Familie Ferber zieht in das alte Schloss Gnadeck ein, wo Elisabeths Onkel als Förster arbeitet. Die Familie macht sich sogleich daran, das „unheimliche" Gemäuer zu verbürgerlichen, es von einer Burg in ein trautes Heim zu verwandeln: „Die unheimliche Thür, die nach dem großen Flügel führte, hatte man wieder zugemauert; die hohen Eichenflügel mit den Messingschlössern und Riegeln bedeckte das Mauerwerk und ließ nicht ahnen, daß jenseits die Wüstenei begann."[35] Das Sahnehäubchen dieser Domestizierung des alten Herrschersitzes stellt, wie könnte es anders sein, die Anschaffung eines Klaviers dar: „ein schönes, tafelförmiges Instrument, das ohne weiteres in den Zwischenbau hineingetragen und droben im Gobelinzimmer unter Beethovens Büste gestellt wurde." Sogleich versammelt sich die Familie um das Instrument, während die Tochter des Hauses der Beethovenbüste huldigt – man sieht begeistert zu, „als die wunderbaren Melodien

[35] Eugenie Marlitt. *Goldelse*. Leipzig: Ernst Keil, 1875, S. 64.

unter den Fingern des jungen Mädchens hervorrauschten."[36] Die Klassiker fungieren als Herd, um den sich die Kleinfamilie versammelt: „Die kleine Familie nahm Platz in der Nische des weiten Bogenfensters und versenkte sich in das Gedankenmeer des Meisters [i.e. Beethoven], dessen Bild von der Wand herab auf die begeisterte Spielerin schaute."[37]

Das Idyll wird gestört durch einen Boten von Schloss Lindhof, dem welschen Bau im Tal, „ein ungeheures Gebäude in italienischem Geschmacke, das sich ziemlich nahe an den Fuß des Berges drängte, auf welchem Gnadeck lag",[38] der einen Brief der Baronin Lessen an Elisabeth überbringt. „Sie begann damit, dem jungen Mädchen sehr viel Schmeichelhaftes zu sagen über sein vortreffliches Klavierspiel, das sie bei ihren Spaziergängen durch den Wald seit einigen Abenden belauscht haben wollte, und knüpfte daran die Frage, ob Fräulein Ferber geneigt sei, natürlich unter vorher festzustellenden Bedingungen, wöchentlich einigemal mit Fräulein vom Walde vierhändig zu spielen."[39] Marlitts Wortwahl ist alles andere als neutral: Für den Leser dürfte keinerlei Unklarheit bestehen, wie dieser Brief aufzufassen sei. Doch er ist nicht nur falsch und verlogen; die Schmeichelei und die Behauptung, das Klavierspiel zufällig belauscht zu haben, lassen das Ganze wie eine Verführung erscheinen. Dementsprechend heftig sind auch die Reaktionen insbesondere des Onkels, „weil Elisabeth nun und nimmermehr in den Kram da drunten passt!" Die Sorge ist, wie im *Copperfield*, daß es etwas „Unpassendes" gibt, das sich durchs Vierhändigspiel Bahn brechen könnte. Hier betrifft diese Sorge nicht eine ansteckende moralische Krankheit, sondern eine moralische Fäulnis: „Willst du das, was du sorgfältig aufgebaut hast, unter giftigem Mehltau oder Reif vergehen sehen – nun, so thue es."[40]

Obgleich das Klassenverhältnis, das Marlitt hier bemüht, eigentlich eher untypisch ist (das vierhändige Klavierspiel ist ja gerade kennzeichnend für das Bürgertum oder den verbürgerlichten Adel) und auch der Topos des verführerischen Adelsstandes eher dem achtzehnten Jahrhundert entstammt (man denke zum Beispiel ans bürgerliche Trauerspiel), so hat der Text doch die Sorge, daß mit dem Vierhändigspiel eine moralische „Vergiftung" einhergehen könnte, mit Dickens' Roman gemein. Doch während Dr. Strong als „großer Freund der Musik" sich vierhändiges Klavierspiel unbedarft ins Haus holt, treffen sowohl Marlitts Figuren als auch der Erzähler selber eine ziemlich scharfe Unterscheidung zwischen vierhändigem Spiel und Solospiel. Während das Solospiel Beethovens die Wohnlichmachung der alten Burgruine sozusagen krönend abschließt, stellt das Vierhändigspiel eine eindeutige Bedrohung dieser bürgerlichen Wohnung dar.

[36] Marlitt, *Goldelse*, S. 65.
[37] Marlitt, *Goldelse*, S. 66.
[38] Marlitt, *Goldelse*, S. 52.
[39] Marlitt, *Goldelse*, S. 67.
[40] Marlitt, *Goldelse*, S. 68.

Doch die Wachsamkeit des Onkels gilt nicht nur einem Angriff auf die häusliche Sphäre; vielmehr hat sowohl die Bedrohung seitens Lindhofs als auch die Abwehr seitens der Vaterfiguren klar nationalistische Konnotationen. Was hier beschützt und was hier bedroht wird, das sind nicht nur Wohnungen, das ist auch ein emphatisches Deutschtum. Der seltsame Chiasmus, den der Plot des Romans vollführt, daß nämlich die Bürger in die alte Ritterburg ziehen, während sich der Adel in der „italienischen" Villa im Tal einnistet, soll die Verbindung zwischen deutscher Wesenheit einerseits (die Ritterburg) und Bürgertum forcieren. Die Bürger sind die besseren Adeligen, und daher werden sie die Träger dieser nationalen Essenz.

Das Klavier ist Teil dieser Nationalessenz, aber das Vierhändigspiel, dessen Eindringen vom Onkel (als Förster ein Sinnbild des „deutschen Waldes") mit Rage quittiert wird, ist eindeutig als ein dieser nationalen Wesenheit entgegengesetztes Element gekennzeichnet. Vierhändigspiel gehört nicht nur zum Adel, sondern auch zur „welschen" Sphäre Schloß Lindhofs. Während wir im letzten Kapitel dem vierhändigen Klavierspiel als Vehikel des Nationalismus begegnet sind, ist es bei Marlitt vielmehr der Ausschluß des Vierhändigspiels, über welchen sich eine Sphäre des „Deutschen" konstituiert. Der Förster wacht also nicht nur (wie David und Mr. Wickfield) über die Tugend seiner Nichte, sondern vielmehr auch über die Unversehrtheit einer hypostasierten Heimat gegenüber „welschen" Einflüssen. Auch Schnitzlers Entwurf zu „Fräulein Else" stellt klar, daß der die Familie bedrohende Herr Dorsday emphatisch *fremd* ist („Interessant, aber schlechte Rasse. Ein ungarischer Jude."[41]). Allerdings bedroht Dorsday die vierhändig spielende Familie, nicht das vierhändige Spiel seinerseits die Familie.

Anders als bei Dickens wird Marlitts Elisabeth selber in den Heimatschutz sehr wohl mit einbezogen. Denn während Agnes nicht klar ist, welcher Gefahr sie sich durch das Vierhändigspiel mit Mrs. Strong aussetzt, ist sich Else dieser Gefahr sehr wohl bewußt. Denn sie geht nur wohlgewappnet ins Tal: „Ein wenig Vertrauen auf seinen guten Stern und auf sich selbst muß das Menschenkind auch haben; und deshalb verzweifle ich noch lange gar nicht, selbst wenn ich gleich beim Eintritt in die fremde Welt in einen Abgrund von ägyptischer Finsternis und gräulicher Molche fallen sollte." Anstatt sich abstrakt von aller Gefahr abzuschirmen, schlägt Else also gewissermaßen eine moralische Versuchsanordnung vor (oder vielleicht gar moralische Homöopathie), um die eigene Charakterstärke zu testen. Marlitts Heldin ist somit weitaus aktiver und selbstbewußter in ihrem Umgang mit der Bedrohung durchs vierhändige Klavierspiel. Doch daß sie besonderer Aufmerksamkeit bedarf, nicht zuletzt der eigenen Aufmerksamkeit auf sich selber, weil sie auf die Verführungen der Klaviatur besonders anzuspringen geneigt ist, an diesem sexistischen Topos rüttelt auch *Goldelse* nicht.

[41] Box C, XL, Mappe 140, Blatt 2.

Der Interpretation durch die „members of the household" bedarf sie allemal – nur daß Marlitt die Güte hat, sie selber zu diesen „Mitgliedern" dazuzuzählen.

Was genau aber interpretieren diese „members of the household"? Das Interessante an dieser Partnerschaft ist ja nicht, daß sie mißtrauisch beäugt wird, sondern vielmehr, daß sie bei allem Mißtrauen ganz im Gegenteil ausdrücklich gewünscht wird. Das vierhändige Klavierspiel wird nicht als notwendiges Übel hingenommen – die prekäre Situation wird geradezu herausgefordert, ja wird selber Statussymbol. So bedrohlich David Copperfield die Szene am Klavier einzuschätzen lernt, die Musikliebe des Doktors zweifelt er nicht an; und selbst Marlitts Roman, der das Vierhändigspiel negativ konnotiert wie kaum ein anderer, erkennt die Notwendigkeit des Charaktertests durchs Duett sehr wohl an. Agnes und Else *müssen* sich der Gefahr, die vom Vierhändigspiel ausgeht, aussetzen – obwohl sich die „members of the household" (allen voran natürlich die Männer) des Risikos nur zu bewußt sind. Thomas Manns *Buddenbrooks* exemplifizieren diese Dialektik des bürgerlichen Musizierens: Es gehörte zum *bon ton* unter denen, die es sich leisten konnten, mit der autonomen Kunstsphäre in Berührung zu kommen[42], sich von ihr infizieren zu lassen – allerdings riskierten solche Kontaktaufnahmen immer die vollständige Selbstüberantwortung an diese Sphäre und damit den „Verfall der Familie": „Ich dachte – ich dachte es käme nichts mehr."

***

Max Weber stellt, wie wir sahen, dem „mäßig großen Binnenraum", der für das Klavier (und somit für das Vierhändigspiel) die Grundlage bereitstellt, den „Riesenbinnenraum"[43] gegenüber, den er mit der Orgel assoziiert. Tatsächlich übernimmt ja das Klavier in diesem neuen Raum in etwa die Rolle, welche die Orgel in der Kirche innehat – sie versammelt die im Binnenraum befindlichen Personen, bündelt sie zur Gemeinde oder zur Familie. Des weiteren war natürlich die Orgel gerade dem vierhändig bespielten Klavier dadurch verbunden, daß sie eines der wenigen kollaborativ spielbaren Instrumente darstellte und (zu Zeiten des Blasebalgs) tatsächlich konstitutiv mindestens zweier sie bedienender Personen bedurfte. Und zumindest im neunzehnten Jahrhundert war die Orgel das Medium einer ebenso regen Bearbeitungsliteratur wie das vierhändige Klavier – gerade die romantischen Orgeln (so zum Beispiel die Sauerorgel im Berliner Dom) waren auf das Nachempfinden orchestraler Texturen ausgelegt.

Wenn das vierhändige Klavierspiel einige Charakteristika der Orgel übernimmt und sie ins Häuslich-Private übertragen hilft, so hat sich doch auch das,

---

[42] Diese Problematik wird von Gerald Izenberg ausführlicher behandelt (Gerald Izenberg, *Modernism & Masculinity – Mann, Wedekind and Kandinsky Through World War I*, Chicago: Chicago University Press, 2000, S. 117–119).

[43] Max Weber, *Die rationalen und soziologischen Grundlagen der Musik*. Tübingen: J.C.B. Mohr (Paul Siebeck), 1972, S. 77.

was man an jener Privatorgel lehren kann, in diesem Transfer stark verändert. Das vierhändige Klavier ist die Orgel des bürgerlichen Musikkults, doch steht der *petit noyaux* dem „tönenden Herd“, insbesondere insofern er denn vierhändig bespielt wird, viel mißtrauischer gegenüber als die Kirchengemeinde ihrer Orgel. Wie sich am Beispiel der *Buddenbrooks* zeigt, lassen sich über die Hausmusik sowohl die richtigen als auch die falschen Dinge lernen – und richtige und falsche lassen sich darüber hinaus häufig nicht einfach auseinanderhalten. Der Haushalt bedurfte der Musik, um Privatheit in Szene zu setzen, aber Musik bedrohte ihn auch immer schon.

Der britische Psychoanalytiker und Freud-Biograph Ernest Jones referiert in seinen *Papers on Psycho-Analysis* (erschienen 1918, der Text basiert allerdings auf einer Rede von 1911) eine Traumanalyse, in der Orgel und Klavier gemeinsam auftreten – allerdings, und das liegt wohl vor allem an der Tatsache, daß Jones' Text von 1911 stammt, ist die Gegenüberstellung von Orgel und Klavier für Jones kaum mehr der Rede wert. Die fragliche Patientin litt unter Ermüdung und Kraftlosigkeit, was insbesondere ihr Klavierspiel in Mitleidenschaft zog – „a feeling of powerlessness, at times amounting to a complete paralysis in both arms. This was at first manifested only while playing the piano, a recreation of which she had been particularly fond.“[44] In seiner Analyse verknüpft Jones die Instanz Orgel/Klavier mit der Weitergabe moralischer Lehren und Codierungen der Intimität. Denn es geht, ebenso wie beim Vierhändigspiel in *David Copperfield* und *Goldelse,* um die Übertragung von Tugend, die Ansteckungskraft der Untugend und die Überbelegtheit der Klaviatur als Transmissionsinstanz. Das Hauptindiz in Jones' Diagnose ist ein Traum, von dem seine Patientin berichtet:

> Ihr träumte, sie sei in einer großen Halle. An einem Ende, ihr gegenüber, war eine kastanienbraune Kirchenorgel. Es waren auch einige Klaviere da und ebenso ein kleiner Flügel, den sie spielte. Ihr Sohn trat ihn [den Flügel]von der Seite her, und sie tadelte ihn und sagte, „Du solltest ein so schönes Instrument nicht missbrauchen“.
>
> She dreamed she was in a large hall. At one end, opposite to her, was a maroon coloured church organ. There were several upright pianos, and one baby grand piano, at which she was playing. Her boy was kicking at it from the side, and she reproved him saying, „You ought not to abuse such a beautiful instrument“.[45]

Jones vermerkt sogleich, daß der Traum eindeutig mit den doppelten Bedeutungen der englischen Wörter „organ“ und „instrument“ spielt: „Organ“ heißt sowohl die Orgel als auch das Organ – und ebenso wie „instrument“ ist „organ“ ein häufiger Euphemismus für Genitalien. Die Träumerin spielt also mit einem (ihrem?) Organ – und weist gleichzeitig ihren Sohn an, „not to abuse such a

44 Ernest Jones, „The Relationship between Dreams and Psychoneurotic Symptoms.“ In: *Papers on Psycho-Analysis*. London: Wood, 1918, S. 264.

45 Ebd.

beautiful instrument". „Self-abuse" ist im Englischen auch heute noch ein äußerst geläufiger, wenn auch leicht antiquierter Terminus für Onanie (entsprechend dem deutschen Begriff „Selbstbefleckung"). Jones vermerkt also: „Es war nicht schwer zu folgern, daß sich in ihrer Psyche die Masturbation und das Klavierspiel verbunden hatten" („It was not hard to infer that the acts of masturbation and of piano-playing had become unconsciously associated in her mind"). Tatsächlich erklärt die Patientin: „Als ich aus dem Traum erwachte, merkte ich, daß ich es im Schlaf getan hatte" („when I woke from the dream I found I had been doing it in my sleep").[46]

Die Verbindung zwischen Onanie und Klavierspiel ist alles andere als neu. Alain Corbin weist darauf hin, daß Edmond de Goncourt schon lange vor der Geburt der Psychoanalyse die Verbindung zwischen Klavierspiel und (weiblicher) Onanie hergestellt hat.[47] Was bei Jones' Patientin allerdings hinzukommt, ist die Weitergabe des Verbots: dem Sohn wird der „abuse" seines „instrument" verboten – tatsächlich hatte die Patientin ihrem Sohn in diesem Belang ins Gewissen geredet. Was die Sache weiterhin verkompliziert, ist die Auswahl an Instrumenten, die der Träumenden zur Verfügung stehen: die ihr gegenüberstehende „Orgel", „several upright pianos" und schließlich „a baby grand", welches sie selber spielt. Ein „baby grand" ist ein kleiner Flügel, aber die Gegenwart des Signifikanten „baby" kann in Anbetracht der prononcierten auto-erotischen Thematik des Traums kein Zufall sein: das „baby grand" verweist auf sexuelle Fortpflanzung. Daß der kleine Sohn es tritt, symbolisiert also einerseits dessen Abkehr von alloerotischer Sexualität, andererseits aber auch eine Absage an die Produktivität nichtonanistischer Sexualität – er tritt das „baby" mit Füßen.

Und ein weiterer Punkt ist hier von Interesse: Wie bereits bemerkt, war eines der Leiden, die Jones' Patientin in die Psychoanalyse trieben, Lähmungserscheinungen in ihren Armen, die sich zuerst in einer gewissen Kraftlosigkeit ihres Klavierspiels zeigten. Das Klavier ist also nicht nur Traumsymbol, sondern auch Symptom: Das Klavier transportiert den Sexus, aber der Sexus bedingt umgekehrt das Klavierspiel. Daß Kraftlosigkeit seit Tissots *Onania* als ein Hauptsymptom exzessiver Masturbation angesehen wurde, ist in dieser Hinsicht von Belang[48]: Zwar glaubt der Psychiater mittlerweile nicht mehr an die Schauermärchen von der onaniebedingten Neurasthenie, aber, so nimmt Jones an, das Unterbewußte der Patientin tut das sehr wohl: „Plakativ gesprochen, war die Kraftlosigkeit ihres Klavierspiels, das sich langsam auch auf andere Aktivitäten auszudehnen begann, in gewisser Weise eine Strafe dafür, daß sie ihre Hände in einer anderen, verbotenen Hinsicht spielen ließ" („Roughly put, her loss of

46 Ernest Jones, *Papers on Psycho-Analysis*, S. 265.

47 Alain Corbin, „The Secret of the Individual". In Michelle Perrot, Philippe Aries, Georges Duby (Hrsg.), *A History of Private Life*. Cambridge: Harvard University Press, 1990, S. 533

48 Jean Stenger, Anne Van Neck, „Histoire d'une grande peur, la masturbation." Brüssel: Editions de l'Université de Bruxelles, 1984.

power in piano-playing, which gradually extended to other functions, was in a way a punishment for playing with her fingers in another, forbidden direction").[49]

Das Klavier ist also stark überbelegt: einerseits verweist es aufs „Instrument", andererseits aber verweist auch umgekehrt das Klavierspiel auf den Sexus. Ähnliches scheint für die anderen, von Jones eher vernachlässigten Instrumente im Traum zu gelten: Die „Orgel", die ja emphatisch als „Kirchenorgel" gekennzeichnet ist, steht also nicht „einfach" fürs „Organ"; vielmehr verweist sie auf den Weberschen „Riesenbinnenraum" der Kirche und somit auf die Weitergabe von Verboten (zum Beispiel gegen „self-abuse"), die dort stattfindet. Man könnte also sagen, daß dieser Traum die Säkularisierung und Verhäuslichung der Moral widerspiegelt: Orgel und Kirche und ihr Anspruch, Moralvorstellungen weiterzugeben, stehen noch im Hintergrund, aber das Instrument, an dem der kleine Sohn frevelt, ist das „Baby", das Instrument, das mit der häuslichen Sphäre (dem „mäßig großen Binnenraum") verknüpft ist.

Denn die Tatsache, daß der Sohn der Patientin im Traum eine Rolle spielt, hat nicht nur mit der projektiven „Traumarbeit" der Patientin zu tun: Es geht in diesem Traum um Erziehung, um das Weitergeben von (moralischen) Lehren, insbesondere natürlich, wie das „beautiful instrument" zu gebrauchen („use") statt zu mißbrauchen („abuse") sei. Es geht also um zweierlei Lehren: erstens die moralische Lehre, wie mit der Libido zu verfahren ist, zweitens aber eben der Umgang mit dem tatsächlichen Instrument. Ob nun autoerotisch (das Spielen am eigenen Instrument) oder alloerotisch (der Umgang mit dem „baby"-Instrument), die Triebregelung, die die Mutter hier verordnet, ist musikalisch realisiert. Indem die Mutter eines lehrt (den Umgang mit dem Instrument), lehrt sie auch implizit das andere (den Umgang mit dem euphemistischen „Instrument"). Wie schon bei Dickens ist die Klaviatur ein Ort der Weitergabe gewisser Inhalte, von denen manche bewußt, andere unbewußt sind – und das vierhändige Klavierspiel als Zusammenspiel am gleichen „Instrument" ist, wie wir sahen, in dieser Hinsicht besonders prekär.

Schnitzlers „Fräulein Else" verweist auf eben diese Funktion des vierhändigen Klavierspiels: Am Klavier findet Erziehung statt, aber was genau anerzogen wird ist ebenso unheimlich, wie das, was Agnes von Mrs. Strong lernt, was Elisabeth beim Klavierspiel mit Fräulein vom Walde lernen könnte. Auch für Schnitzlers Else geht es bei den Lehren am vierhändigen Klavier nicht um Tugend generell oder um bestimmte Tugenden – was man dort lernt scheint weitaus undurchsichtiger und weitaus bedenklicher zu sein. Denn das Vierhändigspiel fungiert in „Fräulein Else" als Ausdruck (und, wie Schnitzlers Fragment nahelegt, als Keimzelle) der sonderbaren Mischung aus inniger Liebe und wilder Verachtung, die Else ihrem Vater entgegenbringt: „Plötzlich hasst sie ihre Mutter.

[49] Ernest Jones, *Papers on Psycho-Analysis*, S. 265.

Nur ihr [*sic*] Vater liebt sie immer weiter wie ein Kind."[50] Schnitzlers Text läßt kaum Zweifel, daß Elses „Erziehung" seitens der Eltern (und insbesondere des Vaters) im Grunde genommen vor allem darauf hinauslief, sie in die betrügerische Ökonomie des familiären Unheilszusammenhangs zu integrieren: „sie haben mich ja doch nur darauf erzogen, daß ich mich verkaufe, so oder so", erkennt sie.[51] Im Grunde genommen zensiert Schnitzler also nicht nur das Private am vierhändigen Klavierspiel, nicht nur das Unheilvolle an der Familieneinheit, die von ihm strukturiert wird, sondern auch die Unheimlichkeit, die in der ödipalen Weitergabe von bewußten und unbewußten Valeurs übers Klavierspiel selber beschlossen liegt.

Die gefährliche Rolle der Vermittlerin zwischen Kunst und Realitätsprinzip fällt in der bürgerlichen Familie normalerweise der Mutter zu. Hanno Buddenbrook kommt über die „südländische" Mutter ans Klavier. Und Thomas Manns eigene Mutter Julia spielte bekanntermaßen mit einer ihrer Affären, einem Geiger aus dem Opernorchester, selber vierhändig auf dem Klavier[52] – und stiftete dadurch eine ganze Reihe Mutter- und Frauenfiguren in Manns frühem literarischen Schaffen, immer im Tandem mit Kunst und Musik.[53] Diese Rolle ist in der viktorianischen Kultur besonders fest verankert: Paradigmatisch zählt zum Beispiel Ruskin als Zuständigkeiten der Mutter auf, sie solle die Kinder „kleiden ..., sie zur Ordnungsliebe an[...]halten, [und] ihnen Unterricht [...] erteilen."[54] Sie darf dem bürgerlichen Ethos nach nichts mit Broterwerb und Haushaltsführung zu tun haben und wird somit beinahe unfreiwillig zur Hohepriesterin der Kunst, die sie den Kindern nahezubringen hat. Die Kinder kosten von der Mutter die Früchte der Kunst, wobei über dem ganzen die Vorahnung der väterlichen Prohibition liegt. Eines Tages, das ist klar, wird sich insbesondere der Sohn von der mütterlichen Sphäre der Kunst losmachen müssen – und wie Suzanne Cusick gezeigt hat, darf auch die Tochter sich dem „homosozialen Dreieck" nicht vollends ausliefern; eine Prohibition liegt also auch für sie vor.[55] Das heißt einerseits, daß sich dem erwachsenen Sohn die Sphäre der Kunst immer nur als eine melancholische erschließt, wenn ihm zum Beispiel in Bayreuth die Tränen kommen, andererseits aber, daß die ursprüngliche Unterrichtung immer bereits etwas Heimliches, Tabuisiertes hat. Egal wie wenig die Mutter dem Sohn von der ver-

---

[50] Box C, XL, Mappe 140, Blatt 6.

[51] Schnitzler, *Fräulein Else*, S. 87.

[52] Klaus Harpprecht, *Thomas Mann: Eine Biographie.* Hamburg: Rowohlt, 1995, S. 42–43.

[53] Izenberg, *Modernism & Masculinity*, S. 107ff.

[54] John Ruskin, „Fors Clarigera". In: *Collected Works*. London, 1903–1912. Band 27, Brief 34.

[55] Suzanne G. Cusick. „On a Lesbian Relationship to Music: A Serious Effort Not to Think Straight". In Philip Brett, Elizabeth Wood, Gary C. Thomas (Hrsg.), *Queering the Pitch: The New Gay and Lesbian Musicology*. New York: Routledge, 1994. Der Begriff des „homosozialen Dreiecks", in dem ein drittes (zumeist weiblich figuriertes) Element zwischen (im Normalfall) zwei Männern das Begehren vermittelt, stammt ursprünglich aus Eve Kosofsky Sedgwicks Klassiker *Between Men: English Literature and Male Homosocial Desire*. New York: Columbia University Press, 1985.

botenen und doch notwendigen Sphäre mitteilt, es ist immer bereits zu viel, zu gefährlich, zu intim.

Oder, wie man es auch ausdrücken könnte: Die Frau ist im neunzehnten Jahrhundert *per definitionem* ein privates, stationäres Wesen – ist sie es nicht, dann ist der Klassenerhalt *semantisch* gefährdet. Der Mann dagegen ist aktiv und öffentlich und darf sich nicht den privaten Spinnereien des Genies überantworten – tut er es, ist der Klassenerhalt *materiell* unmöglich. Der Weg des Sohnes ist in diesem Schema eine exzentrische Bahn – er muß (sonst sieht die Familie deklassiert aus) als privates Wesen aufwachsen und der Privatsphäre später (sonst ist die Familie de facto deklassiert) fremd werden. Die Abnabelung aber lastet bereits auf der Geborgenheit auf Zeit, insofern als das weibliche Prinzip selber kontaminierend wirkt, das heißt bei Überdosis die Abnabelung von der ästhetisch-privaten Sphäre unmöglich macht – dies wird gemeinhin mit dem Namen „Dekadenz" belegt. Peter Gay hat dies als „the dirty little secret" des viktorianischen Haushalts bezeichnet: Einerseits mußte Weiblichkeit immer auf sie beschränkt bleiben, andererseits aber „Männer bedurften [der Weiblichkeit], ohne sie konnten sie nicht Männer werden" („men needed it [Weiblichkeit] and without it could not become men").[56]

Die verbotenen Lehren der Mutter, die von der Warte des Vaters nur sehr bedingt einzusehen sind, wie die vier Hände versteckt zwischen den Körpern, sind so notwendig wie gefürchtet. Der Vater wacht sowohl darüber, daß er nichts zu Gesicht kriegt, *als auch*, daß es da *etwas gibt*, das er nicht zu Gesicht bekommt.[57] Wir können uns dabei einer Einsicht Slavoj Zizeks bedienen, der anmerkt, daß der Skandal der *Madame Bovary* nicht darin liegt, daß „sie den unwiderstehlichen Charme des Ehebruchs darstellt", sondern darin, daß „sie uns sogar diese letzte Zuflucht", nämlich die des Ehebruchs, „nimmt". „Eine leidenschaftliche außereheliche Beziehung stellt nicht nur keine Bedrohung der ehelichen Liebe dar; sie funktioniert auch als eine Art ihr innewohnende Überschreitung, die die direkte phantastische Unterstützung für die eheliche Verbindung liefert."[58] Die „innewohnende" (wahrscheinlich besser: „interne") Überschreitung ist eben auch im Zusammenspiel der Handpaare sehr wichtig: Die Form verlangt die Grenzüberschreitung (das Verlassen der Parzelle, das Überkreuzen der Handgelenke, die Berührung der Hüften), aber diese Überschreitung ist nicht etwa ein Betriebsunfall, der das Zusammenspiel stören würde, sondern gehört selber zur Form.

Aber auch aus der Sicht des Betrachters (Cones „at best an intruder, at worst a voyeur") gehört die Überschreitung zur Form dazu. Oder vielmehr ergibt sich nur aus der Überschreitung überhaupt das *Spektakel* des vierhändigen

---

56 Peter Gay, *The Cultivation of Hatred* (*The Bourgeois Experience: Victoria to Freud*, Band 3), New York, 1993, S. 299–300.

57 Zum Verhältnis zwischen Männlichkeit und häuslicher Privatsphäre, s.a. Annélies Mauge. *L'identité masculine en crise au tournant du siècle, 1871–1914*. Paris: Editions Rivages, 1987.

58 Slavoj Zizek. *Der zweite Tod der Oper*, Berlin: Kadmos, 2006, S. 56/57.

Klavierspiels. Tatsächlich steht ja vierhändiges Klavierspiel der Beobachtung sowohl viel offener (beinahe kokett) als auch hermetisch verschlossener gegenüber. Man stelle sich einen Salon vor, in dem ein Quartett musiziert. Die Scheu des Betrachters, aufzustehen und hinter dem Rücken der Geiger umherzustreunen, um einen Blick auf den Notenständer zu erhaschen, ist eindeutig viel größer als die, sich hinter zwei Personen am Klavier aufzubauen und ihnen, billigend oder kritisch, über die Schulter (und auf die Hände) zu schauen. Umgekehrt können vierhändige Spieler nicht so den Raum überblicken (sozusagen den Blick zurückwerfen), wie das ein visuell strukturiertes und vermitteltes Streichquartett täte.

Hier sind Zensur und skopisches Vergnügen vollständig vereinigt. Also gilt für den Standpunkt der Zensurinstanz, des *regard*, ähnliches: Die Szene der zwei Handpaare lebt von einer Erotik, die unsichtbar bleiben muß, aber deren Unsichtbarkeit paradoxerweise sichtbar sein muß, um dem Zuschauer Genuß zu bereiten. Im Fall Copperfield tritt die Verbindung noch handfester zutage: Nur durch den *soupçon*, daß es da etwas gibt zwischen Agnes und Mrs. Strong, kann David den *regard paternel* übernehmen – die Performanz an der Klaviatur ist notwendig, um das häusliche Machtgefüge zu strukturieren, und ob hier Mißtrauen angebracht ist (Agnes ist im Verlaufe des Romans eigentlich immer ein absoluter Engel), ist dabei erst einmal egal.

Es gehört hier zu den Spiel-Regeln, daß wir nichts sehen, aber annehmen müssen (oder dürfen), daß es da etwas „nicht zu sehen gibt", um es etwas eigenwillig zu formulieren. Daß die zwei Personen, die ruckartig, mit gefurchter Stirn und mit panischer Miene, eine Brahmspartitur durchspielen, in Wirklichkeit wahrscheinlich am allerwenigsten an Sex oder Begehren denken, ändert nichts daran, daß unser Begehren als Zuschauer hinter dem angespannten Spiel ein Begehren vermuten können muß, um dem Schauspiel überhaupt Vergnügen abgewinnen zu können. Und wieviel schöner und stärker ist diese Illusion, wenn sich ein eingespieltes Team entspannt die Klaviatur teilt, wenn ein Lächeln beider Münder umspielt, wahrscheinlich genauso bedeutungslos wie die panische Miene der Amateure, aber für den Zuschauer eine Freude eben darum, weil das Lächeln ihn überzeugt, daß es für ihn hier etwas *nicht* zu sehen gibt. Aus der Frage, die Rosina Lhevinne als Grundsatz vierhändigen Spielens suggeriert („Wie verhält er sich zu ihr, wie sie zu ihm?"), entspringt erst die Faszination und erklärt sich erst die Funktion des vierhändigen Klavierspiels im familiären Raum.

Dadurch sind die vier Hände auf der Klaviatur natürlich extrem überdeterminiert: Es obliegt ihnen, Begehren zu zeigen und zu verstecken; für den Zuschauer sind sie des weiteren eigentlich der einzige Aspekt des Spiels, den man mit Fug und Recht begaffen darf (Die Bewegungen der Beine oder des Gesäßes sind, wenn überhaupt, nur den Blicken der Kinder zugänglich. So berichtet zum Beispiel Carl Orff: „Schon als Einjähriger wurde ich von jeder Art Musik [...] angezogen. Am liebsten saß ich unter dem Klavier, meiner Mutter zu

Füßen, wenn sie spielte."[59]). Dadurch ergibt sich, wie wir sehen werden, ein problematisches Verhältnis zur Hand selbst, die hier zwischen den Subjekten vermittelt. Denn einerseits waren Gesicht und Hand die einzigen Körperteile einer Frau, die sie vor anderen zeigen und die andere interpretieren durften; andererseits mußten diese Hände plakatieren, daß ihre Besitzerin keinerlei Arbeit mit ihnen verrichtete, das heißt, sie durften nicht *schaffen*. Man mußte also das Tun der Hände von dem reinigen, was als ihre Tat oder ihr Produkt gelten könnte – diese Hypostase des Organs, erkennbar im Falle beider „weiblichen" semantischen Organe des neunzehnten Jahrhunderts, nämlich des Gesichtes und der Hände, schlägt ihrerseits jedoch um in eine unheimliche Erotik, welche im fünften Kapitel beleuchtet wird.

Wie wir sahen, ist das Klavier in der Familie ein zentraler Ort der Versammlung, der Erziehung, der familiären Aktivität, die aber explizit nicht als Arbeit (oder gar als Anti-Arbeit) gefaßt ist. Doch wie Saint-Saëns' Persiflage klarstellt, macht diese Zentralität vierhändiges Spielen exklusiv *privat* – im öffentlichen Raum ist es lächerlich. Die Lächerlichmachung der Vierhändigkeit hat etwas mit einer familiär-erotischen Komponente zu tun – das Vierhändigspiel bedient Sehnsüchte, macht Ansprüche geltend und verspricht Dinge, die außerhalb der häuslichen Sphäre absurd wirken. Diese Privatheit und unterschwellige Erotik hat erstens natürlich mit der im ersten Kapitel behandelten Tatsache zu tun, daß die zwei Spieler sich unbedingt nahekommen müssen, ja sogar miteinander verschmelzen müssen (wie weit diese Verschmelzung geht, wird sich im nächsten Kapitel zeigen). Tatsächlich aber speist sie sich weniger aus dem nahen Kontakt der Spieler, sondern vielmehr aus der Tatsache, daß dieser Kontakt von der Warte des Beobachters aus äußerst schwer einzuordnen ist.

Dennoch versucht sich das neunzehnte Jahrhundert wie besessen an eben dieser Einordnung, was auch daran liegt, daß das vierhändige Klavierspiel häufig als Inbegriff der häuslichen Sphäre und als Ort ihrer Bedrohung aufgefaßt wird. Es ist wahrscheinlich sogar diese Paranoia, die die verschiedenen familiären Vollzüge ums vierhändig bespielte Klavier überhaupt erst gestattet und ermöglicht: Wie könnte David Copperfield den patriarchalischen Blick auf die Frau überhaupt erlernen, wenn es nicht glücklicherweise das vierhändige anatomische Theater gäbe? Wenn also die Klaviatur im vierhändigen Spiel ein Ort der Versammlung, Erziehung und Aktivität ist, so steht in gewisser Weise – ob bei Dickens, Marlitt, Hahn-Hahn oder in der Traumanalyse Ernest Jones' – immer zur Disposition, welcher Art diese Versammlung, Erziehung und Aktivität sind.

[59] Zitiert in: Lilo Gersdorf, *Carl Orff*. Reinbek bei Hamburg: Rowohlt, S. 12.

Kapitel 4: Vierhändige Monster

> „I am in Lady Agatha's black books at present [...]. I promised to go to a club in Whitechapel with her last Tuesday, and I really forgot all about it. We were to have played a duet together [...]. I don't know what she will say to me. I am far too frightened to call."
>
> „Oh, I will make your peace with my aunt. [...] And I don't think it really matters about your not being there. The audience probably thought it was a duet. When Aunt Agatha sits down to the piano, she makes quite enough noise for two people."[1]
>
> „Ich stehe zur Zeit bei Lady Agatha im schwarzen Buch [...]. Ich versprach ihr, letzten Dienstag mit ihr in einen Klub in Whitechapel zu gehen, und ich habe es in der Tat völlig vergessen. Wir hätten zusammen vierhändig spielen sollen [...]. Ich weiß nicht, was sie zu mir sagen wird. Ich fürchte mich hinzugehen."
>
> „Oh, ich werde Sie mit meiner Tante versöhnen. Sie ist Ihnen überaus gewogen, und ich glaube nicht, daß es in Wahrheit etwas ausmacht, daß Sie nicht dort waren. Die Zuhörer dachten vermutlich, es sei vierhändig. Wenn Tante Agatha sich ans Klavier setzt, macht sie genug Lärm für zwei Personen."[2]

Wie so häufig bei Oscar Wilde, scheint es sich bei dieser Passage aus *The Picture of Dorian Gray* zunächst einmal nur um einen wirklich gut gelungenen Scherz zu handeln: das Bild der Lady Agatha, die so viel Lärm macht, daß ihre Zuhörer annehmen müssen, sie spiele vierhändig, ist tatsächlich ziemlich komisch. Doch wir sind den Bildern, aus denen dieser Witz seine Komik bezieht, schon zu häufig begegnet, um ihnen diese Eindeutigkeit ganz abzukaufen. Einerseits haben wir denselben Witz in anderer Fassung ja bei von Reventlov gehört: dort lief er darauf hinaus, daß allein vierhändig spielen so viel hieß wie heimlich mit einem zweiten Paar Hände ein Verhältnis zu unterhalten.

Hier scheint der Scherz auf etwas Ähnliches abzuzielen: Die Tatsache, daß Lady Agatha laut genug ist, um *allein* zwei Vierhändigspieler darstellen zu können, hat etwas Monströses; etwas, wozu es zwei braucht, schafft sie alleine. Vierhändig spielen heißt zu einem gewissen Grade monströs sein, entweder das eigene Ich mit einem zweiten quasi verschmelzen oder das eigene Ich übergroß aufblasen – etwas Unnatürliches hat der Vorgang in jedem Fall. In Lady Agatha gehen diese zwei Topoi eine Personalunion ein: Natürlich geht es um das, was der Engländer *bluster* nennt – die Frau nimmt gerne Platz genug für zwei ein. Sie usurpiert aber auch – und hier deckt sich Wildes Witz mit dem von Reventlovs –

---

1 Oscar Wilde, *The Picture of Dorian Gray*. Oxford: Oxford University Press, 2006, S. 12.

2 Oscar Wilde, *Das Bildnis des Dorian Gray*. Frankfurt a.M.: Suhrkamp, 1972, S. 24.

beide Rollen am Klavier, vereinigt also sozusagen das latente Geschlechterverhältnis aus von Reventlovs Roman in ihrer eigenen Person.[3] Agatha überschreitet den Status des Einzelwesens, sie bewegt sich irgendwo zwischen einem und zweien. Ihr vierhändiges Spiel transformiert nicht die Musik, sondern vielmehr die Spielerin. Bei aller Komik hat die Beschreibung dieser Amöbe an der Klaviatur etwas Dämonisches.

Doch was genau macht Lady Agatha monströs? Was macht überhaupt ein Wesen zum Monster? Bei Lady Agatha ist es die Usurpation einer Aktivität, die für zwei Personen gedacht ist, seitens einer Einzelperson. Aber ist eine Einzelperson, die vierhändig spielt, noch eine Einzelperson, und sind zwei Spieler, die vierhändig spielen, wirklich noch zwei Spieler? Edward Cone beantwortet diese Frage so: „Das Ziel vierhändiger Musik sollte es sein, eine einzige Person zu evozieren, nicht durch die Interaktion zweier einzelner Handelnder, sonder durch die Vermengung der beiden Spieler in ein einziges vierhändiges Monster" („The aim of four-hand music should be to evoke a single persona, not by the interaction of two agents, but by the blending of two players into a single four-handed monster").[4] Tatsächlich könnte man die vierhändige Agatha und Cones „four-handed monster" als Basis einer vorläufigen Definition des Monsters verwenden: Das Monströse hat, von den quasi theologischen Monsterdeutungen eines Ambroise Paré bis zu dem medizinischen Interesse des neunzehnten Jahrhunderts am „Elephant Man" Joseph Merrick, immer etwas mit einem Zuviel oder Zuwenig an Körper zu tun gehabt. Entweder dem Monster fehlten Organe, Gliedmaßen, oder sie quollen, wie bei Merrick, über die „normalen" körperlichen Schemata hinaus.[5]

Nebenstehend zum Beispiel sieht man tatsächlich ein solches vierhändiges Wesen – es handelt sich um Fipps aus Wilhelm Buschs Bildergedicht „Fipps, der Affe" von 1879. Nun ist ein Affe mit vier Händen natürlich kein Monster, sondern vielmehr die Regel. Tatsächlich exerziert Buschs musikalisch interessierter Affe alle möglichen Stellungen am Klavier durch, die einem Menschen in derselben Lage schlechthin unmöglich wären: er genießt während des Spiels einen Apfel [Abb. 1], drückt in einem Augenblick der Faulheit die Tasten mit dem Schwanz herunter oder spielt nebenher noch Flöte. Doch das Bild, welches die folgenden Zeilen zum „Kattermäng" (*quatre mains*) begleitet, fällt in dieser Hinsicht aus dem Rahmen:

---

[3] Eve Kosofsky Sedgwick hat auf die Wichtigkeit der *Tanten* und *Onkel* bei Oscar Wilde hingewiesen und sie als Nicht-Mütter und Nicht-Väter gedeutet. Genau so steht es mit Lady Agatha: Sie ist matronenhaft ohne mütterlich zu sein, ihre Autorität entspringt nur ihrer Dominanz, nicht etwa einer biologischen Verbindung (Eve Kosofsky Sedgwick, „Tales of the Avunculate". In: *Tendencies*. Durham: Duke University Press, 1993, S. 52–72).

[4] Edward Cone, *The Composer's Voice*. Berkeley und Los Angeles: University of California Press, 1974, S. 135.

[5] Marie-Hélène Huet, *Monstrous Imagination*. Cambridge: Harvard University Press, 1993, S. 1.

Abb. 1 und 2: Fipps, der Affe, aus dem gleichnamigen
Bildergedicht von Wilhelm Busch

Zu Kattermäng gehören zwei,
Er braucht sich bloß allein dabei.[6]

Fipps ist hier physisch das gelungen, was Lady Agatha durch ihr herrisches Auftreten metaphorisch versucht: allein vierhändig zu spielen. Und doch hat die dazugehörige Zeichnung etwas durchaus Beunruhigendes [Abb. 2]: anders als in Fipps, sonstigen Übungen am Klavier ist der Affe eigentlich gar nicht zu erkennen. Wären da nicht der Titel und die anderen Zeichnungen, man müßte sich doch fragen, welch seltsames Scheusal hier in die Tasten greift: Der Körper des Affen ist von der Stuhllehne verdeckt, und der Blick auf die Klaviatur gestattet nur Einblicke in zwei geradezu entkörperlicht wirkende Handpaare. Daß sie irgendwie zusammenhängen, erkennt man auch, aber ein körperliches Schema

6 Wilhelm Busch, *Werke (Historisch-Kritische Gesamtausgabe), Band 2*. Wiesbaden: Vollmer, 1959, S. 331–336.

läßt sich eben nicht ausmachen – das Ganze wirkt, in Haltung und Position, selbst für einen Affen unnatürlich. Ein Wesen, das sich selbst beim „Kattermäng" genügt, scheint also ein weitaus seltsameres Geschöpf zu sein als ein Affe, der sich beim Spiel mit den Füßen einen Apfel genehmigt.

Von E.T.A. Hoffmanns Mausekönig zum „Elephant Man" war das Monster das, was die immer noch in der Entstehung begriffenen „natürlichen" Einheiten von Subjekt, Körper und Person untergrub oder überschritt. Als solches stellt das Monster ein Faszinosum des neunzehnten Jahrhunderts dar. Monster, Mißgeburten und Mischwesen waren ein häufiges und beliebtes Thema in Presse und Literatur und wurden vor allem abphotographiert, gezeichnet und zur Schau gestellt. Seit dem heiligen Augustinus gibt es die Ableitung des Terminus „Monstrum" vom lateinischen „monstrare"[7] – Monstrosität und Zurschaustellung waren also immer aufeinander verwiesen. Ob es sich dabei beim Monster um ein (göttliches oder natürliches) Zeichen handelt oder vielmehr ein Kuriosum, das der Entdecker der Umwelt zeigen wollte – das Monster hat ein oder bedarf eines Publikums, das das Monster zu analysieren und zu deuten versucht.

Im ersten Kapitel zitierten wir eine Passage, in der Robert Musil das Klavier als monströsen Götzen beschreibt, „aus Teckel und Bulldog" gekreuzt – doch das lag an der Gefräßigkeit des „Götzen", seiner gierigen Unterwerfung des Interieurs. Doch monströs im oben entwickelten Sinn ist es deswegen nicht. Denn das physische Schema des Klaviers hat sich im neunzehnten Jahrhundert ja immer mehr gefestigt: das veritable Formenkarussel des Jahrhundertanfangs ist bei der Jahrhundertmitte bereits der Einheitsform des Pianoforte gewichen. Das legt nahe, daß es eigentlich nicht das Klavier ist, das monströs ist, da seine Grenzen ja immer schärfer konturierbar sind. Vielmehr sind es die Klavierspieler, die zu einem Monster, eben dem „four-handed monster", werden. Und das liegt eben gerade am Verschwimmen der körperlichen Schemata: Vierhändigspieler stehen, wie Cone das schon andeutet, irgendwo zwischen einer Person und zweien. Die Grenzen zerfließen, aber nicht ganz; es ist ein Duett, aber eben kein so sicher dualistisches wie zum Beispiel das Lied mit Klavierbegleitung.

Im zweiten Kapitel widmeten wir uns der Frage, was denn die Bürgerhaushalte nun mit den abertausenden Bearbeitungen, Potpourris und Auszügen anstellten, die sie aus Katalogen einkauften, in Prachtbänden sammelten und vierhändig am Klavier herunterspielten. In diesem Kapitel kehren wir die Frage um: Was stellten diese Partituren (und insbesondere die vierhändigen Auszüge) mit den sie Spielenden an? In diesem Kapitel geht es um verschiedene Spielarten des Monströsen im vierhändigen Klavierspiel, im Grunde genommen also um verschiedene Konfigurationen des „nicht ganz eins, nicht ganz zwei". Eine erste ist das vier*händige* Monster – in dieser Konfiguration ist es das Knäuel aus Hän-

---

[7] „Monstra sane dicta perhibent a monstrando, quod aliquid significando demonstrent, et ostendendo, et portenta a portendendo, id est praeostendendo, et prodigia, quod porro dicant, id est futura praedicant" (Sanctus Aurelius Augustinus, *De Civitate Dei, Band 2.* Leipzig: Teubner, 1905.507, XXI/9).

den, Armen, Handgelenken, das das Monströse am vierhändigen Klavierspiel ausmacht. Wir werden es insbesondere mit der Bearbeitungs- und Kompositionspraxis zu tun haben, die diese Verschränkungen gezielt oder zumindest notwendig hervorruft. Eine weitere Konfiguration ist das Monster „hinter“ den vier Händen – das obszöne Verschränken der Leiber. Dies führt zu einer dritten Konfiguration, nämlich der (ebenfalls obszönen) Verschränkung der zwei Spieler in *einer* Stimme, in der der Körper nicht einfach mittig geteilt ist, sondern die vielmehr auf der Manipulation des einen am anderen beruht. Letztlich aber wenden wir uns dem zu, was man als die Kippfigur dieser obszönen Verschränkungen bezeichnen könnte: der Tatsache nämlich, daß die Körper sich gegenseitig eben auch ein Gesetz geben und daß nicht nur die Überschreitung, sondern eben auch die Zensur im vierhändigen Klavierspiel unter dem Motto „nicht ganz eins, nicht ganz zwei“ operiert.

Im Jahr 1818 komponierte Franz Schubert das Rondo in D Dur (Opus 138, D 608), das 1835 bei Diabelli erschien. Es gehört, so Lubin, „kaum zu Schuberts ernstzunehmenderen Werken“ („hardly one of Schubert's more serious compositions“),[8] doch ist sein Untertitel erwähnenswert, „Notre amitié est invariable“, der häufig als Widmung an Schuberts Duettpartner Joseph von Gahy (1793–1864) aufgefaßt worden ist. Die enge Beziehung, die im neunzehnten Jahrhundert zwischen Freundschaft und Vierhändigspiel hergestellt worden ist, hatten wir bereits im ersten Kapitel festgestellt – die Analogie zwischen beiden, so zeigte sich, hat mit der Verschmelzung der Subjekte im Vierhändigspiel zu tun (eine Verschmelzung, die Schubert auch mehrfach, im Falle sowohl des Vierhändigspiels als auch anderer musikalischer Duetts, ausdrücklich festgehalten hat). Um eben diese Verschmelzung geht es in der Figur des „vierhändigen Monsters“. Wie aber zeigt sich diese im Falle des Schubertschen Rondos? Dallas Weekly und Nancy Arganbright haben folgenden Vorschlag gemacht: Gegen Ende des Stücks verlangt die Partitur, daß die Hände sich überkreuzen – tatsächlich beenden die beiden Spieler das Rondo mit den Händen geradezu ineinander verzahnt.[9] Hier scheint also die Aufgabe der Subjektivität (im Zeichen der *amitié*) mit der Aufgabe persönlichen Spielraums auf der Klaviatur gleichgesetzt. Die Vierhändigkeit des „Monsters“ hat mit der Verschränkung der Arme und Hände ineinander zu tun.

Ausgerechnet in einem Film des einundzwanzigsten Jahrhunderts wird diese seltsame Körperlichkeit des Vierhändigspiels, bei der Gliedmaßen und Körper zu verschmelzen scheinen, besonders deutlich dargestellt. Tim Burtons Trickfilm *The Corpse Bride* (*Hochzeit mit einer Leiche*, 2005) erzählt die makabre Geschichte des jungen Victor, der durch einen unglücklichen Zufall mit einer Prinzessin des Totenreichs vermählt (der titelgebenden „Leichenbraut“) und in

---

8 Ernest Lubin, *The Piano Duet*. New York: Grossman, 1970, S. 59.

9 Dallas A. Weekley, Nancy Arganbright, *Schubert's Music for Piano Four-Hands*. London: Kahn & Averill, 1990, S. 67.

Abb. 3, 4, 5: Aus dem Trickfilm *Hochzeit mit einer Leiche* (*The Corpse Bride*) von Tim Burton (© Warner Brothers Pictures 2005)

die Unterwelt entführt wird. Obwohl er sich ihrer Avancen resolut erwehrt, entwickelt Victor rasch Verständnis für die tragische Situation der Kadaverfrau: sie ist unsterblich in ihn verliebt, hängt immer noch mädchenhaft romantischen Vorstellungen von einer Hochzeit in Weiß nach und hat eben doch den einen Schönheitsfehler, daß sie keinen Puls und nur noch wenig Haut hat. In einer bemerkenswerten Szene überrascht Victor die Leichenbraut an ihrem Klavier, setzt sich hinzu und nimmt ihre Melodie auf [Abb. 3]. Schon bald spielen beide vierhändig, und ihr neugefundenes Verständnis füreinander, ja, ihre deutliche Zuneigung zueinander zeigt sich daran, daß eine ihrer Hände sich von ihrem Körper löst und selbständig über die Klaviatur auf seine Hände zuhuscht [Abb. 4] – schließlich legt sich die Hand auf Victors, klettert an Victors Arm empor und macht es sich auf seiner Schulter bequem. Sie schlägt mit den Wimpern und würde, nimmt man an, erröten, wenn sie nicht tot wäre. „Pardon my enthusiasm", sagt sie und er antwortet „I like your enthusiasm" – und gibt ihr zärtlich ihre Hand zurück [Abb. 5].

Ein erster „monströser" Aspekt des „vierhändigen Monsters", von dem Cone spricht, läßt sich also auf rein visuellem Gebiet festmachen: Primo und Secondo sind im Vierhändigspiel ineinander verworren – wie ein einziger Krake bearbeiten sie die Tasten, die Hände, Gelenke und Arme überlagern sich, ver- und entwirren sich solchermaßen, daß der Zuschauer tatsächlich an *einen* unheimlichen Organismus denken muß. Doch die physische Überschneidung, die zu den *visuellen* Grundeindrücken beim Beobachten des vierhändigen Klavierspiels zählt, ist nur eine Form der Verschränkung – denn des weiteren gehorchen die vier Hände einem Gesetz, das für den Zuschauer uneinsehbar, für den reinen Zuhörer sogar ganz und gar mysteriös bleibt. Der Primo und der Secondo haben *Rollen* zu spielen, die sie als zwei Aspekte eines Phänomens aufeinander verweisen. Wenn also das „vierhändige Monster" das Wappentier darstellt für unsere Untersuchung, was denn nun die vierhändige Klavierbearbeitung mit den sie ausführenden Körpern anstellt, so zeigt sich dieses Monströse zunächst einmal in der Tatsache, daß die zwei Handpaare in einen Körper verschmelzen und, anstatt autonom nebeneinander her zu operieren, vielmehr Rollen übernehmen. Wie sich im folgenden zeigen soll, hat solche Rollenverteilung, ebenso wie die Verschränkungen der Hände, ihre Ursache in gewissen Tendenzen der Bearbeitungs- und Kompositionspraxis fürs vierhändige Klavier. Die zwei Spieler sind also nicht nur physisch, sondern auch funktional ineinander verschränkt, und diese Verschränkungen sind nicht primär den Geistesblitzen der Komponisten oder der Verzweiflung der Arrangeure geschuldet, sondern sind essentiell mit der Form der vierhändigen Klaviermusik verbunden.

Wie genau die „Form" dies vermag, erkennt man, wenn man sich den Prozeß der Bearbeitung eines Orchesterwerkes für vier Hände vor Augen führt. Wir verlassen kurzzeitig unsere zwei Spieler an der heimischen Klaviatur ebenso wie die mißtrauischen „Mitglieder des Haushalts" („members of the household"[10]) und wenden uns den anonymen Produzenten der musikalischen Meterware namens Klavierbearbeitung zu. Natürlich war bei weitem nicht jedes vierhändige Stück, das im neunzehnten Jahrhundert auf den Flügeln der Bürgerwohnstuben landete, eine Bearbeitung eines Kammer- oder Orchesterwerkes. Dennoch zeigen sich gerade in der Übersetzung vom einen ins andere die bestimmten Valeurs, welche nur das Orchester hervorbringen kann, oder andererseits jene, die nur bei der Umsetzung auf dem Klavier in Erscheinung treten. Denn in der Bearbeitung müssen sich Abbildung und Interpretation (welche Figuren tragend sind, welche Instrumente wie abbildbar sind) in irgendeiner Form die Waage halten. Wie genau sie das tun, wirft ein Licht auf die Dynamik, die die Klavierbearbeitungen des neunzehnten Jahrhunderts am Instrument vorfanden und gewissermaßen institutionalisierten.

Leider wissen wir über die meisten der gewerbsmäßig tätigen Haustranskriptoren der großen Musikverlage nicht viel. In ihren Biographien wird die Bearbeitungstätigkeit normalerweise äußerst lapidar abgehandelt – und Briefe, Tagebücher oder Memoiren, die über das einsame Handwerk detaillierte Auskunft gäben, sucht man weitgehend vergebens. Diejenigen, über die wir mehr wissen, haben sich normalerweise mit Etüden einen Namen gemacht, so zum Beispiel Carl Czerny. Doch Czernys Memoirenentwurf „Erinnerungen aus meinem Leben" (heute im Besitz der Wiener Gesellschaft der Musikfreunde) erwähnt seine Bearbeitungstätigkeit mit kaum einem Wort. Ein weniger bekanntes Beispiel ist Henri Bertini (1798–1876),[11] der sowohl vierhändige Bearbeitungen als auch Etüden schrieb, den man heute aber nur noch als Etüdenkomponisten kennt.[12] Dabei taucht er in den Musikpostillen des neunzehnten Jahrhunderts noch vornehmlich als Bearbeiter auf.[13] Die vielen Schreiberlinge, die die unersättliche Gier nach Bearbeitungen, Variationen und Potpourris bedienten – Hugo Ulrich, Frédéric Kalkbrenner[14], August Stradel, Friedrich Mockwitz, Robert Wittman usw. –, hinterließen kaum Zeugnisse ihres *modus operandi*.

Da mutet es wie ein Glücksfall an, daß einer dieser Schreiberlinge als Komponist weltberühmt wurde. Der junge Brahms verdiente sich mit Bearbeitungen ein Zubrot, bevor ihm mit seinen eigenen Kompositionen der Durchbruch

---

[10] Philipp Brett, „Piano Four-Hands: Schubert and the Performance of Gay Male Desire". *19th Century Music*, No. 21 (1997), S. 154.

[11] Pascal Beyls, *Henri Bertini, 1798–1876: Pianiste virtuose et compositeur de musique*. Montbonnot Saint-Martin: Beyls, 1999.

[12] Das Standardkompendium *Musik in Geschichte und Gegenwart* nennt in seiner Kurzbiographie keine einzige Bearbeitung, wohl aber eine Liste der wichtigsten Etüdenbände (sowohl in der Ausgabe von 1949, als auch in der von 2002).

[13] So zum Beispiel: *AmZ* 34 (8. Juni 1832), 365–370.

[14] Zsuzsanna Domokos, „‚Orchestrationen des Pianoforte': Beethovens Symphonien in Transkriptionen von Liszt und seinen Vorgängern". *Studia Musicologica Academiae Scientiarum Hungaricae*. Vol. 37, No. 2/4 (1996), 249–341.

gelang. Im Januar 1855 schickte der noch gänzlich unbekannte Brahms auf Anregung Clara Schumanns „eine vierhändige Bearbeitung des Schumannschen Quintetts [op. 44]“[15] an den Verlag Breitkopf & Härtel in Leipzig. Der Verlag unterzog die Bearbeitung einer genauen Prüfung auf „Geist“ und „Spielbarkeit“: zwei Musikprofessoren spielten das Stück Probe vor den Verlegern. Ende Februar schließlich wies der Verlag das Manuskript ab: „Leider freilich hat uns das Anhören und Ansehen des Vortrags die Überzeugung aufgedrängt, daß das Werk in dieser Form nicht erscheinen kann und darf.“ Denn „zwei geübte Spieler, und die sich für Schumanns Musik wesentlich interessieren, fanden Schwierigkeiten, daß wir voraussetzen müssen, das Publikum werde sich überall abschrecken lassen“.[16]

Die Anforderungen, die die im zweiten Kapitel beschriebene Verlagsmaschinerie an die vierhändigen Bearbeitungen von Orchester-, Chor- oder Kammerwerken stellte, sind in dieser Episode klar umrissen: Sie muß dem „Geist“ (wie sich Breitkopfs Ablehnungsschreiben ausdrückt) des Komponisten Rechnung tragen, gleichzeitig darf sie aber ein Publikum, das sich für besagten Komponisten „wesentlich interessiert“, dem Schwierigkeitsgrad nach nicht „abschrecken“. Dies vermerkt auch Brahms in seinen Briefen an seine verschiedenen Verleger: Er legt bei seinen vierhändigen Auszügen besonderen Wert „auf das Klaviermäßige, auf Spielbarkeit, nicht darauf, ob die Stimmen alle ganz streng geführt seien“.[17] Und an den Verleger Rieter schreibt er, er habe die Bearbeitung seines Klavierkonzerts (op. 15) „für's Spielen und nicht (wie es jetzt stark Mode) zum Lesen gemacht“[18] – „denn“, so schreibt er an Simrock, „hoffentlich spielt man's auch gern“.[19] Es ging ihm also ganz offen auch selber darum, höchste Spielbarkeit zu erreichen und einem gewissen Publikum zu gefallen. Auch Max Reger schreibt einige Jahrzehnte später an den Verlag Lauterbach & Kuhn, daß er ein Stück so fürs vierhändige Klavier bearbeiten wolle, daß es „1.) *vollständig klaviermäßig* vierhändig ist, 2) *klanglich* gut wird, 3.) eben dadurch bei *leichter* Spielbarkeit eben ‚Haus-musik‘ wird. Und das letztere soll doch solch ein Klavierauszug 4händig werden“.[20]

Daß der „Geist“ gerade bei vierhändigen Bearbeitungen eine große Rolle spielt, ist kein Zufall. Wie Adorno klar sieht, kann überhaupt nur das Klavier zu vier Händen ernsthaft versuchen, die Sym-Phonik des Orchesters zu simulie-

---

15 Johannes Brahms, *Briefwechsel, Band XIV*, S. 17.

16 Ebd., *XIV*, S. 18 (20. Februar 1855). Die Bearbeitung erschien nie bei Breitkopf & Härtel.

17 Bericht von Hentschel, zitiert nach Max Kalbeck, *Johannes Brahms*, III, Berlin: Deutsche Brahms-Gesellschaft, 1911, S. 80.

18 Brief vom 11. Februar 1864 an Rieter, in Brahms, *Briefwechsel, XIV*. Tutzing: Schneider, 1974, S. 86.

19 Brief vom 19. Juni 1883 an Fritz Simrock, in Brahms, *Briefwechsel, Band XI*. Berlin: Verlag der Deutschen Brahms-Gesellschaft, 1917, S. 23.

20 Max Reger, *Briefe an die Verleger Lauterbach & Kuhn*. Bonn: Ferdinand Dümmler, 1993, S. 70f.

ren.[21] Und auch Franz Liszt schrieb schon 1839 im Vorwort seiner Transkription der 5. Symphonie Beethovens (allerdings für zwei Hände): „Im Umfange seiner sieben Oktaven vermag [das Klavier], mit wenigen Ausnahmen, alle Züge, alle Kombinationen, alle Gestaltungen der gründlichsten und tiefsten Tonschöpfung wiederzugeben, und lässt dem Orchester keine anderen Vorzüge, als die Verschiedenheit der Klangfarben und die massenhaften Effekte."[22] Obwohl Liszt hier vom Klavier generell spricht, gilt das natürlich fürs vierhändige Klavier nur noch um so deutlicher: Wie *Grove's Dictionary of Music and Musicians* 1879 schreibt, kann gerade das vierhändige Klavier „die Effekte solcher [d.h. Orchester-] Werke genauer und detailgetreuer reproduzieren als Arrangements für das Klavier solo" („reproduce the characteristic effects of such works more readily and faithfully than arrangements for pianoforte solo").[23]

Die zwei Handpaare können rein anatomisch 20 verschiedene Töne gleichzeitig anschlagen. Das bedeutet, daß eine weitaus breitere Klangpalette zur Verfügung steht, der Orchestertextur in Binnendifferenzierung und Bandbreite in nichts nachstehend. Rein quantitativ können durch die größere Differenzierung und Bandbreite sämtliche Noten des oben genannten Schumannschen Quintetts „eins zu eins" abgebildet werden – die einzigen Beschränkungen sind nicht logistischer Natur, sondern eben dem Können und Selbstvertrauen der Duettisten selbst geschuldet. Und selbst bei einem Orchesterwerk kann das vierhändige Klavier mit seinen zwanzig Tönen viel mehr vom „Geist" des Werkes hinüberretten (Liszt spricht, seiner Zeit gemäß, von der „Begeisterung des Meisters"[24]) als die Bearbeitungen für Piano solo. Dieser „Geist" hatte auch viel mit dem orchestralen Klang zu tun, welchen gerade Bearbeitungen zu zwei Händen dem Empfinden der Zeitgenossen nach nicht ausreichend simulieren konnten. So vermerkt zum Beispiel ein Lexikoneintrag, daß der vierhändige Auszug „sowohl hinsichts der Einzelheiten vollständiger, als auch im Bezug auf die gesamte Klangwirkung reicher, kräftiger und mannigfaltiger"[25] sei als der für Klavier solo.

Den Komponisten war das wohl bewußt: Zum Beispiel hat der notorisch klavierfeindliche Hector Berlioz[26] als eines seiner wenigen umfassenderen Kla-

---

[21] Theodor W. Adorno, „Vierhändig, Noch Einmal", in *Die musikalischen Schriften V (GS 17)*. Frankfurt: Suhrkamp, 1971, S. 304.

[22] Zitiert in Domokos, „Orchestrationen des Pianoforte", S. 250.

[23] Grove's Dictionary of Music and Musicians. London: Macmillan, 1879, S. 79.

[24] Zitiert in Domokos, „Orchestrationen des Pianoforte", S. 250.

[25] Arrey von Dommer, *Musikalisches Lexikon*. Heidelberg: J. C. Mohr, 1865, S. 172.

[26] Berlioz' Verhältnis zum Klavier generell und zur Klavierbearbeitung insbesondere ist äußerst zwiespältig. Es gibt so gut wie keine Musik fürs Klavier solo von Berlioz, weder Bearbeitungen noch Originalwerke. Eine frühe Bearbeitung eines vorgegebenen Themas (allerdings ein Klavierauszug mit Singstimmen, keine „reine" Klavierbearbeitung) wurde vom Prüfungsgremium des Conservatoire de Paris als „unspielbar" verrissen (Oliver Vogel, *Der Romantische Weg im Frühwerk von Hector Berlioz*. Stuttgart: Franz Steiner, 2003, S. 235). In *Les grotesques de la musique* beschwert er sich: „Le piano! A la pensée de ce terrible instrument, je sens un frisson dans mon cuir chevelu; [...] en écrivant ce nom, j'entre

vierwerke einen Entwurf zu einer *vierhändigen* Bearbeitung der *Enfance du Christ* hinterlassen[27] – die Fülle seines Orchesterklangs einem zehnfingrigen Normalsterblichen zu überantworten, scheint Berlioz widerstrebt zu haben.[28] Und Ludwig van Beethoven sah sich im März 1825 sogar gezwungen, den Geist seiner Originalpartitur gegen eine Raub-Bearbeitung zu verteidigen. In einer Wiener Musikzeitschrift schrieb er: „Ich halte es für meine Pflicht, das musikalische Publikum vor einem gänzlich verfehlten, von der Original-Partitur abweichenden Clavierauszuge meiner letzten Ouvertüre zu vier Händen ... zu warnen". Stattdessen empfahl Beethoven die „völlig getreu[e]" Bearbeitung, die „nächstens in der einzig rechtmäßigen Auflage bei B. Schotts Söhnen in Mainz" erscheinen würde – angefertigt von keinem Geringeren als Czerny.[29] Die breiten klanglichen Möglichkeiten, die sich dem Spiel zu vier Händen eröffnen, erlauben es also dem Publikum, dem Verlag, und dem Komponisten, eine größere Treue zum „Geist" der Partitur einzuklagen.

Gleichzeitig aber ist die vierhändige Bearbeitung, wie Breitkopfs Schreiben bemerkt, ein Gebrauchsgegenstand und muß daher für ihr Publikum auch brauchbar sein (eben nicht „abschreckend"). Denn es war ja gerade die *Spielbarkeit* vierhändiger Bearbeitungen, die der Kosument an ihnen schätzte. So schreibt ein englischer Biograph Tschaikowskis 1906: „Alle Orchesterwerke Tschaikowskis sind fürs Klavier zu vier Händen bearbeitet worden. Einige gibt es auch fürs Klavier solo, aber generell gesprochen sind sie in dieser Form nahezu unspielbar. So ist dem durchschnittlichen Spieler nur ein Satz der *Pathétique* zumutbar. Die *Nußknacker*-Suite stellt ein einfaches und effektives Solo dar, aber in den meisten Arrangements wird im Walzer der Kontrapunkt weggelassen, einer seiner primären Vorzüge in der Orchesterfassung."[30] Im Interesse der Spielbarkeit muß im

---

sur un terrain volcanique" (Hector Berlioz, *Les Grotesques de la musique*. Paris: Calmann Lévy, 1880, S. 48).

27 Berlioz hat diese Arbeit nie vollendet; *L'enfance* erschien schließlich in einer Bearbeitung von Méreaux und Ritter (Albi Rosenthal. „Music Manuscripts in Basle". *The Musical Times*, Vol. 116, No. 1588 (1975), 534).

28 Obwohl Berlioz in seinen theoretischen Schriften behauptet, zweihändige Bearbeitungen zu bevorzugen, scheint er für seine eigenen Werke fast ausschließlich vierhändige Bearbeitungen angefertigt zu haben (Hugh Macdonald, *Berlioz's Orchestration Treatise: A Translation and Commentary*. Cambridge und New York: Cambridge University Press, 2002, S. 97). Erhalten sind eine Bearbeitung von „Les Francs-Juges", bearbeitet „par l'auteur", sowie eine Bearbeitung der „Waverley"-Ouverture, bei deren Autor es sich um Berlioz handeln könnte – bei beiden handelt es sich um vierhändige Bearbeitungen. Alle anderen Bearbeitungen Berliozscher Werke (vierhändig und zweihändig) scheinen von anderen angefertigt worden zu sein, so zum Beispiel Liszt („Symphonie Fantastique", „Harold en Italie"), Leibock („Grande Ouverture de Roi Lear") und Hans von Bülow („Benvenuto Cellini") – der Großteil dieser Bearbeitungen sind ebenfalls vierhändig (Holoman D. Kern, *Catalogue of the Works of Hector Berlioz*. Kassel: Bärenreiter, 1987).

29 *Wiener Zeitschrift für Kunst, Literatur und Musik* (5. März 1825). Zitiert in: Albert Dreetz, *Czerny und Beethoven*. Leipzig: Kirstner & CFW, 1932, S. 24.

30 Edwin Evans, *Tchaikovsky*. London: J.M. Dent, 1906, S. 189.

Normalfall der Orchesterklang dennoch „reduziert" werden: Harmonien werden transponiert, Stimmen gebündelt oder ganz weggelassen. Ersteres erfordert die Unterteilung der Klaviatur oder besser gesagt die Abbildung des Orchesters auf die Klaviatur. Zur Simulation des Orchesterklangs wird also die Klaviatur parzelliert: Die unteren Lagen werden zur Abbildung von Baß- und Tenorlagen verwendet, die mittleren und oberen für Alt und Sopran.

Die klangliche Reduktion allerdings erfordert, daß nicht nur die Klaviatur, sondern auch die Partitur geteilt wird, es muß also entschieden werden, was Melodie sei und was Begleitung. Während die Melodie natürlich der Inbegriff dessen ist, was Breitkopf in seinem Schreiben an Brahms als „Geist" des Stückes reklamiert, kann und muß die *Begleitung* reduziert werden: Kontrapunkt hat normalerweise Prioriät; als erstes fallen jene unsimulierbaren Instrumente weg, die wir im zweiten Kapitel erwähnten; der Rhythmus, den sie stiften, muß aber unbedingt beibehalten werden, was die Einbeziehung rhythmischer Streich- oder Blasinstrumentenstimmen in die Reduktion unabdinglich macht. Dies betrifft, da der Primo normalerweise weniger Stimmen „bündelt" als der Secondo, insbesondere letzteren.[31] Denn in den klassischen Bearbeitungen werden diese zwei Teilungen so vorgenommen, daß die Melodie so intakt wie nur möglich gehalten wird.

Das bedeutet in der Praxis, daß einerseits beide Spieler sich um ihren eigenen Bereich kümmern, daß sie aber andererseits die melodische Logik immer wieder in die Mitte der Klaviatur treibt. Es ist genau so unmöglich, die Wirkungsbereiche der beiden Spieler exakt auseinanderzudividieren, wie auch jeweils in jedem Fall einem der Spieler ein Motiv oder eine Melodie vollständig zu überlassen. Verschränkungen der Hände sind dabei also genau so vorprogrammiert wie die Übergabe einer Melodie von einem Spieler an den anderen. Zwar wurden von Seiten der Arrangeure immer wieder Anstrengungen unternommen, das Überkreuzspielen im Interesse der Spielbarkeit zu unterbinden, doch gerade hier wurde der „Geist" des Komponisten widerspenstig: So bearbeitete Anton Halm Beethovens „Große Fuge" (op. 133), indem er die Klaviatur zwischen Primo und Secondo aufteilte und die musikalische Logik ziemlich rabiat der Vermeidung des Überkreuzspielens unterordnete.[32] Damit zog er Beethovens Zorn auf sich, der eben diesen Frevel am „Geist" des Komponisten aufs schärfste monierte und schließlich so weit ging, seine eigene vierhändige Bearbeitung des Stücks zu entwerfen, die vor wenigen Jahren erst als Manuskript wieder aufgetaucht ist.

Genau wie Beethoven der Reduktion seiner Partitur vorhielt, sie zerstöre den Geist der Komposition, gab es Kritiker, die den Bearbeitungen vorhielten, sie schieden zu wenig Spreu vom Weizen. Während Beethovens Brief an die Wiener Musikzeitschrift Czernys Bearbeitung seiner Ouvertüre wegen ihrer Genauigkeit als „völlig getreu" lobte, kritisierte der Czerny-Schüler Louis Köhler

---

31 Der Autor dankt Timothy Ribchester für diese Information.

32 Alexander Wheelock Thayer, *Thayer's Life of Beethoven*. Princeton: Princeton University Press, 1967, S. 975.

(1820–1886) dieselben Beethoven-Bearbeitungen im Amerikanischen *Dwight's Journal of Music*: Czerny überfrachte alle Hände, so der Vorwurf, so daß dem Pianisten sämtliche Gestaltungsmöglichkeiten genommen seien. Keine Note könne besonders hervorgehoben werden, die Intimität einiger Momente gehe in einer fürchterlichen Klangfülle unter, und die Scherzi seien von der Leichtigkeit des Orchesterstücks meilenweit entfernt. Überhaupt, so Köhler, tendiert Czerny dazu, immer alle Teile der Klaviatur aktiv zu halten (sprich: damit sich keine der vier Hände langweile), was natürlich nicht dem „echten" Beethovenklang entspricht, der ja nicht andauernd höchste Violinenlagen und Piccoloflöten verwendet.[33]

Ähnlich äußert sich Adolf Bernhard Marx über Czernys vierhändige Beethovenbearbeitung: Obwohl er Czerny generell positiv hervorhebt, kritisiert er doch die „Spielseligkeit", die Manie, mit welcher die Gesamtheit des Klaviers nach ständiger Beschäftigung verlangt. „Nur das können wir nicht gut heissen, dass er, um freien Spielraum für Figuren und Stimmfülle zu gewinnen oder auch der Spielseligkeit des Piano zum Ersatz der unersetzlichen Orchestereffekte Zutritt zu öffnen, zu Zeiten die Stimmlagen ändert, oft in die höchsten Oktaven sich verliert und damit die Orchesterartigkeit des Originals und überhaupt die Treue gegen letzteres aufopfert bis zur Erregung falscher Vorstellungen vom Originalwerk."[34] Die Erfahrung der vierhändigen Bearbeitungen ist die, ein Orchesterwerk in den eigenen vier Händen zu halten; man will nicht, daß es sich ihnen entwindet. Dennoch tendiert die vierhändige „Reduktion", eben weil sie vier Hände durchgängig beschäftigen muß, dazu, die tatsächlichen Texturen der Originalpartitur wie Kaugummi über die ganze Breite der Klaviatur auszudehnen.

Wie dem auch sei: Die Logik der Orchestrierung, die in der klassischen Musik vorherrscht, führt im Normalfall dazu, daß der Primospieler vornehmlich die Melodieführung übernimmt, während der Secondospieler eher die Funktion des Begleiters innehat. Der Secondospieler ist normalerweise derjenige, der den Rhythmus bestimmt – insbesondere in den vielen Tänzen, die, wie wir sahen, das vierhändige Repertoire im neunzehnten Jahrhundert dominieren. Wenn es sich nicht um ein bewußt kontrastierendes Arrangement handelt (z.B. wenn in einer Etüde der Lehrer als Secondospieler nur den Takt für den Schüler/Primo vorgibt), ist der Secondo im Normalfall natürlich nicht *ausschließlich* mit Rhythmus und Begleitung beschäftigt. Im Fall einer Bearbeitung kann er ja, je nach Komplexität der Primo-Lagen, im Extremfall Kontrabaß, Cello und Viola übernehmen – nur eine reichlich seltsame Komposition würde ihm da jede melodische Gestaltungsmöglichkeit nehmen!

Gerade bei den vergleichsweise weniger anspruchsvollen Stücken aber, um die es im zweiten Kapitel ging (den Märschen, Walzern, Potpourris und Variatio-

[33] *Dwight's Journal of Music*, Jahrgang IV, Nr. 6 (12. November, 1853), S. 41.

[34] Adolf Bernhard Marx, *Die Lehre von der musikalischen Komposition, Dritter Teil.* Leipzig: Breitkopf und Härtel, 1845, S. 574.

nen), wurden häufig die Stimmen so gesetzt, daß die Primostimme „den kristallenen Schimmer der höheren Register zur Schau stellen“ („to show off the crystalline shimmer of the upper registers of the piano“) konnte, während „die unteren Register (vom Secondo gespielt) generell dazu verdammt wurden, uninteressantes und qualitativ minderwertiges Begleitwerk“ zu spielen („while the lower register (played by the *secondo*) was generally relegated to playing uninteresting and inferior accompaniment figures“).[35] Und selbst was den wahrscheinlich hochangesehensten Komponisten fürs vierhändige Klavier im neunzehnten Jahrhundert betrifft, Franz Schubert nämlich, stellt Kathleen Dale fest: „In den einfacher gestrickten Stücken, wie zum Beispiel den Tänzen und den Märschen, fungiert der Secondo fast ausschließlich als Begleiter, während der Primo in der Sahne der melodischen und schmuckvollen Passagen schwelgen darf“ („In the simpler pieces, such as the dances and the marches, secondo [acts] almost entirely as accompanist, while primo luxuriates in the cream of the melodic and decorative passages“).[36]

Insgesamt kann man sagen: In Dvořáks Dumkas, Mazurken und Polkas, in Brahms' Walzern ebenso wie in den vierhändigen Bearbeitungen der Symphonien Haydns, Mozarts, Beethovens, die Czerny, Hummel und Ulrich anfertigten, ist der Secondo tendenziell derjenige, der den Takt hält, die Melodie kommentiert usw. Darüber hinaus gehört in der Regel auch die Bedienung der Pedale zu seinem Aufgabenbereich. Generell also ist er für den Klang und den Rhythmus zuständig, eine eher „orchestrale“ Funktion gegenüber der Solistenfunktion des Primo. Insbesondere in Transkriptionen von Konzerten wandert der Solistenpart oft vollständig in den Primo-Part. Ebenso in Bearbeitungen von Liedern: Das „Singvögelchen“, ob Sopran oder Alt, wird normalerweise durchgängig vom Primo übernommen[37] – die Rolle der menschlichen Stimme in ihrer *Kontinuität*, *Persönlichkeit*, und *Subjektivität* fällt also dem Primo zu.

Was wir bisher für ein gleichberechtigtes Nebeneinander zweier Handpaare hielten, stellt sich jetzt also ganz anders dar: Auf der einen Seite haben wir den Secondo, der Begleitung, Regulierung und Modulierung übernimmt, der, weil Begleiter und selten Melodieträger, häufiger in den umstrittenen Gefilden in der Mitte der Klaviatur wildern muß. Er bestimmt die Stimme, sowohl die eigene, als auch die des Primo – er leistet die Öffentlichkeitsarbeit der Duettisten. Auf der anderen Seiten arbeitet der Primo bescheiden in der Sopranlage, verläßt selten die ihm eigene Sphäre, ist für seine Stimme und seinen Rhythmus auf den anderen angewiesen und nimmt in der relativen Isolation die subjektive Position der

[35] Douglas Townsend, „Program Notes for the Musical Heritage Society Recording“ (MHS 3911/12/13).

[36] Kathleen Dale, „The Piano Music“. In: Gerald Abraham (Hrsg.), *The Music of Schubert*. New York: W.W. Norton, 1947, S. 124.

[37] Zum Topos des „Songbird“ im musikalischen Imaginarium des neunzehnten Jahrhunderts vgl.: Susan Rutherford, *The Prima Donna and Opera, 1815–1930*. Cambridge: Cambridge University Press, 2006, S. 47, 57.

Melodie, gegenüber der ungleich kollektiveren Position der Begleitung, ein. Das ist allein schon daran ersichtlich, daß in einer Bearbeitung der Primo in der Melodieführung selten mehr als zwei Instrumentalstimmen „bündelt", während der Secondo sozusagen für das gesamte restliche Orchester „doubeln" muß.

So scheint Brahms' Bearbeitung seiner eigenen Symphonie Nr. 2 die Orchesterpartitur im Sinne einer solchen Arbeitsteilung umzuinterpretieren: Im ersten Satz (Allegro Non Troppo; Takt 82) wird das zweite, lyrische Thema (Walter Frisch nennt es ein „Wiegenlied"[38]) zunächst vom Secondo eingeführt und erst dann vom Primo übernommen. Beim ersten Durchgang spielt der Secondo das Thema, während der Primo begleitet. Der Primo gibt aber keinen Rhythmus vor, sondern verliert sich in einer Koloratur (die sich in Takt 156 noch einmal wiederholt); sobald die beiden die Rollen tauschen, fällt die Begleitung weg, und der Secondo gibt nur den Rhythmus vor. In der Orchesterfassung hingegen verlaufen Melodie und Begleitung absolut parallel, sozusagen in einem Chiasmus,[39] eine Symmetrie, die in der vierhändigen Bearbeitung wegfällt. Der Primo, so scheint es, kann nicht Rhythmus vorgeben, er muß sich singvogelhaft in die Melodie einschmiegen; der Secondo kann sich nicht einschmiegen, er muß, sobald er Begleiterfunktion hat, Kontrolle übernehmen, Takt vorgeben, Ordnung schaffen. Die Symmetrie der Orchesterpartitur weicht also einer stark ausdifferenzierten Rollenverteilung, teils der Logik der Bearbeitung geschuldet, teils aber auch dem, was man ihre Ideologie nennen könnte: Die rhythmusgebenden Stimmen, die der Primo übernehmen sollte, werden weggelassen; die lyrischen Aspekte, die eigentlich dem Secondo zufallen würden, ebenfalls.

Wie dieses Beipiel zeigt, hat die starke Identifikation von Rhythmus und Secondo sowie von Melodie und Primo ihre Wurzeln nicht ausschließlich in der Orchesterpraxis des neunzehnten Jahrhunderts. Vielmehr hat sie auch ein ideologisches Element, das aus den Diktaten der Partitur und der Praxis allein nicht erklärt werden kann. Ich habe nun in meiner Sprachwahl schon ziemlich penetrant Spuren gelegt, weswegen es keinen mehr überraschen dürfte, wenn ich nochmals darauf hinweise, daß Primo und Secondo im Englischen lange „top" und „bottom" hießen (selbst wenn ihre Stimmen eigentlich auf gegenüberliegenden Seiten gedruckt waren). Tatsächlich zwingt die Bearbeitungspraxis des neunzehnten Jahrhunderts den Secondo in ein *imperium paternalis* und den Primo in eine häuslich-subjektive Position. Der eine verkörpert sozusagen die „Prosa der Welt", wie Hegel es einmal formuliert hat, der andere die häuslich-subjektive Poesie. Der Primo verkörpert eine ganze Reihe „femininer" Prinzipien, der Secondo dagegen ihren jeweiligen „männlichen" Widerpart.

Dieser Unterschied zwischen „subjektivem" Primo und „objektivem" Secondo scheint im neunzehnten Jahrhundert eine ganze Reihe verwandter

---

[38] Walter Frisch, *Brahms: The Four Symphonies*. New Haven: Yale University Press, 2003, S. 70.

[39] Reinhold Brinkmann, *Johannes Brahms – Die zweite Symphonie, späte Idylle*. München: Edition Text + Kritik, 1990.

Dichotomien inspiriert zu haben: Wir haben in Charles de Bernards Roman *Gerfaut* bereits viele dieser Assoziationen kennengelernt: Hier spielt der Held Gerfaut mannhaft „la basse", die schöne Baronin spielt „le chant"; der Erzähler assoziiert sein Spiel mit „énergie", ihres dagegen mit „ une légère indécision"; ihre Hände repräsentieren das arme Subjekt, das seine Hände „einkerkern"; er wird sogar zum „Baßschlüssel" und sie zum „Violinschlüssel" metonymisiert. Die Rollenverteilung von „Singstimme" und „Begleiter" auf Primo und Secondo verbindet das vierhändige Klavierspiel mit dem anderen musikalischen Genre des neunzehnten Jahrhunderts, das die Darstellung und Verhandlung des Geschlechterverhältnisses einerseits und des Verhältnisses von Privatheit und Öffentlichkeit andererseits wesentlich zum Thema hat: dem Lied. So schreibt Franz Schubert 1825 an seinen Bruder Ferdinand: „Die Art und Weise, wie [Johann Michael] Vogl singt und ich accompagnire, wie wir in einem solchen Augenblick *Eins* zu sein scheinen, ist diesen Leuten etwas ganz Neues, Unerhörtes."[40] Das „Unerhörte" in der Konfiguration Sänger/Akkompanist hat also genau so mit einer „Vereinigung" zu tun wie im Vierhändigspiel. Eben diesen Komplex von Vereinigung und latenter Erotik scheint man auch auf das vierhändige Klavier abgebildet zu haben, in dem eine Partei zum „Sänger" wird („le chant"), der die Melodie singt, die andere zum Akkompanisten, der diese begleitet, leitet und kommentiert.

Gerade mit dieser Dichotomie hängen nun weitere zusammen: Schon Arthur Schopenhauer identifiziert im dritten Buch von *Die Welt als Wille und Vorstellung* die Melodie mit dem „besonnene[n] Streben des Menschen", also der individuellen Subjektivität,[41] und setzt diese höchste „Objektivation des Willens" mit der Sopranstimme gleich. Die Melodie des Soprans drückt aber diese „Objektivation" nur unbewußt aus, und hier beschreibt Schopenhauer ihr Verhältnis zum Willen als dem *Weiblichen* analog: „Wie eine magnetische Somnambule Aufschlüsse giebt über Dinge, von denen sie wachend keinen Begriff hat", drückt der Sopran unbewußt „das vielgestaltete Streben des Willens aus".[42] Schopenhauers Dichotomien (Sopran-Subjektivität-Melodie vis-à-vis tiefere Stimmlagen-Objektivität-Harmonie) verwandeln sich am Klavier in Primo und Secondo: Hinter Primo und Secondo verstecken sich Hausfrau und öffentlich orientierter Mann. Der Primo, verläßlich in einer ihm eigenen Sphäre beheimatet, nur seltenst und verstohlen in der Mitte der Klaviatur zugange; der Secondo, beheimatet in den unteren zwei Dritteln der Klaviatur, doch je weiter es ihn nach oben treibt, umso mehr fehl am Platze. Der Primo ist subjektiv, privat, individuell; der Secondo objektiv, gesetzgebend, öffentlich und kollektiv. Nur zusammen, so will es die Ideologie der Klaviatur, können sie den unerhörten Anspruch umsetzen, minimale Gemeinschaft zu sein – Sym-Phonik zu betreiben.

---

40 Zitiert in Heinrich Kreissle von Hellborn, *Franz Schubert*. Wien: Gerold, 1865, S. 124.

41 Arthur Schopenhauer, *Die Welt als Wille und Vorstellung, Erster Band*. Leipzig: Brockhaus, 1859, S. 306.

42 Schopenhauer, *Die Welt als Wille und Vorstellung*, S. 307.

Tatsächlich ist diese Geschlechterkodierung der häuslichen Gemeinschaft am Klavier nicht zufällig; zumindest im neunzehnten Jahrhundert ist ihre Verbindung geradezu zwingend. Die moderne Gemeinschaft war in ihrer ersten theoretischen Ausgestaltung, nämlich bei Rousseau, bereits eng mit dem Geschlechterverhältnis verschränkt. Denn Rousseau beharrt auf stereotypen Geschlechterrollen nicht einfach aufgrund eigener oder gesellschaftlicher Vorurteile (die er ja in anderen Belangen wie kein zweiter zu kritisieren verstand), sondern vielmehr weil für ihn die Idee, daß Männer und Frauen aufeinander verwiesen und angewiesen sind, eben die Verzahnung zwischen den Individuen lieferte, die er für die Gemeinschaft reklamierte.[43] Das Geschlechterverhältnis ist *das* Paradigma der Gemeinschaft, und so können auch die „Geschlechterpositionen", die wir soeben an der Klaviatur aufgewiesen haben, als Indiz dafür gelten, daß das „four-handed monster" eben nicht nur ein Individuum sein soll, sondern eben auch eine (apolitisch politische) Gemeinschaft. Das Aufeinander-angewiesen-Sein ist, in anderen Worten, in der Denkwelt des neunzehnten Jahrhunderts gar nicht vollständig von Geschlechterfragen trennbar: Die Klaviatur ist sexualisiert insofern sie vergemeinschaftet ist, und sie ist vergemeinschaftet nur insoweit ihr eine erotische Komponente beigemessen wird.

Doch zwei Faktoren verkomplizieren die Sache noch einmal: Erstens gibt es keine Anhaltspunkte, daß im neunzehnten Jahrhundert Frauen im Normalfall die Primoposition und Männer die Secondoposition übernahmen – ob de Bernards Gerfaut hier einem ungeschriebenen Gesetz folgt oder ob sich die Wahl zwischen „le chant" und „la basse" rein zufällig ergibt, ist unklar. Auch hier ist der Vergleich mit dem Lied sprechend: Wie bei Singvögelchen und Akkompanist sind die zwei Positionen zwar metaphorisch klar geschlechtlich kodiert, aber ob sich daraus in der Praxis tatsächliche Konsequenzen ergaben, ist eine ganz andere Frage (siehe zum Beispiel Schubert und Vogl). Tatsächlich sind auch im vierhändigen Klavierspiel die relativen Positionen vor allem vom Können der Spieler abhängig. Es wäre auch unwahrscheinlich, daß ein Klavierlehrer (oder eine Mutter) dem Klavierschüler die Secondoposition zuwiese oder ein Korrepetitor plötzlich die Melodie übernähme.

Und genau hier liegt die zweite interessante Komplikation. Denn tatsächlich kann natürlich, wie jeder Akkompanist weiß, ein schleppender oder treibender Solist den Begleiter genau so gut mitschleifen wie umgekehrt. Während also die subjektive„Stimme" des Solisten tatsächlich dem Primo zufällt und deren objektiver Rahmen dem Secondo, hängt die Frage, wer führt und wer folgt, im Grunde genommen von den individuellen Spielern ab. Und außer in einem perfekt eingespielten Team (und selbst da nur bei gleichem Können auf hohem Niveau) wird es immer einen Spieler geben, der führt, während der andere folgt. An der Klaviatur findet ein veritables Tauziehen statt, in dem es um Kleinigkeiten wie Takt oder Ausdruck, oder auch tiefe Fragen der Interpretation gehen kann. Ossip

---

43 Penny A. Weiss, *Gendered Community*. New York: New York University Press, 1993.

Schubin (Aloysia Kirschner, 1854–1934), beschreibt dies in ihrem Roman *Im Gewohnten Geleis* (1901): Gräfin Klotilde will dem Vierhändigspiel mit ihrer Cousine aus dem Weg gehen, denn „es war nämlich einigermaßen ermüdend, mit Leontine vierhändig zu spielen. Sie berief sich so oft auf ‚ihre Auffassung', besonders bei der Neunten Symphonie von Beethoven. Es war gewiß die allerbeste Auffassung [...] – aber es war doch ermüdend."[44] Die „allerbeste Auffassung" ist gewissermaßen das Echo des komponierenden „Geistes", auf dem Beethoven so insistent beharrte – der Machtanspruch, der sich in der Bearbeitung latent ausdrückt, macht sich auch beim Spiel der Partituren wieder bemerkbar.

Das heißt also, daß sich über die eindeutig geschlechtlich kodierte Matrix Primo/Secondo noch eine zweite schiebt, nämlich die, „who is to be the master, that's all", wie Humpty Dumpty in *Alice in Wonderland* bemerkt. Weiblichkeit ist also nicht gleichbedeutend mit Subservienz, noch Männlichkeit mit Dominanz. Die Klaviatur ist in der vierhändigen Bearbeitung stark mit sexuellen Bedeutungen aufgeladen, aber zugleich sehr instabil: Es geht um Sex und Geschlecht, aber das Verhältnis der Geschlechter steht immer wieder zur Disposition. Der Mann mag sich als Primo wiederfinden und muß seine Stimme von einer Frau „be-stimmen" lassen; oder er findet sich zwar als Secondo wieder, wird aber von ihr dominiert. Mit Judith Butler könnte man von einem Fall von *gender trouble* sprechen, einer nicht enden wollenden Kombinatorik der Kostüme, der Positionen.[45]

***

Bis jetzt hat sich die „Monstrosität" des „vierhändigen Monsters" vor allem im Spiel der Hände gezeigt. Wir werden nun auf den Körper eingehen, insoweit er nicht, oder nicht offensichtlich, „spricht". Denn das Spiel zu vier Händen ist ja nicht nur durch Blick und Hand strukturiert, also durch Interaktionen zwischen zwei diskret nebeneinander herlaufenden Automata, deren Hände sich manchmal gefährlich nahe kommen. Edward Cone beschreibt als „Ziel" („aim") des Vierhändigspiels „die Vermengung der beiden Spieler in ein einziges vierhändiges Monster" („the blending of two players into a single four-handed monster").[46] Dieses „Ziel", ein „einziges vierhändiges Monster" zu schaffen, ist bereits in der vierhändigen Partitur selber angelegt. Sie verbindet die Körper miteinander, nötigt sie zur Interaktion und zwingt sie in aufeinander bezogene Rollen. Doch haben diese Verbindungen, die Interaktionen und die Rollen ja nicht nur mit dem Spiel auf der Klaviatur zu tun. Beide Spieler mögen ab und zu in diese Rollen gleiten, ihre Hände mögen sich überkreuzen – doch viel konstanter begleiten ihr Spiel andere Faktoren, zum Beispiel das nahe Beieinandersitzen oder die Annäherung der Atmung.

---

[44] Ossip Schubin, *Im Gewohnten Geleis*. Stuttgart: Engelhorn, 1901, S. 59.

[45] Judith Butler, *Das Unbehagen der Geschlechter*. Frankfurt: Suhrkamp, 1991.

[46] Edward T. Cone, *The Composer's Voice*, S. 135.

Daß es gerade diese Art des Körperkontaktes ist, die die Monstrosität der vierhändigen Einheit ausmacht, sollte nicht überraschen, wenn man der Tatsache gedenkt, daß der Körper in eben jener Periode, in der er sich am Klavier immer amöbenhafter ausbreiten und mit anderen verbinden durfte, abseits der Klaviatur immer schärfer in seine eigene Sphäre und sein eigenes Schema verwiesen wurde. Die aufmüpfige Körperlichkeit des Vierhändigspiels, das Zuviel an Leib, das indistinkt auf der Klaviatur umherwabert, straft wohl auch eine Sublimierung des Körperlichen innerhalb der Vollzüge ums vierhändige Klavierspiel Lügen. Denn in den Berichten über Schubertiaden, Liszt-Abende und dergleichen aus der ersten Jahrhunderthälfte begegnen wir dem Vierhändigspiel immer wieder im Kontext des Tanzes. Die vielen vierhändigen Walzer des frühen neunzehnten Jahrhunderts sind nicht ausschließlich, oder nicht einmal primär, dazu gedacht, den zwei Spielern und deren Zuhörern Freude zu bereiten, sondern häufig auch dazu, es diesen zwei Spielern zu ermöglichen, zum Tanz aufzuspielen. So berichtet zum Beispiel Eliza Wille, daß sie zu keinem geringeren „Orchester" tanzte als Liszt und Chopin: „Gerne erinnere ich mich eines Abends, wo [Liszt] und Chopin vierhändig Walzer spielten für einen kleinen intimen Kreis, und wir jungen Mädchen durften zu solcher Musik tanzen."[47] Bei den Schubert-Abenden im Hause Spaun wurde nicht nur der Musik gelauscht, sondern mit Vorliebe auch getanzt.[48] Und Arthur Loesser schreibt, daß „wir uns sicher sein können, daß die Klaviere der vielen weniger illustren Bürger ebenso häufig und mit gleicher Freude den Singsang und das Klimpern der Walzer, *contredanses* und *écossaises* anstimmten".[49]

Interessanterweise begegnen wir dieser Konstellation in der Literatur fast nie – was auch daran liegen könnte, daß diese ja zum Großteil aus dem späten neunzehnten Jahrhundert stammt und somit aus einer Zeit, in der auch Tagebücher, Memoiren und Briefe den Tanz zum vierhändigen Klavierspiel fast überhaupt nicht mehr erwähnen. Tatsächlich dürfte allein die Veränderung des Klaviers, seine Vergrößerung und sein götzenhaftes Drängen in die Zimmermitte (von uns im ersten Kapitel beschrieben) mehr denn alle viktorianische Pietät das Tanzen zum Vierhändigspiel unmöglich gemacht haben. Das Verschwinden des Tanzes aus dem vierhändigen Klavierspiel (und natürlich insbesondere des extrem körperbetonten Walzers) binnen einer Generation läßt vermuten, daß man sich dieses Verschwindens, schuldhaft, nostalgisch oder wie auch immer, durchaus erinnerte. Edmond de Goncourt beschreibt 1884 das vierhändige Spiel zwischen Großvater und Enkelin nur noch metaphorisch als einen allsonntäglichen „Tanz": „Großvater versprach mir, daß wir jeden Sonntag [...] auf dem Klavier [miteinander] tanzen wollten" („Grand-papa m'a promis que, tous les diman-

---

47 Richard Wagner und Eliza Wille, *Richard Wagner an Eliza Wille – Fünfzehn Briefe des Meisters nebst Erinnerungen und Erläuterungen von Eliza Wille*. Leipzig: Breitkopf & Härtel, 1912, S. 58.

48 Alice M. Hanson, *Die Zensurierte Muse*. Wien: Böhlau, 1987, S. 145.

49 Arthur Loesser, *Men, Women and Pianos: A Social History*. New York: Dover, 1990, S. 161.

ches, [...] l'on danserait aux piano").[50] Hier flüchtet sich der Tanz, noch in den 1830ern ein buchstäblicher, in die Metapher. Aus dem Verschmelzen der Gliedmaßen, dem engen Körperkontakt im Tanz wird das noch ausdauernde Nebeneinander zweier Spieler am Klavier. In der Figur des vierhändigen Monsters rächt sich also der Körper, der aus den Vollzügen rund ums Vierhändigspiel verbannt worden ist. Die Entkörperlichung des Zuhörens führt zur körperlichen Überbelegtheit des Spiels selber.

Cones Bild vom „single four-handed monster" ist somit sprechend, insofern die Monstrosität des Monsters *nicht* in den vier Händen selber beschlossen liegt, sondern vielmehr in der Einheit, die hinter den Händen auf der Klavierbank sitzt. Monströs heißt dabei auch obszön, denn wenn wir vorhin von den Händen und dem Gesicht sagten, daß man ihnen allein das Recht gab, semantisch von Frauen oder für Frauen zu sprechen, dann ist damit auch gesagt, daß sie die einzig nicht obszönen „Organe" des weiblichen Körpers darstellten. Denn Obszönität liegt ja gerade darin, daß ein Körperteil nicht vom Subjekt animiert, von ihm zur Semiosis gebracht werden kann, sondern daß der Körperteil einfach als *factum brutum* erscheint und, wenn überhaupt, dann ohne Zutun des Subjekts bedeutet.[51] Das Gesicht und die Hand, in anderen Worten, sind jeweils verschiede *Medien* für Bedeutungen, während eine entblößte Brust, ein beinahe entblößtes Bein oder selbst ein keusch verhülltes Gesäß immer nur stumm, blöde und unmittelbar bedeuten können.[52]

Wir zitierten im ersten Kapitel Adolph L'Arronges Theaterstück *Mein Leopold*, in dem sich die Bürgertochter Anna sicher ist, daß ihr Klavierlehrer „mir nächstens einen Antrag macht", weil er beim vierhändigen Klavierspiel die Nähe zu ihr sucht: „Wenn meine rechte Hand im Diskant zu tun hatte, suchte seine linke Hand immer den Baß, und wenn ich mit dem einen Fuß den Pianodämpfer drückte, drückte er mit dem andern Fuß immer den Fortezug." Daraufhin entgegnet ihre Mutter, daß sie „das nicht sehr anständig findet" – wobei sie nicht auf die Handberührungen abzielt sondern auf die Tatsache „daß Ihr nicht nur vierhändig, sondern auch vierfüßig spielt".[53]

Der Skandal des „four-handed monster" hat also auch bei L'Arronge primär mit den Körperteilen zu tun, die *an sich* bedeutungslos und damit obszön sind: Die Beine, die zwei Torsos, das Gesäß, die sich hebenden und senkenden Brustkörbe, die Schultern. Aber es gibt, glaube ich, noch einen weiteren Körper, den

---

[50] Edmond de Goncourt, *Chérie*. Paris: Charpentier, 1884, S. 196.

[51] Hans Peter Duerr, *Der Mythos vom Zivilisationsprozess, Band: 3 Obszönität und Gewalt*. Frankfurt a.M.: Suhrkamp, 1995.

[52] Die Wichtigkeit dieser obszönen Körperteile in der Beobachtung des Klavierspiels im neunzehnten Jahrhundert hat Richard Leppert in seiner Analyse der Tolstoischen *Kreutzersonate* dargelegt (Richard D. Leppert. *The Sight of Sound – Music, Representation, and the History of the Body*. Berkeley, CA: University of California Press, 1993, S. 153–188).

[53] Adolph L'Arronge, „Mein Leopold", In: *Dramatische Werke*, Band I. Berlin: Stilke, 1908, S. 8.

die beiden Spieler teilen, nämlich den stimmlichen. Natürlich erzeugen die Pianisten keinen *eigenen* Ton, es sei denn sie schnauften oder flüsterten einander zu. Aber wie ich nun zu zeigen hoffe, kommunizieren die zwei Körper, die sich in so obszöner Eintracht auf dem Klavierschemel wiederfinden, noch mit einem geisterhaften, transsubstantiierten dritten Körper, einem Klangkörper. Und auch an diesem Körper haben beide Spieler auf recht obszöne Weise teil. Die Form des vierhändigen Klavierpiels bestimmt also eine gewisse Art der körperlichen Kommunikation – einerseits nämlich insoweit, als Körperteile, die eigentlich nicht sprechen dürfen, kommunizieren müssen; andererseits aber dadurch, daß der Körper hinter dem Klang ein geteilter ist.

Der vorangegangene Abschnitt hat gezeigt, daß die musikalische Logik der vierhändigen Partitur (und insbesondere der vierhändigen Arrangements) die zwei Spieler in jeweils geschlechtlich kodierte Rollen zwingt: Der Primo übernimmt das Melodisch-Subjektive, der Secondo das Akkordhaft-Objektive in der Musik. Doch werden im vierhändigen Spiel nicht nur die Noten zwischen den Spielern verteilt – es gibt auch noch andere Vollzüge, die entweder der eine oder der andere übernehmen muß. Von diesen sind einige kontingent und können von beiden übernommen werden (so zum Beispiel das Umblättern), aber es gibt eine Aktivität, die in der vierhändigen Praxis des neunzehnten Jahrhunderts (und bis heute) notwendig dem Secondo zugesprochen wird. Wir sind ihr bei Adolph l'Arronge bereits begegnet – der Bedienung der Pedale. Anders als beim Umblättern handelt es sich, genau besehen, um etwas alles andere als Nebensächliches; denn wenn wir weiter oben von der Subjektivität und Stimmlichkeit des Klavierklangs sprachen, so wird dieser ja zum Großteil über Pedale erzeugt. Das Paradoxe an dieser Situation ist, daß der Spieler, der normalerweise „le chant" übernimmt, gerade nicht für das *Stimmliche* dieser Stimme zuständig ist.

Obwohl die Tatsache, daß sich Primo und Secondo dieselben Pedale teilen, natürlich *strictu sensu* nicht zu den Diktaten der Partitur gehört, so ist doch klar, daß die in der Partitur geforderten Modulationen nur über dieses reichlich seltsame Arrangement zustandekommen können. Sogar professionelle Pianisten bedürfen einiger Umgewöhnung, um für jemand anderen das Pedal zu treten bzw. jemand anderen das Pedal treten zu lassen.[54] Und gerade hier zeigt sich eine in der Musikwelt so gut wie einmalige Konfiguration. Wenn wir zum Beispiel erneut an die vergleichbare Konfiguration Sänger(in)/Klavierbegleiter(in) denken, fällt sogleich ein wichtiger Unterschied auf: Natürlich „determiniert" der Pianist den Sänger zu einem gewissen Grade, aber diese Bestimmung ist rein äußerlich und vollzieht sich vor allem durch Rhythmus und Geschwindigkeit. Der Primo ist aber dem Secondo dank der Pedale noch in ganz anderer Art ausgeliefert: Man stelle sich einen Sänger vor, dessen Klang vom Akkompanisten per Pedaldruck verstellbar wäre! So ungefähr verhält sich der Primo zum Secondo: Ein Singvögelchen, aber ein mechanisches, denn wenn es den Mund auf-

[54] Interview des Autors mit Christian Köhn.

sperrt, bestimmt jeweils der andere, welche Art Klang aus der Kehle dringen soll. Wir müssen nicht erst an die Automatenfrau Olimpia aus E.T.A. Hoffmanns „Der Sandmann“ denken, um die fundamentale Unheimlichkeit dieses Arrangements zu erkennen.[55]

Gerade bei Hoffmann ist diese Unheimlichkeit der Klavierstimme ungeheuer reflektiert – obgleich keine Szenen vierhändigen Klavierspiels in seinen literarischen Schriften auftauchen. Dennoch hat Hoffmann eben die Termini, die für uns das Besondere der „vierhändigen Stimme“ ausmachten, geradezu obsessiv in Szene gesetzt: die Frage des Verhältnisses von Körper, Stimme und Subjekt. Anhand mehrerer Beispiele möchte ich zeigen, daß Hoffmann immer wieder mit der Multiplikation dieser Faktoren spielt, also das Verhältnis entwickelt, das einem Körper mehrere Stimmen oder einer Stimme mehrere Körper oder Subjekte zuordnet. Und es ist ja gerade diese Art Verschränkung oder Multiplikation (zwei Subjekte, eine Stimme), die für vierhändige Stimmlichkeit verantwortlich zeichnet.

Zum einen legt die Tatsache, daß der Schöpfer der Olimpia selber Musik für das Klavier schrieb, nahe, daß für Hoffmann der Doppelgänger mit der mechanischen Stimme eben jenes Instruments verbunden ist. Die berühmte Szene im „Sandmann“, in der der kleine Nathanael sich im Studierzimmer des Vaters versteckt, um dessen nächtliche Zusammenkunft mit dem mysteriösen „Sandmann“ zu beobachten, bestätigt diesen Verdacht. Die vier Hände des Vaters und des bösen „Meisters“ Coppelius basteln an einem „Werk“,[56] das den Augen des Kindes noch entzogen bleibt – doch die Erzählung legt nahe, daß es sich bei diesem „Werk“ um Olimpia handelt, die „leblose Puppe“, in die der erwachsene Nathanael sich verliebt und deren mechanische Stimme ihn mit ihrem ständig wiederholten „Ach – ach“ bezirzt. Die Szene, in der Nathanael der Automatenfrau vollends verfällt, ist denn auch folgerichtig ein Klavierabend: „Olimpia spielte den Flügel mit großer Fertigkeit und trug ebenso eine Bravourarie mit heller, beinahe schneidender Glasglockenstimme vor.“[57] Hier also ist das „single four-handed monster“ als Roboterfrau zu bestaunen: das mechanische Singvögelchen begleitet sich selbst am Klavier. Die „Vereinigung“ Schuberts und Vogels ist zur technologischen Personalunion geworden – nur eben ohne Person.

Hoffmann war nicht nur mit dem Verfahren bei Bearbeitungen fürs Klavier bestens vertraut (das Gros der von Hoffmann in der *Allgemeinen Musikalischen Zeitung* rezensierten Werke waren entweder Klavierbearbeitungen oder Klavierauszüge mit Singstimmen), er kannte sich insbesondere mit vierhändigen Bearbeitungen aus: So rezensierte er für die *AmZ* im Sommer 1810 nicht nur Beethovens Symphonie Nr. 5, sondern gleich auch noch deren vierhändige

[55] E.T.A. Hoffmann, *Poetische Werke in sechs Bänden*. Berlin: Aufbau Verlag, 1963, Band 2, S. 371f.

[56] Hoffmann, *Poetische Werke in sechs Bänden*, Band 2, S. 378.

[57] Hoffmann, *Poetische Werke in sechs Bänden*, Band 2, S. 400.

Bearbeitung.[58] Und die Wichtigkeit der Stimme im Gegensatz zum semantischen Gehalt des Angestimmten hat gerade Hoffmann auf den Bereich der Musikinstrumente übertragen (im Rahmen dessen, was Carl Dahlhaus die „romantische Metaphysik der Instrumentalmusik" genannt hat[59]). Und doch ist die Stimme bei Hoffmann kein *unisono*, kein Indiz für die Einheit und Singularität des Individuums oder seiner Körpers.

Eine weitere Geschichte Hoffmanns, die sich mit zum Leben erweckten mechanischen Konstrukten beschäftigt (sowie mit einem solchen Konstrukt, das in Wahrheit ein verhexter Mensch ist), ist „Nußknacker und Mausekönig". Der Nußknacker kommandiert seine Armeen im weihnachtlichen Wohnzimmer im Krieg nicht gegen ein vierhändiges Monster, sondern ein siebenköpfiges und somit vierzehnhändiges – den Mausekönig. Der „Mausekönig" ist eine Abwandelung des „Rattenkönigs", eine mythische Gestalt, bestehend aus einem ganzen Rudel Ratten, das an den Schwänzen und Hinterbeinen zusammengewachsen ist. Hier geht es also um einen Körper, der von mehreren Individuen geteilt und bewohnt wird – die unheimliche Körperschaft der mechanischen Puppe Olimpia wird umgekehrt: statt mehreren Körpern mit einer Stimme handelt es sich beim Mausekönig um einen Körper, der mehrere Stimmen hat. „Im Triumph aus sieben Kehlen aufquiekend, sprengte Mausekönig heran."[60]

Kann eine „aus sieben Kehlen aufquiekend[e]" Kreatur mit einer Stimme sprechen? Und stellt eine Vielzahl Stimmen nicht die Frage, welche von ihnen „für" die Kreatur als ganze spricht? Dies waren Fragen, die einen Autor wie Hoffmann, der insbesondere dem mit sich selbst nicht identischen Subjekt großes Interesse entgegenbrachte, zwangsläufig beschäftigten. In einem Brief an Carl Schall beschwert sich Hoffmann 1822 folgendermaßen über das „mechanische Schreiben":

> Man müsste vier Hände haben wie der Floh, und da zu vier Händen zwey Köpfe gehören, so würd' es nötig seyn, daß der Kopf einen Vizekopf ernenne als Vizekönig, Lieutenant oder wenigstens umsichtigen DepartmentsRath.[61]

Hier scheint ein weiterer wichtiger Punkt von Hoffmanns Charakteristik vierhändiger Monster zu liegen: Zu vier Händen gehören zwei Köpfe. Vierhändige Wesen haben daher, bei aller Vereinigung, etwas Schizophrenes, da „der Kopf einen Vizekopf" ernennt, „als Vizekönig, Lieutenant". Ebenso wie bei Lady Agathas bizarrer Vierhändigkeit geht es um die Machtfrage; aber: bei Hoffmann ist diese Frage ungleich strittiger – denn alle Vergleiche, die Hoffmann in seinem

---

58 E.T.A. Hoffmann, *Sämtliche Werke, Band 1*. Frankfurt: Deutscher Klassiker Verlag, 2003, S. 551.

59 Carl Dahlhaus, „Studien zur romantischen Musikästhetik". *Archiv für Musikwissenschaft*, 42 Jahrg., Heft 3 (1985), S. 163.

60 Hoffmann, *Poetische Werke in sechs Bänden*, Band 3, S. 272.

61 Brief an Carl Schall vom 19. Januar 1822; zitiert in Peter Faesi, *Künstler und Gesellschaft bei E.T.A. Hoffmann*. Basel: Dissertation, S. 84/85.

Brief bemüht, implizieren ein Machtgefälle zwischen den vier Händen und ihren zwei Köpfen. In einem Bericht der *AmZ* über ein Konzert Sigismund Thalbergs aus dem Jahr 1838 ist die Vielhändigkeit ein Index für die enorme Macht des Individuums über seinen eigenen Körper: „Haben ihn pariser Nachrichten als vierhändig ausposaunt, so müssen wir ihm 6 Hände zugestehen, so ungeheuer und staunenswerth ist die Fertigkeit dieses Künstlers."[62] Bei Hoffmann gehören zu vier Händen zwei Köpfe – anstatt, daß sie die Allmacht des Subjekts ausdrückt, zeigt die Vielhändigkeit die interne Zersplitterung eben dieses Subjekts auf. Denn wer ist Kopf, wer Vizekopf? Wer ist wessen „Lieu-tenant", wer steht nur als Platzhalter für den je anderen ein (*tenir lieu*)?

Die Frage, was genau mit dem Subjekt passiert, wenn es als „vierhändiger" Rattenkönig vor einer Klaviersonate sitzt, klingt in einem Märchen in Hoffmanns *Prinzessin Brambilla* an: Dort gebiert eine Prinzessin „zwei allerliebste Prinzlein, die, Zwillinge, doch ein Einling zu nennen waren, da sie mit den Sitzteilen zusammengewachsen".[63] Das Schwanken des Erzählers zwischen Zwilling und Einling – das ist ja im Grunde genommen der Skandal des „vierhändigen Monsters". Besonders schwer wiegt hier natürlich, daß es sich bei dem „vierhändigen Monster" um einen/zwei Prinzen handelt – ebenso wie der Pianist soll nun ein Thronfolger natürlich „eigentlich" Solist sein, sich das Staatsklavier nicht mit einem anderen teilen. Dennoch machen „die Minister" dem „über den Doppelsegen etwas betretenen Fürsten" mit der Überlegung Mut, daß „überhaupt die ganze Regierungssonate à quatre mains voller und prächtiger klingen würde".[64] Das Bild von den Doppelprinzen entnahm Hoffmann einer Parabel Lichtenbergs – dort war es als Kommentar auf den absolutistischen Staat gedacht.[65] Bei Hoffmann wird das Bild ins Psychologische gekehrt; die zwei Prinzen sind einander dem Temperament nach exakt entgegengesetzt und fungieren als Bild für den *a priori* gespaltenen Status des Subjekts.

Der Komponist Carl Reinecke (1824–1910) schrieb ein Stück, das beide Geschöpfe vereint – eine Suite über das zusammengewachsene siebenkehlige Monster fürs sonatenspielende „vierhändige Monster": Seine Suite „Nußknacker und Mausekönig" fürs Klavier zu vier Händen nach Hoffmanns Märchen (op. 46) erschien 1865 bei Breitkopf&Härtel (die Ouvertüre schon 1855). Reinecke war als Komponist mäßig erfolgreich und wirkte vor allem als Musikpädagoge und als Autor von Klavierbearbeitungen.[66] Reineckes Suite folgt dem Hoffmann-

---

[62] *Allgemeine musikalische Zeitung*, 2. Januar 1839, Jahrgang 41, No. 1, S. 12.

[63] Hoffmann, *Poetische Werke in sechs Bänden*, Band 5, S. 734.

[64] Ebd.

[65] Gerald Bär, *Das Motiv des Doppelgängers als Spaltungsphantasie in der Literatur und im deutschen Stummfilm*. Amsterdam: Rodopi, 2005, S. 231.

[66] Auf die Bitte, eine seiner Symphonien fürs Klavier zu übertragen, soll Schumann einmal geantwortet haben: „das kann ich nicht, da musst du den Reinecke fragen, der kann das besser" (siehe Wilhelm Joseph von Wasielewski, *Carl Reinecke: Sein Leben, Wirken und Schaffen* . Leipzig: J.H. Zimmermann, 1892).

schen Märchen sehr getreu und schildert somit auch den Kampf zwischen der Armee der Mäuse und den Automata des Paten Drosselmeyer.

Tatsächlich baut Reinecke einen interessanten Scherz in dieses Stück ein: Primo und Secondo marschieren im forschen Gleichschritt der Automatenarmee der Horde der Mäuse entgegen, doch gegen Ende des Stücks geht den Automaten „die Puste aus". Primo und Secondo verlangsamen sich immer weiter und pausieren kurz. Der Primo setzt zwei Takte lang ganz aus, für den Secondo folgen fünf identische Gruppen von je vier sehr schnellen (*molto piu animato*) Sechzehntelnoten, die das Aufziehen der Automaten darstellen. Danach setzt das Hauptthema im gleichen Tempo wieder ein. Das Klavier, oder vielleicht besser das „vierhändige Monster" *am* Klavier, wird hier also einen Augenblick lang buchstäblich zum Spielwerk, das aufgezogen werden muß – und es kann uns nicht mehr wirklich überraschen, daß es der *Secondo* ist, dem diese Aufgabe zufällt. In dieser Aufgabenverteilung vermischt sich also das *Sujet* des Stücks – der Automat – mit der *Form* des Stücks – dem Vierhändigspiel. Das Aufziehen der Automaten ist gleichzeitig ein Aufziehen des Klaviers, und zwar ein Aufziehen auf Seiten des Be-stimmers, des Secondo. Reinecke setzt gewissermaßen den unheimlichen Marsch der Automatenwesen dem Verhältnis von Primo und Secondo gleich – und musikalisiert somit eben jene Denkrichtung, die Hoffmann selber in seiner Prosa schon vorgegeben hatte.

In Hoffmanns unheimlicher Doppelung der mechanischen Pianistin, die sich selbst begleitet, aber jeweils die Musik aus einem ihr selbst Fremden schöpft, zeigt sich also in gewisser Weise der Skandal der vierhändigen „Stimme": Es gibt kein anderes musikalisches Arrangement, in dem einem Spieler die Macht zustünde, die Stimme des anderen zu manipulieren, diesen zu bestimmen. Der Primospieler intoniert eine Melodie, doch ihre Intonation obliegt dem Secondo. Der eine sperrt seinen Mund auf und bewegt seine Zunge, der andere gibt den Ton. Um sich klarzumachen, wie weitreichend dieser Skandal ist, sei nur an Roland Barthes berühmten Begriff der „Körnung der Stimme" (*le grain de la voix*) erinnert. Die „Körnung" liegt dort, wo sich Stimme und Sprache begegnen: Sie kann weder auf den Ausdruck des Subjekts, das Lexikon der Sprache noch auf die reine Phonetik der Stimme reduziert werden. Vielmehr entstammt die „Körnung" der Materialität des Körpers, sie ist „die Stimme, wie sie singt, die Hand, wie sie schreibt, die Gliedmaße, wie sie sich bewegt".[67]

Mladen Dolar hat dieselbe Idee ähnlich gefaßt: Die Stimme, so seine Definition, ist der Aspekt eines Sprechaktes, der dem gesagten keinen Sinn hinzufügt. „Sie ist das materielle Element, das sich der Bedeutung verschließt, und wenn wir sprechen, um etwas auszusagen, dann ist die Stimme genau jenes Element, das nicht (aus)gesagt werden kann" („It is the material element recalcitrant to meaning, and when we speak in order to say something, then the voice is precisely

[67] Roland Barthes, *Image/Music/Text*. New York: Hill and Wang, 1979, S. 188.

that which cannot be said").[68] Wenn Adorno eine Physiognomie der „Stimme des Radios" unternimmt („radio voice"[69]), meint er damit etwas Ähnliches: Genau so wie die Physiognomik eines Gesichtes das zum Objekt hat, was nicht aussagen kann oder will (die *an sich* bedeutungslosen Körperteile, die wir eingangs erwähnten), geht es Adornos Physiognomik der Stimme um das, was eigentlich nichts bedeuten soll, nur Träger oder Gefäß von Information, von Kommunikation oder Melodie sein soll. Wie Adriana Cavarero gezeigt hat, ist dieses Gefäß deshalb sekundär, weil es vom Körper, von der tierischen *zoe* abhängt, während das Ausgesagte vom *logos* abhängt.[70] Dolars Stimme, Barthes *grain*, die griechische *phone* sind immer auch körperlich, „sagen den Körper aus".

Daß dieses *grain* immer von dem Körper spricht, der die Stimme hervorgebracht hat, ist hier von größter Wichtigkeit: Im vierhändigen Klavierspiel manipuliert der eine Spieler die Körnung der Stimme des anderen. Dem vierhändigen Klavierspiel liegt also gewissermaßen die Manipulation des Einen am Körper des Anderen zugrunde. Und weil das Arrangement für Pianisten so ungewohnt ist, wechseln gerade anspruchsvollere Spieler nur äußerst selten die Rollen – einer manipuliert also immer, während der andere die Manipulation an sich vornehmen lässt.[71] Es würde natürlich zu weit gehen, hier eine bestimmte Art der Manipulation, oder gar eine betont sexuelle Komponente, anzunehmen. Dennoch ist damit recht klar, daß das „Monster", zu dem sich die zwei Klavierspieler vereinigen, nicht nur visuell im Spiel der Hände zu beobachten ist: Auch *stimmlich* teilen die zwei Spieler *einen* Körper. Anders ausgedrückt: Die Spieler klingen gemeinsam, aber keinesfalls einträchtig. Vielmehr verschieben sich Körper und Stimmen ineinander; ohne Selbstaufgabe sind die beiden doch auf unheimliche Weise in einander verschränkt. Daß gerade der eine Spieler zum Großteil die Melodie intoniert, während der andere die „stimmliche" Modulation dieser Melodie übernimmt, macht diese Verschränkung zu einer regelrechten Konstante der vierhändigen Praxis.

Eine stark ironisierte Variante dieser Konfiguration haben die jungen Duopianisten Elizabeth Joy Roe und Greg Anderson 2007 vorgestellt. Die zwei Julliard-Abgänger, das wahrscheinlich erfolgreichste derzeit in den USA tourende Klavierduo, punkten beim Publikum mit häufig popmusikalischem Repertoire (vor kurzem hatte ihre vierhändige Bearbeitung der Filmmusik von *Krieg der Sterne* Premiere) und ironisch hervorgekehrter Erotik. Bemerkenswert ist insbesondere ihre vierhändige Bearbeitung des Astor Piazzolla-Stücks „Libertango", das dieser ursprünglich für das „Octeto Nuevo de Buenos Aires" schrieb. Der Gefahr, daß der Gitarrenklang samt und sonders in den übermächtigen Klang des Klaviers eingemeindet wird, weicht die Bearbeitung auf äußerst faszinierende Weise aus: Der Primo übernimmt sowohl die Gitarrenstimme als auch die der

---

[68] Mladen Dolar, *A Voice and Nothing More*. Cambridge, MA: MIT Press, 2006, S. 15.

[69] Adorno, „Radio Voice". In *The Current of Music*. Frankfurt: Suhrkamp, 2007, S. 499–559.

[70] Adriana Cavarero, *A più voci – Filosofia dell'espressione vocale*. Milan: Feltrinelli, 2003.

[71] Der Autor dankt Prof. Jeffrey Kallberg für diese Information.

restlichen Instrumente; nur ab und zu kommt ihm der Secondo auf den Tasten zur Hilfe. Dessen Hauptbetätigungsfeld liegt nämlich auf den Klaviersaiten im Klangkörper selber: Während der Primo die Tastatur beherrscht, greift der Secondo in das Klavier selber hinein und dämpft diejenigen Saiten, die im Original den Gitarrennoten entsprochen hätten. Dadurch wird tatsächlich der Klang eines Zupfinstruments erzeugt.

Hier also hat sich die Rolle des Secondo als Be-stimmer verabsolutiert: Der Primo ist für alle Töne zuständig, in dem Sinne, daß er sämtliche in der Partitur verzeichneten Tasten anschlägt. Aber für den Klang zeichnet eben der Secondo verantwortlich, zumindest insoweit als er sämtliche der Gitarrenstimme zugehörigen Töne abdämpft. Hier tritt der unerhörte Eingriff des pedalbeherrschenden Secondo in den gemeinsamen Klang augenfällig zutage – der Ein-griff ist ein buchstäblicher *Griff*. Der Secondo verschwindet bis zu den Ellenbogen im Instrument, wie der Protagonist in David Lynchs Film *Naked Lunch*, dessen Hände in seiner Schreibmaschine versinken. Hier wie dort verschwimmen die Grenzen des Ich, wird die Kunst physisch lebendig und tritt uns skandalös körperlich entgegen, vom Selbst nur noch unvollständig durch Membranen geschieden.

Die latente erotische Spannung dieses Arrangements wird von den (durchaus nicht unattraktiven) Duettisten wonnevoll zur Schau gestellt: Die Manipulation der Stimme des Anderen wird nicht nur als klanglicher Skandal, sondern auch als visuell äußerst anzüglich präsentiert. Immerhin muß sich der Secondo ziemlich weit über die Hände des Primo lehnen, um die „Gitarrenlagen“ rechtzeitig abdecken zu können; tatsächlich ist die Pose der zweier Tangospieler verblüffend ähnlich: Die Hände in einander verschränkt, die Körper im beinahe rechten Winkel – der metaphorische Tanz der Hände und der Stimmen am Klavier sieht fast wie ein buchstäblicher Tango aus. Die Künstler selber bemerken dazu: „Uns haben die Parallelen interessiert“ („We were struck by the parallel qualities“) zwischen Tango einerseits und dem vierhändigen Klavierspiel andererseits, nämlich „die Elemente der Sinnlichkeit, Intimität und Drama, und wir haben unser Arrangement so eingerichtet, daß es diese Verbindung hervorkehrt“ („the elements of sensuality, intimacy, and drama, and thus we created our arrangement [...] to demonstrate this connection“).[72] Hier findet sich die Metapher vom vierhändigen „Tanz“ am Klavier aus der *Chérie* Edmond de Goncourts wieder verbuchstäblicht wieder: „tous les dimanches [...] l'on danserait aux piano“.[73] Die Verschmelzung der Leiber geht aber, wie wir sahen, über den Tanz noch weit hinaus, da ja hier *ein* Klangkörper geschaffen und manipuliert wird.

***

[72] Interview des Autors mit Greg Anderson und Elizabeth Joy Roe, 2008.

[73] Goncourt, *Chérie*, S. 196.

Als *gender trouble* haben wir das Verhältnis von Primo und Secondo charakterisiert, als anarchisch ineinander verschachtelte Körperlichkeit. Dennoch fehlt auch in dieser Konfusion der Positionen die Zensurinstanz nicht. Denken wir noch einmal an den Vergleich mit dem Sänger, den ich oben angestrengt habe. Wir hatten eine gewisse Analogie konstatiert, aber wir haben auch schon früher festgestellt, was den begleiteten Gesang oder zum Beispiel das Streichquartett vom vierhändigen Spiel an einer Klaviatur unterscheidet. Zum einen gibt es da die Frage des Blicks. Bei aller von Schubert postulierten Vereinigung von Sänger und Akkompanist: Der Solist schaut sich suchend nach dem Pianisten um, dieser kann von den Noten direkt an der Deckelplatte des Flügels vorbei auf den Solisten schauen. Wie wir schon bemerkt haben, fällt diese visuelle Regulierung der beiden Partner beim Vierhändigspielen natürlich weg. Doch die Frage der Koordination wird durch die Bearbeitung eines Orchesterstücks ja noch dringender aufgeworfen: Ein Orchesterstück von großer rhythmischer Komplexität ist ja auf den visuellen *point de capiton* des Dirigenten angewiesen. Wohin verschwindet der Dirigent, wenn das Stück für Klavier zu vier Händen bearbeitet wird, seine Komplexität aber beibehalten wird?

Die Antwort ist, wie mir scheint, gerade nicht, daß der „männliche" Pol, also der Secondo, diese Aufgabe übernimmt. Denn erstens: schleppen und drängen können beide; und zweitens: Geschwindigkeit ist nicht gleich Komplexität, denn was tut der „führende" Spieler, wenn es zu Triolen, Synkopen oder Tremolo kommt? Hier muß vielmehr jeder der beiden Spieler einen inneren Dirigenten haben, einen Über-Ich-Dirigenten.[74] Darauf verweist auch Adornos bereits zitierte Bemerkung, daß im Spiel zu vier Händen „Tempo und Dynamik" sich nicht frei und lyrisch nach den „Triebregungen" entwickeln können, sondern daß „Text und Vorschrift" hier eingreifen müssen.[75] Wie aber wird diese Vorschrift kommuniziert? Anders als beim Quartett, wo die visuelle Intuition das Wippen der Instrumente, die Position der Füße und ähnliches beobachten kann, muß dieses Über-Ich vom Visuellen eher Abstand nehmen: Wenn sich die Hände des anderen bewegen, ist es bereits zu spät.

Wenn zum Beispiel in einer Bearbeitung der Eroica die Akkorde am Anfang des ersten Satzes gut klingen sollen, und das bei Partnern, die nicht professionell mit dem Stück befaßt sind, dann lassen sich die Hände nicht visuell koordinieren. Vielmehr ist hier der Takt nur durch das Atmen kommunizierbar: Der „innere Dirigent" bringt den Körper zur Kommunikation mit dem anderen, aber unter Umgehung der Hände selber. Es sind die Bewegungen des Torsos, das

---

[74] Dies gilt zumindest für subprofessionelle Pianisten. Bei den Profis, die für dieses Buch interviewt wurden, gibt es gewisse Unterschiede bezüglich der Abstimmung bei rhythmisch anspruchsvollen Passagen: Während einige sich klar an den Körperbewegungen des anderen orientieren, sind besonders eingespielte Teams (so z.B. Silke Thores-Matties und Christian Köhn, die den gesamten vierhändigen Brahms, sowohl an einem als auch zwei Klavieren, eingespielt haben) von diesen Signalen eigenem Bekunden nach unabhängig.

[75] Adorno, „Vierhändig, noch einmal", S. 304.

Aufblähen der Lungen und die leichte Streckung der Wirbelsäule, die damit einhergeht, die hier nicht die Bewegung der Hände, wohl aber den Takt vorgeben müssen. Dies ist häufig dann der Fall, wenn ein Stück mit irregulärem Rhythmus, Takt oder mit irregulärer Textur aufwartet – zum Beispiel mit Staccato-Akkorden – oder wenn das *timing* oder der Klang genau koordiniert werden müssen.

Adorno behauptet gar, daß das Fehlen dieses *timings* den Charakter des Vierhändigspiels wesentlich bestimmt: „Alles Vierhändigspielen", so schreibt er, ist „unzuverlässig und fehlbar". „Das momentane Erklingen des Klaviertons erlaubt nicht den rhythmischen Ausgleich, den die schwingenden Geigenseiten möglich machen, und zwei rhythmisch höchst geschulten Solisten am Klavier wird es schwerer fallen, präzis zu musizieren, als einem durchschnittlichen Orchester."[76] Und wir sind ähnlichen Urteilen in den letzten beiden Kapiteln immer wieder begegnet: vom „Durchhaspeln" der Klassiker war da die Rede,[77] von der „Verarbeitung",[78] und von „Stockungen und falschen Noten".[79] Der Fehler ist also in dieser Dilettantenmusik bereits vorprogrammiert, und Adornos Rückblick identifiziert nicht nur das utopische Moment des Zusammenseins und der gemeinsamen Bewegung, sondern auch das entgegengesetzte Moment, in dem die Bewegungen des anderen zur Mahnung und zum erhobenen Zeigefinger werden.

Wir haben es also nicht nur mit einer geteilten „Stimme" zu tun – der Stimme des einen Spielers, die der andere be-stimmen darf – sondern auch mit einer geteilten Zensurinstanz. Das vierhändige Monster ist also nicht nur ein skandalös lustvolles Manipulieren und Manipulieren-lassen, kein reiner Effekt der *jouissance*. Unverortbar im Niemandsland zwischen den Leibern waltet auch ein Gesetz. Genau so wie das vierhändige Klavierspiel auf die Transgression hinausläuft, die es doch immer wieder auch selber ahndet, geht auch die perverse Verschränkung der vierhändigen Stimmlichkeit mit einer Anpassung an ein Objektives einher.

Wenn Eduard Hanslick, wie Brahms schrieb, gerne mit „schönen Mädchen"[80] vierhändig musizierte, dann bedeutete das eben nicht nur, daß Hanslick mit jungen Frauen im Einklang atmete und seufzte, daß er (wenn er die Secondorolle übernahm) ihre Stimme mit dem Pedal modulieren durfte, daß sich seine Hände mit den ihren kreuzten, und er sie mit allzu kecken Übertritten zum

---

[76] Adorno, „Vierhändig, noch einmal", S. 305.

[77] Hermann Wetzel-Stettin, „Schuberts Werke für Klavier zu vier Händen". In *Die Musik* VI, 7, S. 37.

[78] Zitiert in Thomas Christensen, „Four-Hand Piano Transcription and Geographies of Nineteenth-Century Musical Reception". *Journal of the American Musicological Society*, Vol. 52, No. 2 (1999), S. 258.

[79] Adorno, „Vierhändig, Noch einmal", S. 303.

[80] Brahms an Hanslick, zitiert in Max Kalbeck, *Johannes Brahms*. Berlin: Deutsche Brahms-Gesellschaft, 1914, II, S. 190.

Erröten bringen konnte; es bedeutete auch, daß sich Hanslick mit ihnen einem Gesetz, einem Takt unterwarf – einem Gesetz, das wie die Stimme aus dem Nirgendwo kommt und doch unbedingten Gehorsam verlangt.

Die vierhändige Monstrosität hat also nicht nur etwas Schillernd-Skandalöses, das von außen, vom Blick der Beobachterposition überwacht und domestiziert werden müßte; sie hat auch ein zutiefst kleinbürgerliches Moment, schmiegt sich an, an die Welt, wie sie nun einmal ist. Ist das vierhändige Monster als Olimpia Ausdruck satanischer Energien, einer ungeheuren Herausforderung, ist es als innerer Taktstock nichts als die Unheimlichkeit einer Bürokratie, die längst ohne ihre Bürokraten auszukommen scheint. Die pedantische Utopie des absoluten Zusammenspiels – sowohl eine Fantasie der vollständigen Gemeinschaft als auch eine Fantasie der vollständigen Anpassung.

Um dieser pedantischen Utopie nachzugehen, wenden wir uns nicht nur einem Stück zu, das gar keine vierhändige Musik im engeren Sinn ist, sondern wir springen auch äußerst drastisch aus unserem selbstgesteckten Zeitrahmen hinaus. Denn die Phantasie des absoluten Zusammenspiels trieb erst das späte zwanzigste Jahrhundert auf die Spitze: Was, wenn zwei Klaviere eine absolut identische Melodie spielen? Zwei Pianisten sitzen einander entweder gegenüber, mit ineinander verschränkten Flügeln, oder an zwei nebeneinander aufgereihten Flügeln, wie Béla Bartók und seine zweite Frau Ditta Pásztory auf einem berühmten Foto, und drücken exakt zeitgleich dieselben Tasten. Einerseits ist hier die konkrete Körperlichkeit vollständig abhanden gekommen – absolute Abrichtung hat das vorsichtige Lesen von Signalen und Bewegungen abgelöst. Andererseits ist aber die unheimliche Körperlichkeit, um die es uns bisher ging, die Körnung der Stimme, hier absolut verwirklicht – beide Duettisten teilen einen Klangkörper, obgleich an zwei Instrumenten.

Steve Reichs „Piano Phase“ für zwei Klaviere von 1967, ein Beispiel für die sogenannte *process music*, beginnt mit eben jener Konfiguration – die zwei Klaviere wiederholen dasselbe Melodiefragment. Doch die „Phase“, die dem Stück seinen Namen gibt, besteht darin, daß, im Laufe dieser Wiederholungen, die zwei Klaviere sich in winzigen Schritten von einander absetzen. Eine Differenz tritt in die Wiederholung. Reichs eigenem Bekunden nach entdeckte er diese Technik durch Zufall, als er zwei Tonbänder mit dem gleichen, sich immer wiederholenden Inhalt synchron, aber hintereinander laufen lassen wollte – eines der zwei Tonbänder verlangsamte sich und schon war der „phase effect“ entstanden. In der fertigen Komposition spielten zwei Tonbänder absolut synchron denselben kurzen Klangschnipsel immer wieder ab – die Worte „It's gonna rain“, die aus Reichs Aufnahme eines Straßenpredigers in San Francisco stammten.[81] Durch die Verlangsamung des einen Bandes verschoben sich die anfangs synchronen Tonelemente gegeneinander, zunächst unmerklich, dann aber eine ganze Reihe schil-

---

81 Keith Potter, *Four Musical Minimalists: La Monte Young, Terry Riley, Steve Reich, Philip Glass*. Cambridge: Cambridge University Press, 2000.

lernder klanglicher Effekte schaffend.[82] Schließlich war das verlangsamte Band soweit zurückgefallen, daß das „kanonische Verhältnis“ zwischen den Elementen sich wieder aufhob und die zwei Bänder wieder unisono „It's gonna rain“ spielten.

In Interviews erklärte Reich, daß er es zunächst für unmöglich gehalten habe, diesen Effekt mit Instrumenten und menschlichen Musikern zu erzielen. Den Beweis, daß dem nicht so sei, erbrachte er mit dem Stück „piano phase for two pianos“: Zwei Klaviere wiederholen ständig dieselbe zwölf Noten umfassende Melodie unisono, dann beschleunigt einer der Spieler das Tempo unmerklich („accel very slightly“, vermerkt die Partitur), wodurch der „phase effect“ entsteht – die zwei Melodieschnipsel verschieben sich „kanonisch“, ziehen wie zwei tektonische Platten aneinander vorbei, bis die langsamere Partei so weit zurückgefallen ist, daß die zwei Melodien wieder unisono erklingen. Zunächst experimentierte Reich mit diesem Konzept, indem er sich selbst auf Tonband aufnahm und dann mit der Endlosschleife duettierte – eine Idee, die er Jahre später in der „Video Phase“ wieder aufnahm. In dieser Version steht ein Marimbaspieler mit einem hinter ihn projizierten Videobild in dem „kanonischen Verhältnis“ der „phasing technique“.

„Piano Phase“ stellt in gewisser Weise die Endmoräne der „Stimme“ des vierhändigen Klaviers dar. Dabei ist es egal, „ob der musikalische Prozess über das tatsächliche Spiel eines Menschen oder durch elektronisch-mechanische Mittel verwirklicht wird“ („whether a musical process is realized through live human performance or through some electro mechanical means“).[83] Ob es sich um zwei Klavierspieler, einen Spieler mit Ton- oder Videoband oder um zwei Tonaufnahmen handelt, die hier duettieren – die „Stimme“, die man hört, ist nicht mehr oder weniger unpersönlich. Hier zeigt sich also noch einmal der Skandal der Olimpia: Eine Maschine, die sich selbst auf dem Klavier begleitet – mechanisches Spiel und „Glasglockenstimme“.

Tatsächlich kann man bei der „Piano Phase“ gar nicht von zwei verschiedenen „Stimmen“ sprechen. Der akustische Effekt ist vielmehr der folgende: Bevor das „phasing“ beginnt, ist eben nur eine Stimme hörbar – uni-sono; bei den ersten Verschiebungen klingt die Melodie nicht vielstimmig, sondern vielmehr verändert sich die *Resonanz*, als ob sich „die Akustik verändert hätte“,[84] sich der Saal um das Klavier mit einem Mal in eine hohe verwinkelte Kathedrale verwandelt hätte; sobald die zwei „Stimmen“ weiter auseinander treten, tritt der Eindruck eines Echos an die Stelle der Resonanz. Erst wenn sich die „Phase“ weiter entzerrt, stellt sich ein rhythmischer Effekt ein.

---

82 Eine genaue und höchst interessante Analyse unternimmt Paul Epstein, „Pattern Structure and Process in Steve Reich's ‚Piano Phase‘“. *The Musical Quarterly*, Vol. 72, No. 4, S. 496.

83 Steve Reich, „Music as a Gradual Process“. In: *Steve Reich: Writings on Music*. Paul Hillier, Hrsg. New York: Oxford University Press, 2002, 35.

84 Epstein, „Reich's ‚Piano Phase‘“, 498.

Die „Piano Phase“ ist also im Grunde genommen kein „zweistimmiges“ Stück; es stellt keine Zwiesprache dar, sondern vielmehr einen Monolog, der technisch vervielfältigt und stimmlich manipuliert wird. Die „Stimme“, die sich die zwei Klaviere der „Piano Phase“ teilen, ist mit der des vierhändigen Klaviers nahezu identisch. Hier wie da manipuliert der eine Spieler die Stimme des anderen (indem er den Effekt der Resonanz, des Echos, der Rhythmik simuliert), und hier wie da ist es schwierig, von diesen Stimmen des einen wie des anderen überhaupt zu sprechen – es gibt eigentlich nur eine skandalös in sich verkantete Stimme.

Und auch das andere Element, das der Abrichtung, zeigt sich sowohl im vierhändigen Klavierspiel als auch an den zwei Klaviaturen der „Piano Phase“. In dem oben zitierten Interview zeigt sich Reich ehrlich verblüfft, daß sich zwei Kassettenrekorder sozusagen durch zwei Menschen simulieren lassen. Indem sich der Mensch an die Maschine anpaßt, mit ihr duettiert, fällt jeder Anschein des Ausdrucks, der Subjektivität, der Emotion weg. Olimpia, das besagt ja Hoffmanns Episode, drückt nichts aus in ihrem Spiel oder mit ihrer Stimme – sie kann nur ausspucken, was irgendwie mechanisch hinter ihr steht; und ebenso kann im Extremfall der vierhändige Klavierspieler nur die eigene Fingerfertigkeit zur Schau stellen, aber nichts, was im eigentlichen Sinn zu ihm gehörte. Was er ausdrücken kann, ist nicht Kommunikation, Emotion, Inhalt; es ist lediglich das, was die Natur oder der Drill in ihn hineingesteckt haben, ein Index dessen, wie Anlage oder Abrichtung ihn zugerichtet haben. Um das vierhändige Spiel als Zur-Schau-Stellen von Naturanlagen oder gymnastischer Fertigkeit wird es in den nächsten zwei Kapiteln gehen.

Kapitel 5: Handsemantik

„It is obvious that you can no more be certain of a good offspring than you can be certain of a good tune if you play two fine airs at once on the same piano."

G.K. Chesterton, *Eugenics and Other Evils* (1922)[1]

In seinen fragmentarischen „Erinnerungen aus meinem Leben" (1842) erzählt Carl Czerny, wie er Beethovens Schüler wurde. „An einem Wintertage wanderten mein Vater [...] und ich aus der Leopoldstadt [...] in die Stadt, in den sogenannten tiefen Graben – eine Straße –, stiegen turmhoch bis in den 5. oder 6. Stock, wo uns ein ziemlich unsauber aussehender Bedienter beim Beethoven meldete und dann einließ." In Beethovens Wohnung, „ein sehr wüst aussehendes Zimmer", bittet der Meister den kleinen Carl, auf dem „wackelnden [Stuhl] beim Walterschen Fortepiano" Platz zu nehmen und vorzuspielen.[2] „Da ich mich scheute, mit einer von seinen Kompositionen anzufangen, so spielte ich das Mozartsche große C-Dur Konzert."[3] Beethoven setzt sich hinzu „und spielte bei den Stellen, wo ich nur akkompagnierende Passagen hatte, mit der linken Hand die Orchestermelodie mit." Czerny zieht sich in die Begleitung zurück – ein eher unorthodoxes Primo-Secondo-Verhältnis. Die Freundschaft dieser zwei Musiker, die bis zu Beethovens Tod andauern sollte, wurde also über eine Art Balz zu vier Händen geschlossen.

Schließlich spielt Czerny doch ein Beethoven-Stück, nämlich die soeben erschienene „Pathétique". Beethoven beobachtet ihn aufmerksam und erklärt dann: „Der Knabe hat Talent, ich selber will ihn unterrichten."[4] Doch nicht nur Beethoven unterzieht das Spiel des Knaben genauer Untersuchung – der junge Czerny beurteilt im Gegenzug klammheimlich den Meister. Allerdings nicht dessen Spiel, sondern dessen Hände. „Seine Hände waren sehr mit Haaren bewachsen und die Finger, besonders an den Spitzen, sehr breit." Während Beethoven Czerny wahrscheinlich auf seine Technik und Fingerfertigkeit hin beobachtet haben wird, sucht der kleine Carl Czerny in den Händen des Meisters nach etwas anderem: Er sucht nach der Essenz des Klaviergenies, im engsten Wortsinn – er will die *Natur*, die hinter der Meisterschaft steht, erkennen. Und während sich nur Beethoven die Beurteilung von oben herab erlauben kann, darf

1 G[ilbert] K[eith] Chesterton, *Eugenics and Other Evils*. London: Cassell and Company, 1922, S. 71.

2 Carl Czerny, *Erinnerungen aus meinem Leben*. Baden-Baden: Verlag Heitz, 1968, S. 13.

3 Ebd., S. 15.

4 Ebd.

selbst der zehnjährige Knirps dem Meister nach den Kriterien der Naturerkenntnis auf die Finger schauen.

Eine ähnliche Form der Beobachtung findet sich in den Kindheitserinnerungen von Felix Moscheles (1833–1917). Der Sohn von Ignaz Moscheles berichtet, wie in seiner Kindheit Felix Mendelssohn-Bartholdy die Familie Moscheles in London besuchte. Das Kind kann sich für dessen Klavierspiel selber (noch) nicht sonderlich begeistern; Moscheles bleiben dagegen die spielenden Hände selber sehr gut im Gedächtnis: „Als kleiner Junge war ich vor allem von seinen langen, akkordumspannenden Fingern beeindruckt, die sich stark von der kleinen, samtenen Hand meines Vaters unterschieden" („As a boy I was mainly impressed by his long chord-grasping fingers, contrasting as they did with my father's small velvety hand"). Der kleine Felix Moscheles scheint, genau wie der junge Carl Czerny, die Hand nach gewissen Merkmalen eingeordnet und das heißt mit anderen Händen verglichen zu haben. Das von Czerny nur unterschwellig anerkannte Motiv solcher Handbeobachtung stellt Moscheles ziemlich explizit fest: Er schaut auf die Hand, „um den äußerlichen Zeichen seines Genies aufzulauern"(„to lie in wait for the outward manifestations of his genius").[5]

Dies ist die Grunderfahrung hinter dem folgenden Kapitel: Für uns mag das Aussehen von Beethovens Hand interessant sein, ein Kuriosum; aber in der Zeit, in der Czerny seine Beobachtungen niederschrieb, waren dieselben Beobachtungen ungleich aussagekräftiger. Denn es darf in unserer Untersuchung des Phänomens des vierhändigen Klavierspiels nicht außer Acht bleiben, daß die Hand im neunzehnten Jahrhundert in etwa das war, was für uns die Doppelhelix ist – nicht nur ein Träger von Bedeutungen, sondern ein Index, der die gesamte Natur des Individuums zur Schau stellte, für den, der die Geheimsprache der Natur zu lesen verstand. Daß dieses bio-gnostische Denken häufig auch in Familien gepflegt wurde, in denen das gemeinsame Musizieren hochgehalten wurde – das Haus Wahnfried ist nur das berühmteste Beispiel –, legt nahe, daß man die zwei zumindest unbewußt in Beziehung zu einander setzte. Und selbst die, die sich diesem Denken entzogen oder ihm skeptisch gegenüberstanden, wußten doch sehr wohl, daß andere meinten, sie so interpretieren zu können. So bemerkt Strindberg im Jahr 1908: „Viele legen ein großes Gewicht auf das Aussehen der Hand, aber ich habe es nie getan. Ob ich nun die Geheimnisse meiner Bekannten respektieren wollte, oder ob es mir widerstand, die Hand zu betrachten. Ich bin mit einer Frau verheiratet gewesen, und ich erinnere mich nicht, ihre Hand gesehen zu haben."[6] (Strindberg selber hat in seinen Werken das vierhändige Klavierspiel häufig als Sinnbild bemüht und muß sich daher sehr wohl darüber klar

---

[5] Felix Moscheles, *Fragments of an Autobiography*. New York: Harper & Brothers, 1899, S. 26.

[6] August Strindberg, *Das Buch der Liebe. Ungedrucktes und Gedrucktes aus dem Blaubuch von August Strindberg*. München: Diederichs, 1989, S. 132.

gewesen sein, daß das Vierhändigspiel die „salonfähigste" Möglichkeit bot, die Hände einer Frau zu beobachten.[7])

In diesem Kapitel geht es also um die Frage, inwieweit das vierhändige Klavierspiel mit der Handbegeisterung des neunzehnten Jahrhunderts in Dialog zu setzen ist – und inwiefern es gerade die *Vierhändigkeit* ist, die einen Blick herausfordert, den im neunzehnten Jahrhundert immer weitere Kreise erlernten. Unter diesem Blick erzählen die zwei Handpaare im Grunde genommen wiederum eine Geschichte – nur daß die nur bedingt von Liebelei und Entsagung, und viel mehr von Abstammung und Dynastik handelt. Deswegen darf es auch nicht überraschen, daß es gerade die Literatur ist, in der das vierhändige Klavierspiel in Verbindung mit Erbmaterial und Abstammung auftaucht. Wir werden es insbesondere mit der Literatur des Naturalismus zu tun haben: Anhand eines Dramas von Gerhart Hauptmann werden wir im Detail zu zeigen versuchen, daß es das vierhändige Klavierspiel gestattet, über Sexualität und Abstammung mit einer Genauigkeit zu verhandeln, die der Naturalismus sich normalerweise für die aufhebt, bei denen zuhause kein Klavier steht. In Hauptmanns Milieustudien wird zwar vom rein Visuell-Positivistischen abstrahiert – das heißt, die Hand, in ihrer reinen Materialität, rückt nicht mehr primär ins Blickfeld – doch die Hand als handelnde demarkiert, über Gestik und soziale Interaktion, einen Abstammungs- und Vererbungszusammenhang. Was bleibt, ist die eminente *Lesbarkeit* der Hand: genau so wie die „Chirognomen" von der einzelnen Hand den Menschen deduzieren zu können glauben, so werden in Gerhart Hauptmanns *Friedensfest* die erbmateriellen Umrisse einer *Familienkatastrophe* (so der Untertitel des Stücks) in Händen lesbar.

Wie wir im ersten Kapitel sahen, war das Musizieren am Klavier „seuchenartig" in Mitteleuropa verbreitet – folglich war auch das *Beobachten* des Klavierspiels eine wichtige Freizeitbeschäftigung. Dieses Beobachten konnte sich im Salon über eine gewisse Distanz vollziehen oder aber (wie zum Beispiel in den visuellen Darstellungen, die wir im ersten Kapitel behandelt haben) auf allernächste Distanz, wenn nämlich sich Freunde, Verwandte oder solche, die es werden wollten, sich direkt hinter den Spielern aufbauten oder neben ihnen ans Klavier lehnten. Was aber sahen solche Augen, die Hände als Indizien zu erkennen geschult waren, wenn die Tochter des Hauses den Beethoven spielte? Was machte die Eltern stolz, wenn die Lehrer sagten, die Tochter habe die richtigen Hände zum Klavierspiel? „Vor der Erfindung [der Schallplatte] war Musik gleichermaßen etwas, das man sah, wie etwas, das man hörte",[8] schreibt Lawrence Kramer. Der kunstinteressierte Durchschnittsbürger einer deutschen Kleinstadt

---

7 Strindberg verwendet das vierhändige Klavierspiel als Motiv im *Richtfest*, und beschreibt es in seiner Autobiografie *Tjänstekvinnans son* (*Sohn einer Magd*, 1886).

8 Lawrence Kramer, *After the Lovedeath: Sexual Violence and the Making of Culture*. Los Angeles: University of California Press, 1997, S. 129.

besaß die Beethoven-Symphonien im Auszug und kannte die großen Virtuosen, Sänger und Bühnenbilder durch Kupferstiche und später Fotografien.[9]

Diese visuelle Komponente hat, wir bemerkten es bereits, eine fetischistische Komponente: Man verabsolutiert einen Aspekt des geliebten Objektes, weil man den anderen, den eigentlichen nicht hat oder nicht haben kann. Daß das neunzehnte Jahrhundert Bilder großer Operndiven sammelte (so zum Beispiel die *carte-de-visite* Fotografien der Adelina Patti[10]), die oft stumm, mit zum Singen geöffnetem Mund im Kostüm posierten, ergibt nur Sinn, wenn man bedenkt, daß die meisten, die diese Bilder besaßen oder gar sammelten, die zum Mund gehörende Stimme nie zu hören bekommen würden. Dasselbe gilt natürlich für große Theaterschauspieler: Prousts *petit Marcel*, außerordentlich fetischistisch veranlagt, macht sich über eben jene Umwege ein Bild von „la Berma", bevor er sie endlich im Theater hören darf: „Ich kannte [die Theaterstücke] nur über die einfache Reproduktion in schwarz und weiß der gedruckten Fassungen; aber mein Herz schlug schneller, wenn ich, als ob an das Ziel einer Reise, daran dachte, daß ich [die Stücke] endlich sehen würde, wie sie in der Atmosphäre und im Glanz der goldenen Stimme badeten" („Je les connaissais par la simple reproduction en noir et blanc qu'en donnent les éditions imprimées; mais mon coeur battait quand je pensais, comme à la réalisation d'un voyage, que je les verrais enfin baigner effectivement dans l'atmosphère et l'ensoleillement de la voix dorée").[11]

Mit eben dieser fetischistischen Begierde stürzte sich das neunzehnte Jahrhundert auf Abbildungen großer Pianisten – ob nun in der Form von Zeichnungen tatsächlicher Konzerte oder in der von Karikaturen. Nur ergab sich hier das gleiche Problem: Die Schnelligkeit eines Thalberg, die Brillianz eines Liszt, das Genie eines Rachmaninow ließ sich so nicht einfangen. Man reagierte auf diese Schwierigkeit mit den Waffen des Fetischisten: der Hypostase. Man nahm das, was man abbilden konnte, und verabsolutierte es. Hier begegneten sich der Geniekult, Positivismus und die Bildergläubigkeit des neunzehnten Jahrhunderts. Wenn man das Genie eines Beethoven nicht messen konnte, so grub man eben seinen Schädel aus und vermaß ihn. Wenn man das Geschick eines Klaviervirtuosen wie Rachmaninow nicht „lebensecht" abbilden konnte, so wurden eben die geschickten Hände abfotografiert, oder nachgegossen. Von Anfang an wurde das neue Medium der Fotografie benutzt, um Hände zu isolieren und in dieser Isolation etwas aussagen zu lassen. Tatsächlich avancierten nicht die ubi-

---

9 Richard Leppert. *The Sight of Sound – Music, Representation and the History of the Body.* Los Angeles: University of California Press, 1993, S. 1–14.

10 Die Zeitschrift *Good Words* schreibt 1869: „Next to statesmen, the largest demand is for actresses, especially operatic singers. When Jenny Lind was on the boards her carte de visite sold very largely, but nothing like that of Adelina Patti, which has quite astonished the photographers themselves. The Messrs. Marion alone have sold, within these five years, seventy thousand copies of the portrait of this popular singer" (*Good Words* (1869), S. 59; Andrew Wynter, *Curiosities of Toil and Other Papers.* London: Chapman and Hall, 1870, S. 199).

11 Marcel Proust, *À la recherche du temps perdu, Tome I.* Paris: Gallimard, 1987, S. 433.

quitären Darstellungen von „Liszt am Klavier“ oder ähnlichem zu Sammelobjekten, sondern eben auch Fotobände, die die Hände großer Schriftsteller, Musiker, Dirigenten und Maler in Obenaufsicht zusammenstellten – sowie die berühmten Skulpturen der Hände Chopins in Bronze, Marmor oder Gips. Der Abguß von Chopins Hand wurde von Jean-Baptiste Auguste Clésinger gemeinsam mit einer Totenmaske direkt nach dem Tode des Komponisten angefertigt. Aus den Bildbänden (die allerdings vor allem aus dem zwanzigsten Jahrhundert stammen) ist leicht zu erkennen, daß solche Abgüsse oder Aufnahmen für die meisten großen Musiker des neunzehnten Jahrhunderts existierten – viele stammen sogar noch vom lebenden Künstler.

Dies ist besonders seltsam, wenn man sich überlegt, was genau ein Bürgerhaushalt, auf dessen Anrichte oder in dessen Bibliothek ein solches Buch stand, denn mit abfotografierten Händen anfangen sollte oder wieso man sich die Hand Chopins auf die Anrichte legte. Ästhetisch im herkömmlichen Sinne sind die wenigsten dieser Hände – und selbst wenn, es ist dies keine Schönheit, der man sich normalerweise zu widmen versteht. Vielmehr soll man, so scheint es, den Blick des kleinen Czerny an diesen Bildern und Skulpturen üben und schulen: Der Bürger auf seiner Chaiselongue wird angehalten, sich diesen Bildern *diagnostisch* zu nähern, die Hand als Index der Naturdisposition ihres Besitzers zu verstehen. Man könnte sich ein Ratespiel vorstellen: Ich zeige dir die Hand und verdecke die Bildunterschrift. Errätst du, ob es sich um Gerhart Hauptmann, den Kaiser oder einen Prostituiertenmörder handelt? Und wie errätst du es?

Doch war dieser diagnostische Blick immer auch erotisch gefärbt: Es gehört ja zu den heiligsten Pflichten des Diagnostikers, auch dann noch hinzuschauen, wenn jeder Laie in Scham oder Ekel die Augen abgewendet hat. Daß dies dem Voyeurismus nicht unverwandt und phaenotypisch von ihm schlechthin ununterscheidbar ist, dürfte klar sein: Nur der Voyeur oder Fetischist und der Diagnostiker dürfen den Blick praktizieren, der, wie Jean Baudrillard es einmal ausgedrückt hat, „nicht genug bekommen kann vom Körper“, der dem Körper so nahekommt, daß der Körper als Objekt in einer Fülle von Details verschwindet. Und ein Buch voll abfotografierten Händen wandte sich an eben diesen Blick: Den des Diagnostikers und des Voyeurs; oder des Voyeurs, der sich für einen Diagnostiker hält; oder des Voyeurs, der sich als Diagnostiker tarnt.

Die Hand war im neunzehnten Jahrhundert einer der wenigen Körperteile, die Männer und Frauen ohne größere Hemmungen an einander begutachten durften – und wenn man diese Hemmungslosigkeit auch noch diagnostisch kaschieren und somit als ja quasi wissenschaftlich verbrämen konnte, waren der „Handandacht“ keine Grenzen gesetzt. Ebenso wie Stifter sich den „Gesichtchen“, den Kleidern und den Händen seiner Protagonistinnen nähert und den von ihnen gewissermaßen eingerahmten Körper in seinen Beschreibungen vollständig ausspart, genau so darf sich im Klavierspiel ein Mann den Händen einer Frau widmen, von oben auf sie herabschauen und dem Spiel ihrer Muskeln folgen, wie er es im Falle ihres Rückens, ihrer Schultern oder ihrer Beine nie dürfte.[12] Wie wir in der Einleitung feststellten, ist er mit diesem Herabblicken normalerweise nicht allein: wie in einem anatomischen Theater verfolgen ganze Gesellschaften, wie sich ein Körper vor ihnen auf der Klaviatur aufschlägt wie ein Buch. Genau wie in den Anatomiebüchern des siebzehnten und achtzehnten Jahrhunderts, in denen die Kadaver selber ihre Haut ausziehen, um Einblick in ihre Organe zu gewähren, schälen sich die Hände vor dem diagnostischen Blick, wollen zu ihrer absoluten Lesbarkeit beitragen.[13]

Die Musik erlaubt es also, genau das zu tun, was Fetischisten immer gerne tun: Beim Objekt verweilen, etwas zu lange vielleicht, es mit der Aufmerksamkeit überschütten, die dem Uneingeweihten nicht gerechtfertigt erscheinen mag. Carl Czerny zum Beispiel schrieb eine Reihe *Briefe über den Unterricht auf dem Pianoforte* an ein „Fäulein Cäcilie", das er „wegen der Entfernung Ihres Wohnortes" nicht persönlich unterrichten konnte und deren Ausbildung er deshalb brieflich übernahm. In den „Briefen" geleitet er das „Fräulein" durch eine ganze Reihe Themen, von ersten Schritten am Klavier, über Takt und Anschlag, zu den „geeignetesten Compositionen" für Anfänger. Auffällig häufig imaginiert Czerny dabei die Hände, die er per Fernsteuerung über Fräulein Cäcilies Klavier dirigiert: „Überdiess haben Ihre zarten Finger und Hände alle die natürlichen Eigenschaften, welche zum *Fortepiano* so nothwendig sind."[14] Nicht nur die Hände hat Czerny beim Briefeschreiben vor Augen: Als er Cäcilie in Sachen Sitzposition berät, wandert sein inneres Auge von den Händen unters Klavier: „Sollten dabey Ihre Füsschen den Boden noch nicht erreichen, so lassen Sie sich für dieselben einen angemessenen Schemel machen."[15] Und nicht nur die „Füsschen" sind Gegenstand der Monologe Czernys, sondern im Interesse der Haltung und Technik streift er Ellbogen, Achseln, Nacken, Hinterkopf, und immer wieder „Ihre kleinen, zarten, aber doch schon genug kräftigen Finger".[16]

Dieses begeisterte Marionettenspiel am fernen, imaginierten weiblichen Körper hat für den modernen Leser einen zutiefst unangenehmen Beigeschmack – selbst wenn man außer Acht läßt, daß Czernys Marionette tatsächlich gerade einmal zwölf Jahre alt war.[17] Doch ist der männliche Außenblick wie immer ausführlich legitimiert: Czerny übernimmt die verantwortungsvolle Aufgabe, dem Fräulein Cäcilie auf die Finger zu schauen.[18] Daß diese die Disziplinierung auch

---

[12] Siehe zum Beispiel W. G. Sebald, *Die Beschreibung des Unglücks – Zur österreichischen Literatur von Stifter bis Handke*. Salzburg: Residenz, 1985.

[13] Vgl. Claudia Benthien, *Haut: Literaturgeschichte, Körperbilder, Grenzdiskurse*. Reinbek bei Hamburg: Rowohlt, 1999.

[14] Carl Czerny, *Briefe über den Unterricht auf dem Pianoforte*. Reprint: Antiquariat-Verlag Zimmermann. Straubenhardt, 1988, S. 1.

[15] Czerny, *Briefe über den Unterricht auf dem Pianoforte*, S. 3.

[16] Czerny, *Briefe über den Unterricht auf dem Pianoforte*, S. 9.

[17] Grete Wehmeyer, *Carl Czerny und die Einzelhaft am Klavier: Die Kunst der Fingefertigkeit und die industrielle Arbeitsideologie*. Kassel: Bärenreiter, 1983, S. 95.

[18] Ruth A. Solie, *Music in Other Words*. Berkeley und Los Angeles: University of California Press, 2004, 89; Matthew Head, „If the Pretty Little Hand Won't Stretch': Music for the

dringend nötig haben, steht für Czerny ausser Frage. Denn bei einem einem „so junge[n] lebhafte[n] Persönchen, wie mein[em] liebe[n] Fräulein Cäcilie", sind die „Finger [...] kleine ungehorsame Geschöpfe, wenn man sie nicht im Zügel hält, und rennen gerne wie ein junges Pferd davon".[19] Diese Ungestümen im Zaum zu halten, sie vor allem Ausschweifen zu bewahren und sicher und züchtig auf der Klaviatur zu halten, ihrem Instinkt zum Trotz, das ist die Aufgabe des väterlichen Czerny.

Und die Hände domestizieren, heißt auch den Körper bändigen, denn dessen Bewegungen haben denen der Hände zu dienen und dürfen keine Eigendynamik entwickeln: „Wenn man mit beyden Händen in den höchsten oder tiefsten *Octaven* zu spielen hat, so ist ein ruhiges Hinneigen des Oberleibs eben so nöthig als schicklich. Wenn man schwierige Passagen, kurze kräftige *Accorde* oder Sprünge auszuführen hat, so können und müssen die Hände sich auch eine angemessene Bewegung erlauben. Da man bald die Noten, bald die Hände anblicken muss, so ist dabey eine kleine Bewegung des Kopfes, wo nicht nothwendig, doch verzeihlich." Ansonsten aber heißt es anscheinend: Stillhalten, Kopf gerade, kein „Hinneigen des Oberleibs".[20] Zumindest beläßt es Czerny bei der Kontrolle des weiblichen Körpers *am Klavier* – Hugo Riemann verlangt einige Jahrzehnte später sogar, daß der Lehrer noch tiefer in das Leben des Schülers eingreift: „Der Lehrer hat sich daher selbst um das körperliche Befinden des Schülers zu bekümmern und dahin zu wirken, dass derselbe für gesunde Erholung durch Spaziergänge, kalte Bäder usf. sorge."[21]

Im ersten Kapitel haben wir bereits darauf hingewiesen, daß die klavierspielende Frau eine Art *Vanitas* ist: Sie schaut sich selbstversunken im Spiegel der Noten an, was es den Umstehenden (und besonders den Männern) erlaubt, sie ihrerseits zum Objekt ihrer Blicke zu machen. Doch kann sich natürlich die nackte Vanitas, wie wir sie aus der Kunstgeschichte kennen, in ihrem winzigen Spiegel nie ganz sehen – sie sieht nur einen winzigen Ausschnitt ihrer eigenen Form, während der Beobachter die ganze Fülle ihrer Schönheit begutachten darf. Ebenso funktioniert die Erotik von Czernys Briefen: Obgleich jeder Brief Cäcilie auffordert, ihren Fingern dies oder jenes abzuverlangen, auf dies und jenes zu achten, wird im gleichen Atemzug immer „Natürlichkeit" angemahnt. Das klavierspielende Mädchen ist nur deswegen sexy, weil sie sich selbst nicht so zum Objekt haben kann, wie der Mann sie zum Objekt hat. Das bedeutet vor allem: Ihren Händen, ständigen Kontemplationsobjekten Czernys, ihres Klavierlehrers, der Familie, darf sie nicht dieselbe Art Aufmerksamkeit widmen: „Jedoch müs-

Fair Sex in Eighteenth-Century Germany". *Journal of the American Musicological Society*, Nr. 52 (1999), 203–254.

19 Czerny, *Briefe über den Unterricht auf dem Pianoforte*, S. 25.

20 Czerny, *Briefe über den Unterricht auf dem Pianoforte*, S. 33.

21 Hugo Riemann, *Vergleichende theoretisch-praktische Klavierschule*, op. 39, 1. Hamburg, 1890, S. 3.

sen Sie sich angewöhnen, mehr in die Noten als auf die Finger zu sehen", erinnert Czerny sie.[22]

Doch für alle anderen, so scheint es, gilt das genaue Gegenteil: Sie haben sich angewöhnt, mehr auf die Finger als auf die Noten zu sehen. Aber wonach sollen sie in diesen Fingern suchen? Geschick und Ungeschick? Eleganz oder Mechanik? Die zwei bisher angesprochenen Beispiele – der kleine Czerny und Beethoven, und der erwachsene Czerny und sein Fräulein Cäcilie – haben mit zwei verschiedenen Blicken zu tun, beide hierarchisch aufgeladen: Einer von unten nach oben, einer von oben nach unten. Der Knirps, der in den Händen des Meisters das Genie physisch zu erspähen sucht; und der Lehrer, der sich den Händen der Schülerin widmet. Die Frage, die im folgenden zu beantworten ist, lautet wie folgt: Hier geht es um *einen* Spieler oder *eine* Spielerin, die beobachtet und wie eine Marionette dirigiert wird. Was aber passiert, wenn zwei Paar Hände sich die Klaviatur teilen? Was hätte sich Czerny wohl vorgestellt, wenn er seine *Briefe* an *zwei* junge Fräuleins geschrieben hätte? Oder, was auf dasselbe hinausläuft, was wenn er Cäcilies Lehrer, den er häufig erwähnt, zum Fräulein auf den Schemel gesetzt hätte, und damit in Reichweite ihres geneigten Oberleibs, ihrer Ellbogen und ganz besonders natürlich ihrer „kleinen ungehorsamen" Finger?

Die Hand war im herausgeputzten und geschminkten neunzehnten Jahrhundert, in dem sich Leben und Tod, wie Benjamin es beschreibt, in der Mode einander anähnelten, ein letztes „Organ" im Hegelschen Sinne – und wurde daher sogleich hypostasiert. Denn die Hand mußte ausdrücken, was sich im Gesicht, im Gebahren, in der Haltung unterdrücken oder dissimulieren ließ. Slavoj Zizek hat die Hand als das „ultimative partielle Objekt" bezeichnet. Die Hand gehört zwar zu uns, aber nicht wie zum Beispiel die Sinnesorgane. Sie ist die Prothese in uns selbst. Die Hand kann sich leicht gegen uns kehren, uns nicht gehorchen oder uns gar verraten. In einem Horrorfilm der vierziger Jahre, *The Beast with Five Fingers* (1946) mit Peter Lorre, entkommt die Hand eines einst begnadeten Pianisten aus dessen Sarg und rächt sich blutig an denen, die an ihrem einstigen Besitzer gefrevelt haben. Im Rahmen dieses Rachefeldzugs tut die Hand vor allem zweierlei: Sie spielt Bach-Arrangements (einhändig, da der Pianist vor seinem Tode nur noch eine brauchbare Hand hatte) und sie mordet. Übrigens handelt es sich bei *The Beast with Five Fingers* bereits um den zweiten Peter Lorre-Film mit mordenden Pianistenhänden – in *Mad Love* (1935), einem Remake des Films *Orlacs Hände* (1924, der wiederum auf Maurice Renards Roman *Les mains d'Orlac*) transplantiert Lorre dem verunglückten Pianisten Stephen Orlac die Hände eines Mörders, wodurch sich dessen musikalische Virtuosität (scheinbar) in eine mörderische verwandelt.

---

[22] Czerny, *Briefe über den Unterricht auf dem Pianoforte*, S. 33.

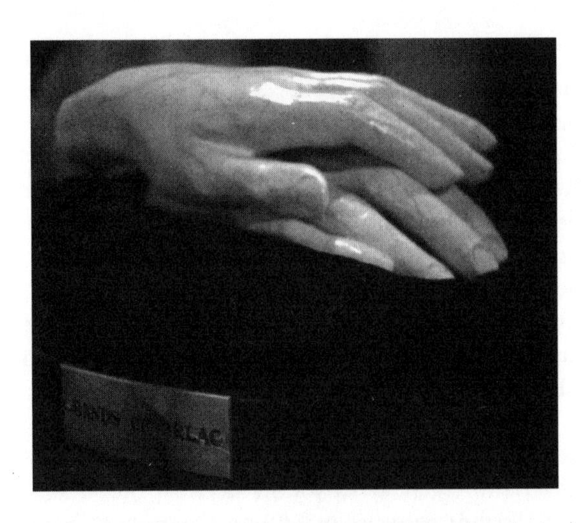

Abb. 1: Die Hände des Pianisten Orlac liegen als Plastik auf seinem Klavier (aus dem Film *Mad Love*, © Metro-Goldwyn-Mayer)

Obwohl aus dem neunzehnten Jahrhundert auch die Techniken stammen, vermittels deren man Individuen *identifizieren* kann – allen voran natürlich die Analyse von Fingerabdrücken –, lag das Hauptinteresse der Handinterpreten anderswo: *les mains d'Orlac* sind nicht interessant, weil sie Orlac gehören, sondern wegen dem, was sie über Orlac aussagen. Die Hand fand also nicht nur identifikatorischen Gebrauch, das Individuum sollte auch unter einer *Art* oder einem *Typus* zugeordnet werden können; die Hermeneutik der Hand sollte nicht nur zum Finden übereinstimmender Merkmale gut sein, sondern es vielmehr auch erlauben, von der Hand auf deren Besitzer zu schließen. So weiß der Pianist Orlac sehr viel früher als die Polizei, daß seine neuen Hände nicht die seinen sind: während die Gendarmerie noch seine Fingerabdrücke studiert (die ja nicht seine sind), hat er bereits seine Hand mit einem Gipsabguß à la Clésinger verglichen [Abb. 1]. An der Hand wollte man im neunzehnten Jahrhundert den Verbrecher, den Perversen oder den *Crétin* erkennen können – unter anderem im Rahmen von Lombrosos „positivistischer Kriminologie". An Händen ließen sich die „atavistischen Stigmata" festmachen, die den „geborenen Verbrecher" oder die Nymphomanin verrieten. In Lombrosos *L'uomo delinquente* wird zum Beispiel tabellarisch die Länge der Hand mit verschiedenen Vergehen in Verbindung gebracht: Brandstifter, Raufbold und Ehebrecher soll man somit an der Hand erkennen können. Dabei postulierte man eine Normalhand (ohne Ausnahme die eines weißen, bürgerlichen Mannes) und interpretierte dann jegliche *physiologische* Abweichung als Ursache (nicht etwa Folge) einer *charakterlichen* Abnormalität (in Lombrosos Tabelle ist die Normalhand in der Spalte am rechten Rand dargestellt und mit dem Mittelwert der Missetäter verglichen). Den *Crétin* und den Degenerierten erkannte man an den atavistischen Stigmata: „Die Entartung verräth sich beim Menschen durch gewisse Körperliche Merkzeichen, welche man Stigmata [...] nennt, [...] in erster Reihe die Asymmetrie".[23] Und den Homosexuellen oder die Homosexuelle erkannte man in der Verweiblichung, bzw. Vermännlichung der Physiologie: „Es fehlt bei sexuell Invertierten nie eine anatomische Annäherung an das andere Geschlecht"[24] – welch glückliche Fügung, daß Czerny gut aufgepaßt und die mannhafte Behaarung der Beethovenschen Hände festgehalten hat!

Das Interesse an der Hand als sozialem und erblichem Indikator hat wahrscheinlich auch sozialgeschichtliche Gründe: Der *haut gout* des Arrivismus ließ sich aus Gesichtern und Kleidung fernhalten, doch die Hände verrieten den, der Arbeit getan hatte. Denn wenn auch die Handkataloge des frühen zwanzigsten Jahrhunderts „Bauernhände" als *biologische* Typen vorführen, so wird doch eigentlich darin die Spur der Arbeit und somit des Sozialstatus abgebildet. Und Bauernhände, so viel war klar, konnten kein Klavier spielen; vielmehr hieß die Hände auf die Klaviatur legen soviel wie sie der Inspektion auf Arbeitslosigkeit zu unterwerfen. So mahnt zum Beispiel schon Couperins *L'art de toucher le clavecin*: „Männer, die einen gewissen Grad von Vollendung erreichen wollen, sollen mit ihren Händen nie harte Arbeit tun."[25] Zugleich, und reichlich paradox, wurde natürlich das Werk, die Apologie der Arbeit, auf ein Äußerstes getrieben (auch im Anschluß an die Arbeitsmetaphysik Hegels). Vierhändiges Klavierspiel konnte beides bedienen: Es war die geistig-körperliche Arbeit, die ein anderweitiges Otium voraussetzte; es war ein bewußt unproduktives Werken, allem Geschäftigen diametral entgegengesetzt – es war Kunst und nicht Hand-Werk.

Ich möchte nun eine fundamentale Ambivalenz innerhalb dieser Kunst beleuchten. Die Hände, die sich auf der Klaviatur begegneten (und die die Umstehenden in ihren Begegnungen beobachteten), hatten auch an sich eine semantische Komponente – doch da sie ja nicht phlegmatisch ruhten, sondern vielmehr über die Klaviatur huschten, mußte diese Semantik sich auf ihr *Tun* beziehen, nicht jedoch auf ihr Produkt. Diese Hände schufen nichts, aber sie taten doch sehr viel, und die Bedeutungen, die sie zu transportieren vermochten, vermittelten sie in ihrer unproduktiven Bewegung. Die Ambivalenz hat damit zu tun, daß das unproduktive und das asexuelle (das *a*reproduktive) sich in diesem anatomischen Theater auf schwarzen und weißen Tasten nicht durchhalten läßt. Alle Augen (nur nicht die der Spieler selber) ruhen auf diesen Händen. Doch was sie sehen, ist eine mögliche Liaison; die Hermeneutik, die sich allein auf diese Szene beziehen kann, läßt diese Szene umkippen – aus dem unschuldigen Spiel wird unter dem (wie wir gesehen haben gesellschaftlich notwendigen) Blick der anderen ein Hochzeitstanz.

---

23 Max Nordau.,*Entartung, Band I*. Berlin: Carl Duncker, 1893, S. 28.

24 Otto Weininger, *Geschlecht und Charakter*. Wien und Leipzig: Braumüller, 1903, S. 54.

25 François Couperin, *L'art de toucher le clavecin/Die Kunst das Clavecin zu spielen*. Übersetzt von Anna Linde. Wiesbaden: Breitkopf & Härtel, 1961, S. 13.

Wir zitierten bereits August Strindbergs Aussage, er sei „mit einer Frau verheiratet gewesen, und [...] erinnere [sich] nicht, ihre Hand gesehen zu haben".[26] Die Vorstellung, der eigenen Frau auf die Hand zu schauen, um ihre „Geheimnisse" zu ergründen, scheint allerdings verbreitet gewesen zu sein. Und wenn die *Leipziger Musikzeitung* nahelegt, daß es die Hoffnung auf einen Ehepartner war, die Frauen in die Hausmusik trieb („erstens ist's Mode, zweitens ist's die bequeme Art [...] – wenn das Glück es will – eine [...] Partie zu machen" [27]), so zeigt sich, daß Strindberg mit seinem Verdacht nicht unrecht hatte: Das Klavierspiel der Frau sollte tatsächlich etwas kommunizieren, das Huschen der Hände über die Klaviatur sollte dem potentiellen Ehepartner etwas von ihrer „Natur" mitteilen. Die Hände auf der Klaviatur plusterten sich für eben den Blick auf, den der kleine Carl Czerny auf die Hände Beethovens richtet.

Diese Beobachtungstechniken nehmen gewissermaßen die fotografische Technologie voraus – der Blick, den sie erfordern, ist bereits der einer Kamera. Hier wird der Körper fragmentiert, das Detail autonomisiert.[28] Joëlle Bollock spricht von diesem Effekt als fotografischer „Synekdoche", also einem *pars pro toto*.[29] Es nimmt also einerseits nicht Wunder, daß, sofort nach ihrer Erfindung, die Kamera diesen Blick stützen und stabilisieren sollte, indem sie das Objekt anhielt, messbar und kommensurabel machte. Andererseits blieb aber die Antwort auf die Frage, was genau diese neue Form der Dokumentation eigentlich dokumentieren sollte, variabel: Einerseits nämlich interessierten sich die fotografischen Pioniere für Bewegungsabläufe und Gestik – der Amerikaner Eadweard Muybridge zum Beispiel versuchte, anhand der Fotografie das „visuelle Unbewußte" der menschlichen Handbewegung einzufangen: so zum Beispiel seine mittels mehrerer Kameras erstellte Bilderserie *Movement of the Hand Drawing a Circle* von 1887.[30] Andere frühe Fotografen dagegen interessierten sich für das Organ selber und abstrahierten vom Tun, in das die Hand jeweils eingebunden war. So schuf der Fotograf Jean-Louis Igout eine Art enzyklopädische Tafel der menschlichen Gestik, aber die Gesten sind jeweils eingefroren, aus dem Vollzug genommen [Abb. 2] – wie das gestische Vokabular in der Malerei korrespondiert je eine Haltung mit einer Bedeutung. Wie es zu dieser Haltung kommt, bleibt, anders als bei Muybridge, ausgespart. Igout benutzt hierfür ein lebendes Sujet, Adolphe Bilordeaux ging einen Schritt weiter und schuf ein Abbild des fixierten Abbilds: er fotografierte Gipsnachbildungen von Händen.[31]

---

26 Strindberg, *Das Buch der Liebe*, S. 132.

27 Zitiert in: Eduard Hanslick, *Geschichte des Concertwesens in Wien*. Wien: Braumüller, 1869, I, S. 67.

28 Ute Eskildsen (Hrsg.), *Der Fotografierte Mensch in Bildern der Fotografischen Sammlung im Museum Folkwang*. Göttingen: Steidl, 2004, S. 61–63.

29 Joëlle Bolloch, *The Hand*. Paris: Editions Musée d'Orsay, 2007, S. 7.

30 Siehe zum Beispiel: Jennifer Blessing (Hrsg.), *Speaking with Hands: Photographs from the Buhl Collection*. New York: Guggenheim Foundation, 2004, S. 23.

31 Bolloch, *The Hand*, S. 11.

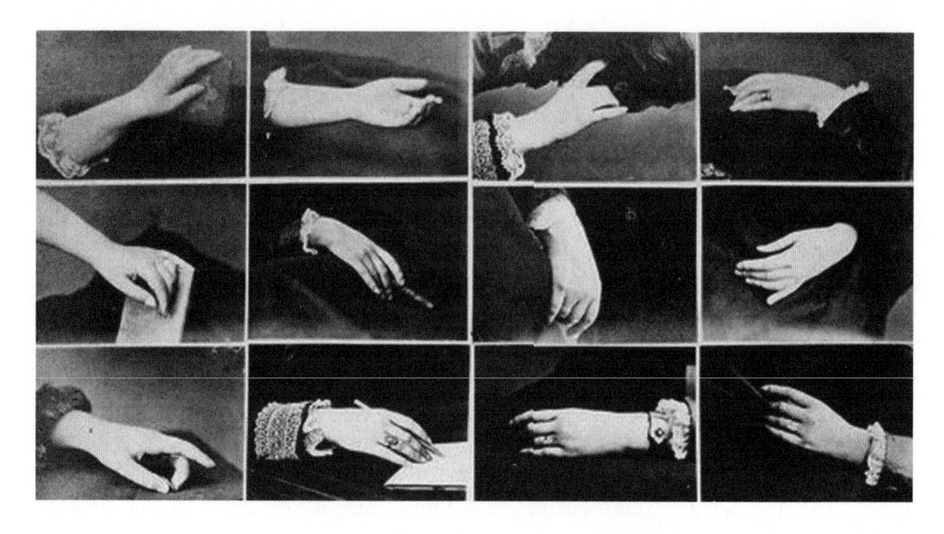

Abb. 2: Jean-Louis Igouts Handtafel (heute im Musée d'Orsay befindlich)

Doch man kann natürlich noch weiter abstrahieren: Die Hand konnte, von allen Spuren der Gestik gesäubert, dem Beobachter wie ein Schmetterling auf einer Stecknadel oder wie eine Zellkultur unter dem Mikroskop entgegentreten. Hier trafen sich im Bezug auf Hände zwei Traditionen, die sich für die Hand „an sich", also ihre Beschaffenheit jenseits aller Tätigkeit und Gestik, interessierten: Der Positivismus, der statistisch-quantitativ vorging, und die Physiognomik in der Tradition Lavaters, die beschreibend-qualitativ vorging. Beide Traditionen fanden in der Handkunde des neunzehnten Jahrhunderts ihren Niederschlag – ob man sich nun der Hand als statistischem Indiz oder als Andachtsobjekt näherte, die Faktoren, die man in der Hand lesen zu können glaubte, waren weitgehend identisch. Aus dem ersten dieser zwei ineinander verschlungenen Handkunde-Diskursen stammt Cesare Lombrosos *L'uomo delinquente* von 1876; aus dem zweiten stammen die nebenstehenden Fotografien aus einer „Sammlung von Handabbildungen grosser Toter und Lebender" von Rolf Voigt. Beide Formen der Handbeobachtung fußen auf einem Blick, der dem des jungen Czerny frappierend gleicht.

Wie sich nun zeigen wird, befördert das Klavierspiel generell und die Klavierpraxis des neunzehnten Jahrhunderts insbesondere eben eine solche Abstraktion der Hand von ihren lebensweltlichen Vollzügen. Was zunächst ins Auge sticht, ist die Tatsache, daß die Tabellen und Schemas, mit denen die Handinterpreten operieren, häufig unterschwellig an die vierhändige Szene erinnern, in einigen Fällen sogar klar von der Handhaltung am Klavier inspiriert scheinen. In den Grafiken aus Lombrosos Werken zum Beispiel werden der Umriss der menschlichen Hand sowie ihre Handlinien quantifiziert und typisiert. Die Handhaltungen gemahnen tatsächlich an vierhändige Klavierspieler, als säßen

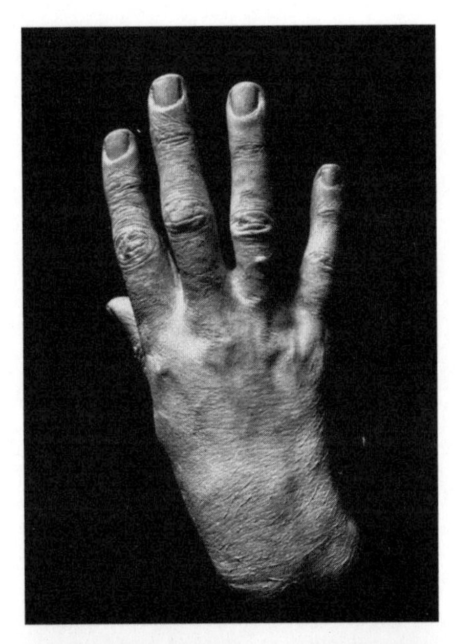

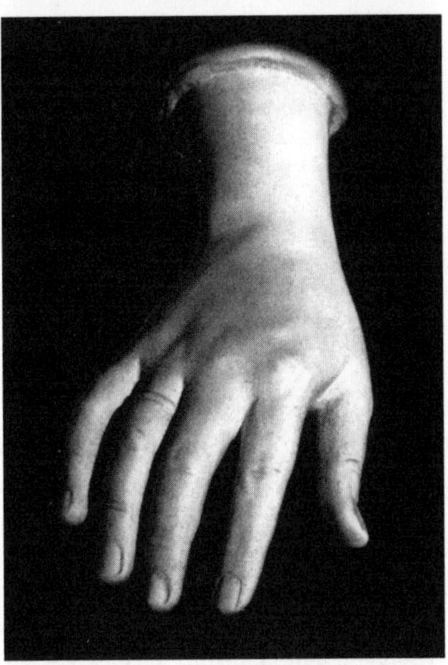

hier die verschiedenen von Lombroso durchnummerierten „Typen“ als Spieler mit lauter linken Händen an der Klaviatur. Allerdings geht es Lombroso natürlich auch um den Handteller – und somit ist die Perspektive von der des Klavierspiels doch ziemlich deutlich geschieden. Denn zumindest ein Aspekt, um den es ihm augenscheinlich geht (die Handlinien nämlich), wäre in einer Beobachtung zweier Klavierspieler notwendigerweise immer unsichtbar.

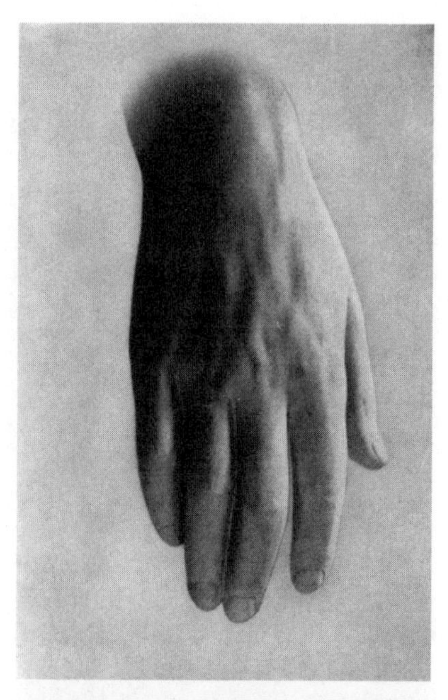

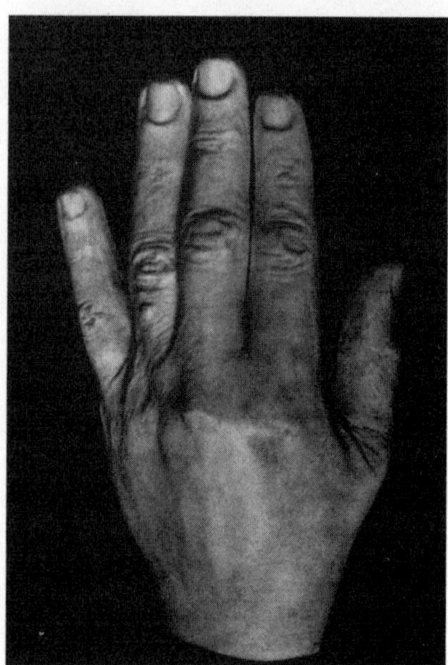

Abb. 3, 4, 5 und 6: Die Hände Franz Liszts, Clara Schumanns, Felix Mendelssohn-Bartholdys und Richard Wagners; Abbildungen aus dem Bildband *Hände – Eine Sammlung von Handabbildungen Grosser Toter und Lebender* von 1929.

Voigts Bildband *Hände* ist weitaus jünger als Lombrosos Werk – er stammt von 1929 und fällt somit eigentlich zeitlich außerhalb des von uns besprochenen Rahmens. Dennoch ist er insofern von Belang, als die im Band selber wiedergegebenen Handabbildungen zum Großteil noch aus dem neunzehnten Jahrhundert stammen – insbesondere aus der hier besprochenen Blütezeit des vierhändigen Klavierspiels. Das Gros der abgebildeten „große[n] Tote[n] und Lebende[n]" stammt aus den Jahrzehnten zwischen 1820 und der Wende zum neunzehnten Jahrhundert – das bedeutet also, daß, wenngleich Voigts Sammlung aus dem zwanzigsten Jahrhundert, die in ihm zusammengefaßten Bilder ursprünglich einem Interesse des neunzehnten entsprungen sein müssen. Denn was Voigt enzyklopädisch erfaßt, ist so im neunzehnten Jahrhundert festgehalten, abgebildet, fotografiert oder gezeichnet worden – und der Blick, den er paradigmatisch einfängt, kommt aus dem Jahrhundert, aus dem die Abbildungen seines Bildbandes stammen. Worin besteht nun dieser Blick?

Voigt versammelt Baumeister, Forscher, Schriftsteller, aber insbesondere Musiker – und die Art der Darstellung legt den Gedanken ans Klavierspiel nahe. Viele der Bilder, wie zum Beispiel die Abbildung der Hand Liszts [Abb. 3], der Hand Clara Schumanns [Abb. 4], Felix Mendelssohn-Bartholdys [Abb. 5] und Richard Wagners [Abb. 6] suggerieren eine Perspektive, die auch ein über die Klaviatur gebeugter Beobachter haben könnte. Bei anderen, man siehe zum Beispiel die Abbildung von Clara Schumanns Hand [Abb. 4], legt einerseits die Gestik der Hand Klavierspiel nahe, und simuliert andererseits die Aufsicht die unmögliche Perspektive des Klaviers selber. Der Betrachter wird gewissermaßen eingeladen, sich mit der Blickrichtung des Instruments zu identifizieren.

In jedem Fall ist die Aufsicht auf die Hand eine, die man auch an der Klaviatur haben könnte – und nicht nur die Hände der Musiker und Komponisten wirken, als habe man ihnen für die Aufnahme nur kurzzeitig die Klaviatur entzogen. Keines dieser Handbilder zeigt, wie zum Beispiel Lombrosos Tafeln, einen Handteller, oder eine geballte Hand. Stattdessen gleicht die Geste, in der die Hand angehalten wird, immer einem sehr energielosen Klavierspiel. Ebenso wie Lombroso geht es diesen Bildern also um das, was bei dem Physiognomen Casimir Stanislas d'Arpentigny „formes de la main" heißt, also die Proportionen, die Umrisse der menschlichen Hand. Anders als Lombroso, dessen Interesse auch Handlinien gegolten hatte, scheint die Art des Erkennens, auf die Voigts Buch setzt, am Handteller kein Interesse zu haben. Hier ist das, was an der Hand erkennbar und deutbar ist, und das, was man beim Klavierspiel an der Hand beobachten kann, also absolut identisch. Keine Handlinien, keine Fingerabdrücke – es geht einzig um das, was einer Obenaufsicht sich erschließt.

Doch umgekehrt gilt: Auch die Spieltechnik, die u.a. Czerny lehrt, biedert sich diesem Blick geradezu an. Wenn Czerny seiner Schülerin die angemessenen Handpositionen erklärt, könnte er ebensogut die Bilder in Voigts Fotoband beschreiben, oder ähnlicher Bände, die später im neunzehnten Jahrhundert Hände berühmter oder „typischer" Menschen direkt von oben gesehen abbildeten.

„Der Vorderarm, (vom Ellbogen bis zu den Fingern), muss eine ganz gerade horizontale Linie bilden; denn die Handgelenke dürfen weder einen Hügel aufwärts, noch eine Biegung abwärts machen."[32] Was im Bildband die Fotografie erledigt, nämlich das Objekt in der Zeit stillzustellen, es zum Exponat und Studienobjekt zu machen, das erledigt bei Czerny die Spieltechnik: Handteller und Arm haben ruhig zu bleiben, nur die Finger bewegen sich. Die Finger, so betont Czerny im zweiten Band seiner *Schule*, dürfen dabei weder über einander liegen, „kein Finger darf an den andern geklemmt werden"[33], noch sollten die Daumen auf den schwarzen Tasten zu liegen kommen, was ja das Handbild verzerren würde.[34] Sowohl Czerny als auch Hugo Riemann betonen die „Natürlichkeit" dieser Handhaltung. Dabei handelt es sich auch um maximale Sichtbarkeit, eine Perspektive vergleichbar mit der Oben-aufsicht der oben genannten Bildbände. So bemerkt Riemann zum Beispiel: „Ein sehr verbreiteter Fehler ist die Auswärtsneigung der Hände, das Umsinken derselben nach der Seite des kleinen Fingers; die Mittelfinger erhalten dadurch eine ganz schiefe Stellung, [...] und die Entfernung des Knöchels des zweiten Fingers vom Mittelgelenk des Daumens wird unnatürlich vergrössert."[35]

Wie Grete Wehmeyer gezeigt hat, wird in den Klavierschulen der Zeit eigentlich nur an der *Finger*bewegung gearbeitet, der Arm zum Beispiel bleibt vollständig unbedacht. Dies ist zum einen aus der Geschichte der Klaviermethodik erklärbar: Aus dem achtzehnten Jahrhundert kam eine vornehmlich partiturbezogene Klavierpraxis, in der Körper (Schulter, Arme und sogar Hände) stillgestellt wurden, während die (von Czerny vielbeschworene) „Fingerfertigkeit" die meiste Arbeit zu erledigen hatte. Diese Technik wich nur langsam einer virtuosen und anatomisch orientierten Praxis, in der Schultergürtel, Handgelenk, und Unterarm bei der Tonerzeugung maßgeblich beteiligt waren. Daß erstere Technik den Handteller und die Finger bei aller Bewegung vollständig exponierte (Clementi zum Beispiel hält die Nutzer seiner Etüden dazu an, sich eine Münze auf den Handrücken zu legen; Couperin schlägt zum selben Zweck einen auf die Knöchel gelegten Rohrstock vor[36]) und dadurch eminent lesbar machte, ist nur ein Vorteil – der neue Stil eines Liszt hatte, wie wir im nächsten Kapitel sehen werden, auch erotische Konnotationen, da der Körper beim Spiel einfach zu unruhig, zu präsent war. Wie die fotografierte Kreatur vorm Blitzlicht wird hier der Körper unterm Blick des Lehrers oder anderweitigen Beobachters stillgestellt.

---

32 Czerny, *Briefe über den Unterricht auf dem Pianoforte*, S. 4/5.

33 Hugo Riemann. *Vergleichende theoretisch-praktische Klavierschule*, op. 39, 1. Hamburg, 1890, S. 3.

34 Czerny, *Vollständige theoretisch-practische Pianoforte-Schule, Theil 2*. Wien: Diabelli, 1839, S. 4.

35 Riemann. *Vergleichende theoretisch-praktische Klavierschule*, S. 6.

36 Thomas Fielden. „The History of the Evolution of Pianoforte Technique". *Proceedings of the Musical Association* (1932), S. 39.

Wenn die Spieltechnik nicht ausreichte, um den Körper zu fixieren, dann wandte man sich an eine Reihe Technologien, die wir eher mit der Fotografie in Verbindung zu bringen geneigt sind – den sogenannten Handbildnern. Besonders extrem sind die Vorrichtungen, die Johann Bernhard Logier in seinem Massenunterricht einführte: Eine Schiene wurde an dem Klavier angebracht, an der das Handgelenk fixiert wurde. Die Finger wurden in separate Rillen eingeführt, was sie einerseits von einander fern hielt (und seitliches Anspielen der Tasten unmöglich machte), andererseits aber die Reichweite der Hand ungemein begrenzte.[37] Diese Extremsituation macht die Analogie zur Versuchsaufstellung besonders deutlich: wie Schmetterlinge auf der Stecknadel zappeln die Hände unter der Lupe des Klavierlehrers. Die Gewalt solcher Maschinen hat viel gemein mit der Gewalt, die Bataille an den Klammern, Schlaufen und Spangen aufzeigt, die in der frühen Fotografie benutzt (und auch gebraucht) wurden, um die zappelige Kreatur während der langen Belichtungszeit zu fixieren[38] – dieselbe Funktion hat sie allemal. „Bewegungslosigkeit war ein entscheidendes Kriterium für die fotografischen Sujets, und wo diese nicht selbstverständlich vorhanden war, wurde sie erzwungen."[39] Der Kopfhalter, zum Beispiel, war, schreibt Roland Barthes, „der Sockel der Statue, die ich werden sollte".[40]

Tatsächlich dienten viele der Attrappen, die uns heute in Fotografien des neunzehnten Jahrhunderts auffallen, ja ursprünglich nur der Tarnung der aufgrund der langen Belichtungszeiten notwendigen Stütz- und Fixierungssysteme.[41] Ein eben solches System war auch der Handbildner – und die Chopinhand auf der Anrichte war die Statue, die die Hand werden sollte. Für das Kameraauge soll sich der Körper selber herrichten, zur Schau stellen – ob nun im Fotostudio oder an der Klaviatur. Hier wie da geht es darum, durch Fixierung „der Masse Mensch eine vernünftige und für alle gleiche Form, gleichsam eine Uniform, aufzuzwingen."[42] (Daß diese bizarren Vorrichtungen auch eine gewisse Verwandtschaft zu den Erfindungen haben, die man im neunzehnten Jahrhundert gegen die kindliche Onanie ins Felde führte, wird uns im folgenden Kapitel beschäftigen.)

Nun sind Bewegungen des Arms und der Hand außerhalb der *five finger exercises*, die Logier seinen Eleven aufzwang, natürlich unausweichlich, insbesondere wenn es darum geht, in höhere oder tiefere Tonlagen vorzudringen. Doch

---

37 W. MacDonald Smith. „The Physiology of Pianoforte Playing, with a Practical Application of a New Theory". *Proceedings of the Musical Association* (1887), S. 50.

38 Rita Bischof, *Souveränität und Subversion: Georges Batailles Theorie der Moderne*. München: Matthes & Seitz, 1984.

39 Ute Eskildsen (Hrsg.), *Der Fotografierte Mensch in Bildern der Fotografischen Sammlung im Museum Folkwang*. Göttingen: Steidl, 2004, S. 10.

40 Roland Barthes, *Die helle Kammer: Bemerkungen zur Photographie*. Frankfurt: Suhrkamp 1985, S. 21f.

41 Joëlle Bolloch, *The Hand*. Paris: Editions Musée d'Orsay, 2007, S. 8.

42 Bischof, *Souveränität und Subversion*, S. 88.

genau hier eröffnet das vierhändige Spiel eine neue Perspektive: Zwei Handpaare sind beschränkt auf ihre je eigene Hälfte; sie müssen sich nicht zu weit bewegen und sind daher in ihrem Freigehege bei langsamem Spiel durchaus gut zu verfolgen. Wie wir im vorigen Kapitel sahen, sind die zwei Handpaare, je nach Stimme, bei ganz unterschiedlichen Aktivitäten zu beobachten: die Kompositionspraxis bringt also die Möglichkeit ins Spiel, daß Primo und Secondo *verschiedene* Aspekte der Hand zur Schau stellen sollten. Der Primo, der normalerweise die Melodie übernimmt, bewegt die Hand mehr; der Secondo, dessen Part häufig akkordlastig ist, hat dagegen Gelegenheit, die Spannweite seiner Hand zu demonstrieren. Dies läßt sich an der Barcarole in Rachmaninows *Six Morceaux* von 1894 besonders gut beobachten. Denn im Mittelteil des Stücks spielt der Primo ein lyrisches Thema, während der Secondo mit geradezu brachialen Akkorden begleitet, die extreme Reichweite und Handspanne erfordern. Die Primostimme dagegen besteht fast ausschließlich aus feingemaschtem Arpeggio, das der Hand große Grazie und Feinfühligkeit, nicht aber Spannweite oder Muskelkraft abverlangt.

Dies ist zwar ein eher spezifisches Beispiel (und derart grundverschiedene Aufgaben für die zwei Spieler sind eher selten, bei Bearbeitungen sogar sehr selten), doch was hier wichtig ist, ist wiederum der *Blick*, der von Rachmaninows Barcarole herausgefordert wird. Denn der Vergleich, den das Stück suggeriert, ja forciert, zeigt, daß die Handbetrachtung im vierhändigen Spiel auch *stereoskopisch* ist: Die Länge der Finger, die Positionen der Knöchel, die Verhältnisse der einzelnen Glieder, die Behaarung und die Fingerspitzen sind nicht nur gut zu erkennen, sie sind auch umso leichter zu *vergleichen*. Insofern ist es den physiognomischen Alben, den Handtabellen Lombrosos und den Handbildbänden tatsächlich nicht unähnlich: Auch diese beziehen ihre „Evidenz",[43] ihren angeblichen Belegcharakter (Skeptiker würden sagen: ihre Suggestionskraft) fast ausschließlich aus der Gegenüberstellung und aus der Aneinander-reihung: Hier eine Dirigentenhand, dort eine Schriftstellerhand; hier eine Pianistenhand, dort eine Bauernhand; hier die Hand Goethes, dort die Hand eines Wahnsinnigen.

Denn ein Buch wie das von Voigt sammelt Handfotografien nicht nur als reine Indizes – es wird auch immer an diesen Händen gedeutet. Tatsächlich hat Voigts Bildband einen ausführlichen Anhang, in dem nicht nur die Besitzer der hier abgebildeten Hände etwas genauer vorgestellt werden, sondern in dem auch immer wieder die Brücke zwischen Hand und individueller Biografie geschlagen wird. Dabei ist es bezeichnend, welche biografischen Daten uns geliefert werden: Wann und wie die Aufnahme entstanden ist (ob sie zum Beispiel von einem Abguß stammt oder am lebenden Objekt vorgenommen wurde), welchem Lebensalter sie entstammt und dergleichen erfahren wir nicht; vielmehr verbindet der Text hier die verdinglichte und abstrahierte Hand einerseits mit dem verdinglichten und hypostasierten Geniebegriff – die hier versammelten Hände

---

[43] Carlo Ginzburg. *Spurensicherung: Die Wissenschaft auf der Suche nach sich selbst*. Wagenbach, 2002.

interessieren nur als Ausdruck von Typen („der Komponist", „der Schriftsteller", oder „der Pianist"), nicht aber als Dokumente eines Individuums, eines bestimmten Alters oder einer bestimmten lebensweltlichen Situation.

Was macht den Charakter eines solchermaßen geschulten Blickes aus? Anders als die traditionelle Handlesekunst (Chiromantie), die die Handlinien (also die Handfläche) als analog zu kosmischen Zusammenhängen deutete, will die bürgerliche Handinterpretation immer auf die Hand als „thätiges Organ" (Hegel) hinaus.[44] Doch das *Produkt* der Hand, ihr Ausgeführt-Haben muß immer, um mit Hegel zu sprechen, abstrakt bleiben. Solche Analyse versucht, die Essenz der Hand in der reinen, produktlosen Aktivität, also Mobilität, zu lokalisieren. Diese neue Handlesekunst, die die Hand als biologischen Indikator statt als kosmisches Analogon deutete, hieß *Chirognomie*.[45] Chirognomie ist bewußt keine Hand-*Ästhetik*: „Auch sollte", schreibt ein Handbegeisterter noch in den 20er Jahren, „die Hand nicht allein Gegenstand ästhetischer oder kosmetischer Interessen sein",[46] sondern vielmehr vor allem Gegenstand wissenschaftlicher Erkenntnis. Und nicht die äußere Natur, der Kosmos, sollte in der Hand erspäht werden, sondern die Natur des Individuums sollte wissenschaftlich erfaßt und beurteilt werden.

Die zwei Klassiker der Chirognomie im neunzehnten Jahrhundert waren Casimir Stanislas d'Arpentignys *La Chirognomie ou l'art de reconnaître les tendences de l'intelligence d'après les formes de la main* (1843) sowie Carl Gustav Carus' *Symbolik der menschlichen Gestalt* (1853). Programmatisch ist bereits d'Arpentignys Titel: Anstatt sich mit Handlinien zu beschäftigen, geht es der Chirognomie um „les *formes* de la main" – was bedeutet, daß die Aufmerksamkeit sich vom Handteller auf die Finger und von der Handoberfläche auf die Form verlagert. Insbesondere der Daumen erregt vermehrtes Interesse: Er ist das spezifisch Menschliche an der menschlichen Hand – und je ausgeprägter der Daumen, desto ausgeprägter die Menschlichkeit seines Besitzers (bei Carus an Liebesfähigkeit und Wollen festgemacht). Ist das erste Glied des Daumens stärker ausgeprägt (d.h. länger), deutet dies auf eine energetische Natur hin, ist das zweite Glied stärker ausgeprägt, ist auf große logische Befähigung zu schließen. Bei den anderen Fingern wird zwischen glatten und knotigen unterschieden – erstere sind „kindgleich" (und alle Kinder haben zunächst glatte Finger) und verraten Phantasie und Spontaneität; die Knoten, die sich beim Erwachsenen ausbilden, deuten auf Ordnungssinn und philosophische Befähigung hin.[47]

---

[44] G.W.F. Hegel, *Die Phänomenologie des Geistes*. Berlin: Duncker und Humblot, 1841, S. 228.

[45] Für eine zeitgenössische Behandlung siehe auch: Jules Gautier, *Chiromancie et Chirognomie*. Paris, 1885.

[46] Rolf Voigt, „Einführung in die Handkunde". In *Hände. Eine Sammlung von Handabbildungen Grosser Toter und Lebender*. Hamburg: Enoch, 1929, S. 23.

[47] Richard Gray, *About Face – German Physiognomic Thought from Lavater to Auschwitz*. Detroit: Wayne State University Press, 2004, 113–137, 151–157.

Auch Czernys *Briefe* betreiben eine Art Chirognomie: Natürlich geht es ihm nicht um Bedeutungen (Ordnungssinn, philosophische Befähigung, etc.), wohl aber um eine besondere Art Sichtbarkeit. „Der wichtigste Finger ist der *Daumen*, und er darf niemahls ausserhalb der Tastatur herabhängen, sondern er muss stets *über* den Tasten dergestalt gehalten werden, dass seine Spitze ein klein wenig über den vordern Untertasten schwebe, und eben so anschlage."[48] Czerny malt gewisserweise das Bild einer Hand für uns, das die Fotobände später im neunzehnten Jahrhundert fotografisch festhalten werden: Die Finger ausgestreckt, der Daumen beinahe im Profil. „Der Daumen schlägt die Taste stets mit seiner äussern schmalen Fläche an, und wird dabey nur sehr wenig eingebogen."[49] Während die anderen vier Finger in Aufsicht präsentiert werden, was die Diagnose „glatter" oder „knotiger" Finger erleichtert, muß der Daumen sein Profil zeigen, erstes und zweites Glied bestens sichtbar.

Auch Hugo Riemanns *Vergleichende theoretisch-praktische Klavierschule* von 1890 weist dem Daumen eine ähnliche Haltung zu. Fehler in der Daumenhaltung entspringen, Riemann zufolge, einer natürlich „falschen" Haltung und Bewegung des Fingers – das Klavierspiel entspricht also gewissermaßen mehr der „Natur" des Organs als die alltägliche Haltung desselben! (Dasselbe Axiom ist übrigens die Basis der modernen Pferdezüchtung und -dressur.) „Besondere Sorgfalt verlangt die Haltung des Daumens. Bei vielen Klavierspielern bewegt sich derselbe unschön und steif; die Ursache ist eine von Haus aus falsche Stellung und eine falsche Bewegung des Fingers."[50] Überhaupt scheinen sich nur zwei Gruppen so obsessiv mit der Anatomie der Hand zu beschäftigen: Die Chirognomen und Physiologen einerseits, und die Klavierlehrer andererseits. Hugo Riemann beschreibt die Position der Hand auf dem Klavier wie folgt: „Der dritte Finger und seine auf dem Handrücken bemerkliche Sehne müssen der Richtung der Taste parallel stehen, während die übrigen Finger unbedeutend nach beiden Seiten abweichen." [51]

Die Fingerspitzen teilt die Chirognomie in vier Gruppen ein: erstens „spitze" (also krallenartig-tierische), zweitens „konische" (der sogenannte „Engelsfinger"[52]), drittens und viertens „eckige" und „spatelartige", welche auf praktisch-materielle Gesinnung hinweisen. Je länger die Fingernägel sind, desto schwächer die Konstitution – allerdings weisen kleine Fingernägel auf Nähe zum Tierreich hin. Insgesamt gilt: je kürzer der Finger, desto dümmer, aber auch kühner die Person. Ist der vierte Finger länger als der Zeigefinger, tendiert der Mensch zum Materialismus und zur Energie, stehen die Dinge umgekehrt, hat der Mensch guten Geschmack und tendiert zur Kunst. Aufgrund solcher Merkmale unterscheidet Carus vier Haupttypen der menschlichen Hand: die elemen-

---

48 Czerny, *Briefe über den Unterricht auf dem Pianoforte*, S. 6.

49 Czerny, *Briefe über den Unterricht auf dem Pianoforte*, S. 5.

50 Riemann, *Vergleichende theoretisch-praktische Klavierschule*, S. 10/11.

51 Riemann, *Vergleichende theoretisch-praktische Klavierschule*, S. 5/6.

52 Voigt, „Einführung in die Handkunde", S. 11.

tare Hand, die motorische Hand, die sensible Hand und die seelische Hand.[53] Dieser Art Handdiagnose kam die Spieltechnik, die Tausenden von Klavierspielern im neunzehnten Jahrhundert eingetrichtert wurde, vollends entgegen: „Die Finger werden dergestalt gebogen, dass deren Spitzen mit dem ausgestreckten Daumen eine Linie bilden, und die Tasten werden stets mit der *weichen* Fingerspitze angeschlagen, so dass weder der Nagel noch die ausgestreckte Fläche des Fingers die Taste berühren darf.“[54] Fingernagel und Spitze, Gelenk und Knöchel sind somit wie auf einem Präsentierteller (oder wie in einem Foto) ausgestreckt und werden der Begutachtung preisgegeben.

Die Binärkodierungen, mit denen diese Semiotik operiert, lassen sich sämtlich auf die im dritten Kapitel behandelten Sphären, nämlich die häuslich-weibliche und die öffentlich-männliche reduzieren: Härte/Weichheit, Aktivität/Passivität, Vernunft/Gefühl. Der Handmystiker Adolphe Desbarolles behauptet zum Beispiel, „daß die weiche Hand mehr zur Trägheit neige, aber gewissermaßen mit Spannung geladen wäre und Beziehung zur anderen Welt verriete, wohingegen die harte Hand ein Beweis von Aktivität sei. Die zu harte Hand weise dagegen auf eine gewisse Einfalt und Schwerfälligkeit hin.“[55] Dies zeigt sich noch in den weitaus späteren Interpretationen in Voigts Bildband, denn auch dort werden die Hände großer Musiker nach eben diesem Schema gedeutet. So lesen wir über Richard Wagners Hand: „Seine Hand ist voller Wucht, nicht durch tastendes Suchen die Natur aufspürend, sondern sie durch eigene Kraft zum Formen der Natur bestimmt.“[56] Über Felix Mendelssohn-Bartholdy hingegen erfahren wir, daß seine Hand „einer Frau zur Zierde gereichen“ könnte.[57]

Darüber hinaus jedoch vollzieht die Chirognomie auch das Unbehagen an dieser Dichotomie: Egal welche Qualität sich an einer Hand festmachen lässt, Carus' Chiromantie interpretiert sie fast zwanghaft nach einem Muster, das, wie wir gezeigt haben, für die Bourgeoisie immer auch disziplinäre Züge hatte. Dabei drückt sich die doppelte Angst vor dem zu Verweichlicht-Jenseitigen (Dekadenz) einerseits und dem zu „Harten“, Diesseitigen (Philistertum) andererseits aus, zwischen denen zu vermitteln unter anderem die Rolle des Salonmusizierens war (siehe Kapitel 3). Mit anderen Worten: mit derselben Sorge, mit der der pater familias auf den musizierenden Nachwuchs blickte, sah er auch auf dessen Hände, ob sich dort nicht doch eine übergroße Hingezogenheit zu dieser oder „zur anderen Welt“ äußere.

---

[53] Carl Gustav Carus, *Symbolik der menschlichen Gestalt: Ein Handbuch zur Menschenkenntnis*. 2. Auflage. Leipzig: Brockhaus, 1858, S. 303–316.

[54] Czerny, *Briefe über den Unterricht auf dem Pianoforte*, S. 4.

[55] Voigt, „Einführung in die Handkunde“, S. 13.

[56] Voigt, „Einführung in die Handkunde“, S. 8.

[57] Voigt, „Einführung in die Handkunde“, S. 7.

Diese Art der Betrachtung (re)literalisiert die Metapher der „Bildung" – hier ist nicht mehr eine geistige Formung mit einer körperlichen Ausbildung *verglichen*, sondern mit ihr *gleichgesetzt*. Wenn Carus den Anspruch der Chirognomie als eine Iteration des Imperativs „erkenne dich selbst"[58] bezeichnet, zeigt sich bereits, inwieweit in diesem Diskurs die Differenz zwischen Charakter und Physis konstitutiv verdrängt werden muß. Der Bürger soll, um sich und andere zu kennen, sich oder dem anderen nur auf die Hände schauen. Dies tat man dann auch zur Genüge: Insbesondere nach der Popularisierung der Fotografie waren der Hand gewidmete Bildbände wie Voigts überall zu haben. Diese umfaßten ebenso berühmte Hände wie Hände verschiedener Rassen, Alter, Stände und Metiers. Im Atavismusdiskurs, der im Naturalismus Eingang in die Literatur fand (so zum Beispiel Zolas *Rougon Macquart*[59]), wird die Beschreibung des Gesichts, der Hand und ihrer Bewegungen zur Diagnose von genetisch subhumanen Erbelementen.[60] Und noch Marcel Prousts Charlus verrät sich vor allem durch die Bewegung seiner Hände und den Klang seiner Stimme als Mitglied der *race maudite* oder *race des tantes*.[61]

Ob diese Theorien unter Musikern oder Komponisten viele Anhänger hatten, ist fraglich – Glaube an diese Ideen war wahrscheinlich eher unter den Konsumenten vierhändiger Musik verbreitet. Allerdings scheint sich Charles Gounod, selber Komponist einer Vielzahl von vierhändigen Stücken[62] (sofern sie nicht vom jungen Georges Bizet für vier Hände bearbeitet wurden), für Desbarolles, einen der Pioniere der Chirognomie, interessiert zu haben. Die britische Musikerin und Exzentrikerin Georgina Weldon erzählt in ihrer Autobiografie, daß Gounod sie zu einer Audienz bei Desbarolles mitnahm, von dessen Diagnostik sie sich ebenfalls überaus beeindruckt zeigte.[63] Die Gebrüder Edmond und Jules de Goncourt beschreiben in ihrem eigenen „vierhändigen" Tagebuch (*journal à quatre mains*) einen Besuch beim Ehepaar Desbarolles im Januar 1864:

> On reconnaît le ménage de la chiromancie, le ménage Desbarolles. Tous deux vous prennent la main, la tripotent, la retournent, vous plongent le regard dans les yeux. Quelque chose de particulier se passe en vous: on se sent de la gêne comme devant l'inconnu dans lequel on va entrer, et si peu

[58] Carl Gustav Carus, *Psyche*. Pforzheim: Flammer und Hoffmann, 1846, S. 348.

[59] Paradigmatisch stellt Zola diese Ideen in seiner Vorrede zu *La Fortune des Rougon* vor (Émile Zola, *La Fortune des Rougon*. Paris: Charpentier, 1875, S. 1–2.

[60] Daniel Pick, *Degeneration: A European Disorder, 1848–1918*. New York: Cambridge University Press, 1989, S. 37ff.

[61] Eve Kosofsky Sedgwick, „Tales of the Avunculate". In *Tendencies*. Durham, NC: Duke University Press, 1993, S. 59.

[62] In der zur Diskussion stehenden Periode u.a.: *Ouverture de Cinq-Mars pour piano à 4 mains* (1877), *Saltarelle pour piano à 4 mains* (1878), *La Nacelle, la Rosiere, le Page – Trois petits morceaux faciles à 4 mains* (1881).

[63] Georgina Weldon, *My Orphanage and Gounod in England*. London: The Music and Art Association, 1882, S. 175.

> que l'on croie à la bonne aventure, il y a une sorte d'appréhension de se trouver sur la sellette de son avenir. Et puis la mise en scène est bien faite. Rien de trop théâtral. L'homme en habit noir, et seulement, pur accessoires, deux grandes loupes carrées, que le mari et la femme tiennent en main [...]. Desbarolles s'est mis à me conter, ce que ma main lui disait. Il parle doucement, lentement, par petites phrases qui font entrer, à petits coups, la chose dite. Et cela, il le fait en consultant sa femme qui lui souffle par-ci par-là [...]. Desbarolles m'a trouvé le sens de la musique! Diable! Diable! ... Il s'est rattrapé en me découvrant une nature de femme très nerveuse, sujette à de fréquentes néuralgies, puis le sens de la forme et une assez belle ligne de vie.[64]

> Mit Leichtigkeit erkennt man in diesem seltsamen Paar die Chiromanten Desbarolles wieder. Sie nehmen deine Hand, ziehen daran herum, und drehen sie um; sie sehen dir direkt in die Augen. Du hast ein seltsames Gefühl [...], daß du eine unbekannte Region betrittst. Egal wie skeptisch der Wahrsagerei gegenüberstehts, du fühlst dennoch Unruhe, wenn du sozusagen, an der Schwelle deiner Zukunft stehst. Und darüberhinaus ist die *mise en scène* erstklassig; das Ganze hat nichts theatralisches, einfach ein Mann in einem schwarzen Mantel, die einzigen Hilfsmittel sind zwei große Vergrößerungsgläser, welche sowohl Gattin als auch Gatte in Händen halten [...]. Desbarolles hob an, mir zu sagen, was er in meiner Hand gelesen hatte. [...] Er konferierte ständig mit seiner Frau, die hier und da ein Ding einwarf. [...] Desbarolles erklärte, daß ich musisch sei, machte diesen Fehler aber wett, indem er mir dann erklärte, ich habe das Temperament einer nervösen Frau, des Öfteren heimgesucht von Neuralgie, aber voll des Formgefühls.[65]

Was Claudia Schmölders als die „physiognomische Dressur“[66] in bürgerlichen Kreisen bezeichnet hat, galt also auch für Hände: dem Bürger wurde beigebracht, sich und anderen auf die Hände zu sehen. Und er tat dies nicht nur zur Selbsterkenntnis, sondern eben auch immer im Hinblick auf Erbmaterial, auf „Bildung“ im physiologischen Sinn, der Inspektion in der Tierzucht nicht unähnlich. Im Erbmaterial sollte sich *die* Aristokratie erweisen, die den Eltern *eo ipso* abging. Die Hand ist also nicht nur in ihrer Oberfläche ein soziales Statussymbol, auch ihre Form verleiht ihrem Besitzer eine rassische Vornehmheit – daß dabei gerade die Länge der Finger, die Ausgeprägtheit des Daumens und die Länge des Handtellers als vornehm angesehen wurden, läßt die hektisch über die Klaviatur huschenden Hände in einem ganz neuen Licht erscheinen. Häufig berichten Zeitgenossen noch heute geknickt, daß ihre Hände eigentlich für das Klavier die

---

[64] Edmond und Jules de Goncourt, *Journal des Goncourt – Deuxième Volume, 1862–1865*. Paris: Charpentier, 1888, S. 175.

[65] 3. Januar, 1865; Edmond und Jules Goncourt. *Journal des Goncourt*. Paris: H. Champion, 2004.

[66] Claudia Schmölders. *Hitlers Gesicht – Eine physiognomische Biografie*. München: Beck, 1999, S. 196.

falschen seien – der Adelsbrief der richtigen Hand wird wahrscheinlich (wenn auch unbewußt) auch im frühen einundzwanzigsten Jahrhundert noch auf Klavierabenden zelebriert.

Das neunzehnte Jahrhundert sieht in der Hand also sowohl ein sozioökonomisches als auch ein rassisch-erbliches Gütesiegel. Sie verleiht einen *Erb*-Adel. Doch (ver)erben und (re)produzieren hängen zusammen. Die sexuelle Dimension, die den (unter der *surveillance* der Umstehenden) an der Klaviatur werkenden Händen eigentlich fehlen sollte, schleicht sich als vergangene (in der Gestalt der Abstammung) und als zukünftige (in der Gestalt des in diesen Händen ausgedrückten Erbmaterials) wieder ein – und sie schleicht sich ein, gerade *weil* die Hand nach diesen Kriterien überwacht wird, und nicht anders. Ähnlich wie der Blick des pater familias nicht sehen durfte, was doch da sein mußte, schaffte diese Art Überwachung die neptunische Dimension, die sie eigentlich austreiben sollte. Indem die Hand von ihrer Produktivität subtrahiert und nur als Vollzug hypostasiert betrachtet wurde, schlich sich die sexuelle *re*produktive Dimension in ihr Spiel ein. Und gerade hier macht sich die implizite Stereoskopie des chirognomischen Blicks bemerkbar: Es geht ihm immer um den Vergleich, und gerade zwei Handpaare auf der Klaviatur bieten sich ihm dar, wie zwei Bilder aus Voigts Photoband. Es ist dieser Blick, der die beiden Paar Hände auf mögliche Kompatibilität untersucht; und es ist dieser Blick, der die beiden Spieler als für einander bestimmt interpretiert, als *gametes* (γαμετης).

Paul Heyses Novelle „Moralische Unmöglichkeiten“ (1903) stellt eben diesen Blick dar: Hier wird Harmonie auf der Klaviatur in sexuelle Kompatibilität umgedeutet. Zwar werden nicht die Hände selber auf Harmonie untersucht, sondern ihr Spiel, doch wie dynastisch sich das Vierhändigspiel deuten ließ, zeigt sich in diesem Beispiel äußerst klar. Tante Leopoldine will den Neffen Achim mit der jungen Agnes verkuppeln.

> Sofort spann die Alte einen feinen Plan, den halb und halb entlobten trauernden Neffen durch eine neue Liebe ins Leben zurückzuführen. Sie vertraute dabei auf das musikalische Talent der jungen Vetterntochter, das in der Stadt durch eine gute Lehrerin weiter ausgebildet werden sollte. Auch war Achim arglos und gutmütig genug, sich für das Klavierspiel der blonden Agnes zu interessieren, und, da sie rasche Fortschritte machte, sogar einen Abend vierhändig mit ihr zu spielen. Als aber Tante Leopoldine unvorsichtig genug war, eine anzügliche Bemerkung darüber zu machen, wie harmonisch die vier Hände sich ineinander fügten, erkannte er, in welches Netz er verstrickt werden sollte und blieb von da an unter allerlei Vorwänden weg.[67]

Die „Harmonie“, mit der sich die Hände „ineinander fügen“ hat es durchaus mit d'Arpentignys „formes de la main“ zu tun: Hier wird Kompatibilität geometrisiert; Formen passen ineinander, vom Visuellen kann aufs Biologische geschlos-

[67] Paul Heyse, „Moralische Unmöglichkeiten – Novelle“. In *Westermanns Illustrierte Deutsche Monatshefte*, Band XCIII, Heft 558 (März 1903), S. 781.

sen werden. Hier ist also der physiognomische Blick auf die vierhändige Szenerie angedeutet, obgleich er sich nicht an den Kategorien der Chirognomie orientiert.

Vergegenwärtigen wir uns noch einmal die Szene: zwei Menschen über dieselbe Tastatur gebeugt, den Blick fest auf die Partitur geheftet; um sie herum Menschen, denen sich der Handraum abwechselnd verschließt und eröffnet – alle ihre Augen sind auf die Hände, nicht auf die Partitur gerichtet (möglicherweise können sie gar nicht Noten lesen, oder vielleicht kennen sie das Stück selber auswendig). Die Klavierspieler blicken fast verschämt nach vorne und präsentieren (besonders in den langsameren Sätzen) ihre Hände den anderen zur Inspektion. Wie weit können diese Hände greifen? Ist der Daumen vielleicht zu kurz, um dem kleinen Finger das Spielen besonders tiefer oder hoher Noten zu erlauben? Welcher der beiden Spieler ist besser für die Primo-, welcher für die Secondostimme geeignet (im Englischen, *honi soit qui mal y pense*, „top" und „bottom" benannt)? So bemerkt auch Cone: „Jeder [Spieler] muß weit mehr von seiner Individualität aufgeben, als das in einem normalen Ensemble der Fall wäre, denn Vierhändigspielen ist Ehe eher denn Freundschaft" („Each [player] must sacrifice more of his individuality than in a normal ensemble, for four-hand playing is a marriage rather than a mere friendship") – eine Ehe im Auge des Betrachters.

Daß die sozio-ökonomische Geschlechterteilung (die wiederum die Handsemantik der Chirognomie bestimmt) und die diffusen Erblehren des ausgehenden neunzehnten Jahrhunderts tatsächlich in gewissen Kreisen nicht zwei verschiedene, sondern ein einziger Aspekt waren, belegt Max Nordaus Klassiker *Entartung* von 1892/93. Nordau diagnostiziert eine „Volkskrankheit", eine „Pest von Entartung und Hysterie".[68] In der libidinös-lasziven neuen Kunst (Nordau meinte vor allem Wagner), sinke die Jugend, indem sie sich der „schamlosen Sinnlichkeit"[69] dieser Werke ausliefere, „körperlich bis zur Stufe der Fische, ja der Gliedertiere und selbst der geschlechtlich noch nicht differenzierten Wurzelfüßler hinab".[70] Hier ist also die Feminisierung der „Jugend" durch die Sinnlichkeit der Kunst mit einem Verrat am eigenen Erbmaterial, an der eigenen Anlage gleichgesetzt. Dabei sinken die so „entarteten" tatsächlich so weit im Stammbaum des Menschen, daß sie am Schluß geschlechtlich nicht mehr differenziert sind. Die Sinnlichkeit der Musik bringt also nicht zwei Menschen einander näher, sondern verwandelt die beiden sozusagen in eine gallertartige reine Libido. Dies ist im Grunde genommen, positiv gewendet, das Versprechen des vierhändigen Klavierspiels.

In der Literatur haben die deterministischen Vererbungslehren des neunzehnten Jahrhunderts vor allem im Naturalismus ihren Niederschlag gefunden.[71]

68 Nordau, *Entartung*, Band I, S. 469.

69 Nordau, *Entartung*, Band II, S. 281.

70 Nordau, *Entartung*, Band I, S. 500.

71 Man kann im Bezug auf den Naturalismus von einem Nachleben der Standesklausel sprechen – damit ist gemeint, daß die Tatsache, daß neue Schichten literarisch repräsentiert werden konnten, einerseits und die Tatsache, daß Sexualität, Körperlichkeit und Krankheit

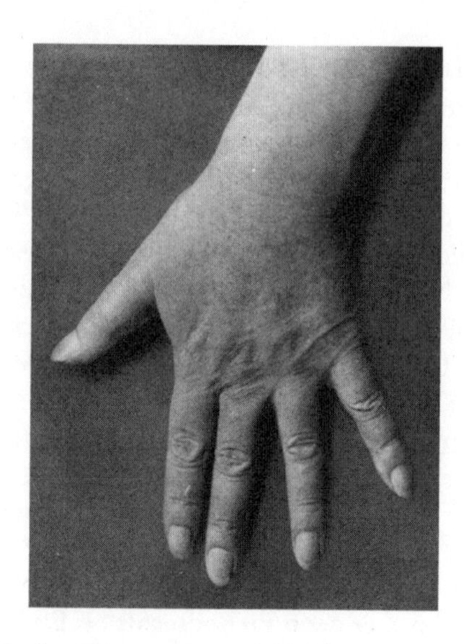

Abb. 7: „Dichter (Gerhart Hauptmann)"; Abbildung aus dem Bildband *Hände – Eine Sammlung von Handabbildungen Grosser Toter und Lebender* von 1929

Und wir haben bereits darauf hingewiesen, daß bei den Autoren aus dem Umfeld des Naturalismus das vierhändige Klavierspiel ein häufiges Motiv ist – wir erwähnten vor allem August Strindberg, doch auch in einem Text Gerhart Hauptmanns gibt es eine Szene, in der das Vierhändigspiel eine zentrale Rolle spielt. Und obwohl Hauptmann den oben genannten Denkern äußerst kritisch gegenüberstand – im Tagebuch nennt er Nordau einen „jämmerlichen Schachtelmacher und Nachtreter"[72] und „Verwurster Lombrososchen Füllsels"[73] –, steht die fragliche Szene klar im Schatten der familiären Erblehren der Zeit.

Denn obgleich der biologische Determinusmus des jungen Hauptmann sich an diagnostischen Schilderungen von Gesichtern, Augen und Körperhaltungen und nicht an Händen festmacht (so sind beim einen „die Augen zeitweilig wie erstorben, zuweilen lackartig glänzend, vagirender Blick",[74] beim andern heißt es: „seine Augen liegen tief und leuchten zuweilen krankhaft"[75]), ist die Frage des

---

ganz anders dargestellt wurden, andererseits gekoppelt sind. Um Krankheit, Verwahrlosung und körperliche Gewalt drastisch darstellen zu können, mußte das Bürgerhaus verlassen werden. Das bedeutet natürlich nicht, daß Bürgerfamilien nicht Thema naturalistischer Darstellungen sein konnten, es bedeutete aber, daß sie nicht so dargestellt werden konnten wie zum Beispiel die Familie eines *Bahnwärter Thiel*. Vielmehr mußte dort der Körper, der Sex, die Krankheit verklausiert werden – und genau hier spielt das Klavier, und insbesondere das vierhändige Klavier, eine nicht unbeträchtliche Rolle.

[72] Gerhart Hauptmann, *Tagebuch: 1892 bis 1894*. Berlin: Propyläen, 1985, S. 70.

[73] Hauptmann, *Tagebuch*, S. 88.

[74] Gerhart Hauptmann, *Das Friedensfest: Eine Familienkatastrophe.* Berlin: S. Fischer, 1904, S. 24.

[75] Hauptmann, *Friedensfest*, S. 29.

Erbes, der Erbschuld und des Erbmaterials eng verknüpft mit der vierhändigen Szene am Klavier. Und daß Hauptmann sich sehr wohl dessen bewußt war, was seine Zeitgenossen gerade an der Hand abzulesen glaubten, zeigt die Tatsache, daß in Voigts Buch über *Hände* auch eine Abbildung der Hauptmannschen Hand zu finden ist [Abb. 7]. Da das Buch 1929 erschien, stammt diese Abbildung vom lebenden Hauptmann und wurde nicht etwa einer Plastik oder dem Toten abgenommen.

Das Friedensfest: Eine Familienkatastrophe spielt an Weihnachten, in einem Landhaus in Erkner bei Berlin. Die „handelnden Menschen" (in Hauptmanns Idiom) bestehen vornehmlich aus der vollständig zerrütteten Familie Scholz (inklusive eines Hausknechts), sowie ihren Gästen – Ida Buchner, die Verlobte des jüngsten Sohnes der Familie Scholz, nebst ihrer Mutter Marie. Vor den Augen der einigermaßen naiven Gäste spielt sich im Laufe des Abends eben jene „Familienkatastrophe" des Titels ab, wobei diese Katastrophe als Ausdruck einer erblichen Veranlagung der Familie zu betrachten ist. Denn die Mitglieder der Familie Scholz sind allesamt von Trunksucht, Kleptomanie und mancherlei anderen Leiden geplagt, und der Text, der immer wieder auf der „Familienähnlichkeit" der Figuren insistiert, scheint diese Leiden als erblich anzusehen.

Der Vater Fritz hat sich vor Jahren davongemacht, seine Frau Minna hat sich in eine hysterische Welt der Isolation und Selbstmitleid zurückgezogen, in der ihr ihre Tochter Auguste bald Gesellschaft leistet. Robert, der älteste Sohn, ist von zu Hause ausgerissen und verdient nun als Werbetexter sein Geld. Wilhelm, der jüngere Sohn, ist nach einem rätselhaften Streit mit dem Vater aus dem Haus geflohen – er hatte, so erfahren wir bald, den Vater mit Fäusten angegriffen. Auf Bitten Idas ist Wilhelm nun nach Hause zurückgekehrt, Robert kommt ebenfalls – nur mit der Rückkehr des Vaters hat keiner gerechnet. Der Vater stolpert, von Alkohol und Geschlechtskrankheit gezeichnet, herein, nur um, der Zuschauer ahnt es schnell, zu Hause sterben zu können.

Durch die Heimkunft des Vaters kommt es zu einer ganzen Kette von Enthüllungen – insbesondere wird das große „Geheimnis" gelüftet, worum es bei dem Händel zwischen Vater und Sohn ging. In Wilhelms Geständnis an seine Geliebte rückt nun das vierhändige Klavierspiel ins Blickfeld: Wilhelm beging „die Thorheit", seine Mutter, vom Vater „widerrechtlich hier gefangen" gehalten, einem Freund vorzustellen. „Ich brachte ihn also hierher. Das war eine Auffrischung für Mutter. Sie spielte nämlich – eine Woche lang – täglich mit ihm vierhändig." Obgleich dabei „kein Schatten einer Möglichkeit" besteht, tuschelt die Dienstbotenschaft schon nach einer Woche, „daß sie – ein schlechtes – Verhältnis" mit dem jungen Mann unterhalte. Erzürnt macht sich der Sohn auf die Suche nach dem Urheber des Gerüchts – und entdeckt, daß es kein anderer als der Vater ist, dessen Verfolgungswahn hinter der üblen Nachrede steckt. „Und da hab ich ihn buchstäblich mit diesen beiden Händen abgestraft."[76] Um diese

[76] Hauptmann, *Friedensfest*, S. 56.

Konstellation geht es: einerseits die gegen den Vater erhobene Hand, andererseits die unschuldige Hand der Mutter beim Vierhändigspielen, in welcher der Verfolgungswahn des Vaters ein „schlechtes Verhältnis" erblicken will. Wie sind diese beiden Handkonstellationen zueinander in Beziehung zu setzen?

Das vierhändige Klavierspiel nimmt im Werk Hauptmanns eine eher marginale Rolle ein: Zwar setzen sich, insbesondere in den Dramen, viele seiner Figuren ans Klavier, doch vierhändig spielen nur wenige. Häufig (so zum Beispiel in der *Goldenen Harfe*[77]) spielt das Klavier in der Ausgangslage des Stücks eine Rolle, es ist das wichtigste *res*, in dessen *medias* wir uns am Anfang finden. Die handelnden Figuren sitzen am Klavier, spielen Klavier, oder sind hinter der Bühne beim Klavierspiel zu hören. In einem Entwurf zu einem Drama mit dem Titel *Der General* von 1915 spielt der („fünfundsechzigjährige") General Otto von Beninde mit der „neunzehnjährige[n] Pianistin Eveline Lange" zu Beginn des Stücks vierhändig („Der General im Diskant"[78]). Dennoch sind die Szene am vierhändigen Klavier im *Friedensfest*, der *soupçon*, den sie erregt, und ihre eigentliche Unschuldigkeit nicht zufällige Elemente. In Hauptmanns Autobiografie *Abenteuer meiner Jugend* findet sich ein reales Vorbild für diese Episode: Ein junger Mann zieht ins Haus der Hauptmanns ein: „Man konnte auch sehen, daß ihn mit Tante Julie eine Art Freundschaft oder Kameradschaft verband. Sie sang ihm vor, sie spielten vierhändig, sie lasen gemeinsam Bücher und besprachen sie. Von meiner Schwester Johanna ist über diese Beziehung später bedeutsam gemunkelt worden." Hauptmann bemerkt aber kategorisch: „Zu munkeln gab es jedoch hier nichts."[79] Im *Friedensfest* läßt Hauptmann die gemeinsamen Bücher, das Singen von Liedern weg und reduziert das fragwürdige Verhalten aufs Vierhändigspiel.

Wieso diese Fokussierung auf das Vierhändigspiel? Wieso muß sich an ihm die Paranoia des Familienvaters entzünden, wieso muß die Mutter sich mit ihm um „Auffrischung" bemühen? Die Antwort liegt auf der Hand. Wenngleich die Episode um das vierhändige Klavierspiel in der Handlung des *Friedensfests* eine zentrale, aber doch recht untergeordnete Rolle spielt, so stellen Hände generell die Eckpunkte der hier von Hauptmann entworfenen „Familienkatastrophe" dar. Es ist die Hand, die den Determinismus der naturalistischen Versuchsanordnung markiert – aber die Hand symbolisiert auch den Versuch, diesem Determinismus, wenn auch nur momentan oder vorläufig, zu entrinnen. Denn einerseits ist die Hand das Symbol für die Übertragung der Erbschuld: dadurch, daß er handgreiflich wird, integriert sich Wilhelm sozusagen in den familiären Unheilszusammenhang, dem er eigentlich entfliehen will. Es ist eben jene Geste, die ihn zur Kreatur des Sumpfes macht, dem die Erbmasse dieser Familie entkreucht ist – „ein stehender, fauler, gährender Sumpf, dem wir zu entstammen das zweifel-

---

[77] Gerhart Hauptmann, *Das Gesammelte Werk – Dreizehnter Band*. Berlin: Suhrkamp, 1943, S. 3.

[78] Gerhart Hauptmann, *Sämtliche Werke – Band IX: Nachgelassene Werke*. Berlin: Propyläen, 1969, S. 531.

[79] Gerhart Hauptmann, *Das Abenteuer Meiner Jugend*. Berlin: S. Fischer, 1937, S. 247.

hafte Vergnügen haben", wie sein Bruder Robert das formuliert.[80] Tatsächlich fungiert die Hand als Indikator auch ohne den Willen des Individuums: Denn der Sohn wird nicht zornig und wird dann handgreiflich – vielmehr insistiert der Text mehrfach, daß hier eine Art „Absterben" vorliegt, daß also die Hände ein übersubjektives Eigenleben annehmen: „Die Hände starben mir ab, wie ich ihn da über meine Mutter reden hörte."[81] Und auch die Mutter selber urteilt: „Die Hand, die sich gegen den eigenen Vater erhebt ... aus dem Grabe wachsen solche Hände."[82] Im *Friedensfest* sind also tote Hände weitaus aktiver, als man annehmen würde; aber sie gehorchen nicht mehr dem Individuum, sondern der deterministischen Veranlagung (dem „Sumpf"), die „hinter" dem Individuum steht.

Die Sexualität hat, insbesondere in Anbetracht des Familiengeheimnisses, eine seltsame Doppelrolle zu spielen: Einerseits sind alle Familienmitglieder absolut besessen von Fragen der Fortpflanzung, der „Anlage" und der Vererbung. Andererseits aber fungiert in der Szene ums vierhändige Klavierspiel die Sexualität sowohl als Symptom als auch als Ursache: Denn es sind Erbschäden, die Vater Fritz in den Verfolgungswahn abgleiten lassen, andererseits aber, so wird rundherum versichert, ist die Szene am Klavier zwischen seiner Frau und Wilhelms „flüchtigem Bekannten"[83] nur im umnachteten Hirn des Vaters sexuell. Der Erbschaden, der durch Sexualität/Fortpflanzung weitergegeben wird, bewirkt, daß das Personal des Dramas alles unter der Lupe der Sexualität betrachtet. Konsequenterweise vermögen die zwei Zaungäste der „Familienkatastrophe" (Frau Buchner und Tochter Ida) weder der zynischen Sichtweise der Familie auf ihre eigene Geschichte zu folgen noch diese Geschichte vollends zu durchschauen.

Es ist eindeutig signifikant, daß das augenfälligste Moment der Krankheit des Vaters ins Spiel der Hände *zuviel* hineininterpretiert: Im Grunde genommen ist sein Blick der des Chirognomen, der die zwei Hände zwanghaft als irgendwie durch (vergangene oder möglich-zukünftige) Fortpflanzung verbunden sieht. Dennoch ist Hauptmanns Drama weit entfernt davon, damit die Unmöglichkeit dieses Blicks zu demonstrieren – vielmehr läuft ja zumindest das *Friedensfest* auf eine *Pathologisierung* dieses Blicks selber hinaus. Es ist also ein krankhaftes Hirn, das in den vier unschuldigen Händen Sexualität diagnostiziert, aber die Krankheit selber wird ja wiederum diagnostiziert – mit eher unsubtiler Hilfe seitens der Regieanweisungen, die sich wie ein physiognomischer Atlas lesen. Anders gesagt: es ist krankhaft, das reine Klavierspiel als krank anzusehen, aber die, die so denken, *sind* faktisch krank – unser eigener diagnostischer Voyeurismus (der des Publikums also) wird durch den Wahnsinn Fritzens nicht in Frage gestellt. *Wir* sind eindeutig im Recht, wenn wir ihn diagnostizieren; bei *uns* ist das Erspähen von Symptomen nicht selber Symptom.

---

80 Hauptmann, *Friedensfest*, S. 35.

81 Hauptmann, *Friedensfest*, S. 56.

82 Hauptmann, *Friedensfest*, S. 22.

83 Hauptmann, *Friedensfest*, S. 55.

Dem sexuellen *circulus vitiosus*, in dem die Familie Scholz in ihrem diagnostischen Narzißmus gefangen ist, stehen im Verlauf der Handlung mehrere Versuche gegenüber, die Familie zu verlassen. Diese Versuche sind aber eher ästhetischer denn sexueller Natur: Die Vermählung Wilhelms, der sich als „self-made man"[84] von der „Verpfuschtheit" seiner „Anlage"[85] loszumachen sucht, wirkt nicht eben erotisch, sondern Frau Buchner und ihre Tochter scheinen ihn zunächst einmal nur zu einer normalen Zwischenmenschlichkeit erziehen zu müssen. Das andere Beispiel eines solchen Fluchtversuchs stellt eben das vierhändige Klavierspiel dar – Wilhelm beteuert, daß in dieser Episode „nicht der Schatten einer Möglichkeit" war. Dennoch bezeichnet er das Vierhändigspielen als „Auffrischung für die Mutter".[86] Im Grunde genommen hat der Vater also sowohl recht als auch unrecht: unrecht, weil kein Sex hinter dem Klavierspiel steht, recht aber insofern, als die „Auffrischung" den Wunsch nach einer Flucht aus dem sexuell-erblichen *Fatum* darstellt.

Dieses Motiv der „Auffrischung" kehrt gegen Ende des Dramas zurück: Denn hier muß Wilhelm entscheiden, ob er sich in den genetischen „Sumpf" seines Milieus zurückbegeben will, oder das Risiko eingehen wird, etwas Neues zu beginnen, seinen Weg als „self-made man" fortzusetzen. Doch auch diese Entscheidung steht volltändig unter biologisch-genetischen Vorzeichen. Wilhelm hat Angst, daß seine erbliche Disposition Ida und ihn nur in eine Wiederholung der Scholzschen „Familienkatastrophe" zwingen könnte: „Denk an das, was Du hier gesehen hast! Sollen wir es von neuem gründen?" Ida dagegen insistiert: „Es wird anders werden!"[87] Während Wilhelm solchermaßen auf der Kippe steht, wird die Hand wieder zum zentralen Indikator: Denn je nachdem in welche Richtung Wilhelm tendiert (Ida oder Familie) hält er entweder ihre Hand oder versucht sich loszumachen. Wieder und wieder muß sie ihn anbetteln: „Gieb mir wieder Deine Hand!"[88]

Die Hand, die ja ursprünglich als Indiz für das „Geheimnis"[89] der Familie Scholz (die gegen den Vater erhobene Hand) und somit der Verstrickung des einzelnen in das gemeinschaftliche Unheil fungierte, mutiert somit zum Symbol des Ausbruchsversuches aus der Familienkatastrophe. Ob dieser gelingt, ist unklar, aber die ausgestreckte Hand („zieh Deine Hand nicht von mir armseligem Geschöpfe", bettelt Ida) symbolisiert zumindest den Versuch, es „anders werden" zu lassen, eine erbmateriell-schicksalshafte „Auffrischung" zu riskieren. Das bedeutet, daß die Handerotik der abschließenden Szene von Hauptmanns Drama eine Parallele darstellt zum Vierhändigspiel der Mutter: Genau wie ihr Vierhändigspiel ist das Handspiel von Wilhelm und Ida nicht sonderlich sexuell

---

[84] Hauptmann, *Friedensfest*, S. 54.

[85] Hauptmann, *Friedensfest*, S. 36.

[86] Hauptmann, *Friedensfest*, S. 55.

[87] Hauptmann, *Friedensfest*, S. 103.

[88] Hauptmann, *Friedensfest*, S. 104.

[89] Hauptmann, *Friedensfest*, S. 47.

(Liebe erwähnen die beiden Verlobten fast gar nicht, es geht ihnen um Vertrauen, um Verständnis, und Versprechen). Das mag seltsam scheinen, ergibt aber doch Sinn: Denn Sex scheint in dieser Familie gleichbedeutend mit blindem Schicksal zu sein – diese zwei Ausbruchsversuche sind also eben auch Auflehnungen gegen dieses Fatum, und es wäre doch seltsam, wenn die zwei Rebellen (Mutter Minna und Sohn Wilhelm) sich ausgerechnet mit Sexualität gegen die Sexualität stemmen wollten.

Am Totenbett des Vaters steht Wilhelm schließlich vor der endgültigen Entscheidung: Reintegriert er sich in den Schuldzusammenhang in der Familie, oder versucht er, mit Ida etwas radikal Neues aufzubauen:

> Wilhelm will auf's neue ausbrechen, wird abermals durch Ida beschwichtigt, kämpft seinen Schmerz nieder, sucht und findet Ida's Hand, die er krampfhaft in seiner drückt und geht Hand in Hand mit dem Mädchen aufrecht und gefaßt auf das Nebengemach zu.[90]

Hier findet sich also eine Überlegung wiederholt, der wir im ersten Kapitel bereits begegnet sind: daß „Hand in Hand" sein der Vierhändigkeit nicht unähnlich ist. Bei Adolph L'Arronge hatte dies eine humoristisch-erotische Note; bei Hauptmann ist die Assoziation bitterer Ernst und ist auch nicht im strengen Sinne erotisch. Das Finden von Idas Hand, das „Hand in Hand" Hinausgehen, das hat zunächst einmal nur mit dem Versuch zu tun, sich aus der „Familienkatastrophe" auszuklinken. Dieselbe Hand, die Wilhelm gegen den Vater erhob und sich so zurück in den genetischen „Sumpf" der Familie Scholz begab, diese Hand nimmt nun Ida, um ihn aus eben jenem Sumpf hinauszuführen. Die Hand verdammt und die Hand erlöst; was für den Vater in seinem Wahn wie ein Flirt am Klavier aussah, war etwas weitaus Ernsteres: eine Suche nach Erlösung.

Daß eine Verbindung besteht zwischen dem Handkult im neunzehnten Jahrhundert einerseits und der vierhändigen Klavierkultur andererseits, war die Grundthese dieses Kapitels. Ob diese Verbindung nun primär über die visuelle Schiene läuft (in der also die vier Hände wie Abbildungen in einem physiognomischen Bildband funktionieren) oder primär über das Medium des Familienstammbaums (in dem die Hand und ihre Aktivität über das Erbmaterial und seine Weitergabe aussagen) –, was beide gemein haben ist die Tatsache, daß die Hand wiederum ungeheuer eloquent ist, daß sie Geschichten zu erzählen hat, Geheimnisse zu verraten, Geheimnisse gar, deren sich der Besitzer der Hand selbst gar nicht bewußt sein mag. Die Hände an der Klaviatur weisen wieder einmal über sich selbst hinaus, sind Indizes und Zeichen für ein Außermusisches. Hier aber ist das „vierhändige Monster" nichts, das die Subjekte durch Verschmelzung bilden; vielmehr tritt das Monster als kosmischer Zusammenhang auf, ein Panorama der Naturgeschichte, das immer schon hinter den musizieren-

90 Hauptmann, *Friedensfest*, S. 105.

den Subjekten steht, das sie lesbar und interpretierbar macht.[91]. Im nächsten Kapitel wird es wieder um zwei Subjekte gehen, die ihrer eigenen Arbeit mächtig sind und deren Zusammentreten Neues, Unerhörtes erzeugt – doch die Metaphysik, die sich so unheimlich „hinter“ den Handpaaren aufbaut, wird sich auch hier wieder zeigen.

[91] Dolf Sternberger, *Panorama oder Ansichten vom 19. Jahrhundert.* Frankfurt: Suhrkamp, 1974.

Kapitel 6: Akkordarbeit

Ein Leser der Londoner *Pall Mall Gazette* schrieb 1882 einen Leserbrief an die Zeitschrift: Auf Anraten seines Arztes, so der Leser, schlafe er jeden Morgen bis neun Uhr früh aus. Anderentags sei er jedoch gegen fünf Uhr morgens von Instrumentenlärm aufgeweckt worden („banging and slamming of musical instruments round my head"). Nach einer geschlagenen halben Stunde Halbschlafes habe er entdeckt, daß dieser Lärm durch das offene Fenster in seine Schlafstube drang. „Durch dieses Fenster kam ein Schwall Musik – oh, Musik wie sie noch niemand gehört hatte! [...] Es war ein vierhändiges Stück – *quatre-mains* nennt man so was – ein Arrangement aus Webers ‚Preciosa', von Mendelssohn und [Ignaz] Moscheles.[1] Ich erkannte zwar die *Airs* wieder und erinnerte mich daran, daß beide Spieler ihre eigene Stimme arrangiert hatten. In anderen Worten, jeder Spieler hätte dreier Hände bedurft, um die von [Mendelssohn und Moscheles] zu Papier gebrachten Noten zu spielen. Wie [Jules] Léotard[2] am Trapez und ein Baum voller Affen im Streit um eine Kokosnuss! Viel mehr als das brachten auch die geschickten Finger nicht zustande, die über jene unglückliche Tastatur wischten."

Doch nicht nur der Klang der vierhändigen Musik reizt den Briefschreiber zu Spott – denn er wird, wie es ja so häufig im vierhändigen Klavierspiel zu geschehen scheint, in die Position des Voyeurs gedrängt. Durch das halboffene Fenster beobachtet er die folgende Szene: „Das Fenster gegenüber war geöffnet, und drinnen waren zwei junge Mädchen sichtbar, die von einem weiblichen Wagner mit langem Stock durch das *pièce à quatre mains* getrieben wurden. Hoch kam der Stock mit einer Art *Teufelsdrockh*-Ausruf; alle vier Hände gingen hernieder mit einem fürchterlichen Sturz, der das Klavier, das Haus und die ganze Nachbarschaft in Vibration versetzte."[3]

Hinter dem Ausdruck *Teufelsdrockh* verbirgt sich aller Wahrscheinlichkeit nach eine Anspielung auf Thomas Carlyles Roman *Sartor Resartus* (1833–34), der im victorianischen England äußerst populär war und dessen Untertitel lautet: „The Life and Opinions of Herr Teufelsdröckh." Der titelgebende Diogenes Teufelsdröckh lebt in einer Wohnung „in the attic floor of the highest house in the Wahngasse", „the pinnacle of Weissnichtwo",[4] wo er eine Philosophie des

---

1 Gemeint ist Carl Maria von Webers Bühnenmusik zum Schauspiel Wolffs nach Cervantes von 1821, zu der Mendelssohn und Moscheles eine berühmte vierhändige Variation erarbeiteten.

2 Gemeint ist der Artist und Trapezkünstler Jules Léotard (1838–1870), nach welchem auch das gleichnamige Kleidungsstück benannt ist.

3 Zitiert in *The New York Times*, July 23, 1882.

4 Thomas Carlyle, *Sartor Resartus – The Life and Opinions of Herr Teufelsdrockh*. New York: James Miller, 1866, S. 12.

„meditative Transcendentalism“[5] pflegt und sein Hauptwerk schreibt: „Die Kleider, ihr Werden und Wirken“ (deutsch im Original). *Sartor Resartus* besteht aus der englischen „Übersetzung“ dieses fiktiven Werkes sowie einem „Kommentar“ eines Briten, der Teufelsdröckhs Philosophie mit einer Mischung aus Skepsis und Bewunderung begleitet. Der Roman, den dieser namenlose Herausgeber daraus spinnt, schwebt irgendwo zwischen einer Hommage an den und einer Parodie des Deutschen Idealismus. Deutsche Philosophie aus der Wahngasse trifft auf Englischen *common sense* – es liegt nahe, daß der Briefeschreiber eben diese Konstellation bemüht, um die vierhändige Abrichtung der zwei Mädchen zu beschreiben.

Nicht Affenhände verleihen dieser Szene ihre Komik – das, wenn auch fragwürdige, Können der zwei Mädchen steht nicht im Mittelpunkt. Es ist der „weibliche Wagner mit Stock“, der die Mädchen durch das Stück „treibt“, der den Briefschreiber zur Satire anspornt. Die Kinder werden abgerichtet, mit Stock und *Teufelsdrockh* – ob der eindeutig germanisierte Ausdruck nun Carlyles Roman, der wagnerschen Visage der Lehrerin geschuldet ist, oder einfach einer gewissen englischen Neigung, alles, was mit übertriebener Disziplin zu tun hat, dem deutschen Sprachraum zuzuschreiben, bleibt unklar. Dennoch gibt selbiger Sprachraum dem belustigten Briten insofern Recht, als kein anderes Volk sich im neunzehnten Jahrhundert der Abrichtung am Klavier so hemmungslos verschrieb wie die Deutschen. Und die Assoziation, die im *Teufelsdrockh* schon damals mitgeschwungen zu haben scheint, daß nämlich einer, der so gut auf Geheiß Klavier spielen kann, später auch mit dem Marschieren keine Probleme haben sollte, wird uns in der Folge zu beschäftigen haben.

Daß das Klavierspiel nach Noten, und insbesondere das Zusammenspiel zu vier Händen von dem abhängen, was man nach 1968 gerne als Sekundärtugenden bezeichnet hat (man denke nur zurück an Steve Reichs *Piano Phase*), wirft ein Schlaglicht auf die dunkle Kehrseite des Phänomens: daß sich an der Klaviatur nicht vornehmlich unausgesprochene Liebeleien ereignen, in trautem Zweisein dem Instrument eine einzige Stimme entlockt wird, sondern daß hier vornehmlich ein Subjekt zu- und abgerichtet wird. Bisher sind wir unseren Quellen insoweit gefolgt, daß wir das vierhändige Spiel als Verlockung und Versprechen gedeutet hatten – gewiß, ein Versprechen, dessen Einlösung einiges an Arbeit erfordert, eine Verlockung, die mit reichlich Strapazen und Frust verbunden ist. Aber für unsere Zeitzeugen war das Duettspiel am Klavier eine durch und durch erfreuliche Erfahrung. Nun haben aber Musikphilosophen wie Adorno, Dirigenten wie Bruno Walter und Musikfreunde wie Schnitzler eines gemeinsam – sie alle lieben Musik. Doch ihre Erinnerungen an die Initiation in die geheiligten Gefilde der Musik für repräsentativ zu halten, das wäre, als befragte man Profi-Fußballer zu ihren Erinnerungen ans Völkerballspiel in der fünften Klasse und ließe die Meinung der dicklichen Kinder mit noch dickeren Brillen und Schweiß-

[5] Carlyle, *Sartor Resartus*, S. 10.

kringeln unter den Achseln unbeachtet. Was also ist mit denen, die sich nicht wie Adorno zum Klavier verhielten, sondern eher wie Adorno zum Völkerball? Wie stellte sich das bürgerliche Initiationsritual den Unbegabten und Uninteressierten dar, die dennoch ganze Jahre der Kindheit am Klavier absitzen mußten?

Auch denen, denen es nicht zuflog, wurde das Klavier zugemutet, vornehmlich aufgrund des hohen gesellschaftlichen Stellenwerts der Musik im allgemeinen und des „transzendentalen Zollstocks" Klavier im besonderen, zweitens aber auch aufgrund eben des Impulses, der auch heute noch Eltern ihre Kinder ins humanistische Gymnasium treiben läßt: Auch wenn man das Klavierspiel wie das Altgriechische an sich für wenig nützlich hielt, so waren doch die Tugenden, die das Klavierspiel vermittelte, durchaus übertragbar und eigentlich unabdingbar. Denn nicht nur das Erbmaterial war in der Dressur an der Klaviatur zur Schau zu stellen. Der Physiognomiker Willy Hellpach unterschied 1933 zwischen zwischen „eugenos" und „euplastos", und fing damit eine Dualität des Bildungsbegriffs in den einschlägigen Diskursen des neunzehnten Jahrhunderts ein: „Zeugende Wohlartung (Eugenik) und führende Wohlbildung (Euplastik) verleihen uns [...] die Herrschaft über unsere Menschennatur."[6] Von diesen zwei *topoi* haben wir bisher nur den einen verhandelt: die geschickte Hand am Klavier sollte „Eugenik" beweisen, das heißt ein erbmaterielles Gütesiegel darstellen. Doch fast noch ausgeprägter war natürlich die „Euplastik", die gymnastische Abrichtung am Klavier. Wie Max Webers Klassiker zur *Protestantischen Ethik* nahelegt, besteht hier also ein gedoppeltes und ambivalentes Verhältnis zum Adel: Das Erbgut soll einen Adel beweisen, der dem bürgerlichen Handbesitzer *ab ovo* fehlt, dagegen soll die (Hand) Arbeit die moralische Überlegenheit des Bürgertums gegenüber dem Adel markieren.

Die „Euplastik" am Klavier war verbunden mit *dem* „sub-genre" der Klavierliteratur schlechthin im 19. Jahrhundert: der Etüde. Der Name wiederum, der wie kein anderer mit der Etüde verknüpft war, ist Carl Czerny – ein Name, dem wir schon mehrfach begegnet sind. Czerny war zu Lebzeiten vor allem als Autor von Etüden und vierhändigen Bearbeitungen bekannt. Weniger bekannt ist, daß Czerny auch als Komponist für das Klavier zu vier Händen gewirkt hat. Tatsächlich verzeichnet Hofmeisters *Handbuch* im Jahr 1844 nicht weniger als 280 vierhändige Werke Czernys, wobei Bearbeitungen und Fantasien über Stücke anderer Komponisten mit inbegriffen sind.[7] Des weiteren hat er bei einem Besuch in London mit keiner geringeren als Königin Victoria vierhändig gespielt.[8] Czerny schrieb zwar eine *Grande Sonate brilliante* in c-Moll (op. 10, 1821) sowie ein *Grand Rondeau brilliant* (op. 254, 1832) fürs vierhändige Klavier, doch von Interesse sind für uns vornehmlich die Etüden zu vier Händen.

---

[6] Willy Hellpach, "Der völkische Aufbau des Antlitzes". *Die Medizinische Welt* 7 (1933), H 2.

[7] C.F. Whistling, Adolph Hofmeister, *Handbuch der musikalischen Literatur*. Leipzig: Hofmeister, 1845, II, S. 77–81.

[8] *Dwight's Journal of Music*, Vol. XI, No. 21 (August 22, 1857), S. 163.

Daß uns Czerny sowohl als Autor vierhändiger Bearbeitungen als auch als Herausgeber von Etüden begegnet, ist kein reiner biographischer Zufall: dasselbe gilt, wie wir im zweiten Kapitel sahen, für Clementi und andere. Tatsächlich geht die Etüde als Genre auf generell denselben Personenkreis zurück, der das vierhändige Klavierspiel als Salonsport etablierte. Auch zeitlich deckt sich das Entstehen der Literatur fürs Klavier zu vier Händen mit der Geburt der Etüde – beide fallen, wie Grete Wehmeyer zeigt, in die ersten Jahrzehnte des neunzehnten Jahrhunderts.[9] Selbst die Gründe für diese Geburt sind teilweise identisch mit jenen, welche für den plötzlichen Boom des vierhändigen Klavierspiels verantwortlich zeichnen, nämlich die Konsolidierung der Instrumentenform, die Veränderung der Wohnkultur und die industrielle Verbreitung und Vermarktung des Klaviers. (Eine Quelle, die das vierhändige Klavierspiel gerade *nicht* mit der Etüde gemein hat, ist die weitaus stärkere Präsenz von Virtuosen und Wunderkindern um die Jahrhundertwende – denn ohne das Wunderkind hätte die Etüde nicht den Aufwind bekommen, den sie im frühen neunzehnten Jahrhundert hatte. Das vierhändige Spiel war dagegen eher, wie wir sahen, ein Eingeständnis, daß man als Einzelperson an das Virtuosentum eines Mozart, Hummel oder eben Czerny nie heranreichen würde.)

Die Form fußte auf der Verbindung von technischer Brillianz und öffentlicher Zurschaustellung: dem Klavierspieler mußte, so Czernys Formel, „jeder Grad von Geschwindigkeit ungezwungen zu Gebote stehen“, erst danach ließen sich auch „die anderen Vortragsgattungen mit wahrer Vollendung ausführen.“[10] Denn „nur die vollkommene Beherrschung der mechanischen Kunst“ macht künstlerischen Ausdruck überhaupt erst möglich. Zu diesem Zweck wird im Normalfall ein ganzer Katalog an mechanischen Handgriffen durchexerziert (Czernys *Kunst der Fingerfertigkeit*, op. 740, gibt fünfzig verschiedene an!), wobei die Partituren angeben, wie häufig jede Übung zu wiederholen ist: „Beweglichkeit der Finger bei ruhiger Hand, das Untersetzen des Daumens [...] Zartes Hüpfen und Abstoßen [...] Der Daumen auf Obertasten bei völlig ruhiger Haltung der Hand.“

Doch all dies gilt für die Etüdenform generell; hat es etwas zu bedeuten, wenn der „weibliche Wagner“, den der *Pall Mall*-Leser beschreibt, *zwei* Schülerinnen *vierhändig* über die gleiche Klaviatur kommandiert? Wie gesagt, schrieb Czerny nicht nur vierhändige Auszüge, Fantasien und Originalkompositionen, es sind auch vierhändige Etüden von ihm erschienen. Von diesen gibt es allerdings nur einen Band, ursprünglich unter dem Titel *Exercises d'Ensemble* erschienen, bald als *Etüden* (op. 751, wahrscheinlich 1843) neu aufgelegt. Hier zeigt sich das Primo/Secondo-Verhältnis, das wir in Kapitel 4 thematisierten, sehr klar, denn die *Exercises* sind tatsächlich nicht Übungen fürs „Ensemble“, sondern im

---

9 Grete Wehmeyer, *Carl Czerny und die Einzelhaft am Klavier: Die Kunst der Fingerfertigkeit und die industrielle Arbeitsideologie*. Kassel: Bärenreiter, 1983, S. 152.

10 Carl Czerny, *Schule der Geläufigkeit, Vierzig Etüden für Pianoforte, op. 229*. Wien: Schreiber, 1830.

Grunde genommen exerziert nur die Primostimme technische Probleme durch, während sich der Secondo auf reine Begleitung beschränkt. Die Secondostimme ist also für den Musikpädagogen oder die Eltern gedacht, während die Primostimme klar für den Eleven konzipiert ist.[11] Dies kann sich auch genauso gut umgekehrt verhalten: Ignaz Moscheles' „Tägliche[n] Studien" (op. 107) hat der Komponist für seine Tochter geschrieben. Die Studien geben dem einen Spieler (oder besser Spielerin) vornehmlich einfache Akkorde und Tonleitern in die Hand, während der andere (Moscheles schrieb diesen Part für sich, da er selber seine Tochter unter-richtete) das eher simple Gerüst mit einer brillanten Fassade versieht – mal spielt er eine Mazurka, mal eine Tarantella, mal einen Walzer.[12]

Interessant ist in jedem Fall, daß bei Czerny wie bei Moscheles die „Doppelhaft" am Klavier kein gemeinsames Lernen zuzulassen scheint – wiederum kann die Klaviatur nicht ohne Dominanzverhältnisse (Lehrer/Schüler, Mutter/Sohn) auskommen. Die Rolle des Secondospielers besteht in der Rhythmusgebung und in der Harmoniebildung durch relativ simples Akkordspiel – man könnte beinahe sagen, daß in der Etüde der Akkord und die Arbeit am Flügel getrennt sind. Oder anders gefaßt: Hier stellt der eine den Takt her, zu dem der andere zu marschieren hat. Wenn es der Etüde allgemein gesprochen um das geht, was Foucault „Biopolitik" nennt, also die Konstitution von Körpern als soziale Konstrukte, so geht es der vierhändigen Etüde tendenziell anscheinend um die Konstitution körperlichen Zusammenseins. Der Körper des Nebenmanns wird eine Kontrollinstanz, nach der der eigene Körper abzurichten ist. So spricht Wehmeyer von der Etüde generell als „Disziplinierungsmittel" zur „Triebmodellierung"[13] – wieviel besser ist dieser Zweck erst mit einem Nebenmann zu erfüllen! In den Kursen Bernhard Logiers, mit denen sich der nächste Abschnitt beschäftigen wird und bei denen bis zu dreißig Schüler gleichzeitig an einem guten Dutzend Klavieren (jeweils zwei oder drei pro Instrument) unterrichtet wurden, wird das Größenselbst der Mitspieler folgerichtig zum Instrument der (Selbst-)Zensur, jeder Spieler zum Trommler und Galeerensklaven in einem.

Aber nicht nur das Verhalten des Körpers zur Musik kann so reguliert werden, sondern auch, wie sich der Körper zu sich selber verhält. In einer Welt, in der insbesondere Mädchen vor allem in der Musik eine formale Schulung erhielten und diese zumeist am Klavier, war die oben beschriebene Kontrolle und Zensur natürlich nicht auf das Klavierspiel beschränkt. Die Haltung, die Bewegung des Körpers, ja, die Gesamtheit dessen, was Pierre Bourdieu als *hexis corporel* bezeichnet hat, wird über das Klavierspiel erworben. Unter „körperlicher Hexis" (*hexis corporel*) versteht Bourdieu „die realisierte, *einverleibte*, zur dauerhaften Disposition, zur stabilen Art und Weise der Körperhaltung, des Redens, Gehens

---

11 Klaus Börner, *Handbuch der Klavierliteratur zu vier Händen*. Zürich und München: Atlantis Musikbuch, 2005, S. 109.

12 Siehe dazu Ernest Lubin, *The Piano Duet*. New York: Grossman, 1970, S. 84.

13 Wehmeyer, *Carl Czerny und die Einzelhaft am Klavier*, S. 104.

und damit des *Fühlens* und *Denkens* gewordene politische Mythologie".[14] Gerade politische Komplexe um Sozialstatus, Geschlechtlichkeit und die Interaktion zwischen Klassen und Geschlechtern können über diese „verborgenen Imperative" in „Armen und Beinen" transportiert werden.[15] Wenn Arthur Loesser die Kurse Logiers (dessen Eleven überwiegend Mädchen waren) als „Internatsmusik" („boarding-school music"[16]) deklariert, hat er nicht ganz unrecht: Wie das Internat, so sollte Logiers Unterricht weitaus mehr tun als „nur" Wissen oder abrufbares Können vermitteln – es ging um einen Habitus, der unter Umgehung des Subjekts direkt in den Körper eingeimpft wurde.

Daß wir diese Musik mit öffentlichen Institutionen vergleichen, legt bereits nahe, daß die Etüde weitaus weniger privat ist als das vierhändige Klavierspiel generell. Die Praxis, die Autoren wie Czerny beförderten, sollte aus dem Amateur einen kleinen Virtuosen machen – nicht umsonst hatte Czernys *Pianoforte-Schule* ein Kapitel, das ausschließlich dem „Produzieren", also dem öffentlichen Spiel gewidmet war. Das Spiel ist auf „Brillianz" ausgelegt, soll also insofern verbessert werden, als es „mehr Aufmerksamkeit erregen" soll. Ein solches Spiel hat einer „Schrift zu gleichen, die man auch in der Ferne lesen kann".[17] Eine solche „Ferne" hat es in der vierhändigen Musik, die wir bisher behandelt haben eigentlich nicht gegeben. Vierhändige Musik, das war Musik „aus der eigenen Stube,"[18] der Zuhörer, egal wie weit entfernt er tatsächlich war, „gehörte zur Familie". „Brilliantes" Spiel dagegen war auf Ferne ausgelegt, und es ist eben dieses, mit welchem die zwei jungen Duettistinnen den Leser der *Pall Mall Gazette* quälen. „Für den Stil des Klavierspiels bedeutete das im Lauf der folgenden Jahrzehnte, daß es sich immer weniger um Ausdruck bemühte, dagegen immer mechanistischer wurde und eine peinigende Aggressivität bekam"[19] – eben den „*Teufelsdrockh*"-Charakter, den die *Pall Mall Gazette* beschreibt.

Wie im vorigen Kapitel angedeutet wurde, sind Etüden wie Czernys eigentlich nur Fingerübungen – es geht um das Geschick der Finger und die Haltung der Hand, während der Rest des Körpers (von äußerst allgemeinen Anweisungen zur Sitzhaltung einmal abgesehen) vollständig unbedacht bleibt. Denn die Spielpraxis, die das frühe neunzehnte Jahrhundert aus dem achtzehnten erbte, war fast vollständig auf die Hand bezogen – und die Tendenz gewisser Virtuosen (allen voran Franz Liszt), den ganzen Körper beim Spiel einzusetzen, erhitzte die Gemüter. Die Sorge um die Körperlichkeit ihres Klavierspiels entsprang nicht

---

14 Pierre Bourdieu, *Sozialer Sinn*. Frankfurt: Suhrkamp, 1993, S. 129.

15 Ebd., S. 128.

16 Arthur Loesser, *Men, Women and Pianos: A Social History*. New York: Dover, 1990, S. 297/98.

17 Carl Czerny, *Vollständige theoretisch-praktische Pianoforte-Schule*. Wien: Diabelli, 1839, S. 60.

18 Eduard Hanslick, *Geschichte des Concertwesens in Wien*. Wien: Braumüller, 1869, S. 405.

19 Wehmeyer, *Carl Czerny und die Einzelhaft am Klavier*, S. 102.

Abb. 1: „Die musikalische Soirée" – Liszt-Karikatur
von Hermann Schlittgen (1859–1930) (New York Public Library)

nur der Prüderie der Restaurationszeit und des Biedermeiers – vor der Erfindung des Fortepianos hatte es einfach keinen Grund gegeben, sich um diese Körperlichkeit Sorgen zu machen. Die Mechanik des Cembalos zum Beispiel ist vollends auf Handspiel ausgerichtet. Niemand käme auf die Idee, beim Cembalospiel Kraft aus den Schultern oder aus der Hüftgegend heraus zu schöpfen. Erst die Evolution des modernen Pianofortes (wie im ersten Kapitel skizziert) erlaubte und forderte den Einsatz des ganzen Körpers im Spiel.

Aus dem achtzehnten Jahrhundert kam eine vornehmlich partiturbezogene Klavierpraxis, in der Körper (Schulter, Arme und sogar Hände) stillgestellt wurden, während die (von Czerny vielbeschworene) „Fingerfertigkeit" die meiste Arbeit zu erledigen hatte. Im Laufe des neunzehnten Jahrhunderts wich diese

Technik, wenn auch nur langsam und alles andere als kampflos, einer virtuosen und anatomisch orientierten Praxis, in der Schultergürtel, Handgelenk und Unterarm bei der Tonerzeugung maßgeblich beteiligt waren. Wie Richard Leppert überzeugend gezeigt hat, wurden in diesem Wettstreit der Klavierstile zwei verschiedene semantische Felder bemüht: Um den Stil eines Liszt zu karikieren, wird der Virtuose in verzückt-ekstatischen Posen dargestellt – häufig wird eine medizinisch-diagnostische Sprache bemüht, um die Figur des Virtuosen entweder ins Religiös-Entrückte oder ins Geisteskranke zu drängen. Das Spiel eines Sigismund Thalberg, dessen Arme und Körper sich beim Spiel weitaus immobiler verhielten, wird stattdessen anhand der Metapher der Maschine beschrieben. Eine anonyme französische Karikatur aus den 1830er Jahren versieht Thalberg zum Beispiel mit acht symmetrischen Armen und Händen, mit denen er, ohne jegliche Bewegung des Torsos, die Tastatur abzudecken vermag. Leppert bemerkt, daß sogar zwei dieser Arme als Ersatzteile in Thalbergs Rocktaschen stecken.[20]

Noch interessanter ist allerdings, daß sich auch politische Bedeutungen an der Spieltechnik festmachten: In dieser Hinsicht verläuft der Grabenkampf um die Klaviertechnik „parallel zur Entwicklung des Turnens und des Sports".[21] Wie Grete Wehmeyer gezeigt hat, fällt und steigt der Kurs der neuen Spieltechnik im Einklang mit dem des Turnens – verdächtig im Biedermeier, rehabilitiert in der zweiten Jahrhunderthälfte, staatstragend zur Jahrhundertwende hin.[22] Tatsächlich, so zeigt Wehmeyer, entstammt aus diesem Parallelismus die Arm- und Fingergymnastik, die zum Beispiel schon Liszt vorm Klavierspiel ausübte.[23] Der Kampf um die stillstehende oder bewegliche Hand verlief parallel zur Kontroverse um das Turnen. Auch der Turnsport hat eine erotische Komponente, aber auch er sublimiert sie. Auch er hat es mit der Bildung einer Gemeinschaft, oder sogar einer Gemeinde zu tun, die sich um eine körperliche Aktivität schart (man nehme nur die Karikatur Liszts als Beispiel, in der die Paroxysmen der Zuhörerinnen denen des Virtuosen in nichts nachstehen [Abb. 1]).

Der katholische Gelehrte Carl Capellmann dagegen assoziiert Leibesübungen noch im ausgehenden neunzehnten Jahrhundert mit der Gefahr der Selbstbefleckung – denn durch die exponierten Körper könnten im Turner unkeusche

---

[20] Richard Leppert, „Cultural Contradiction, Idolatry, and the Piano Virtuoso: Franz Liszt". In James Parakilas (Hrsg.), *Piano Roles*. New Haven: Yale University Press, 2002, S. 200–223.

[21] Wehmeyer, *Carl Czerny und die Einzelhaft am Klavier*, S. 158.

[22] Allerdings gab es Schulturnen auch während der sogenannten „Turnsperre" zwischen 1820 und 1842 an vielen preußischen Schulen – nur das freie Turnen à la Turnvater Jahn wurde von den öffentlichen Verboten tangiert. Die generelle Einführung der Leibesübung im Schulunterricht und der Boom der freien Turnvereine fällt aber in die Zeit des Kaiserreichs (Christiane Eisenberg, *„English Sports" und Deutsche Bürger*. Paderborn: Schöningh, 1999, S. 121).

[23] Wehmeyer, *Carl Czerny und die Einzelhaft am Klavier*, S. 158/159.

Gedanken erweckt werden.[24] Was der k.u.k. Monarchie und den Konservativen in Preußen an der Turnerbewegung gefährlich erschien, war wohl nicht nur das verkappt oder explizit Revolutionäre und Konstitutionalistische in der Rhetorik der Turner, sondern auch das Verhältnis von Körper, Klasse und Staat in ihren Übungen selber. Dies deckt sich also mit dem, was auch im Vierhändigspiel zentral und doch, wie wir sahen, kontrollbedürftig erschien. Die „natürliche" (will meinen anatomische) Klaviertechnik, die von Liszt und Konsorten dem reinen Fingerspiel der ersten Jahrhunderthälfte gegenübergestellt wurde, legte großen Wert auf „Kreisungen, Schwünge, Wellen-, Wurf-, Stoßbewegungen des Handgelenks und der Arme".[25] Das konvulsiv-körperliche Etwas, welches Cone mit dem Etikett „four-handed monster" versah, stellte, wir sahen es bereits, den, wenngleich nur unterschwellig artikulierten, Mittelpunkt des Phänomens vierhändiges Klavierspiel dar. Die Schwünge, Wellen und Stoßbewegungen, das eindeutig erotisierte am Duettistenkörper war Teil dessen, was in der Klaviertechnik stillgestellt, von der vierhändigen Klavierliteratur aber konstitutiv herausgefordert wurde.

Die Etüde und die Gymnastik sind auch durch die Wiederholung und den verdrängten Arbeitscharakter homolog. Wie durch einen unbewußten Wiederholungszwang rekapitulierten die, die nicht in Fabriken schuften mußten, die für die Fabrik typische Produktionsweise – nur eben ohne Produkt. Wie Wehmeyer zeigt, stammt die Gleichsetzung von Üben und Arbeit tatsächlich erst aus dem vorvorigen Jahrhundert. Noch im ausgehenden achtzehnten Jahrhundert gab es Pädagogen, die es für Unsinn hielten, daß zumindest Anfänger überhaupt ohne Führung durch den Musiklehrer übten. Wenn man dagegen die von Czerny geforderten Wiederholungen in Betracht zieht, merkt man, daß hier immer das *isolierte* Üben gemeint ist – keinem Klavierlehrer der Welt wäre eine solche Zeitinvestition zuzumuten. Eine Situation, die im achtzehnten Jahrhundert eine soziale war, ein Zusammenspiel von Pädagoge und Eleven, wurde zu dem, was Wehmeyer „die Einzelhaft am Klavier" nennt. So zieht Max Webers „protestantische Ethik" auch in den Salon ein: „Wie Arbeit zum Wert an sich wurde, so wurde auch ‚Üben' zum Wert an sich."[26]

Der Drill an der Klaviatur hatte unter den Musikkritikern genauso viele Feinde wie der allseits grassierende Dilettantismus. Sowohl das Schlechtspielen als auch der Versuch, sich zu verbessern, wurden von den Ästhetikern mit Häme bedacht. So spricht Hanslick von „der leidigen musikalischen Massendressur", die er vor allem mit dem Etüdenwahn zu assoziieren scheint. Insbesondere sieht Hanslick das Problem in der Einseitigkeit der Etüden, die nur Fingerfertigkeit betonen, aber Fragen des Verständnisses und des Gefühls für weitgehend sekundär erklären – „wieviel Zeit und Kraft wird nicht fort und fort an dem Erwerb

---

24 Carl Capellmann, *Pastoral-Medizin*. Berlin: Gustav Schmidt, 1907.

25 Wehmeyer, *Carl Czerny und die Einzelhaft am Klavier*, S. 158.

26 Wehmeyer, *Carl Czerny und die Einzelhaft am Klavier*, S. 162.

der danklosesten, unfruchtbarsten Fingerbravour verschwendet."[27] Das Ludische, das Improvisatorische waren in der Pädagogik des achtzehnten Jahrhunderts äußerst wichtig gewesen – in der Klavierpädagogik des neunzehnten sucht man sie zumeist umsonst. Tatsächlich hat das neunzehnte Jahrhundert in der Pädagogik, zumal in der Musikpädagogik, genau den entgegengesetzten Weg eingeschlagen: Statt Kreativität waren die Kardinaltugenden „Drill", „Fleiß" und „fehlerfreies Spiel."[28] Statt Rousseaus Émile und Sophie waren Wolfgang und Nannerl Mozart das Ideal, das Musikbegeisterten für ihre Kinder vorschwebte. Hanslick bemerkt: „Der pädagogische Wert des Musikunterrichts [...] wird heute ohne Frage überschätzt, und einseitig im Technischen gesucht."[29]

Selbst Klavierlehrer klagten über den Wahn, mit dem die Eltern ihren mehr oder minder talentierten Nachwuchs an die Klaviatur trieben. Johanna Kinkel bemerkt in ihren *Acht Briefe an eine Freundin über Clavier-Unterricht*: „Meine besondere Meinung [ist], daß alle nicht von Natur musikalisch organisirten Menschen besser das Singen und Spielen bleiben ließen, als uns arme Clavierlehrer zu Märtyrern der Geduld zu machen."[30] Tatsächlich scheint es beim Üben (ob zu zwei oder vier Händen) vornehmlich um Geduld und Ausdauer gegangen zu sein: als Allheilmittel galt ständige Wiederholung kleinster Handgriffe. Thomas Fielden gibt zu bedenken, daß „wir selbst im Fall Czerny keine Anhaltspunkte haben, wie er denn seinen Schülern die rechten Bewegungen anerzog" („even with [Czerny], there is no record of how he taught his pupils to cultivate the right movements and conditions"). Allerdings, so schreibt er, „muß man annehmen, daß sie spielten, bis die Hände weh taten, und auf das Beste hofften, und daß nur die Stärksten überlebten" („one must suppose that they went on till their hands ached and hoped for the best, and that the fittest survived").[31]

Im einleitenden Kapitel erwähnte ich, daß das Vierhändigspielen in der Musikgeschichte oft aus dem Blick zu rutschen droht, weil das neunzehnte Jahrhundert es als Allerweltsphänomen irgendwie nicht der Rede wert wähnte. Dies gilt für das Üben doppelt – denn hier schweigen sich Praktiker, Romanciers, Diaristen und Kritiker noch resoluter aus. Es gilt dasselbe wie in den kritischen Kommentaren zum Dilettantentum in der Musik oder zur Auszugssucht der Vierhändig-Fans: Je häufiger, je mechanischer ein Vorgang sich wiederholt, desto weniger ist er der Rede wert, desto weniger verdient er, besprochen, beschrieben oder anderweitig verewigt zu werden. In Czernys „Pianoforte-Schule" lesen wir

---

27 Eduard Hanslick, „Gemeine, Schädliche und Gemeinschädliche Klavierspielerei". In: Ders. *Aus Neuer und Neuester Zeit*. Berlin: Allgemeiner Verein für Deutsche Literatur, 1900, S. 117.

28 Wehmeyer, *Carl Czerny und die Einzelhaft am Klavier*, S. 91.

29 Hanslick, „Gemeine, Schädliche und Gemeinschädliche Klavierspielerei", S. 113.

30 Johanna Kinkel, *Acht Briefe an eine Freundin über Clavier-Unterricht*. Stuttgart, 1852, S. 37.

31 Thomas Fielden, „The History of the Evolution of Pianoforte Technique". *Proceedings of the Musical Association* (1932), S. 47.

1834, daß man als Übungsauftakt mindestens „eine Stunde lang alle 24 Tonleitern zu spielen“[32] habe – es zeigt, wie sehr Wiederholung und arbeitsame Emsigkeit als Selbstzweck zum Kern des Phänomens gehören, und auch, wieviel Zeit der Schüler mit solchen Wiederholungen zubringen mußte. Und doch klingen uns aus dem neunzehnten Jahrhundert Walzertakte, Opernarien, Beethovensonaten und sonstige musikalische Klopstock-Momente entgegen, und so gut wie keine endlos wiederholten Tonleitern.

Diese ständig wiederholten Tonleitern dürften den Leser an ein Stück erinnern, das wir im dritten Kapitel erwähnten. Denn in einem Konzertstück des neunzehnten Jahrhunderts hat diese stupide Wiederholung tatsächlich Spuren hinterlassen: bei Saint-Saëns' Pianisten. Denn das, was ihr Spiel für den Konzertsaal so unpassend macht, ist nicht nur, daß sie stümperhaft die Tonleitern hinauf und hinunter spielen. Vielmehr zerrt der *Carnaval* mit der Tonleiter die Arbeit, die hinter der konzertanten Präsentation steht, auf die Bühne, und seine Persiflage enthält auch deswegen wohl ein gutes Stück schlechten Gewissens. Denn was hier der Lächerlichkeit preisgegeben wird, ist ja notwendig. Genau so wie die Tonleiter zur Melodie, so verhält sich das Spielen der Tonleiter zum konzertanten Spiel. Doch es ist nicht die Simplizität der Tonleiter, die stört – sonst hätte ein Klavier ausgereicht; vielmehr geht es auch um die stupide Arbeit, das automatisierte Rauf und Runter, das wie ein schlechtes Gewissen hinter dem Konzert steht, die Akkordarbeit, die uneingestanden die Brillianz und die angebliche Subjektivität konzertanten Spiels erst möglich macht. Die Angst, die sich hier als Spott Luft macht, ist also die vor der Industrialisierung des Klaviers: Zwei Spieler, die Tonleitern üben – ist das noch Kunst (oder eine ihrer Vorstufen) oder ist das schon (wieder) Gewerbe?

***

Dies wirft erneut die Frage auf, die uns in den vorigen Kapiteln immer wieder beschäftigt hat: was ist, wenn man Vierhändigkeit in diese Situation einführt? Wie verändert sich der Charakter der Pädagogik, wenn sie mittels vierhändiger Musik operiert? Ist eine Etüde zu vier Händen dasselbe wie eine, die eine Einzelperson mit zweien spielt? Wieso, um das obige Beispiel wieder aufzunehmen, setzt Saint-Saëns *zwei* Spieler ans Klavier? Was macht Tonleitern *zu zweit* so besonders lächerlich? Wie wir sehen werden, hat Saint-Saëns' Persiflage einen historischen Kern: Zwei oder mehr Klaviere im selben Zimmer, an denen zwei Schüler dieselbe Tonleiter hinauf und hinunterpflügen, das gab es im neunzehnten Jahrhundert – im Bereich der Klavierpädagogik, und nur im Bereich der Klavierpädagogik. Ob sich Saint-Saëns bewußt gewisser Clichés dieses Klavierunterrichts bedient, ist nicht klar – doch ist im *Carnaval* die Lächerlichkeit der auf die

[32] Zitiert in: Wehmeyer, *Carl Czerny und die Einzelhaft am Klavier*, S. 163.

Bühne gezerrten Tonleiter verschwistert mit der Tatsache, daß *zwei* Paar Hände diese Tonleiter spielen.

Die Rolle des vierhändigen Spiels in der Klavierpädagogik war eher umstritten. Hugo Riemanns *Vergleichende theoretisch-praktische Klavierschule* von 1890 bemerkt dazu: „Man hat bis jetzt der Überlegung keinen Raum gegeben, dass das vierhändige Spiel in den ersten Stadien der technischen Ausbildung der Entwickelung eines sicheren Ortsgefühls entschieden hemmend entgegentreten muss. Aus dem gleichen Grunde ist es nicht zu billigen, dass der Schüler längere Zeit nur im Violinschlüssel notirte Übungen zu spielen bekomme; denn natürlich wird man den Schüler nicht mitten vor die Klaviatur setzen, so lange er nur auf deren rechter Hälfte beschäftigt wird.“[33] In den ersten Jahrzehnten des neunzehnten Jahrhunderts, welche als „goldenes Zeitalter“ der Etüde gelten können, waren solche Bedenken allerdings alles andere als allgemein. Ein Gegenindiz, Czernys vierhändige Etüden, erwähnten wir bereits. Aber es gab des weiteren pädagogische Strömungen, die sich das Prinzip der geteilten Klaviatur ganz bewußt zu Nutze machten und die Vierhändigkeit sozusagen vervielfachten.

Hoffnungsvoll vermerkte Robert Schumann in der ersten Jahrhunderthälfte: „Etüden erscheinen in neuerer Zeit bei weitem weniger, als noch vor einigen Jahren. Wir begrüßen das als ein gutes Zeichen, daß sich der Sinn der Künstler vom Mechanischen weg wieder dem Melodischen zuwendet.“[34] Doch hatte Schumann natürlich unrecht, was die Beliebtheit der Etüden anbelangt (eine Tatsache, von der noch heute mancher Klavierschüler ein Lied singen kann). Wie wenig das „Mechanische“ in Schumanns Kritik bildlich zu verstehen ist, zeigt ein Blick auf spezifische Unterrichtsformen im frühen neunzehnten Jahrhundert.

Die Klavierkurse Johann Bernhard Logiers (1777–1846) zum Beispiel waren eindeutig von der industriellen Warenfertigung inspiriert: Der deutschstämmige Pädagoge zog um die Jahrhundertwende nach England und machte sich dort als Musiklehrer einen Namen. Er gründete eine Reihe Musikschulen, die vor allem die Töchter der weniger betuchten Mittelschicht ansprachen. Logiers Geniestreich, die sogenannte „Logier method“, lag darin, eine Vielzahl Eleven gleichzeitig zu unterrichten. Louis Spohr berichtet 1820 in der *Allgemeinen musikalischen Zeitung* von dieser Methode und beschreibt sie äußerst wohlwollend: „Was zunächst bei dieser Methode auffällt ist, dass er alle Kinder, oft 30 bis 40 (ist kein Druckfehler) zu gleicher Zeit spielen lässt. Er hat zu dem Behuf 3 Bände Etudes [*sic*] geschrieben, die alle über ganz einfache Grundthemas (von 5 Noten in jeder Hand) gebaut sind [...]. Während die Anfänger nur das Thema spielen, üben sich die Geübteren zu gleicher Zeit in mehr oder weniger schweren Variationen.“[35] Dies ist ja, generell gesprochen, auch das Prinzip der vierhändigen Etüde: eine

---

[33] Hugo Riemann, *Vergleichende theoretisch-praktische Klavierschule*, op. 39, 1. Hamburg, 1890, S. 2.

[34] Robert Schumann, *Gesammelte Schriften über Musik und Musiker*. Leipzig: Georg Wigand, 1854. IV, S. 241.

[35] *Musikalisches Zentralblatt* 1/1882 (5. Januar), S. 2.

Stimme übt, die andere begleitet diese Übung. Entgegen Hugo Riemanns Bedenken wird hier nicht nur die *Form* des vierhändigen Klavierspiels bemüht (denn Logiers Spieler sitzen jeweils zu zweit an einem Klavier), sondern auch sein musikalisches Prinzip: die Klaviatur wird zerteilt, am ganzen Instrument musiziert bei Logier keiner. „An nicht weniger als zwanzig Klavieren saßen fast dreißig junge Damen" („At not less than twenty pianos were seated near thirty young ladies"),[36] beschreibt ein Beobachter die Szene, die tatsächlich frappierend an Saint-Saëns' „pianistes" erinnert.

Logiers Musikakademien stellen also gewissermaßen ein Zerrbild der bisher behandelten vierhändigen Heimkultur dar – die Zweieinigkeit am Klavier wird transponiert in den Akkord (sowohl musikalisch als auch arbeitstechnisch). Denn am Klavier sitzen, wie gehabt, zwei Personen und teilen sich die Klaviatur. Und das Prinzip der geteilten Stimme (siehe Kapitel 4) wird sogar noch erweitert, und auf zehn bis zwanzig Klaviere ausgedehnt: „Wenn das Ganze in Gang gesetzt war, ergaben die Klänge so vieler Instrumente von ganz unterschiedlicher Form und Beschaffenheit einen reichen, sonderbaren Effekt" („When the whole was put in motion, the sounds, rising from so many instruments of different make and shape, produced an effect rich and curious").[37] Doch ansonsten hat die Szene nichts von Salon und heimisch-heimlicher Erotik – dafür umso mehr von Kirchenbank, Turnverein und Kadettenanstalt. Bei Logier schafft Vierhändigkeit zwar auch eine *Einheit*, aber es ist eine von den Umständen diktierte Synchronisierung – sein Arrangement interpretiert die traute Einheit am heimischen Klavier um in einen quasi-industriellen Vollzug. Aus dem intimen Zusammenspiel von Primo und Secondo wird hier musikalischer Fordismus.

Hier zeigt sich zum einen, wie ein Statussymbol langsam in soziale Schichten herabsickerte, die sich einen Privattutor entweder nicht leisten konnten oder wollten, zum anderen der merkantile Geist des Lehrers selber, der so vom mittellosen Einwanderer zum pädagogischen „Unternehmer" (wie ihn der Organist A. F. C. Kollmann 1821 bezeichnet[38]) avancierte. Die Struktur seines Unterrichts hat den Charakter einer *cottage industry*, und genau so wie die maschinenstürmerischen Ludditen der Zeit angesichts der Normierung und Mechanisierung der Arbeitsabläufe um ihren Lebensunterhalt fürchteten, rief Logiers musikalische *enclosure* erbitterten Widerstand hervor: In England lief, der *Berliner allgemeinen musikalischen Zeitung* zufolge, die Zunft der Klavierlehrer Sturm gegen Logiers Neuerungen, da man hier um den eigenen Verdienst, ja gar um die Lebensgrundlage fürchtete.[39] Dabei ging es bei Logiers Methode natürlich nicht primär um die Rationalisierung von Lehrabläufen; sondern die Methode soll vor allem Rhythmusschwierigkeiten beheben: Durch gemeinsames Spiel soll der Rhythmussinn entwickelt werden, soll des Lehrers Taktstock zum inneren Met-

---

36 William Gardiner, *Music and Friends*. London: Longmans, Orne, Brown, 1838, S. 647.

37 William Gardiner, *Music and Friends*, S. 647.

38 *Leipziger Musik Zeitung* 23/1821, S. 769.

39 *Berliner Allgemeine Musikalische Zeitung*, 4/1825 (26. Januar), S. 25.

ronom werden. Wie Pierer's Universal-Lexikon 1857 vermerkt: „In Deutschland hat diese Methode, welche mehr das Mechanische fördert ... weniger Verbreitung gefunden als in England."[40] Tatsächlich also hat der *Pall Mall*-Leserbrief, mit dem wir dieses Kapitel begannen, sowohl recht als auch unrecht: Der Drill am Klavier kam aus Deutschland, aber seinen größten Exzess erlebte er in England.

Allerdings re-importierte Logier im Jahr 1822 die Methode „auf Wunsch des Ministeriums [des Kultus- und Schulwesens]" (insbesondere des Bildungsministers Karl vom Stein zu Altenstein) nach Preußen: „Die preussische Regierung nun wurde veranlasst diesen musikalischen Wunderlehrer wieder in sein Vaterland zu locken, da es doch schade wäre, dass gerade die unmusikalischen Engländer dieses Glück genössen."[41] Wie dieser süffisante Kommentar aus der Distanz (er erschien 1882, fast vierzig Jahre nach dem Tod Logiers) nahelegt, scheint es die Beobachter nicht erstaunt zu haben, daß es gerade die Preußen waren, die sich für die Vorstellung eines Massenappells am Klavier erwärmen konnten. Der *Teufelsdrockh*-Ausruf, den der erboste Leserbriefschreiber der *Pall Mall Gazette* dem „weiblichen Wagner" in den Mund legt, hallte also durchaus auch durch deutsche Musikschulen. Genau so wie der Londoner Briefeschreiber scheinen die Zeitgenossen die von oben verordnete Einführung der Methode Logiers als eine Art Militarisierung der Musikpädagogik verstanden zu haben – Üben, das war Drill, und Logiers Etüden ein musikalisch verkleideter Appell.

Folgerichtig scheint der (versuchte) Import der Logier-Methode in Preußen nach den Regeln einer Heeresreform abgelaufen zu sein. Eine zeitgenössische Musikzeitschrift beschreibt diesen Vorgang so: „Die Folge davon war, daß Logier von dem Minister den Auftrag erhielt, auf Verordnung des Königs zwanzig Lehrer zu unterrichten, durch welche diese Unterrichtsmethode in den preußischen Landen verbreitet werden sollte. [...] So kann man Logiers System des musikalischen Unterrichts in Preußen [als] öffentlich eingeführt ansehen."[42] Hier deckt sich Logiers Methode historisch mit dem Turnen, welches die Preußen in den Schulunterricht zu integrieren und somit zu verstaatlichen suchten – kollektive Bewegung, ob am Klavier oder auf freiem Felde, sollte somit unter dem Mandat des Staates subsumiert werden.[43]

Diese Kollektivierung ging einher mit einer Unterrichtspraxis (anscheinend eine der wenigen in der Geschichte der Klavierpädagogik), die konsequent auf Vierhändigkeit setzte. Durch die geteilten Instrumente, die Arbeitsteilung unter den einzelnen Spielern sowie die von allen geteilte „Stimme" wurde in Logiers Musikschulen das vierhändige Klavierspiel ausgeweitet. Die Vierhändigkeit (oder vielleicht besser *Viel*händigkeit) wird zum pädagogischen Prinzip erhoben: Die Demokratisierung der symphonischen Musik in der vierhändigen Bearbeitungsliteratur findet ihre Entsprechung in der Demokratisierung der Klavierpädagogik

---

40 *Pierer's Universal-Lexikon, Band 10*. Altenburg: Pierer, 1857–1865, S. 469.

41 *Musikalisches Zentralblatt* 1/1882 (5. Januar), S. 2.

42 *Berliner Allgemeine Musikalische Zeitung*, 11/1825 (16. März), S. 88.

43 Eisenberg, *„English Sports" und Deutsche Bürger*, S. 105–144.

in den Anstalten Logierscher Prägung – und hier wie dort leistete eine alte Garde erbitterten Widerstand gegen die Planierung der „feinen Unterschiede".

Tatsächlich lieferte Logier die Musik für diese Art des Massenunterrichts gleich mit: Adolf Bernhard Marxs *Berliner allgemeine musikalische Zeitung* rezensiert 1825 das „Trio pour six mains et deux Piano Fortes", welches allerdings „auch vierhändig aufgeführt werden" kann, erschienen in Logiers eigenem Verlag in Berlin. Die Rezension stellt klar, daß die Mehrhändigkeit mit Logiers neuer Methode zusammenhängt: „Durch die Logier'schen Lehr-Institute, welche sich in allen bedeutenden Städten Preussens jetzt einrichten, wird das Bedürfnis für mehre [*sic*] Instrumente gute und interessante Tonstücke zu haben, immer dringender."[44] Hier ist also die Vierhändigkeit nicht Zufall, oder einem Verhältnis Lehrer-Schüler geschuldet, sondern sie hat vielmehr Methode: Logiers scheint die einzige vierhändige Unterrichtsform gewesen zu sein, in der *beide* Paar Hände geschult wurden. Der „Drill", den Czerny nur als „Einzelhaft", und somit nur metaphorisch realisieren konnte, ist bei Logier ein tatsächlicher – die Schüler vollführen nebeneinander identische Übungen, exerzieren vierhändig oder sechshändig an gleich mehreren Instrumenten.

Doch nicht nur für rhythmisch verhinderte Schüler wußte Logier eine quasi-industrielle Lösung anzubieten – die korrekte Handhaltung wurde nach der „Logier method" erlernt und fixiert durch ein Gerät namens „Chiroplast" („Handbildner"), mit dem man das Kind buchstäblich (wie Hanslick schreibt) „stundenlang ans Piano [...] schmieden"[45] konnte. Nicht nur Wiederholung und Drill sollten der Perfektion nachhelfen: Haltung und Bewegung sollten auch mechanisch beeinflußt werden. Viele der im neunzehnten Jahrhundert erschienenen Klavierschulen verweisen Interessierte auf den „Chiroplasten" von Logier (1814 patentiert[46]), den „Bohrerschen Handleiter", das „Piano Dactylion"[47] oder Seebers „Fingerbildner". Logiers Leibesübungen waren also buchstäblich Geräteturnen – und die Maschinerie stand einem Barren oder einer Reckstange in nichts nach.

> Am einfachsten kann man den Chiroplasten so beschreiben: ein hölzerner Rahmen läuft die gesamte Länge der Klaviatur entlang und ist oberhalb der Klaviatur angeschraubt. Direkt vor dem Spieler waren zwei horizontale Schienen, zwischen die man die Hände steckte, um die Handgelenke auf der richtigen Höhe zu halten. Über den Tasten selber war ein Messingstab entlang der Klaviatur, an dem die ‚Fingerführer' entlangliefen – zwei flache Messingrahmen, die sich entlang des Stabes auf und ab bewegen ließen und

[44] *Berliner Allgemeine Musikalische Zeitung*, 34/1825 (24. August), S. 270.

[45] Eduard Hanslick, *Suite: Aufsätze über Musik und Musiker*. Wien: Prochaska, 1884, S. 165.

[46] Arthur Loesser. *Men, Women and Pianos: A Social History*. New York: Dover, 1990, S. 297/98.

[47] Robert Palmieri, Margaret W. Palmieri, *The Piano: An Encyclopedia*. London: Taylor & Francis, 2003, S. 200.

die jeweils Vertiefungen aufwiesen, in die man Daumen und Finger stecken konnte.

> Simply described, the Chiroplast consisted of a wooden framework extending the whole length of the keyboard, above which it was screwed into place. Immediately in front of the player were two parallel horizontal rails between which the hands were inserted to keep the wrists at working level. Above the keys themselves was a brass rod the whole length of the keyboard. This carried the ‚finger-guides' – two flat brass frames free to slide along it, each containing slots into which the thumb and fingers were to be inserted.[48]

Obgleich gegenüber solcherlei Gerät die Skepsis überwog (Meyers Konversationslexikon vermerkt launisch: „der beste Chiroplast ist ein guter Lehrer"[49], und Cramer, Moscheles und Czerny agitierten gegen seine Verwendung im Unterricht[50]), standen Virtuosen wie Thalberg und Kalkbrenner vollends hinter diesen Erfindungen, und das Gerät fand bald Verbreitung in ganz Europa.[51] Tatsächlich wurden diese Geräte auch an Privatpersonen verkauft (Riemann empfielt noch im ausgehenden neunzehnten Jahrhundert „Seebers Fingerbildner, zu beziehen von C. F. Kahnt in Leipzig"[52]), wie auch der vergleichsweise reißende Absatz der Gebrauchsanweisungen und Etüden für den Chiroplasten nahelegt: In England erschien Logiers „First Companion to the Chiroplast" 1855 schon in der 19. Auflage, die erste der zwei Fortsetzungen in der 12. Auflage[53] – ins Deutsche wurde das Buch bereits 1826 übersetzt.[54] Und Sir George Grove erzählt, daß man noch fünfzig Jahre nach der Erfindung des Chiroplasten alte, weitgehend rostige Exemplare in den Gebrauchtwarenhandlungen Londons finden konnte.[55]

Diese „Handbildner", „Fingerbildner" und „Handleiter" waren, generell gesprochen, auf dreierlei bedacht: erstens die Fixierung der Hand vis-à-vis der Klaviatur, zweitens die Trennung der einzelnen Finger voneinander („am meisten neigt der zweite Finger zu diesem Fehler", vermerkt Riemanns *Vergleichende Klavierschule*[56]), drittens die Verbesserung der Handspanne, sowie der Reichweite der Finger. Generell geht es also um Distanzierung, um das Vermeiden von Berührung – die Finger werden entknäult, die Hände voneinander ferngehalten

---

48 Bernarr Rainbow. „Johann Bernhard Logier and the chiroplast controversy". *The Musical Times*, Vol. 131, No. 1766 (April 1990), S. 193.

49 *Meyers Konversationslexikon, Vierte Auflage*, Eintrag: „Chiroplast". Leipzig und Wien: Biblio-graphisches Institut, 1885–1892, S. 38.

50 Fielden, „The History of the Evolution of Pianoforte Technique", S. 48.

51 „Over den chiroplast van J.B. Logier." In *Amphion*, Nr. 2 (1819), S. 64.

52 Riemann, *Vergleichende theoretisch-praktische Klavierschule*, S. 8.

53 *The Musical World* 1855 /31 (August 4), S. 507.

54 Siehe: *Intelligenz-Blatt zur Allgemeinen musikalischen Zeitung*, 8/1826, S. 288.

55 Arthur Loesser, *Men, Women and Pianos: A Social History*, S. 300; Sir George Grove, *A Dictionary of Music and Musicians*. London: Macmillan, 1880, S. 347

56 Riemann, *Vergleichende theoretisch-praktische Klavierschule*, S. 8.

(denn beim Chiroplasten und ähnlichen Maschinen laufen beide Hände auf derselben Schiene). Obwohl es also nach Bekunden der Pädagogen eigentlich um das Verringern von Distanzen auf der Klaviatur geht, die „bei fortschreitendem Studium immer mehr zusammenschrumpfen“[57] sollten, haben diese Maschinen den Nebeneffekt, daß die Finger, jene „kleine[n] ungehorsame[n] Geschöpfe“, die, „wenn man sie nicht im Zügel hält[,] wie ein junges Pferd davon“ rennen,[58] voneinander und von denen anderer ferngehalten werden. Insbesondere in der pädagogischen Praxis Logiers, in der ja immer zwei Schüler an einem Klavier saßen, regulierte der Chiroplast auch die Berührung der vier Hände.

Wir haben bereits erwähnt, daß diese bizarren Vorrichtungen eine gewisse Verwandtschaft zu den Erfindungen zu haben scheinen, die man im neunzehnten Jahrhundert gegen die kindliche Onanie ins Felde führte – den Korsetten, Keuschheitsgürteln etc. insbesondere für Knaben. Hier wie dort geht es um die Gefahr, daß das Kind den eigenen Körper berühren könnte – in der Kombination von Chiro-plast und Massenunterricht kommt die Sorge hinzu, daß das Kind den Körper eines anderen berühren könnte. Dabei stellt sich in Anbetracht der in den vorhergehenden Kapiteln dargestellten Janusgestaltigkeit des „vierhändigen Monsters“ auch die Frage, welchen *Status* denn dieser Körper des anderen hat. Denn einerseits gibt es ja Beschreibungen wie die Coppées, die die Duettisten als *Spiegelbilder* begreifen – soll also hier der Chiroplast verhindern, daß sich die Fantasie des Narzissus doch realisiert, daß also der Duettist das eigene Spiegelbild physisch liebkosen kann? Denn, anders als beim herkömmlichen Spiel, verhalten sich Logiers Duettisten wenn nicht spiegelbildlich, dann doch abbildlich zueinander.

Oder geht es darum, eine Alloerotik zu unterbinden? Fungiert der Körper des anderen tatsächlich als ein mögliches Objekt und wird so reguliert (anstatt eines narzißtischen *eidolons*)? Und, so muß man hinzufügen, eine *homosexuelle* Alloerotik (die ja im neunzehnten Jahrhundert ihre eigenen narzißtischen Assoziationen hatte[59]), denn die Duettpaare an Logiers präparierten Klavieren waren anscheinend durchweg gleichgeschlechtlich. William Gardiners Bericht aus Logiers Klavierschmiede spricht von „thirty young ladies“, und auch Louis Spohrs Bericht legt nahe, daß es sich bei Logiers Schülern fast ausschließlich um Schüler*innen* handelte. Tatsächlich sind es im Diskurs der frühen Psychoanalyse vor allem Patient*innen*, die das Klavier mit den „verbotenen Fingerübungen“ in

---

57 Riemann, *Vergleichende theoretisch-praktische Klavierschule*, S. 30.

58 Carl Czerny, *Briefe über den Unterricht auf dem Pianoforte*. Reprint: Antiquariat-Verlag Zimmermann. Straubenhardt, 1988, S. 25.

59 Siehe zum Beispiel: Sigmund Freud, „Eine Kindheitserinnerung des Leonardo Da Vinci“. In *Gesammelte Schriften, Band 9*. Frankfurt: Fischer, 1961, S. 371–454; Tim Dean, „Homosexuality and the Problem of Otherness“, In Tim Dean, Christopher Lane (Hrsg.), *Homosexuality & Psychoanalysis*. Chicago: University of Chicag Press, 2001, S. 121–146.

Verbindung brachten.[60] So bemerkt Ernest Jones in einer Fallstudie, daß seine Patientin die Fingerfertigkeit am Klavier unbewußt mit Onanie zu assoziieren scheint – das Spielen „mit ihren Fingern in eine andere, verbotene Richtung" („playing with her fingers in another, forbidden direction").[61]

Die Frage ist nun, ob man im Etüdenspiel eine Möglichkeit sah, die „kleinen ungehorsamen" Finger von Schlimmerem fernzuhalten, oder ob das Klavier an sich als Teil des Problems gesehen wurde. Im ersten Kapitel wiesen wir bereits auf die Verbindung hin, die das neunzehnte Jahrhundert zwischen Klavierspiel und Onanie herstellte.[62] Sigmund Freud behauptet, daß „die Befriedigung am eigenen Genitale [...] durch jede Art von *Spielen* angedeutet [wird], auch durch das *Klavierspiel*".[63] Aber wie Saint-Saëns drastisch klarstellt, steht die Etüde ja in einer zutiefst ambivalenten Beziehung zum (freien) *Spiel* – und jeder, der Czerny durchexerziert hat, wird bezeugen können, daß es sich dabei nicht unbedingt um ein Lusterlebnis handelt. Dieselbe Ambivalenz kennzeichnet also die Beziehung zwischen Etüde und Onanie: Hanno Buddenbrooks Masturbation wird, wie wir im ersten Kapitel sahen, am Klavier als Improvisation figuriert. Und auch Robert Musils Walter improvisiert über Wagner (den seine Frau haßt), eine Aktivität, die Musil „fast schon pentrant"[64] als Masturbation kodiert: Ganz im Sinne der „moral panics" des neunzehnten Jahrhunderts vermerkt der Erzähler: „sein Rückenmark wurde von der Narkose dieser Musik gelähmt".[65] Die Verbindung von Improvisation und Masturbation überrascht eigentlich nicht, denn seit dem achtzehnten Jahrhundert wurde Onanie als Exzess der *Einbildungskraft* verstanden. Das *Fantasieren* oder *Improvisieren* am Klavier kam also dem „Lesen mit einer Hand", wie Rousseau den autoerotischen Romankonsum in den *Confessions* beschreibt, am nächsten, denn hier kommen pathologische Selbstbezogenheit und ausuferndes Fantasieren zusammen. Diese Verbindung besteht bei den höchst reglementierten und mechanisierten Etüden ja gerade nicht.

Andererseits gibt es im neunzehnten Jahrhundert (und darüber hinaus) Stimmen, die das Klavierspiel *an sich* als pathologisch oder Ausdruck einer Pathologie ansehen. Der Psychiater Emil Kraepelin (1856–1926) beschreibt einen Patienten mit „dementia praecox" (was wir heute Schizophrenie nennen würden), dessen Leiden ihm Arbeit unmöglich macht und ihn stattdessen ins Klavierspiel und Onanie treibt: „Nachdem er vor einem Jahre die schriftliche

---

60 Sándor Ferenczi, „Weiterer Ausbau der ‚Aktiven Technik' in der Psychoanalyse". In: *Internationale Zeitschrift für Psychoanalyse*, 7. Jahrgang (1921). Wien: Internationaler Psychoanalytischer Verlag, 1921, S. 239.

61 Ernest Jones, *Papers on Psycho-Analysis*. London: Wood, 1918, S. 265.

62 Ernest Jones, *Papers on Psycho-Analysis*, S. 264.

63 Sigmund Freud, *Vorlesungen zur Einführung in die Psychoanalyse*. Wien: Internationaler Psychoanalytischer Verlag, 1930, S. 161.

64 Jürgen Gunia, *Die Sphäre des Ästhetischen bei Robert Musil*. Würzburg: Königshausen & Neumann, 2000, S. 155.

65 Robert Musil, *Der Mann ohne Eigenschaften*. Reinbek bei Hamburg: Rowohlt, 1954, S. 67.

Abgangsprüfung bestanden hatte, wurde ihm die mündliche erlassen, weil er unfähig war, weiter zu arbeiten. Er weinte viel, masturbierte stark, lief planlos herum, spielte unsinnig Klavier."[66] Das Klavier ist also Symptom und nicht Therapie – Kraepelin scheint nicht zu erwarten, daß der junge Mann durch noch mehr oder besseres Klavierspiel heilbar wäre. Eher scheint sein Bericht nahezulegen, daß man dem jungen Mann vielleicht das „Instrument" entziehen sollte.

Kraepelin verschreibt dann weder mehr noch weniger Klavierspiel – er setzt auf Medikamente, die dem jungen Mann helfen sollen. Doch Czerny, zum Beispiel, in einer Passage, mit der wir uns im fünften Kapitel kurz beschäftigt haben, scheint den Schluß zu ziehen, daß Etüden die Finger beschäftigen und so Schlimmeres verhindern. Ähnlich wie Turnen also sowohl im Verdacht stand, seine Teilnehmer zu erotisieren, als auch als Ventil angesehen wurde, um Erotik in sozial nützliche Energien zu sublimieren, ist die Etüde bei Czerny eine Art homöopathische Therapie. Czerny geht es in diesem Brief insbesondere um die Anweisung seiner jungen Schülerin in Fragen des Tempos – doch hier, wie auch anderswo in den *Briefen*, schleicht sich eine Doppeldeutigkeit in seine Ratschläge. Czerny schreibt: „Sie dürfen dabey den Fingern durchaus keine Willkühr gestatten, oder dabey zerstreut seyn. Denn die Finger sind kleine ungehorsame Geschöpfe", die leicht durchgehen wie „junge Pferde".[67]

Die biologische „Willkühr" der „ungehorsamen Finger", die in „Zerstreuung" endet, erinnert hier frappierend an die in der Belletristik und der psychiatrisch-psychoanalytischen Literatur beliebte Gleichsetzung der (vor allem weiblichen) Onanie mit „verbotenen Fingerübungen".[68] Insofern es die Rolle des Klavierlehrers (also Czernys) ist, diesem Mädchen auf die ungestümen Finger zu schauen, ist der Klavierunterricht also keineswegs Sublimierung der Masturbation, sondern sozusagen das Gegengift zur musikalischen Autoerotik. Die Finger sind mit den „rechten" Fingerübungen zu beschäftigen, um sie so von den verbotenen Fingerübungen fernzuhalten. Ähnlich sieht Wehmeyer die Sache und spekuliert, in „wie weit das Üben [...] von den Erziehern genutzt wurde, um Kinder und speziell Mädchen zu beschäftigen, damit sie nicht ‚auf dumme Gedanken' kamen".[69] Für Wehmeyer ist somit das Etüdenspiel eine homöopathische Therapie – die Energien, die möglicherweise zum (auto)erotischen Ausdruck gelangen könnten, werden zwangsweise anders kanalisiert. Im Vorwort zu einer seiner vielen Klavierschulen (op. 500) vermerkt Czerny, „daß das Pianoforte [...] insbesondere für das schöne Geschlecht das einzige schicklich Brauchbare darstellt, da überdies dessen Studium am allerwenigsten der Gesundheit irgendeinen Nachteil bringen kann."[70]

---

[66] Emil Kraepelin, *Einführung in die Psychiatrische Klink*. Leipzig: Barth, 1905, S. 24.

[67] Czerny, *Briefe über den Unterricht auf dem Pianoforte*, S. 25.

[68] Ferenczi, „Weiterer Ausbau der ‚Aktiven Technik' in der Psychoanalyse", S. 239.

[69] Wehmeyer, *Carl Czerny und die Einzelhaft am Klavier*, S. 99.

[70] Czerny, „Pianoforte-Schule", op. 500.

Ein ähnliches Axiom, allerdings unter verkehrten Vorzeichen, bemüht Edmond de Goncourt in seinem Roman *Chérie* (1884): Dort lernt ein junges Mädchen recht lustlos Klavier spielen; sie übt fleißig, „aber ohne Schwung, aber ohne Lust, aber ohne Liebe" („mais sans entrain, mais sans plaisir, mais sans amour").[71] Doch nachdem sie am Scharlachfieber („fièvre scarlatine") erkrankt ist, beginnt Chérie ganz anders ans Klavierspiel heranzugehen: Aus mechanischer Übung wird Improvisation; das Klavierspiel wird zur „Aufpeitschung ihrer Vorstellungskraft" („un fouettement des facultés imaginatives"), eine „fieberhafte Freude" („joie fièvreuse"), schließlich sogar zum „Haschisch der Frauen" („le *haschisch* des femmes").[72] Im Kontext der Übung und der Etüde ist dieses „Haschisch" neutralisiert, erst das freie Spiel treibt das Mädchen in einen Sensualismus, der eindeutig „dekadente" Züge trägt.[73] Dekadenz, Haschisch, Masturbation – dies alles ist erst möglich, wenn die Aufsicht des Lehrers und die Schwunglosigkeit, Lustlosigkeit, Lieblosigkeit der Etüde weggefallen ist.

Wenn man bedenkt, daß es für die Onanistenjäger des neunzehnten Jahrhunderts häufig die Unterbeschäftigung war, die zur Selbstbefleckung führte, läßt sich der Exzeß, mit dem auf *ad nauseam* wiederholten Fingerübungen bestanden wurde, als Versuch lesen, die „ungehorsamen" Finger so zu erschöpfen, daß sie „auf dumme Gedanken" gar nicht mehr kommen konnten. So verordnet Hermann Emminghaus beim „Verdacht, dass Masturbation getrieben werde", „Turnen, Schwimmen, Spaziergänge, gehörige Muskelübung".[74] Dies deckt sich mit der Selbstwahrnehmung der Turnerbewegung: Sex und Onanie sind welsche Befleckungen der reinen deutschen Volksseele.[75] Da „Nichtstun", „das Vorhandensein ungebundener mentaler Energie" („the availability of free-floating mental energy"), die Voraussetzung für unkeusche Gedanken bildet, muß die Aufmerksamkeit des Schülers (oder der Schülerin) möglichst anderweitig beschäftigt werden.[76]

Eine weitere Möglichkeit ergibt sich aus einer Traumanalyse Freuds, der einem zwanghaft abstinenten Analysanden riet, hin und wieder zu onanieren, da seine Abstinenz schädlicher für ihn sei „als mäßige Masturbation". Der Analysand litt unter einer Mutterfixierung und hatte Träume, in denen er mit der Mutter Treppen hinaufstieg. Kurz nach Freuds Aufforderung hatte der Patient einen Traum, in dem ihn sein Klavierlehrer schalt, da er nicht oft genug Moscheles Etüden und Clementis *Gradus ad Parnassum* übte. Der Patient selber warf diesbezüglich ein, daß der *Gradus* und das Klavier selber (da es aus Tonleitern

[71] Edmond de Goncourt, *Chérie*. Paris: Charpentier, 1884, S. 102.

[72] Goncourt, *Chérie*, S. 105.

[73] Katherine Ashley, *Edmond de Goncourt and the Novel: Naturalism and Decadence*. Amsterdam: Rodopi, 2005, S. 218.

[74] Hermann Emminghaus, *Die psychischen Störungen des Kindesalters*. Tübingen, 1887, S. 198.

[75] Eisenberg, *„English Sports" und Deutsche Bürger*, S. 117–19.

[76] Peter Gay, *Education of the Senses*. New York: Oxford University Press, 1984, S. 306.

besteht) ja auch aus „Stiegen" bestünden.[77] Dieser Traum, den Freud relativ unkommentiert stehen läßt, läßt die Verbindung zwischen Masturbation und Etüde in ganz anderem Licht erscheinen; denn Treppenträume sind, nach Freuds Schema, immer mit Coitus befaßt. Der Lehrer, welcher den Patienten die Tonleitern hochjagt, ist also wahrscheinlich Freud selber, der den Analysanden zum Onanieren anstachelt. Hier also ist die Etüde, ist der *Gradus ad Parnassum*, der Aufstieg zum Musenberg, eine Alternative zur Abstinenz: die ständige Wiederholung der Etüde wäre die zwanghafte Wiederholung der sexuellen Handlung (ob es nun Masturbation oder Inzest mit der Mutter ist). Das unwillige Subjekt wird somit zur akkordhaftigen Wiederholung am Klavier gezwungen – die Etüde ist verordneter Eros, Sex als Akkordarbeit.

Wir haben uns nun ein wenig vom Thema des vierhändigen Klavierspiels entfernt – denn tatsächlich geht es ja bei den oben genannten Beispielen um einzelne Klavierspieler. Natürlich gab es Logiers Chiroplasten, oder Seeber Fingerbildner auch für zwei Personen – in Logiers Massenkursen spielten viele Schüler(innen) ja zu zweit an einer Klaviatur – aber Berichte über das Verhältnis von Etüde und Eros *zu vier Händen* gibt es keine. Was unseren Ausflug ins Solospiel (man entschuldige das anzügliche Wortspiel) dennoch notwendig macht, ist das Verhältnis von Eros und Arbeit in den drei obigen Beispielen: Für die Psychoanalyse generell ist Klavierspiel erotisch und figuriert für Libido – das heißt, daß sich hier Eros als Arbeit tarnt. Ganz anders bei Czerny, der anzunehmen scheint, daß die Etüdenarbeit am Klavier den perversen Eros überwinden helfen kann – Arbeit wäre also Therapie. Eine dritte Möglichkeit bringt die am Schluß erwähnte Passage in Freuds *Traumdeutung* ins Spiel: sie suggeriert die Möglichkeit, daß Eros selber Arbeit sein könnte und daß man den Eros (der Gesundheit und der Triebabfuhr zuliebe) möglichst wie ein Etüde behandeln sollte.

Um eben jene Ambivalenz wird es in den abschließenden Kapiteln gehen: Wie verhält sich Arbeit zur Libido im vierhändigen Klavierspiel? Welches von beiden verkleidet sich als das jeweils andere? Was verdrängt oder untergräbt hier was? Und welche Rolle fällt in dieser Situation dem zweiten Paar Hände zu? Bisher ging es uns vornehmlich um Situationen, in denen die Libido verdoppelt wurde, in dem zwei Begehren sich auf der und um die Klaviatur herum manifestierten. Doch der Secondo ist im Etüdenspiel ja vor allem Begleiter, Metronom und Aufseher. Die Autoerotik des eisamen Fantasierens weicht also nicht zwangsläufig der Alloerotik des vierhändig improvisierenden Paars – vielmehr ist der Lehrer ja dazu da, die „kleinen, ungehorsamen" Finger wieder einzufangen, er ist sozusagen auch ein fleischgewordener Chiroplast. Ebenso wie das Verhältnis von Etüde und Begehren (sublimiert eines das andere, verhindert eines das andere?) ist also das von Schüler und Begleiter in der vierhändigen Etüde unklar: ist der Begleiter Überwacher oder Voyeur? Zensor oder Mitverschwörer? Priester oder Vorarbeiter?

---

[77] Sigmund Freud, *Die Traumdeutung (Studienausgabe, Band II)*. Frankfurt: S. Fischer, 1972, S. 365.

Doch der „weibliche Wagner“ und ihre zwei unglücklichen Eleven, die die Nähe von Vierhändigspiel und Akkordarbeit zuallererst suggerierten, verkomplizieren das Verhältnis von Erotik und Arbeit am Klavier noch einmal. Denn hinter der scheinbar so eindeutigen Satire der Episode schlummert ein Gegenbild, das die Kritik an der Abrichtung der beiden Mädchen mit einer anderen, einer besseren Klavierpraxis (oder zumindest ihrer Möglichkeit) in Beziehung setzt. Daß hinter diesem Verweis auf eine bessere Klavierpraxis auch der auf eine bessere gesellschaftliche Praxis steckt, wird das nächste Kapitel zu erweisen haben. Der Leser der *Pall Mall Gazette* versteht nicht nur, die Szene am Klavier scharfsinnig zu analysieren, er erkennt auch genau, welches Stück gespielt wird, nämlich „ein Arrangement aus Webers ‚Preciosa‘, von Mendelssohn und [Ignaz] Moscheles“. Er erwähnt sogar, daß, seiner Erinnerung nach, „beide Spieler ihre eigene Stimme arrangiert hatten“. Wieso sollte das wichtig sein? Wahrscheinlich weil das Bild von Mendelssohn und Moscheles, die gemeinsam aber unabhängig voneinander Kunst schaffen können, so ziemlich das genaue Gegenbild darstellt zu zwei Mädchen, die, bei totaler Gleichschaltung durch den „weiblichen Wagner“, trotzdem zusammen nichts als „Teufelsdrockh“ produzieren können.

Das Stück, auf das der Brief verweist, ist der Zigeunermarsch aus Webers „Preciosa“, und wir haben eine äußerst anschauliche Beschreibung, wie dieses Stück und seine Uraufführung zustande kamen, und zwar von Ignaz Moscheles' Sohn Felix. Er beschreibt in seinen Memoiren „die herrliche Art und Weise, in der mein Vater und mein Pate [d.h. Mendelssohn] zusammen improvisierten, indem sie vierhändig zusammenspielend oder je einer nach dem anderen einen nie enden wollenden Strom musikalischer Ideen ausschütteten“ („the marvellous way in which my father and godfather would improvise together, playing *à quatre mains* or alternately, and pouring forth a never-failing stream of musical ideas“).

> Ein Thema wurde eingeführt, es wurde aufgenommen wie ein Federball; einer der Spieler warf es hoch oder hielt es in den mittleren Oktaven still mit delikatem Griff. Der andere nahm es ihm aus der Hand, überführte es in klassische Linien und entwickelte es mit tiefer Gelehrsamkeit, bis die beiden, vereint in neuen und brillanten Formen, es triumphierend in andere Klangsphären trugen. Es mögen vier Hände dagewesen sein, aber es war nur eine Seele da, so schien es, wenn sie blitzschnell die Ideen des anderen auffingen und jeder Themen aus den Werken des je anderen einzuführen suchte.

> A subject was started, it was caught up as if it were a shuttlecock; now one of the players would seem to toss it up on high, or to keep it balanced in mid-octaves with delicate touch. Then the other would take it in hand, start it on classical lines, and develop it with profound erudition, until perhaps the two joining together in new and brilliant forms, would triumphantly carry it off to other spheres of sound. Four hands there might be, but one soul, so it seemed, as they would catch with lightning speed each

other's ideas, each trying to introduce subjects from the works of the other.[78]

Die „Werke des je anderen“ verweisen darauf, daß hier nicht nur die Sprache des Spiels bemüht wird: Es entstehen hier „Werke“ oder werden weiterverarbeitet; irgendwie arbeitsähnlich ist die Situation durchaus. Auch der englische „shuttlecock“ spielt an auf das Weberschiffchen („shuttle“), wie es im mittleren neunzehnten Jahrhundert in tausenden Fabriken umherflitzte. Doch wie unindustriell ist dagegen diese Arbeit! Das Schiffchen fliegt hin und her zwischen zweien, die die Produkte des je anderen verweben, um ein gemeinsames Etwas daraus zu spinnen.

Wahrscheinlich zielt der Leserbriefschreiber (musikalisch alles andere als unbesaitet) auf eben diesen Kontrast ab: Denn die zwei „Affen“ mit ihrem Drillsergeanten spielen ein Stück, das einer ihrer Akkordarbeit ziemlich genau entgegengesetzten musikalischen Konfiguration entstammt – der Improvisation zu vier Händen. Was die zwei jungen Mädchen und der „weibliche Wagner“ brutal in die Tasten hauen, entstammt ursprünglich einer musikalischen Praxis, die (anders als die Akkordarbeit) in der Arbeitswelt eigentlich kein Pendant hat. Zwei unabhängige Akteure, die, aus ihrer eigenen Subjektivität heraus, im Moment ein harmonisches Gemeinsames schaffen – hier liegt nicht nur ein Gegenbild zum militärisch-industriellen Komplex des „weiblichen Wagner“ zugrunde, sondern vielmehr eine geradezu utopische Form des Zusammenwirkens. Die von Logier nach England gebrachte Technik, die hinter dem Unterricht der beiden Mädchen steht, ist autoritär und entfremdet das Subjekt seiner Tätigkeit, seinem Leib und seinem Produkt; aber das Stück, das sie spielen, verweist auf die vorhandenen Gegenmöglichkeiten, so selten sie auch sind: ein unentfremdetes, sich frei entfaltendes Zusammenarbeiten. An der vierhändigen Klaviatur scheint es möglich; warum also nicht in der Gesellschaft generell?

[78] Felix Moscheles, *Fragments of an Autobiography*. New York: Harper & Brothers, 1899, S. 78.

Kapitel 7 – Musikalische Kugelwesen

Es gibt etwas im Verhältnis der zwei Klavierspieler am gleichen Instrument, das Arbeitsverhältnisse kommentieren, persiflieren oder konterkarieren kann. Im letzten Kapitel ging es um eine Spielart der Vierhändigkeit, die unterschwellig die aus dem Salon verbannten industriellen Arbeitsprozesse in eben diese Umgebung wieder einschmuggelt. Bei Logier, bei Czerny und sogar bei Freud hat das vierhändige Klavierspiel (insbesondere von Etüden) die Triebunterdrückung oder -sublimierung zum Zweck – was wie erotischer „Privataufruhr" (Robert Musil) daherkommt, entlarvt sich bei näherem Hinsehen als dem industriellen Arbeitsprozeß analog. Aber man kann das Verhältnis von Vierhändigkeit und Arbeit auch genau umgekehrt fassen: anstatt daß die Vierhändigkeit als das „politische Unbewußte" der Hausmusik eben den Fordismus reimportierte, dessen Verbannung Hausmusik ja eigentlich erst ermöglicht, hat Vierhändigkeit ja auch Vorbildfunktion. Denn zugegeben, sie hat Arbeitscharakter – aber was für eine seltsame Arbeit sie ist!

Zwei Menschen teilen sich das Instrument; der durchschnittliche Beobachter hat keine Ahnung, welcher Ton welchem Spieler entschlüpft – vom reinen Zuhörer ganz zu schweigen, der bestenfalls raten kann; und das Stück, das der vier Hände Arbeit schafft, ist von beiden gleichermaßen durchdrungen. Jeder hat schon einmal einen schlechten Solisten mit einem guten Begleiter gehört, oder umgekehrt – ein vierhändiges Stück ist gut oder schlecht, von der Leistung des Individuums wissen wir ohne ungebührlich genaues Hinsehen so gut wie gar nichts. Vierhändig spielen ist Arbeit, aber eine andere Form der Arbeit, eine, die man sonst nur selten zu fassen bekommt. Und im vierhändigen Klavierspiel bekommt man sie nicht nur zu fassen, man kann sie auch beobachten, fühlen – Vierhändigkeit ist Antifordismus, die Utopie vollständig unentfremdeter Zusammenarbeit, aber eben eine, die nicht nur abstrakt postuliert, sondern von Spieler und Zuhörer sinnlich erfahren und genossen wird.

Im letzten Kapitel haben wir das Klavierduo Ignaz Moscheles und Felix Mendelssohn-Bartholdy als Gegenbild der verängstigt nebeneinander hertrabenden Klavierschüler eines Logier bemüht – während bei letzteren das Zusammenspiel den Körper des Nebensitzenden zum Moment der absoluten Heteronomie macht, waren Moscheles' und Mendelssohns Improvisationen *à quatre mains* so etwas wie eine gedoppelte Autonomie. Aus sich selbst schöpfend schufen die beiden doch etwas Gemeinsames, sie schufen gemeinsam ohne sich selbst dabei verleugnen zu müssen. Die zwei Musiker scheinen sich der revolutionären Dimension dieses Arrangements durchaus bewußt gewesen zu sein. 1833 schreibt Moscheles über eben jenes gemeinsame Arrangement des Zigeunermarschs aus Webers „Preziosa":

> Es ist spaßig, wie die Leute gern aus dieser Doppel-Composition herausfinden möchten, wer Dieses, wer Jenes, wer den Diskant, wer den Baß, wer

jene Variation, wer diese Modulation gemacht hat. Mir gefällt die innige Mischung zweier musikalischer Geister, und ich sage ihnen, man müsste ein Eis à la tutti frutti nicht anders zersetzen, als während des Genusses, und sich den Nachgeschmack behagen lassen.[1]

Vierhändige Spieler haben es mit Arbeit zu tun, aber sie fordern unser Verständnis von Arbeit geradezu heraus. Teil dieser Herausforderung ist, daß das Vierhändigspiel metaphorisch weitaus komplizierter ist als andere Ensembleformen des neunzehnten Jahrhunderts. Während es nicht schwierig ist, im Verhältnis von Solist und Orchester im Konzert eine Analogie zu Individuum und Gesellschaft zu erblicken, oder in dem von Dirigent und Orchester eine Herrschaftsphantasie, so ist das vierhändige Spiel weitaus schwieriger zu verorten. Wenn überhaupt, dann sind Vierhändigspieler Geselligkeitsformen analog, die sich (wie ja das Vierhändigspiel selbst) nur recht schwer in hergebrachte Muster bringen lassen, oder die sich selbstbewußt diesen Mustern entgegenstellen – so zum Beispiel Freundschaft, Ehe, Doppelmonarchie. Denn Vierhändigspieler sind, wie wir es im vierten Kapitel nannten, „monströs“ – sie sind nicht ganz ein Wesen, aber auch nicht mehr ganz zwei. Dies macht sie (und ihre Aktivität) problematisch und des weiteren ein eher instabiles *comparatum*. Gerade dies macht sie aber für die attraktiv, die eine Gesellschafts- oder Arbeitsform abbilden wollen, die es so nicht, nicht mehr oder noch nicht gibt.

Worauf Moscheles' Brief auch hinweist: Was diese Arbeit herstellt, ist kein Etwas, das auf einen anderen, einen Konsumenten bezogen wäre – noch nicht einmal in dem begrenzten Sinne, daß es unbedingt einen vom Musiker geschiedenen Zuhörer geben muß. Es handelt sich vielmehr um die „Herstellung“ (wenn von so etwas überhaupt gesprochen werden kann) eines vollkommenen Gebrauchswertes im Marxschen Sinne, dessen Produzenten gleichzeitig auch seine Konsumenten sind, die ästhetisch sozusagen von der Hand in den Mund leben. Einerseits also kann das vierhändige Klavierspiel sehr wohl innerhalb der Parameter der gesellschaftlichen Arbeit charakterisiert werden, andererseits aber kann auch das Vierhändigspiel als *Vorbild* einer möglichen, einer noch zu realisierenden gesellschaftlichen (oder gemeinschaftlichen) Arbeit herangezogen worden – oder aber es kann ihre Ansätze sichtbar machen. Im folgenden werde ich mich eben einem solchen Versuch widmen, eine neue, andere und bessere Arbeitsteilung (oder besser: eine Arbeit, die auf die Aufhebung der Teilung hinausläuft) anhand des vierhändigen Klavierspiels sichtbar und sinnlich erfahrbar zu machen.

Edmond und Jules Goncourt sind das wahrscheinlich bekannteste „vierhändige“ Autorenpaar des neunzehnten Jahrhunderts. Edmond (1822–1896) und der um acht Jahre jüngere Bruder Jules (1830–1870) sammelten, beobachteten und schrieben gemeinsam nicht nur Romane und Artikel, sondern eben auch ein

[1] Felix Moscheles (Hrsg.), *Briefe von Felix Mendelssohn-Bartholdy an Ignaz und Charlotte Moscheles*. Leipzig: Duncker & Humblot, 1888, S. 61.

„vierhändiges Tagebuch" (*journal à quatre mains*). Sie faßten diese Art zwillingshafter Arbeit explizit als „Vierhändigkeit" auf; zum Beispiel beenden sie einen Brief an Flaubert mit dem Satz „unsere vier Hände herzlich in ihren zweien" („notre quatre mains dans les deux vôtres cordialement").[2] Was genau jene „quatre mains" taten, ist alles andere als unkompliziert. Im Revolutionsjahr 1848 beschloß Edmond, seinen bürgerlichen Beruf aufzugeben und sich einem eher unbürgerlichen Zeitvertreib zu widmen: „Ich werde nichts tun." Natürlich waren die Brüder in den folgenden Jahrzehnten äußerst produktiv, aber eben in einer besonderen Art, die dem vierhändigen Klavierspiel nicht unähnlich war: Man ver-öffentlichte, was vielleicht beinahe zu privat war, man schuf ein gemeinsames Etwas, aber dieses Erschaffen hatte nichts vom Beruf. Ganz bewußt scheint sich diese Form von Produktion (deren wichtigstes Resultat, nämlich das berühmte Tagebuch, nie zu Lebzeiten beider Autoren als Objekt vorlag) an der Art Inaktivität zu orientieren, die im vorigen Kapitel Emil Kraepelin bei seinem jungen Patienten als Symptom diagnostizierte.

Diese Art kollaborativen Schreibens ist natürlich nicht ohne Präzedenzfall – im deutschen Kontext denkt man zuallererst an die *Athenäum*-Fragmente, in denen die Frühromantiker ihre „Symphilosophie" gemeinsam ausarbeiteten. Im Zeitalter der Goncourts war die Figur des Autors als hermeneutischer Schibboleth, als Gewährsinstanz für Authentizität und Identität des literarischen Produkts schon viel verbreiteter als noch im späten achtzehnten Jahrhundert.[3] Und die Goncourts schrieben darüber hinaus ja vor allem in Genres, die gemeinhin als von einer einzelnen Subjektivität durchdrungen gelten (vor allem der Roman und das Tagebuch), während die Frühromantiker bereits in den von ihnen bedienten Genres (insbesondere natürlich dem Fragment) auf dezentrale Autorschaft setzten. Daß *vier* Hände einen Roman schreiben, ist also um einiges bemerkenswerter, als wenn viele Hände Fragmente zu einem gemeinsamen Werk bündeln. Nun bereitete nicht nur die Einordnung des gemeinsamen Werkes der Gebrüder Goncourt Schwierigkeiten, man wusste auch nicht, wie man sich ihre Arbeit vorstellen sollte. Anders als im Falle von Musikern oder Komponisten am Klavier, oder von Dichtern und Denkern, die versonnen vom Schreibtisch aufschauen, ließ sich der modus operandi der Gebrüder Goncourt schwer abbilden: „Vierhändig" ist diese Schreibweise natürlich nur metaphorisch; über das gleiche Manuskript gebeugt waren die Brüder, wenn überhaupt, nur zeitversetzt. Anders als unsere Vierhändigspieler werden die Brüder nur vermittels der Druckerpresse zum „vierhändigen Monster".

Wie sich der Künstler Paul Gavarni (1804–1866) dieses Problems annimmt, ist im Kontext unserer Untersuchung von größtem Interesse: Denn weil er die Brüder beim metaphorisch „vierhändigen" Schreiben nicht darstellen kann, setzt

---

2 Jules de Goncourt, *Lettres de Jules de Goncourt*. Paris: Charpentier, 1885, S. 297.

3 Michel Foucault, „Was ist ein Autor." In: Ders., *Schriften zur Literatur*. Frankfurt am Main: Suhrkamp, 1988, S. 7–31.

Abb. 1: „Edmond et Jules de Goncourt"; Zeichnung von Paul Gavarni (Bibliothèque nationale de France)

er die zwei kurzerhand an die Klaviatur [Abb. 1]. Die kollaborative Kreativität, die sich der Abbildung verschließt, wird transponiert und wird sichtbar gemacht am Klavier. Mit Musik hatten die Brüder, die für sich eine „vollständige musikalische Schwäche und Taubheit" („complète infirmité, surdité musicale"[4]) reklamieren, eher wenig zu tun. Und tatsächlich, wie man am umseitigen Bild sofort bemerkt, ist das Klavier selber nicht zu sehen: Die Brüder sitzen nebeneinander und schauen beide auf denselben Punkt, der außerhalb des Bildes liegt. Noten

---

4 3. März, 1862; Edmond de Goncourt, Jules de Goncourt, *Journal, Tome V*. Paris: Charpentier, 1888, S. 66.

sind nicht zu erkennen. Nur ihre Hand positionen verraten, was die Brüder hier treiben. Und doch ist besonders die Haltung des vorne sitzenden Edmond nicht gerade eine vorbildliche Klavierhaltung – es ist sogar fraglich, ob Klavierspiel in dieser Körperhaltung anatomisch überhaupt möglich ist. Dies ist, wie Richard Leppert gezeigt hat, in der Ikonographie des neunzehnten Jahrhunderts ein Verweis darauf, daß man bei der Klavier spielenden Gestalt auf anderes achten soll, während die Beschäftigung der Gestalt am Klavier im Grunde genommen nur Nebensache ist.[5] Während die Hände also die vierhändigen Klavierspieler verraten, ist die Körperhaltung die des ästhetizistischen Dandys. Der Betrachter wird das Gefühl nicht los, daß hier zwar eine Szene am Klavier gezeigt, aber im Endeffekt nicht gemeint ist: Worum es dem Bild eigentlich geht, ist die *Vierhändigkeit*, zu deren Darstellung man das Klavier benötigt, die aber über das Musizieren hinauszeigt. Eigentlich geht es dem Bild um gemeinsames Schaffen, um Kollaboration, um die Gemeinschaft in der Schrift. Doch darstellen läßt sich die nur am Instrument. Dadurch verschiebt sich auch die Zeitlichkeit der Vierhändigkeit: die Harmonie, die Gavarni hier musikalisch und das heißt gleichzeitig darstellt, ist ja eigentlich eine sequentielle.

Ironischerweise haben nicht nur Gavarnis Hände das vierhändige Autorenpaar abgebildet – Jahre später, nach Gavarnis Tod im Jahr 1866, zahlten die Goncourts ihm mit gleicher Münze zurück, indem sie (vierhändig, versteht sich) eine Biografie Gavarnis verfassten. Denn die Brüder waren dem Zeichner freundschaftlich verbunden („nous avons aimé, admiré Gavarni"), ja, er war ihnen gegenüber sogar geradezu väterlich: „Er verspürte für den jüngeren von uns beiden eine Art väterliche Zuneigung" („Il éprouvait pour le plus jeune de nous deux une sorte d'affection paternelle").[6] Zwar erwähnen die zwei die Sitzung mit Gavarni in ihrer Biographie nicht, und auch im Tagebuch bemerken die Goncourts nur, daß es diese Zeichnung gibt: „Der Direktor der Porte Saint-Martin hatte im Foyer die Portraits ausgestellt, die Gavarni in der Zeitschrift *Paris* veröffentlich hatte, [...] unter ihnen auch das unsere" („Le directeur de la Porte Saint-Martin avait exposé au foyer les portraits que Gavarni a publiés dans le *Paris*, [...] parmi lesquels figuraient les nôtres").[7] Dennoch stellen die Tagebücher klar, daß sich nicht nur Edmond und Jules bestens mit Gavarnis Arbeitsweise auskannten, das gleiche galt auch umgekehrt.

Es geht Gavarni also darum, eine besondere Form der Zusammenarbeit darzustellen, die er selber gut kannte, eine Form, die sich der einfachen Dokumentation entzieht, wie ja auch der protestantischen Arbeitsethik. Denn die Zusammen-„Arbeit", um die es hier geht, ist ja eine zwischen Zweien, die beschlossen haben „nichts zu tun". Ihr Zusammensein entspringt demselben antibürgerlichen Gedankengang wie Gautiers Axiom: „Es gibt nichts wahrhaft Schönes, als das,

[5] Richard Leppert, *The Sight of Sound*. Berkeley: University of California Press, 1993, S. 191.

[6] Edmond und Jules de Goncourt, *Gavarni: L'homme et l'oeuvre*. Paris: Plon, 1873, S. i.

[7] September 1853; Edmond de Goncourt, Jules de Goncourt, *Journal, Tome I*. Paris: Charpentier, 1888, S. 53.

was zu nichts nütze ist" („il n'y a de vraiment beau que ce qui ne peut servir à rien").[8] Es handelt sich um eine Aktivität, die selbstbewußt „Nichtstun" ist, die zu nichts nütze ist. Die Ausflucht ans Klavier ist selber schon ein Eingeständnis, daß hier zwischen Produkt und Darstellbarkeit ein Widerspruch besteht: Den Objekten, die bei der vierhändigen Arbeit der Brüder herauskommen, sieht man die Vierhändigkeit nicht an; aber die Vierhändigkeit ihrer „Arbeit" ist darstellbar nur insofern man vom Produkt abstrahiert und die Brüder in einer Tätigkeit zeigt, die kein residuales Etwas hervorbringt.

Zum einen geht es im vierhändigen Klavierspiel irgendwie immer um die Arbeit – ein Arbeitsverhältnis wird transponiert, karikiert, gegengezeichnet; andererseits aber ist die Gemeinschaft am Klavier emphatisch der Arbeit entgegengesetzt, eine *communauté desoeuvrée* (ins deutsche als „undarstellbare Gemeinschaft" übersetzt[9]), wie Philippe Lacoue-Labarthe und Jean-Luc Nancy diese Konfiguration genannt haben: Eine Gemeinschaft, die sich nicht ins Werk (*oeuvre*) setzt, die nie ein einzelnes Ding wird (sei dies nun eine Nation, ein fest umrissener Personenkreis oder die Person eines Anführers) und dadurch nie mit sich selbst (als Einheit) identisch ist.[10] Lacoue-Labarthe und Nancy stützen ihre Vision von der *communauté désoeuvrée* auf eine Konzeption der Gemeinschaft als Zusammen-sein, *être-en-commun*. Eben so stellt sich ja auch das Brüderpaar am Klavier dar: Es ist nicht ihre biologische Bruderschaft, die im Vordergrund steht, sondern die Vierhändigkeit ihres Schreiben wird als irreduzible Differenz dargestellt.[11]

Es geht dem Zeichner um eben so eine Gemeinschaft: eine Gemeinschaft, die sich etwas teilt, die etwas aufteilt, aber die sich nicht als ein einzelnes Etwas re-produziert. Die utopische Dimension dieses Arrangements liegt auf der Hand: es geht um eine bessere, unentfremdete Arbeit, eine bessere, anti-atomistische Gemeinschaft, die ihr eigener Zweck ist. Im folgenden möchte ich in diesem Sinne das Vierhändigspiel nicht als Arbeitsverhältnis, sondern als besondere Konfiguration der gesellschaftlichen Arbeit fassen, sozusagen in seinem utopischen Kern. Worin besteht dieser Kern? Als ich weiter oben behauptete, es gebe etwas im Verhältnis zweier Klavierspieler am gleichen Instrument, das Arbeitsverhältnisse kommentieren, persiflieren oder konterkarieren könnte, so gilt das einerseits für das Verhältnis der Spieler zueinander (also die bestimmte Art der Arbeitsteilung, oder, neutraler ausgedrückt, das *être-en-commun*), andererseits aber auch für das Verhältnis der Spieler zu ihrem gemeinsamen Produkt (das *être*, das die zwei *en-commun* haben oder sind). Daß man sich dem, was die Goncourts als veritable Anti-Arbeit zelebrieren, als durchaus arbeitsamer Durchschnittsbürger dennoch äußerst bereitwillig auslieferte, legt aber nahe, daß das Verhältnis von Klavierspiel und Arbeitsteilung äußerst ambivalent war.

---

8 Théophile Gautier, „Préface." In: *Mademoiselle de Maupin*. Paris: Charpentier, 1877, S. 22.

9 Jean-Luc Nancy, *Die undarstellbare Gemeinschaft*. Frankfurt: Fischer, 1988.

10 Jean-Luc Nancy, *La communauté désoeuvrée*. Paris: Bourgois, 1986.

11 Jean-Luc Nancy, *Être singulier pluriel*. Paris: Galilée, 1996.

Tatsächlich ist das Verhältnis von Vierhändigkeit und Arbeit einigermaßen einzigartig. Man kann das mit einem einfachen Gedankenexperiment verdeutlichen: Mußte Gavarni die Goncourts ans Klavier setzen oder hätte es auch gereicht, einen beim Singen (oder Spielen eines Instruments) darzustellen und den anderen als Begleiter ans Klavier zu setzen? Wir haben bereits darauf hingewiesen, daß die Art der Gemeinschaft, die im Duett mit *zwei* Instrumenten hergestellt (oder dargestellt) wird, eine andere ist, als die der Vierhändigspieler – aber sie ist eine Gemeinschaft. Eine Geigerin oder Sängerin mit ihrem Klavierbegleiter kann auch eine Aura der Intimität, des wortlosen Einverständnisses umgeben; und auch sie können ein Liebes- oder Eheverhältnis suggerieren (das treibt ja gerade den Ehemann in der *Kreutzersonate* von Tolstoi zur Weißglut). Aber – und hier ist der springende Punkt – die Kombination Sängerin-Klavierspieler könnte nie als ein wie auch immer geartetes Arbeitsverhältnis verstanden werden. Setzte Gavarni die Goncourts an zwei Instrumente, er könnte die Nähe ihrer Gemeinschaft sehr wohl darstellen – aber die Zusammen*arbeit* der Brüder, die Ungeheuerlichkeit ihrer Arbeitsweise müßte außen vor bleiben. Es ist also einerseits so, daß Gavarni die Brüder ans Klavier setzen muß, um ihr nur metaphorisch „vierhändiges“ Verhältnis abbilden zu können; er muß es aber andererseits auch, weil nur so dieses vierhändige Verhältnis als *Arbeitsweise* gekennzeichnet werden kann.

Ebenso wie die Entscheidung „nichts zu tun“, das heißt keinen „Beruf“ zu haben, ist das vierhändige Klavierspiel, das dieses höchst aktive „Nichtstun“ hier abbildet, hier wieder einmal nur „semi-privat“, weist über die Privatsphäre, das rein Subjektive, das Heim hinaus. Doch kehrt Gavarnis Abbildung des Goncourtschen „Projekts“ die Priorität von Privatsphäre und politischer Öffentlichkeit um. In den vorhergehenden Kapiteln ging es häufig darum, daß durch das vierhändige Klavierspiel ein Privatvollzug öffentlich und sogar politisch wurde: Wie waren die zwei Spieler zu deuten? Mußte man ihnen helfen? War ihr Tun schädlich? Hier ist die Richtung genau die umgekehrte: Wieso ist diese Art unentfremdeter, ästhetischer Zusammenarbeit nur im Privaten möglich? Wieso kann die *soziale* Arbeitsteilung nichts dieser familären Arbeitsteilung Entsprechendes leisten? Hier spricht also nicht die Gesellschaft das Urteil über das Bruderpaar am Klavier, sondern vielmehr das Bruderpaar am Klavier das Urteil über Politik und Gesellschaft.

Und doch kann man das, was man den „Gegenblick“ nennen könnte, nämlich den der Gesellschaft auf die Brüder, auch in dieser politisierten Privatkonstellation nicht ganz außer acht lassen: Daß sich das, was wir als den utopischen Kern des Phänomens der Vierhändigkeit bezeichnet haben, nur unter einer gewissen Prohibition entfaltete, ist dabei nicht zufällig, sondern, wie Walter Benjamin gezeigt hat, vielmehr paradigmatisch: Das utopische west im neunzehnten Jahrhundert fort, aber in einer verdrängten Form – in Stahlkonstruktionen, Shopping, Weltausstellungen –, die gerade die Erfüllung der Hoffnung immer schon als unmöglich begreift. Genauso wie sich die Mode im neunzehnten Jahrhundert als zwanghafte Wiederholung des Neuen, Anderen gebärdet, so kann die Mode vierhändiges Klavierspiel nur durch eine Zwangsneurose jene Neuigkeit schaffen, die sie als *qualitative* Neuigkeit (die jenes anderen, besseren Zustandes nämlich) immer bereits verdrängt. Wenn im zweiten Kapitel ein konsternierter Zeitzeuge zur Rede kam, der bemängelte, daß den „eifrigen à quatre mains-Spielern, welche gewohnt sind, an einem Nachmittag oder Abend ein halbes Dutzend Symphonien, Quartette oder dergl. zu verarbeiten, kaum neues Material genug beschafft werden kann",[12] dann ist just dieser zwangsneurotische Charakter des Immer Neuen (das sich immer auch in noch einer Transkription eines eigentlich alten Stücks erschöpft) gemeint.

Es ist dabei die *differentia specifica* des *vierhändigen* Klavierspiels, daß hier die Sozialutopie von der Aufhebung der Arbeitsteilung (und dem sinnlichen *promesse du bonheur*) mit dem sinnlichen Versprechen der *relation sexuelle* zusammengebracht wird. Denn einerseits ist das „vierhändige Monster" ja eindeutig eine Figur, in der man, ganz unbürgerlich, gemeinsam schaffen kann – man gibt, wie Edward Cone es beschreibt, „ein gewisses Maß Kontrolle" („a measure of control") über das Endprodukt auf, geht auf in einer kleinen Gemeinschaft. Der eine ist auf den anderen angewiesen, und eine „Stimme" (wie wir im vierten Kapitel sahen) haben die beiden nur gemeinsam. Und auch brillieren (oder umgekehrt versagen) können die Duettisten nur gemeinsam. Es ist zum Beispiel durchaus bemerkenswert, daß, obgleich die vierhändigen Bearbeitungen, Potpourris und Originalkompositionen auf einen Laienkonsumenten ausgerichtet waren, es kaum Literatur gibt, in dem der Primo ein Paradestück spielt, während der Secondo tumb begleitet. Diese Konstellation gibt es eigentlich nur in den Klavierschulen und Etüdensammlungen, die sich explizit an ein Schüler/Lehrer-Paar richten (so zum Beispiel in Schuberts Kindermarsch in G-Dur, D 928). Ansonsten gilt: *entweder* ist das ganze Arrangement vereinfacht, *oder* es gestattet beiden, ihre technische Brillanz zur Schau zu stellen.

Bei aller Nähe zum Fordismus tritt also die vierhändige Musik umgekehrt immer auch mit dem Anspruch an, das Stück trotz aller Parzellierung dem Paar, als sozialer Figuration, also einer kleinen Gemeinschaft zu überantworten. Es wird hier, wie bei den Brüdern Goncourt, eine zutiefst unbürgerliche, weil unarbeitsteilige Ästhetik bemüht. Und genau wie in Gavarnis Zeichnung der Brüder ist die Aufhebung der sozialen Arbeitsteilung hier sinnlich erfahrbar, sowohl im Vergnügen der Spieler als auch in dem der eventuellen Beobachter. Genau so wie die „Vierhändigkeit" der Gebrüder Goncourt etwas zutiefst Antibürgerliches hat (insofern sie nämlich „Nichtstun" ist), genau so ist die Rücknahme der sozialen Arbeitsteiligkeit im sinnlichen Versprechen der vierhändigen Musik eine Kritik an der Welt, wie sie sich in der Moderne darstellt. Hegel hat das „Bedürfnis der Philosophie" in seiner frühen *Differenzschrift* (1801) so beschrieben: „Wenn die

---

[12] Thomas Christensen, „Four-Hand Piano Transcription and Geographies of Nineteenth-Century Musical Reception". *Journal of the American Musicological Society* 1999, vol. 52, no. 2, S. 258.

Macht der Vereinigung aus dem Leben der Menschen verschwindet und die Gegensätze ihre lebendige Beziehung und Wechselwirkung verloren haben und Selbständigkeit gewinnen, entsteht das Bedürfnis der Philosophie."[13] Man könnte sagen, daß das vierhändige Klavierspiel als Bedürfnis aus eben derselben Konstellation entspringt und auf die Nivellierung eben jener ver-absolutierten „Gegensätze" aus ist.

Dabei ist es natürlich alles andere als nebensächlich, daß das vierhändige Klavierspiel im neunzehnten Jahrhundert *Hausmusik* ist, also tendenziell zumindest der Privatsphäre zugeschlagen wird, nicht der Öffentlichkeit. Hegels Charakteristiken des „geistigen Tierreiches" der bürgerlichen Gesellschaft gehen von der notwendigen Entfremdung des „substantiellen Ganzen" der Familie durch die bürgerliche Gesellschaft aus: „Die bürgerliche Gesellschaft reißt aber das Individuum aus diesem Bande [der Familie] heraus, entfremdet dessen Glieder einander, und anerkennt sie als selbständige Personen."[14] Das vierhändige Klavierspiel gehört eben nicht in das „geistige Tierreich",[15] sondern in das „substantielle Ganze" der Familie, seine (buchstäblichen) Glieder dürfen einander nicht entfremdet werden. Mehr noch: Es scheint, als sei das „vierhändige Monster" an sich ein solches substantielles Ganzes. Was bei Hegel (anders als noch bei Aristoteles) schon keine Rolle mehr spielt, ist, daß die Familie als *Haushalt* ja auch eine Wirtschafts- und Arbeitseinheit ist – eben *oikonomisch*. Ganz ohne Rückstand läßt sich die Hausmusik also nicht mit der Familie analogisieren. Und vierhändige Musik ist in eben diesem Sinne nur äußerst ambivalent privat oder öffentlich.

Dabei ist wiederum der Kontrast mit anderen klassischen Ensembleformen sprechend: Anders als das Orchester stellen die Vierhändigspieler kein Modell der Gesellschaft bereit – zu fokussiert, zu privat ihre Vollzüge, zu undialogisch, zu instinktiv ihre Kommunikation. Sie sind eine Gefühlsgemeinschaft; ihnen fehlt die vermittelnde Autorität des Dirigenten. Obwohl zugegebenermaßen auch andere Kammerensembles keinen Dirigenten benötigen, stellt sich in diesen die musikalische Gemeinschaft dennoch anders dar: Gegenüber der Zusammenkunft der verschiedenen Instrumente im Quartett, Oktett oder selbst im Duett an zwei Klavieren, hat das Klavier zu vier Händen ein „plus X", das nicht zuletzt der Tatsache entspringt, daß die Spieler über die Produktionsmittel gemeinsam verfügen. Die Mitglieder eines Quartetts sind eben das – Mitglieder, Hegels „selbständige Personen". Ihre Vereinigung ist eine vertragliche, eine externe und sekundäre – der Zuschauer „verfolgt mit Liebe die Fäden, die vier Geigen [*sic*]

---

[13] G.W.F. Hegel, *Werke (Theorie-Werkausgabe), Band 2*. Frankfurt a. M.: Suhrkamp, 1979, S. 22.

[14] G.W.F. Hegel, *Werke (Theorie-Werkausgabe), Band 7*. Frankfurt a. M.: Suhrkamp, 1979, S. 294 (§ 238).

[15] G.W.F. Hegel, *Werke (Theorie-Werkausgabe), Band 3*. Frankfurt a. M.: Suhrkamp, 1979, S. 386.

zum Quartett zusammenflechten".[16] Solche „Fäden" sind rein visuell im vierhändigen Spiel nicht zu „verfolgen" – der Zusammenhang der zwei Spieler ist um einiges unklarer. Während die Mitglieder eines Quartetts eben das sind – Mit-Glieder –, sind vierhändige Spieler dagegen „Ehepartner" und bilden ein einziges „vierhändiges Monster".

Was sie vereinigt sind die ästhetischen Produktionsmittel – anders als die einzelnen Mitglieder des Quartetts, in denen Adorno Chiffren des klassischen Liberalismus erblickt,[17] haben die vierhändigen Klavierspieler etwas zutiefst Undemokratisches. Was sie mit dem Quartett allerdings gemeinsam haben, benennt Adorno auch: es handelt sich bei beiden um einem Versuch, „in einem wie immer auch beschränkten sozialen Bereich Sache und Publikum zu vereinen".[18] Das heißt, daß, zumindest musikalisch, das Orchester ein Publikum voraussetzt, dem die Musik (als Ware) dargeboten wird; ein Quartett bedarf dieses Publikums nicht, auch wenn es natürlich oft eines hat. Genauso wie die Spieler im Quartett häufig ruhig dasitzen, den anderen zuhören, und die Noten bis zum eigenen Einsatz mitlesen oder -hören, so sind im vierhändigen Klavierspiel Leser, Publikum und Spieler wesentlich identisch.

Tatsächlich wird diese „Vereinigung" von „Sache und Publikum" im vierhändigen Spiel noch weiter getrieben: Nicht nur Produzent und Konsument, Orchester und Publikum fallen im vierhändigen Spiel ineinander – auch die relative Autonomie der verschiedenen Erkenntniszweige wird (wie in Hegels *Differenzschrift*) auf ein Einheitliches, Allumfassendes hin überschritten. Der vierhändige Spieler hört und fühlt das Zusammenspiel, er muß sich den Part des anderen vorstellen und erinnert sich, zumindest im Falle einer Klavierbearbeitung, an den Nachhall der Orchesterfassung. Es wird also so etwas wie eine holistische Einheit der verschiedenen Wahrnehmungsformen hergestellt oder doch zumindest gefordert. Ob der einzelne Spieler dieser Forderung nun nachkommen kann oder nicht: man darf es in jedem Fall als zentral ansehen, daß im vierhändigen Klavierspiel und im Quartett Produzent und Verbraucher nicht geschieden sind. Die Spieler sind gewissermaßen ihre eigene kleine Weltökonomie – ein absolut abgeschlossenes, in sich ruhendes Gefüge, eine musikalische Robinsonade.

Doch, wie Karl Marx im *Kapital* spitzbübisch anmerkt, ist die Robinsonade das paradigmatische Phantasma der bürgerlichen Gesellschaft – die Vorstellung, daß ein einzelner eine Wirtschaft darstellen könnte.[19] Und tatsächlich: Während Adorno den utopischen Gehalt der Kammermusik (und er scheint damit vor allem das Quartett zu meinen) detailliert beschreibt, sind Robinson und Freitag

---

[16] Hermann Wetzel-Stettin, „Schuberts Werke für Klavier zu vier Händen". In *Die Musik* Nr. VI, 7, S. 36.

[17] Theodor W. Adorno, *Dissonanzen. Einleitung in die Musiksoziologie (GS 14)*. Frankfurt: Suhrkamp, 2003, S. 272.

[18] Adorno, *Dissonanzen*, S. 272.

[19] Karl Marx, *Das Kapital, Band 1*. In *Marx Engels: Werke (MEW), Band 23*. Berlin: Dietz, 1954ff., S. 91

am Klavier eine musiksoziologisch weitaus kompliziertere Konfiguration. Adorno gibt uns einen Hinweis wieso, wenn er Orchester und Kammermusik gegeneinander auspielt: Sie bilden beide eine Art Gemeinschaft ab – das Quartett die Utopie einer unentfremdeten, das Orchester die Realität einer „vergesellschafteten". Doch der Gemeinschaftscharakter des vierhändigen Klavierspiels ist fragwürdiger: Sind zwei schon eine Gemeinschaft, insbesondere wenn sie sich am selben Instrument berauschen? Oder sind sie nicht vielleicht doch „nur" *ein* vierhändiges Monster, das uns über Zusammensein und Zusammenarbeiten rein nichts zu erzählen hat? Gerade deshalb, so möchte ich behaupten, war das vierhändige Klavierspiel als Metapher für die absolut unorthodoxe und explizit antibürgerliche Produktionsweise der Gebrüder Goncourt geeignet: Vierhändiges Klavierspiel hat ein weitaus seltsameres Verhältnis zur bürgerlichen Gesellschaft, als es das kammermusikalische Gegenbild hat.

Das liegt wahrscheinlich vor allem daran, daß das neunzehnte Jahrhundert sich nicht ganz sicher ist, wie das vierhändige Klavierspiel sich zur Gesellschaft, zur Gemeinschaft und zum Individuum verhält. Daß sich das Vierhändigspiel mit dem Individuum, dem Einzelnen nicht gut verträgt, die Grenzen des Einzelnen entweder in die eine oder die andere Richtung überschreitet, haben wir unter dem Stichwort vom „vierhändigen Monster" bereits erörtert. Daß sich das Vierhändigspiel gut als Freundschaft, Ehe, Geschwisterschaft oder Liebesbeziehung auffassen ließ, haben wir immer wieder festgestellt. Doch die Frage, wie sich solche Zweierbeziehungen auf eine größere Gemeinschaft ausdehnen lassen, ist spätestens seit dem Deutschen Idealismus ein wichtiges Problem. Die vierhändigen Spieler, als ein „von Natur zur Vereinigung bestimmtes Ensemble",[20] können also einerseits die Fantasie von der vereinten Gemeinschaft transportieren, aber sie benennen eher ein Problem als eine Lösung.

Tatsächlich ist ja, wie John Spitzer gezeigt hat, das neunzehnte Jahrhundert die Periode, in der sich gerade das Orchester vom *comparans* oder *Ziel* der Metapher (das Orchester *gleicht* etwas anderem) zum *comparatum* oder zur *Quelle* der Metaphern wandelt (ein Anderes ist *wie* ein Orchester).[21] Seine soziale und kulturelle Position hatte sich im neunzehnten Jahrhundert soweit gefestigt, daß man auf das Orchester als relativ stabiles und eindeutiges Reservoir von Bedeutungen zurückgreifen konnte. Die wichtigste dieser Bedeutungen vollzieht eine regelrechte Umkehr, nämlich im Verhältnis zwischen Orchester und bürgerlicher Gesellschaft. Sehr schematisch gesprochen, sieht das achtzehnte Jahrhundert in der bürgerlichen Gesellschaft (oder in der konstitutionellen Monarchie) ein suggestives Analogon zum Orchester – wie ein Orchester aufzubauen, zu organisieren und zu leiten sei, kann man an der Leitung eines Staates oder einer Gesellschaft ablesen. Dieser Staat und diese Gesellschaft wurden nun in den Nachbeben der Französischen Revolution selber äußerst fragwürdig, während

---

20 Wetzel-Stettin, „Schuberts Werke für Klavier zu vier Händen", S. 37.

21 John Spitzer, „Metaphors of the Orchestra – The Orchestra as Metaphor". *The Musical Quarterly*, Vol. 80, No. 2 (1996), 234–264.

sich gleichzeitig die Gesellschaftsformen ums Orchester tendenziell stabilisierten. Dadurch wurde das Orchester im neunzehnten Jahrhundert plötzlich zu einem Indiz, wie ein Staat zu organisieren sei, wie Gesellschaft zu funktionieren habe.

Doch das Verhältnis des vierhändigen Klavierspiels zum Orchester ist, wie wir bereits mehrfach festgestellt haben, in derselben Zeitspanne äußerst instabil: Das vierhändige Klavier erlaubte es, das Orchester zu simulieren; manchmal stand es im Verdacht, die Rolle des Orchesters usurpieren zu wollen; bei anderen, so zum Beispiel Saint-Saëns, schien vierhändiges Klavierspiel eine Etüde sein, die sich einbildet, sie sei Orchesterstück. Doch nicht nur dies macht die Metaphorik des vierhändigen Klavierspiels ungleich instabiler: Während der Solist in der Wohnstube das Individuum symbolisieren kann und die harmonierende Masse des Orchesters leicht für gesellschaftliche Parallelen in Anspruch genommen werden kann, ist das „vierhändige Monster" zugleich zu groß und zu klein für geradlinige metaphorische Anleihen.

Wohl könnte das auch für andere kammermusikalische Konfigurationen gelten, aber das vierhändige Klavierspiel sticht auch in diesem Vergleich heraus. Einerseits war es im neunzehnten Jahrhundert gang und gäbe, Quartette, Quintette und dergleichen halb-ironisch als „Hausorchester" zu bezeichnen. Beim vierhändigen Klavierspiel tat man das nicht, es sei denn, das vierhändige Klavierspiel würde von weiteren Instrumenten begleitet – so beschreibt Percy Fitzgeralds Roman *Diana Gay* „das ausgewählte ‚Orchester' des Hauses, angeführt von Mr. Jennings, bestehend aus dem Klavier (*a quatre mains*), der Flöte (Master Halliday), dem Kornett und Violine (Gill), das sogleich zum bekannten Marsch aus *Norma* anstieß" („the select ‚orchestra' of the house, led by Mr. Jennings, consisting of piano (*a quatre mains*), flute (Master Halliday), cornet, and violin (Gill), [which] struck up the well-known march from *Norma*"[22]). Ein besonders berühmtes deutsches „Hausorchester" war auch ein Quartett. In *Goethes Briefwechsel mit einem Kinde* schreibt Bettina von Arnim an Goethe in Weimar: „Mit dem nächsten Postwagen wirst Du einen Pack Musik erhalten, beinah alles vierstimmig, also für Dein Hausorchester eingerichtet."[23] Obgleich dieser „Briefwechsel" ja von Bettina weitgehend überarbeitet und fiktionalisiert worden ist, ist das „Hausorchester" historisch verbürgt. Und auch Goethe selber bemüht Metaphern, um dieses zu charakterisieren – jedoch bildet nicht der Staat, sondern der Körper den Quell der Metapher. Goethe spricht vom Hausorchester als „jenem zusammengeborgten Körper, von dem bald dieses, bald jenes Glied abfällt."[24]

---

[22] Percy H. Fitzgerald, *Diana Gay, The History of a Young Lady*. London: Moxon, 1877, S. 23.

[23] Bettina von Arnim, *Goethe's Briefwechsel mit einem Kinde*. Berlin: Hertz, 1881, S. 107.

[24] Johann Wolfgang von Goethe, *Goethes Werke (Weimarer Ausgabe), Abt. IV, Band 24 (Briefe 1814)*. Weimar: Böhlau, 1887–1919, S. 221, Nr. 16.

Während von Goethes „zusammengeborgtem Körper" die einzelnen „Glieder" abfallen können, ist die Körperschaft des vierhändigen Klavierspiels ungleich instabiler (wie wir im vierten Kapitel gezeigt haben) – das „vierhändige Monster" kann seiner „Glieder" nicht so einfach verlustig gehen wie das „zusammengeborgte" Hausorchester. Und wie das zweite Kapitel klargestellt hat, ist die Frage, inwieweit das vierhändige Klavierspiel „orchestral" sein kann und will, äußerst kontrovers: Gerade die Bearbeitungsliteratur und ihre Rezeption innerhalb der Musikpresse zeigt, daß man dem vierhändigen Klavierspiel den Status eines „Hausorchesters" ziemlich kategorisch absprach, daß man an ihm gar den Unterschied zwischen Haus und Orchester exemplarisch vornahm. Das bedeutet, daß alle „politischen" Valeurs des Vierhändigspiels notwendigerweise in einem Spannungsverhältnis zur *polis* stehen müssen.

Eine Assoziation zwischen vierhändigem Klavierspiel, Körperschaft und politischer Ordnung findet sich bei E.T.A. Hoffmann, wo das Vierhändigspiel allerdings eine eher irreale politische Situation beschreibt. In *Prinzessin Brambilla* erzählt ein Scharlatan eine Geschichte, um „die seltsame Narrheit, in der das eigene Ich sich mit sich selbst entzweit" zu erklären. Eine Prinzessin gebiert „zwei allerliebste Prinzlein, die, Zwillinge, doch ein Einling zu nennen waren, da sie mit den Sitzteilen zusammengewachsen".[25] Das Problem ist natürlich, wir erwähnten es bereits im vierten Kapitel, daß der Zwilling/Einling eine Position einnimmt, die eigentlich nur ein suisuffizienter Herrscher einnehmen kann. Der König sollte wie der Pianist solo spielen. Die beschwichtigende Rede der Minister, die dem „über den Doppelsegen etwas betretenen Fürsten" zu denken geben, „daß vier Hände doch Szepter und Schwert kräftiger handhaben würden, als zwei", verstärkt diese Problematik nur noch: Wieviele Schwerter und Szepter würde dieser vierhändige Rattenkönig denn führen? Vier Hände verlangen nach zwei Szeptern, doch die zwei zusammengewachsenen Prinzen sollen ein Staatsklavier als Solist spielen können. Insofern ist die Metapher, daß die „Regierungssonate à quatre mains voller und prächtiger klingen würde", weniger ein Indiz, daß vierhändiges Klavierspiel „Regierung" musikalisch leicht abbilden könnte, sondern vielmehr eines, daß es das nur mit Biegen und Brechen vermag.

Vierhändigkeit ist hier also gleichbedeutend mit der Unmöglichkeit von Herrschaft. Es bedarf „eine[r] aus Philosophen und Schneidern zusammengesetzte[n] Kommission", um den Prinzen eine „Doppelhose" zu schneidern, doch noch gewichtiger ist natürlich die Frage, „wie es künftig mit der schicklichen Form des Throns aussehen würde". Herrschaft wird hier also explizit mit *Persönlichkeit* verknüpft: Herrschaft gehört einer Person, nicht etwa einem sich selbst dirimierenden Prinzip.[26] Der Souverän, das sind unmöglich zwei Personen, selbst wenn sie zusammengewachsen sind – die „Regierungssonate" und das Spiel „à

---

25 E.T.A. Hoffmann, *Poetische Werke in sechs Bänden*. Berlin: Aufbau, 1963, Band 5, S. 734.

26 Zur Fragen der Persönlichkeit und Souveränität im Idealismus, Romantik und den Junghegelianern, siehe Warren Breckman, *Marx, the Young Hegelians, and the Origins of Radical Social Theory*. Cambridge: Cambridge University Press, 2001, S. 9–14.

quatre mains" sind also gewissermassen eine *contradictio in adiectum*. Allerdings ist zu bedenken, daß es dem Gleichnis des Scharlatans darum geht, die gegenläufigen Leidenschaften *einer einzigen* Person abzubilden – die „zwei allerliebste[n] Prinzlein" stellen verschiedene Prinzipien des Individuums dar; sie sollen die Unmöglichkeit des Begriffs der „Persönlichkeit" demonstrieren. Doch auch in Anbetracht dessen ist das Bild von der vierhändigen Herrschaft bemerkenswert: Genauso wenig sich vierhändig regieren läßt, ebenso wenig ist das sich selbst identische Subjekt Herr im eigenen Haus. Während das *Orchester*, der *Solist* und sogar das *Quartett* sich also im frühen neunzehnten Jahrhundert als mögliche Quellen von Metaphern stabilisieren (Staat, Person, Körper), ist das Vierhändigspiel ganz im Gegenteil ein Sinnbild für Instabilität – es kann nur das Monströse im Politischen, es kann Schizophrenie und Nicht-Identität abbilden.

Doch wie steht es mit einer metaphorischen Beziehung des vierhändigen Monsters zur Familie? Immerhin setzt Hoffmanns Märchen wiederum ein Brüderpaar an die Klaviatur. Und rein faktisch, so hat sich ja gezeigt, war das vierhändige Klavierspiel sehr stark mit der Familie verwoben – es konnte die Familie strukturieren, konturieren, versammeln, aber inwiefern konnte es sie metaphorisch abbilden? Ein Text, der im Januar 1830 in der Berliner *Allgemeinen musikalischen Zeitung* erschien, tut gerade das Gegenteil: Er musikalisiert die Familie, und auch nicht im Sinne der Kammermusik oder des vierhändigen Spiels, sondern er „orchestriert" sie – wie genau er bei dieser „Orchestrierung" der Familie verfährt, läßt aber interessante Rückschlüsse auf den metaphorischen Status des vierhändigen Klavierspiels zu. In diesem Text beschreibt ein gewisser „Techo di Teczoni" das „Konzert des häuslichen Lebens", „ein Beispiel wechselseitigen Unterrichts zwischen Hausherrn und Musikern".[27] Es geht ihm insbesondere darum, den Leser darüber aufzuklären, „wie im Orchester des häuslichen Lebens die Stimmen vertheilt sein müssen, um effektvolle Harmonie und gefällige Melodie hervorzubringen".[28]

Diese „effektvolle Harmonie", die sowohl im Haushalt als auch im Orchester herrschen soll, wirft drei wichtige Fragen auf: Erstens, wer ist der Souverän, der diese Harmonie verkörpert? Zweitens, wie sind die individuellen „Mitglieder" der Familie/des Orchesters sowie ihr Verhältnis zueinander zu denken? Und drittens, „für wen" ist die „effektvolle Harmonie" und „gefällige Melodie" da? Hier zeigt sich der wichtigste Kontrast zum vierhändigen Klavierspiel: Die Harmonie, die im Familienorchester obwaltet, ist auf einen metaphorischen „Zuhörer" bezogen, der von außen an die Familie oder das Orchester herantritt. Die Harmonie zielt nicht auf die Mitglieder selber ab, die sowieso zwischen ihrer Rolle als „Stimme" (Instrument) und „Person" (Musiker) schwanken; vielmehr gilt der „Effekt" der Harmonie und die „Gefälligkeit" der Melodie nur dem, der gar nicht Teil der Orchesterfamilie ist. Die Orchesterfamilie ist also im Grunde

---

27 *AmZ*, 2/1830 (9. Januar), S. 13–15.

28 *AmZ*, 2/1830 (9. Januar), S. 13.

genommen kein autonomer Intimbezirk, sondern vielmehr ein radikal heteronomer Kleinbetrieb, auf Ökonomie und das „Produzieren" (sowohl im Sinne des wirtschaftlichen Erzeugnisses als auch des öffentlichen Musikmachens) ausgerichtet.

Die „erste Violine" ist die „Frau vom Hause", die „mit reinen, nicht mit falschen Saiten" bezogen sein muß." „Jedenfalls" muß „man", bevor man sich ein solches Instrument „anschafft, es zuvor genau betrachten und prüfen". Der Kontrabass spielt die Rolle des Hausherrn, dessen Aufgabe darin besteht, der Verführbarkeit der ersten Violine entgegenzuwirken – „die Noten mögen noch so sehr geschwänzt, und die Figuren noch so bunt und verführerisch sein". Es obliegt ihm, „ruhig und kräftig den Grundton anzugeben, in welchem die übrigen Instrumente tönen sollen, und das ganze Orchester im Takte zu halten".[29] In dieser Aufgabe unterstützt wird er von der „Kammerjungfer" (zweite Violine), vom „Sekretair" (Cello) und „Köchin" (Bratsche). Weiterhin mit von der Partie sind die Kinder („Klarinetten, Flöten und Hoboen"), „Hofmeister" (Fagott), „die Bedienten" (Hörner), Vorreiter und Kutscher (Pauken und Trompeten), „welche nur dann erscheinen, wenn das ganze Haus in vollem Staate und Pompe ausfährt".[30]

Im Kontext unserer Argumentation fällt zunächst die Rolle auf, die dieser Text dem Mann zuweist: er ist nämlich *nicht* der Dirigent des ganzen Ensembles, wie man vielleicht erwarten könnte. Dies liegt sicher daran, daß der Dirigent eben nicht nur eine ganz andere Autorität hat (und stimmlich ja zum „Konzert des häuslichen Lebens" rein gar nichts beiträgt), die man gerade nicht mit der *Familie*, sondern vielmehr mit dem *Staat* verbindet – so zum Beispiel die Metapher vom Dirigenten als *Souverän* im achtzehnten Jahrhundert.[31] (So beschreibt Charles Dufresny den Dirigenten als „Souverän des Orchesters, ein so absoluter Fürst, daß er im hinauf und hinunter des Szepters [...] die Bewegungen dieses launenhaften Völkchens bestimmt" („souverain de l'orchestre, prince si absolu, qu'en haussant et baissant un sceptre [...], il regle tous les mouvemens de ce peuple capricieux").[32]) Obwohl die Rolle, die der Artikel dem Kontrabass-Ehemann zuweist, durchaus auch durch einen Dirigenten ausgefüllt werden könnte (insbesondere die, die hysterische erste Violine im Takt zuhalten), verzichtet der Vergleich auf letzteren ganz und gar – eben darum, weil die Art Autorität, die ein Dirigent verkörpert, im Haushalt des neunzehnten Jahrhundert nichts zu suchen hat, sondern vielmehr den Staat charakterisiert.

---

[29] Ebd., 14.

[30] Ebd., 16.

[31] So beschreibt auch Adornos *Einleitung in die Musiksoziologie* den Dirigenten: „Er symbolisiert Herrschaft auch durch seine Tracht, in eins die der Herrenschicht und des peitschenschwingenden Stallmeisters im Zirkus; freilich auch die der Oberkellner, schmeichelhaft für die Zuhörer; solch ein Herr und unser Diener, mag ihr Unbewußtes registrieren" (GS 14, S. 294).

[32] Charles Dufresny, *Amusemens serieux et comiques*. Amsterdam: Desbordes, 1699, S. 64.

Zweitens ist es eher unklar, welchen Status die einzelnen Familienmitglieder in diesem Orchester haben – sollen sie eher den Instrumenten selber, oder eher deren Spielern entsprechen? Insbesondere im Fall der Ehefrau scheinen die zwei vollends ineinanderzufallen. Einerseits darf „man“ sich nicht in „der Wahl eines solchen Instruments“ „von einem glänzenden Aeussern täuschen lassen“, andererseits spricht die Glosse von der „Besetzung“ dieser Stimme – die Frau „spielt im Konzert“ die Violine, die sie selber ist. Die Frau ist Instrument und Spieler zugleich, während der Kontrabass „vom Haus- und Eheherren gestrichen wird“. Der Instrumentenkörper des Kontrabasses wird also absolut ausgeklammert, das Instrument *ist* nicht der Mann, sondern das Instrument *des* Mannes. Die Frau, Instrument und Spielerin zugleich, ist äußerst verführbar, und fällt „dadurch [...] leicht aus dem richtigen Takte, und [gibt] dem ganzen Orchester ein gefährliches Beispiel“. Man möchte es fast wie Jean Pauls Demiurgen halten und fragen, wer denn nun die Saiten der Frau spannt und ihren Klangkörper auf „Feinheit und Delikatesse“ untersucht.

Drittens springt die Gleichsetzung von „Orchester“ und „Konzert“ ins Auge: denn wenn es darum geht, anhand des Orchesters familiäre Harmonie zu lernen, so fragt sich natürlich, was genau mit „effektvoller Harmonie“ und „gefälliger Melodie“ gemeint sei. Der Autor beklagt ja vor allem, daß, wenn das Familienorchester aus dem Takt gerät, dies „dem Zuhörer ein Aergerniss“ sei. Wer ist denn dieser Zuhörer, und wieso sollte es die Familie kümmern, was ihm „Aergerniss“ ist? Worum es hier geht, ist nichts anderes als die Frage des *Produkts*. Es gehört zum semantischen Feld der Symphonik, daß sie für einen wie auch immer gearteten Zuhörer da sein soll, der sie konsumiert und den sie ergötzt – und der *nicht mitspielt*.[33] Das Orchester berauscht sich seinem Wesen nach nicht primär an sich selber, sondern ist symphonisch für ein ihm Äußeres da. Doch wozu soll diese Familie gut sein? Für welches Äußere soll sie ein Produkt bereitstellen? Normalerweise ist doch „familiäre Harmonie“ etwas, dessen sich ausschließlich die harmonisierende Familie selber erfreut – Harmonie ist Selbstzweck, kein Mittel zur Erbauung anderer.

Bei dieser bizarren Verwirrung spielt sicherlich eine Rolle, daß das hier beschriebene Orchester eben keine Kleinfamilie, sondern ein ausgesprochener *oikos* im klassischen Sinne ist – eine häusliche Wirtschaft mit „Kammerjungfer“, „Sekretair“, „Köchin“, „Hofmeister“, usw. Genauso wie der *oikos* auf ein Äußeres (nämlich die *polis*) ausgerichtet ist, scheint es sich bei dieser Orchesterfamilie um einen „Haushalt“ im betriebswirtschaftlichen Sinn zu handeln – anders als zum Beispiel bei Hegel, wo die Familie ja gerade in der Ausklammerung des Äußeren und in der Vereinigung aller Mitglieder als *einer* Person besteht. Das heißt, der hier beschriebene musikalische Haushalt ist eine Ökonomie, und daher, wie Hannah Arendt gezeigt hat, *nicht* durch das Merkmal der *Intimität*

33 Hanns-Werner Heister, *Das Konzert: Theorie einer Kulturform*. Heinrichshofen, 1983, S. 36.

von der Gesellschaft generell geschieden.[34] Und was vielleicht am allerwichtigsten wiegt: Diese Familie hat Kinder – genau dies fiele in einer vergleichbaren Analogisierung des vierhändigen Klavierspiels weg. Das vierhändige Monster ist *zu klein,* um Haushalt zu sein: ohne Anhang ist das reine Paar ungleich schwieriger zu bestimmen.

Die Frage des Produkts ist bei „di Teczoni" also an zweierlei festgemacht: einmal an der Produktivität der Familie, die es eher zum *oikos* als zur modernen Kleinfamilie macht, zum anderen aber an der Ausrichtung der häuslichen Harmonie auf einen „Zuhörer" außerhalb des häuslichen Kreises. In beiden Fällen verweist Produktivität auf ein Außenstehendes; in Hoffmanns Allegorie von den Zwillingsprinzen ebenso wie bei den Brüdern Goncourt im Bild von Gavarni ist die Vierhändigkeit dagegen aber ein Indiz der Immanenz. Das kann ganz generell für die vielen von uns angeführten Szenen vierhändigen Klavierspiels gelten: Natürlich werden solche Szenen beobachtet, aber ausgerichtet auf solche Beobachtung sind sie nicht. Es ist also die Immanenz einerseits und der Dualismus andererseits, der die Bedeutung der Vierhändigspieler so schwer übertragbar oder metaphorisierbar macht.

Während der Dualismus der Vierhändigspieler schwerer auf soziale Muster abzubilden oder zu reduzieren ist, drängt er das vierhändige Klavierspiel umso insistenter in die Welt der Metaphysik. Denn was das Vierhändigspielen mit den antiatomistischen Ansätzen der *Differenzschrift* gemein hat, in der ja die verabsolutierten Gegensätze auf ein allumfassendes Sein hin überschritten werden sollen, ist eben nicht nur eine Entfremdungsromantik, sonder vielmehr auch eine Vereinigungsmetaphysik. Bei Hoffmanns siamesischen Zwillingsprinzen finden wir die *Zweiheit* in der Vierhändigkeit betont, in dem Text, mit dem wir uns abschließend befassen werden, wird vielmehr die *Einheit* in der Vierhändigkeit betont. Robert Musils *Der Mann ohne Eigenschaften* bringt eine neue Interpretation der „Vereinigung" an der Klaviatur ins Spiel, die der Sicht aufs „vierhändige Monster" wahrscheinlich latent recht häufig zugrunde lag. Er bezieht die Erotik des Vierhändigspiels nicht primär auf das nahe Spiel der Hände, sondern vielmehr auf die Vorstellung eines in eins verschmelzenden Paars. Musil scheint diesen Topos aus seiner Lektüre Franz von Baaders bezogen zu haben, aber er stammt natürlich ursprünglich von Platon. Es ist *Der Mann ohne Eigenschaften*, der, wie es scheint, zum ersten Mal explizit die Verwandtschaft des „vierhändigen Monsters" zu den Aristophanischen „Kugelwesen" festhält. In Platos *Gastmahl* hält Aristophanes eine Rede zum Ursprung der Liebe und postuliert die einstige Existenz einer Spezies von Kugelwesen, die nicht nur die Geschlechtsmerkmale beider Geschlechter in sich vereinigten, sondern eben auch zwei Gesichter hatten, vier Beine – und vier Hände.[35]

---

[34] Hannah Arendt, *Vita Activa, Oder vom tätigen Leben*. München: Piper, 2002, S. 49.

[35] Platon, *Gastmahl*, 189d-190d.

Laut Aristophanes besteht die letztendliche Bestimmung der Erotik darin, die zwei dirimierten Hälften des einstigen „Kugelwesens“ zu vereinigen. Ganz ähnlich charakterisiert Hermann Wetzel-Stettin das Vierhändigspiel als ein „von Natur zur Vereinigung bestimmtes Ensemble“,[36] Moldenhauer spricht vom „Ideal organischer Integration“ („organic integration“).[37] Vierhändig spielen heißt also beides: *eins* werden (wie die platonischen Kugelwesen oder wie Hegels Familie), aber gleichzeitig arbeitsteilig tätig sein (wie das Orchester, das „Techo di Teczoni“ beschreibt). In Musils Roman spielen Walter und Clarisse, zwei mit einander verheiratete Jugendfreunde des Protagonisten, wie besessen Klavier. Musils Erzähler beschreibt ihr Spiel als großes „Einswerden“ an der Klaviatur, in Tönen, die uns mittlerweile nur zu gut bekannt sind. Statt eines vierhändigen Monsters ist es hier eine einzige wabernde „Blase“, die die zwei Spieler schaffen – in einem Ausdruck, den wir weiter oben bemühten, ein „ungeheurer Privataufruhr“. Darüberhinaus spricht Musils Erzähler von den „zwillingshaften Gebärden“, anhand derer das „Unermeßliche“ vonstatten geht.

Allerdings ist das „Einswerden“ der „Blase“ nur zwillings*haft* – das vierhändige Spiel reicht, zumindest im Roman, nie an die avisierte absolute Identität heran. Erst gegen Ende des (vollendeten Teil des) Romans kommen die Figuren einer tatsächlichen Vereinigung näher – allerdings nicht über das „zwillings*hafte*“ Klavierspiel, sondern über die tatsächliche Verwandtschaft als Zwillinge. Und anstatt des Pianistenpaars Walter und Clarisse sind es der „Mann ohne Eigenschaften“ Ulrich und seine Zwillingsschwester Agathe, denen das ersehnte „Einswerden“ wirklich zuteil wird. Doch erneut wird hier das Vierhändigspiel als Sinnbild vollständiger Vereinigung bemüht – mit eindeutigen platonischen Anleihen:

> Denn obzwar die Geschwister sehr verschieden sprachen, waren sie doch einig. Von einer unbestimmten Grenze an fühlten sie sich als ein Wesen; so wie aus zwei Menschen, die vierhändig spielen oder zweistimmig eine Schrift lesen, die für ihr Heil wichtig ist, ein Wesen entsteht. [...] Wie in einem Traum schwebte es ihnen vor, zu einer Gestalt zu verschmelzen.[38]

In diesem Bild zwillingshafter Vereinigung schwingt also sowohl das „vierhändige Monster“ am Klavier mit als auch die geteilte Stimme des vierhändig bespielten Instruments: die Vereinigung der Geschwister wird erstens mit vierhändigem Spiel selber, zweitens aber mit dem zweistimmigen Lesen einer identischen Schrift verglichen. Die Komplexität von Musils Vergleich legt nahe, daß er sich der Merkwürdigkeiten des vierhändigen Arrangements bewußt war, wie kaum ein anderer. Doch ist das Verhältnis von „Einswerden“ und Vierhändigspiel bei

---

[36] Hermann Wetzel-Stettin, „Schuberts Werke für Klavier zu vier Händen.“ In *Die Musik* VI, Nr. 7, S. 37.

[37] Hans Moldenhauer, *Duo-Pianism: A Dissertation*. Chicago: Chicago Musical College Press, 1950, S. 189.

[38] Robert Musil, *Der Mann ohne Eigenschaften*. Hamburg: Rowohlt, 1965, S. 1161.

Musil weitaus komplizierter als es die oben zitierte Passage nahe legt. Denn obgleich Musil hier die Identität der Zwillinge mit den „zwillings*haften*“ Vereinigungsversuchen am Klavier unproblematisch zu verknüpfen scheint, betont sein Erzähler in seinen tatsächlichen Beschreibungen vierhändigen Klavierspiels immer wieder implizit die Distanz, die zwischen dem Versuch des Einswerdens am Klavier und dem „Verschmelzen“ der Geschwister liegt. Gerade die Szenen um Walter und Clarisse konfrontieren den Leser immer wieder mit der Tatsache, daß die „zwillingshaften Gebärden“ an das tatsächliche „Verschmelzen“ nie heranreichen zu können scheinen (wie genau die „Gebärden“ ihr Ziel verfehlen, wird auch Thema des abschließenden Kapitels sein).

Walter spielt im Romanverlauf mehrfach alleine Wagner – vierhändig spielen er und Clarisse bevorzugt Beethoven. Während Wagner also suisuffizient durch die Finger des Einzelnen rinnt, bedarf Beethoven einer gemeinschaftlichen Anstrengung, einer Anstrengung, die im Verlauf des Romans gleich mehrmals mißlingt. Was die Sache nämlich erschwert, ist, daß beide mit den Gedanken nicht beim gemeinsamen Spiel sind oder, vielleicht besser, das sie dieses gemeinsame Spiel zwanghaft mit etwas ihm scheinbar Äußerlichen verbinden. Sie haben die Möglichkeit, zusammen wie eine Person Musik zu machen – etwas, was sich kein Cellist, kein Trompeter, kein Gitarrenspieler auch nur erträumen könnte – und doch denken die beiden vor allem an ein Kind, das sie gemeinsam haben könnten. An der Klaviatur entspinnt sich ein regelrechtes Pokerspiel um dieses Phantomkind:

> Und in diesem Moment merkte sie, wie Walters Spiel unsicher wurde. Wie große Regentropfen klatschte sein Gefühl in die Tasten. Sie erriet sofort, woran er dachte: das Kind. Sie wußte, daß er sie mit einem Kind an sich anbinden wollte. Das war ihr Streit alle Tage. Und die Musik hielt keinen Augenblick still, die Musik kannte kein Nein. Wie ein Netz, dessen Umgarnung sie nicht bemerkt hatte, zog sich das rasend schnell zusammen. Da sprang Clarisse mitten im Spiel auf und schlug daß Klavier zu, so daß Walter kaum die Finger retten konnte.[39]

Weiter oben haben wir gezeigt, daß Musil Walters Solospiel am Klavier „fast schon penetrant“[40] mit Anspielungen auf Onanie spickt. Der Wagner, den Walter allein am Klavier spielt (und den Clarisse aus Nietzschebegeisterung verabscheut), ist autoerotisch, und das vierhändige Klavierspiel (Beethoven, wie sich herausstellt), in das Clarisse ihren Mann zwingt, ist ebenso „penetrant“ alloerotisch. Wagner ist Onanie, Beethovens „Ode an die Freude“ ist der Inbegriff der (Hetero/Allo)Sexualität, weil sie *Vereinigung* in das bringt, „was die Mode streng geteilt.“ In der oben zitierten Stelle werden wir folgerichtig statt musikalischer Onanie Zeugen eines musikalischen *coitus interruptus* – auch hier ist Musil in sei-

---

[39] Musil, *Der Mann ohne Eigenschaften*, S. 147.

[40] Jürgen Gunia, *Die Sphäre des Ästhetischen bei Robert Musil*. Würzburg: Königshausen & Neumann, 2000, S. 155.

nen Anspielungen nicht gerade zimperlich. Walter versucht, Clarisse zu umgarnen, sie kann sich nur entziehen, indem sie das Klavier zuschlägt.

Musil bemüht in diesen Beschreibungen insistent metaphysische Sprache: Er spricht vom „großen Einswerden", und indem er dieses „Einswerden" (oder vielmehr dessen Mißerfolg) minutiös darstellt, scheint er das uns wohlbekannte „vierhändige Monster" mit einem weitaus älteren Topos zu verbinden: den Kugelwesen aus Platons *Gastmahl*, die noch nicht in Mann und Frau unterschieden waren und zu deren Zustand uns jegliches erotische Begehren zurückholen will. Er stellt diese Vereinigung „einer Arbeitsteilung" gegenüber, innerhalb derer sich sogar die „Sinneswerkzeuge" einander entfremdet haben – „denn in der Urzeit waren sowohl unsere Gefühle als auch unsere Empfindungen in der gleichen Wurzel vereinigt, nämlich in einem das ganze Geschöpf beteiligenden Verhalten"[41] – auch dies eine Anleihe bei der Vereinigungsmetaphysik der deutschen Idealisten.

Natürlich ist die Vereinigung zum Kugelwesen immer schon unmöglich, und genau dieses Scheitern der erotischen Vereinigung stellt das „vierhändige Monster" in Musils Roman zur Schau. Was aber unterbricht sein „Einswerden"? Den musikalischen Geschlechtsakt, den Clarisse erzwingt, genießt sie ausgiebig („Man dürfte nie zu spielen aufhören"), und es ist nicht die sexuelle Konnotation, die sie veranlaßt, den Coitus zu unterbrechen – vielmehr ist es sein Wunsch nach einem Kind. Dies mag seltsam anmuten: Verständlich wäre, wenn Clarisse, angeekelt, daß das gemeinsame Klavierspiel sexuelle Bedeutungen transportiert, dieses abbricht; doch daß er dieses Spiel nicht als bloße Liebelei, sondern sozusagen mit Fortpflanzungsgedanken betreibt, scheint sich doch ziemlich klar nur im metaphorischen Raum zu bewegen. Vom vierhändigen Klavierspiel, in anderen Worten, ist noch niemand schwanger geworden – warum also den metaphorischen Coitus unterbrechen?

Die Antwort auf diese Frage scheint sich um zwei verschiedene Arten *Produkt* zu drehen – wie also das Gemeinsame, das die zwei Spieler am Klavier schaffen, zu denken sei. Sie liest sein Gefühl in den Tasten, die sie sich teilen, und sie „errät", daß das Gemeinsame, das sie hier schaffen, nicht das ist, was er will – daß er zwar Musik mit ihr macht, die keine Dauer hat, sondern sofort wieder durchs Fenster fortzieht, daß es ihm aber um ein weitaus permanenteres Produkt geht. Die Vereinigung, die sie anstrebt (und von der die „Ode" singt), pervertiert er, indem er diese Vereinigung zu verdinglichen sucht. Daß Musil diese Denkweise über Produkt und Vereinigung, die wir eher mit dem Deutschen Idealismus zu assoziieren geneigt sind, alles andere als fremd war, zeigt sich, wenn man in Betracht zieht, daß Musil seine Betrachtungen zur Sexualität im *Mann ohne Eigenschaften* (insbesondere das Verhältnis Ulrichs zu seiner Zwillingsgattin Agathe) vor allem unter dem Eindruck der Werke Franz von Baaders anstellt.[42]

---

41 Musil, *Der Mann ohne Eigenschaften*, S. 1309.

42 Siehe: Achim Aurnhammer, Androgynie: Studien zu einem Motiv in der europäischen Literatur. Wien: Böhlau, 1986.

Von Baader (1765–1841), ein Freund und Anhänger Schellings, dessen theosophisch angehauchte Philosophie dem Erotischen einen außerordentlichen Stellenwert einräumte, verwendet eben diese Gegenüberstellung von ständiger, produktloser Vereinigung einerseits und der re-produzierenden Vereinigung als Entfremdung andererseits.

In einem Fragment beschreibt Baader die erotische Vereinigung als „in ihrem Urstande nur ein Kind [...], aber ein Kind, das die liebenden Eltern in sich empfangen und in sich, nicht wie das durch Fortpflanzung gewordene Kind, von und aus sich gebären". Es ist als die Vereinigung der Liebenden „eben so ein drittes als das leibliche Kind ist, obschon es, wie gesagt, nicht wie dieses neben, sondern in den Eltern lebt, und eben darum beide solidair und innig vereint."[43] Anders als das Kind, in dem, wie Hegel es beschreibt, „die Einheit der Ehe [...] eine für sich seyende Existenz und Gegenstand" gewinnt,[44] ist die Vereinigung der Liebe also so etwas wie eine ewige Schwangerschaft – und, so der Clou des Baaderschen Fragments, im Grunde genommen ist die körperliche Re-Produktion eine geradezu fäkale Ausscheidung einer idealen gemeinsamen Schwangerschaft. Das Kind ist ein Gegen-stand, ein entfremdetes Etwas, ein Zweck, während die Liebe ein unentfremdetes, verbindendes Drittes ist, welches „kein Warum" hat.[45]

Genau hierin deckt sich Baaders Fragment zur Erotik mit Musils Szene am Klavier: Hier wie dort haben wir es mit der Unterscheidung zwischen einer unendlichen, sich nie in ein Anderes entäußernden Koproduktion einerseits und der tumben Veräußerlichung im Kind andererseits zu tun. Während Clarisse die Unendlichkeit des Spiels betont („Man dürfte nie zu spielen aufhören", „Man müßte weiter und weiter spielen, bis zum Ende"[46]), scheint es Walter vor dem ewigen Verschwinden zu gruseln: „Und das Leben liefe wie diese Musik, die unter den Händen verschwand. Im Nu würde es vorüber sein!"[47] Ihn stört also das, was er als Sterilität (möglicherweise wiederum auch als Onanie) empfindet, nämlich, daß nichts Greifbares, daß kein Etwas hergestellt wird. Musil bemüht hier geschickt ein klassisches Philosophem (die Welt des Werdens vs. die Welt des Daseins), nur um durch dieses Philosophem zwei kulturelle Verhältnisse zur Kunst gegeneinander auszuspielen: das vollständige Aufgehen des Lebens (in diesem Fall der erotischen Vereinigung) in der Kunst einerseits, und der Forderung andererseits, daß bei all dem doch noch etwas Greifbareres als ein nicht enden wollender Tonschwall herauskommen sollte.

Anders gesagt: Walters Sakrileg am vierhändigen Klavierspiel scheint eben darin zu bestehen, daß er will, daß es zu etwas gut sein soll – er frevelt also am

---

[43] Franz von Baader, *Franz von Baader's sämmtliche Werke, Zehnter Band*. Leipzig: Herrmann Bethmann, 1855, S. 344.

[44] Hegel, *Werke (Theorie-Werkausgabe), Band 7*, S. 185 (§173).

[45] Baader, *Franz von Baader's sämmtliche Werke*, S. 345.

[46] Musil, *Der Mann ohne Eigenschaften*, S. 145.

[47] Musil, *Der Mann ohne Eigenschaften*, S. 147.

ästhetizistischen Imperativ, daß ihre Gemeinschaft „kein Warum" haben soll, oder, wie Gautier es ausdrückt, „ne peut servir à rien". Dies ist einerseits natürlich nicht eben zuviel verlangt (wozu soll ein solcher „Privataufruhr" denn gut sein?), andererseits aber doch sprechend: Die zwei Spieler, die Musil beschreibt, stehen einerseits in einem kollaborativen *Arbeitsverhältnis* (wenngleich in einem ohne Produkt), andererseits in einem *erotischen* Verhältnis (wenngleich ohne totale Vereinigung). Man kann es nach Musils Beschreibung weder klar dem einen noch dem andern zuschlagen – es handelt sich um ein erotisches Arbeitsverhältnis oder eine arbeitsteilige Erotik, etwas, was zugleich nicht weit genug über sich hinaus weist, und gleichzeitig doch nie in sich selbst ruht. Oder vielleicht besser: Das vierhändige Klavierspiel ist ein Art Kippfigur, in der die Utopie einer über alle Standes- und Berufsgrenzen vereinigten Menschheit unversehens in das konkret-sinnliche Begehren nach sexueller Einheit mit dem anderen umschlägt und umgekehrt. Egal von welcher Seite man sich dem Phänomen nähert: der Hände Werk allegorisiert die gesellschaftliche Utopie oder die individualisierte Libido in das jeweils andere. Die Politisierung oder Sozialisierung des „nicht ganz eins, nicht ganz zwei" bezieht eben daraus ihre utopische Kraft: Im Vierhändigspiel überschneidet sich die anti-atomistische Utopie einer gemeinschaftlichen Einheit mit der Platonischen Sehnsucht nach der Vollständigkeit des Kugelwesens. Weil dem Bild des „vierhändigen Monsters" beides zugrunde liegt – unmögliche Gemeinschaft und erotische Vereinigung –, ist seine Instabilität gleichzeitig seine semantische Schwäche und Stärke.

Der sozialutopische Gehalt des Phänomens besteht also in der Vereinigung von ansonsten in der bürgerlichen Welt konstitutiv dichotomisierten Begriffspaaren. Das vierhändige Klavierspiel ist (1) Arbeit ohne Produkt, d.h. entgegen Hegels programmatischer Behauptung, daß es die Eigenheit des „vollbringenden Organs" Hand ausmacht, daß ihr immer ein Vollbrachtes entfremdet (also als ein Anderes) gegenübersteht, ist das vierhändige Klavierspiel eine Her-stellung *ohne Entfremdung*. Das vierhändige Klavierspiel ist weiter (2) Arbeit in der Privatsphäre, d.h. Arbeit in einer Sphäre, die ihre *quidditas* nur aus der Absenz der Arbeit bezieht. Drittens ist es (3) familiäre Arbeit, das heißt Arbeit ohne Arbeitsteilung. Man könnte sie als Arbeit der *Gemeinschaft* (nach Tönnies' berühmter Formel) ansehen, aber das wäre zu kurz gegriffen. Es handelt sich vielmehr um Zusammenarbeit nach dem Modell, um das es weiter oben ging: Arbeit als sexuelle Beziehung, als Ehe, als Liebe. Anerkennung kann einerseits vermittelt sein, vornehmlich durch eben jene „Vollbrachten", in die sich die Menschen selber entfremden. Liebe allerdings ist eine unmittelbare Einheit – und das heißt auch unmittelbar sinnlich.

Das bedeutet, daß das Versprechen des à quatre mains-Spielens tatsächlich immer auf die Aufhebung eben jener gesellschaftlichen Gegensätze hinausläuft, die dieses Phänomen überhaupt erst möglich gemacht haben. Die Semantik des vierhändigen Klavierspiels, ja ihr sinnliches Versprechen *speist* sich aus dem abrupten Gegensatz des Privat/Familiären und des Öffentlich/Ökonomischen;

ihr Versprechen *zielt* jedoch immer auf die Einebnung eben jenes Gegensatzes. Cone schreibt, daß „die Position des Duettspielers ist anomal" („the duettist's position is anomalous"), denn

> seine Rolle [...] mag zunächst wie die eines einzelnen Handelnden wirken, aber wenn dem so sein sollte, dann ist es eine außergewöhnlich unvollständige. Er muß sein Instrument teilen, über welches er demzufolge ein gewisses Maß Kontrolle aufgeben muß. [...] Die Rolle des musikalischen Protagonisten pendelt zwischen ihm und seinem Partner, da ihre Stimmen generell eher von der Bequemlichkeit der Positionen auf der Klaviatur abzuhängen scheinen, denn von der musikalischen Kontinuität.
>
> his role, like the duo-pianist's, might seem to be that of a unitary agent, but if it is, it is singularly incomplete. He shares his very instrument, over which he thus loses a measure of control. [...] The implied agents often move back and forth between him and his partner for their parts in general seem determined more by convenience of keyboard position than by musical continuity.[48]

Es liegt also beides im Vierhändigspielen beschlossen: Einerseits teilen die zwei Duettisten sich die Klaviatur, arbeiten *gemeinsam* und sind, für sich genommen, „incomplete". Wie wir bereits sahen, nennt Cone dies spielerisch das „blending of two players into a single four-handed monster", also die Vereinigung in ein einziges vierhändig spielendes Wesen. Andererseits aber legt Cone Wert darauf, daß die Teilung der *Partitur* selber, die dieses vierhändige Monster notwendig macht, eigentlich eine ziemlich unnatürliche ist. Die „parts" scheinen „eher von der Bequemlichkeit der Positionen auf der Klaviatur abzuhängen [...], denn von der musikalischen Kontinuität" („determined more by convenience of keyboard position than by musical continuity"). Der *Vereinigung* des „Monsters" steht also eine *Zerstückelung* der „musical continuity" entgegen. Und tatsächlich: Ich habe im zweiten und dritten Kapitel die intimen Momente behandelt, in denen die Hände im Zwischenraum der Körper fast verschwinden, und dies ist tatsächlich eine Seite der Medaille. Die andere ist, daß ungefähr genau so häufig beide Handpaare an entgegengesetzten Enden der Klaviatur eigenbrötlerisch vor sich hin laborieren, so daß die zwei Spieler einander fast den Rücken zukehren.

Man kann also sagen, daß sich in die utopisch-sexuelle Vereinigung dieses vierhändigen Biests nicht nur eine familiäre Prohibition einschleicht, sondern vielmehr auch eine soziale Unmöglichkeit. Das Vergnügen für den Zuschauer einer vierhändigen Klavierdarbietung besteht gerade in der Abwechslung der intimen Momente und dem Auseinanderstieben. Bisher haben wir dies auf das Drama der sexuellen Intimität und deren Prohibition durch den Blick des Betrachters bezogen; aber genausogut könnte man sagen, daß auch hier die *relation sexuelle* kippt, und zwar in ein Arbeitsverhältnis. Das à quatre mains-Spielen

[48] Edward Cone, *The Composer's Voice*. Berkeley and Los Angeles: University of California Press, 1974, S. 134–35.

dramatisierte dann das *Phantasma* von der unentfremdeten Gemeinschaft, die keine Arbeitsteilung kennt, zusammen mit dessen Prohibition. Wenn der Schlußakkord groß ausklingt, stehen sich die Handpaare wie Boxkämpfer in ihren Ecken gegenüber, ohne Berührung: kein vierhändiges Monster, sondern vielmehr zwei Menschen, jeder mit seinem eigenen Zuständigkeitsbereich, Angestellte der Klaviatur.

Was Musil in diesen Szenen herausarbeitet, ist also erneut die verblüffende *Überbelegtheit* des Phänomens: Im fünften Kapitel stellten wir fest, daß man das vierhändige Klavierspiel auf deterministische Lehren hin, aber auch auf deren Transzendenz hin untersuchen kann. In den letzten beiden Kapiteln nun hat sich gezeigt, daß der Austausch zwischen dem Vierhändigspiel und der Arbeit einer komplizierten Dialektik folgt, in der unklar ist, welches Element denn nun das andere transportiert oder verschlüsselt. Holen sich die Bürger, die zusammen am Klavier sitzen, einen industriellen Wolf im heimelig-idyllischen Schafspelz ins Haus, oder vermag das vierhändige Klavier umgekehrt, der Arbeits- und Gesellschaftsordnung ein Gegenbild entgegenzusetzen, eine ganz andere Form der Zusammenarbeit und des Zusammenseins? Im folgenden Kapitel werden wir zu zeigen versuchen, daß Musils Szenen vierhändigen Klavierspiels, bei weitem die komplexesten und vielschichtigsten, denen wir bisher begegnet sind, eben diese Kippfigur zum Thema haben. Einerseits treibt Musil die Vereinigungsmystik des „vierhändigen Monsters“ auf die Spitze, und doch läßt er sie ein ums andere Mal ins Leere laufen. Unter dem ironisierenden Blick des Erzählers (und seines Surrogats, des Mannes ohne Eigenschaften) kippt das „große Einswerden“ am Klavier Mal um Mal ins Angestelltendasein um.

Kapitel 8: Kakanische Variationen

Daß das vierhändige Spiel an einer Tastatur eine fantastisch aufgeladene Szenerie darstellt, eine, die Wünsche bedient, Ängste entfacht und Träume in Gang setzt, haben wir in den vorhergehenden Kapiteln immer wieder festgestellt. Das neunzehnte Jahrhundert, so lautete unser Befund, hat im vierhändigen Klavierspiel weitaus mehr gesehen und weitaus mehr an ihm festgemacht als an benachbarten Phänomenen. Der Bürgersalon spielte auch gerne Quartette, aber diese Quartette scheinen nicht zu dem Grade der Rede wert gewesen zu sein wie das unheimliche Stelldichein der Hände an der Klaviatur. Auch der Solist war dem neunzehnten Jahrhundert zutiefst unheimlich (man denke nur an zeitgenössische Darstellungen Liszts und Paganinis), und doch verknüpften sich mit ihm keine vergleichbaren Utopien und Träume vom trauten Heim – eher das Gegenteil.[1]

Insofern ist es nicht verwunderlich, daß, als sich die Welt, die Walter Benjamin als die „Traumwelt“ des neunzehnten Jahrhunderts bezeichnet hat, in die Katastrophe des zwanzigsten auswuchs, die ihr doch immer schon immanent gewesen war, das vierhändige Klavierspiel „noch einmal“, wie Adorno es formuliert, wichtig wurde: Einerseits als Ausdruck dieser Traumwelt, andererseits als Indiz der immer schon in ihr schlummernden Katastrophe. In diesem Kapitel sollen zwei Romane des frühen zwanzigsten Jahrhundert nach diesen Gesichtspunkten vorgestellt werden. Beide entstammen einem Land, das bald nicht mehr existieren sollte – „Kakanien“. Am Beispiel der k.u.k. Monarchie zeigt sich noch einmal die Magie des vierhändigen Klavierspiels, das Nationalität herzustellen versprach, Gemeinschaft zu stiften; und im Hohlspiegel der Wiener Moderne zeigt sich auch die tiefe Lächerlichkeit dieses Anspruchs, die gefährlichen Phantasmen, die ihm innewohnten.

Einer dieser Romane spielt im Jahr 1913, der andere erschien in ebendiesem Jahr. Der eine – Musils *Mann ohne Eigenschaften* – wird heute wahrscheinlich mehr geschätzt als zur Zeit seines Erscheinens, den zweiten – *Grillparzers Liebesroman* von Joseph August Lux – darf man mit Fug und Recht als vergessen betrachten. Nicht daß Lux' Roman, ein Heimatroman eher fragwürdigen Stils, das Vergessen nicht verdient hätte – doch war er, als er erschien, durchaus kein Flop: Im ersten Jahr nach der Veröffentlichung allein verkaufte sich der Roman im deutschsprachigen Raum vierzigtausend Mal.

Beide Romane haben es mit der k.u.k. Monarchie zu tun, und beide benutzen das vierhändige Klavierspiel, um die Donaumonarchie, „Kakanien“, genau zu

---

[1] Susan Bernstein, *Virtuosity of the Nineteenth Century*. Palo Alto: Stanford University Press, 1999; Dana Andrew Gooley, *The Virtuoso Liszt*. Cambridge: Cambridge University Press, 2004, S. 18–45. S. Mark Mitchell, *Virtuosi*. Bloomington und Indianapolis: Indiana University Press, 2000, S. 167–173.

durchleuchten. Es handelt sich bei beiden um Rückblicke auf eine jeweils vergangene Periode – Lux' Roman bemüht sich anhand einer Charakteristik des Wiens der 1820er Jahre um die Stabilisierung einer österreichischen Essenz, die es so im Vielvölkerstaat Österreich-Ungarn gar nicht mehr geben konnte; Musils Roman dagegen geht es um eine Autopsie der Doppelmonarchie, geschrieben nach ihrem Ableben. *Grillparzers Liebesroman – Die Schwestern Fröhlich* ist laut Untertitel ein „Roman aus Wiens klassischer Zeit" und fiktionalisiert und idealisiert die Welt der 1820er Jahre: „Wir Heutigen blicken mit einer Art von zärtlichem Familienstolz auf jene Zeit und ihre berühmten Größen zurück, als wär's unsere persönliche Vergangenheit; sie steht unserem Herzen am nächsten; wir wollen ihr ins liebe Antlitz schauen, in ihren Augen lesen, ihre Seele ergreifen, ihr inneres Leben."[2] Musil geht es dagegen um eine ironisch-sympathische, aber doch ziemlich radikale Bestandsaufnahme eines Landes, das Friedrich Engels als „das europäische China"[3] bezeichnete, das, in Musils Worten, „sich selbst irgendwie nur noch mitmachte".

Im Vergleich zu Musil geht Lux mit der „kakanischen" Erbmasse weitaus unkritischer um – was natürlich auch damit zu tun hat, daß Lux noch im Kontext der Doppelmonarchie schreibt. Allerdings mischt sich auch in seine rückblickende Charakteristik der „klassischen Zeit" Wiens eine starke Ambivalenz: Erstens ist auch seine politische Sicht auf das Biedermeier zweigeteilt; zweitens aber ist sein Historismus, obgleich tendenziell konservativ und nostalgisch, äußerst reflektiert. Lux (1871–1947) war als freier Schriftsteller und Kunstkritiker im Umkreis der Wiener Werkstätte tätig, befreundet mit Olbrich, Muthesius und später sogar Wassily Kandinsky, bis er 1908 plötzlich mit dem Werkbund brach, der ihm zu anti-katholisch und zu modern geworden war. In den folgenden Jahren kritisierte Lux sowohl die rationalistischen Tendenzen des Werkbundes als auch den Historismus des „Heimatstil" – dies, so Mark Jarzombek, bedeutete, daß er „weder bei den Modernen noch bei den Konservativen ein Heim fand".[4] In den folgenden Jahren versuchte Lux, sich mit Romanen, Ästhetischen Schriften und Kritiken (unter anderem dem *Grillparzer*, um den es uns geht) als „eine Art Österreichischer Kulturphilosoph" zu etablieren. Als solcher redete er einem Österreichischen Nationalismus das Wort, war aber aus eben diesem Grund den Nationalsozialisten und dem „Anschluß" Österreichs gegenüber von Anfang an kritisch eingestellt.[5]

Lux' Interesse am Biedermeier entsprang nicht einer naiven Präferenz, einem antimodernen Fluchtreflex, sondern vielmehr einem durchaus modernen

---

2 Joseph August Lux. *Grillparzers Liebesroman – Die Schwestern Fröhlich*. Berlin: Bong, 1913, S. v.

3 Zitiert in: Walter Kleindel, *Österreich: Daten zur Geschichte und Kultur*. Wien: Ueberreuter Verlag, 1978, S. 240.

4 Mark Jarzombek, „Joseph August Lux: Werkbund, Promoter, Historian of a Lost Modernity." *The Journal of the Society of Architectural Historians*, Vol. 63, No. 2 (2004), S. 204.

5 Jarzombek, „Joseph August Lux", S. 205:

ästhetischen Programm. Lux war einerseits Mitglied und Förderer des Österreichischen Werkbundes, sagte sich aber andererseits auch frühzeitig von dessen, seinem Empfinden nach übermäßig „protestantischen" und modernisierenden Tendenzen los. Das bedeutet, daß, obgleich er sich der „klassischen Zeit" Wiens als Quelle zuwendet, er diese nicht einfach als „gute alte Zeit" verkitscht.[6] Seine Begeisterung für die Ästhetik des Biedermeiers verstellt durchaus nicht seine Sicht auf die repressive Gesellschaftsordnung, in der sich diese Ästhetik erst entfalten konnte.[7] Vielmehr konstruiert er ein explizit verhäuslichtes „Österreich", welches er der kakanischen „Hof- und Staatsherrlichkeit"[8] gegenüberstellt. Lux steht als „konservativer Moderner" in einer äußerst ambivalenten Relation zur „klassischen Zeit", um die es seinem Roman geht.

Gerade das Leben Grillparzers (anders als das Goethes, welches Lux auch in Romanform aufarbeitete[9]) eignet sich ja eigentlich schlecht zur Idealisierung von Wiens „klassischer Zeit". Es ist die Geschichte des Scheiterns an der Geisteswelt des Biedermeiers, sowohl was das Schreiben angeht (obwohl Lux' Roman sich dem wenig widmet) als auch was die Verbindung zu den „Schwestern Fröhlich" angeht – „Verpatzer! Lebensverpatzer" nennt sich der Dichter bei Lux.[10] Tatsächlich scheint sich Lux auch aus autobiographischen Gründen diesem Stoff zugewandt zu haben: er selbst sah in der Zurückweisung seiner eher konservativen Ideen von seiten des Werkbundes wohl eine Parallele zu Grillparzers Schicksal im „klassischen" Wien. Lux folgt, soweit belegt, der bekannten Geschichte von Grillparzers lebenslanger Wohngemeinschaft mit den Schwestern Fröhlich (und Verlöbnis mit Katharina). Tatsächlich wohnte Grillparzer von 1849 bis zu seinem Tode im Jahr 1872 im Haus der Schwestern in der Wiener Spiegelgasse 21.[11] Er war während dieser Jahre mit Kathi verlobt, aber vermählte sich nie mit ihr. Dennoch ist Lux, was die Unbilden der Existenz Grillparzers als Künstler im Wien Sedlnitzkys und Metternichs angeht äußerst unspezifisch – was Heinz Politzer als das „abgründige Biedermeier" bezeichnet hat rückt in *Grillparzers Liebesroman* nicht in den Vordergrund.[12]

Denn für Lux krankt Grillparzer nicht an der österreichischen Heimat „an sich"; vielmehr steht Lux der Entität „Österreich", abzüglich aller Obrigkeit (der

6 Jarzombek, „Joseph August Lux", S. 207–210.

7 Wie stark sich Lux des gesellschaftlichen Kontexts des Biedermeierinterieurs bewußt war, zeigt sich in seinen Texten zum Interieur: Joseph August Lux, *Empire und Biedermeier: Eine Sammlung von Möbeln und Innenräumen*. Stuttgart: Hoffmann, 1930; Joseph August Lux, *Die Moderne Wohnung und ihre Ausstattung*. Wien: Wiener Verlag, 1905, S. 3–15.

8 Lux, *Grillparzers Liebesroman*, S. 15.

9 Joseph August Lux, *Goethe: Roman einer Dichterliebe*. Wien: Speidel, 1937.

10 Lux, *Grillparzers Liebesroman*, S. 2.

11 Maz Prels, *Grillparzers ewige Braut*. Berlin: Runge, 1922.

12 Heinz Politzer, *Franz Grillparzer oder das Abgründige Biedermeier*. Wien: Fritz Molden, 1972.

Abb. 1: Moritz von Schwind, „Schubert-Abend“ (1868)

„Hof- und Staatsherrlichkeit“[13]), äußerst unkritisch gegenüber. Es war dieser Nationalismus, der ihn später zum Verteidiger des austrofaschistischen Ständestaates und zum Kritiker des Anschlusses an Nazideutschland machte. Anders als Hermann Muthesius und andere wichtige Figuren des Werkbundes ist Lux ein begeisterter Österreicher und Katholik – und wenn er im Rückblick die politische Welt nach dem Wiener Kongress einigermaßen illusionslos porträtiert, wird die österreichische Nation keinesfalls ebenso reflektiert.[14] Gleich zu Beginn des Romans erleben wir Grillparzer bei einem Gang durch Wien. Hier spielt Lux ein organisches, völkisches Wien einerseits und das offizielle, kaiserliche gegeneinander aus. Ersteres ist dabei vollkommen „privatisiert“, die Stadt (und in späteren Szenen ganz Österreich) verwandelt sich in ein privates Interieur, eine Bürgerwohnung – wie in den folgenden zwei Passagen:

> Die ganze innere Stadt glich solcherart einer einzigen weitläufigen Wohnung, wo es viele schmale und dunkle Korridore gab, große herrliche Zimmer und Prunkgemächer, aber auch heimliche Winkel und Rumpelkammern, wo das menschliche Schicksal stärker zu spüren ist als in den großen Fest- und Empfangsräumen [...]. Aber es ist schön, eine Stadt zu kennen und sich in ihr heimisch zu fühlen wie im eigenen Haus [...].[15]

---

[13] Lux, *Grillparzers Liebesroman*, S. 15.

[14] Christian Otto, „Modern Environment and Historical Continuity: The Heimatschutz Discourse in Germany“. *Art Journal*, Vol. 43, No. 2 (1983), S. 148–157.

[15] Lux, *Grillparzers Liebesroman*, S. 15/16.

> Er biegt in das Michaeler-Durchhaus ein. Es ist, als ob man in einer Wohnung durch eine Menge Türen und winkliger Zimmer ginge, die dem Besucher sonst nicht gezeigt werden. Auf dem Josefsplatz atmet er wieder auf. Hier ist alles Harmonie. Eine große maßvolle Schönheit ist um ihn. Antiker Geist, gemischt mit der Gefühlsekstase des Barocks – etwas, das ihm innerlich nahe liegt, er weiß nicht wie. Mit ehrfürchtiger Liebe schaut er an dem schönen Denkmal von Zauner empor: Kaiser Josef zu Pferd als römischer Imperator. Irgendwie fühlt er sich mit diesen Dingen verwachsen und schöpft aus ihnen eine stolze Freude. Liebes Österreich![16]

Ganz anders dagegen das „offizielle Wien". Der Heimkehrer kommt während seines Spazierganges auch am Arbeitsplatz vorbei:„Und jetzt war aber auch schon wieder der Ärger da, der die Harmonie zerbrach. Ja, dort hinten in der Ecke, das sind die Fenster der Kanzleistiegen, wo er täglich seine Hoffnung aus und ein trug, seit vielen Jahren schon und immer vergebens."[17] Hiermit ist allerdings nicht pauschal der österreichische Staat gemeint (der Kaiser selbst zum Beispiel macht eine gute Figur). Vielmehr geht es um die Öffentlichkeit *tout court*, oder vielleicht besser: alles Öffentliche, „die kleinlichen Anfeindungen in den Amts- und Hofkreisen, die boshaften Angriffe in Kritiken und Zeitungsnotizen".[18] Es ist also einerseits der Staatsapparat, andererseits die (bürgerliche) Öffentlichkeit, denen hier das *privatissimum* der österreichischen Nationalwohnung gegenübergestellt wird.

Tatsächlich scheinen es die häuslichen Szenen aus dieser „Nationalwohnung" gewesen zu sein, die Lux überhaupt erst zu seinem Roman inspirierten. In einem Buch zur *Modernen Wohnung* von 1905 beschreibt Lux das Musikzimmer anhand eines Bildes, das die vierhändigen Szenen in *Grillparzers Liebesroman* klar vorwegnimmt:

> Der Zufall spielt mir die Reproduktion eines Bildes von Schwind in die Hände. Schubert-Abend ist es betitelt. Eine Stimmung strömt aus dem Blatt, zart wie der Duft verdorrter Rosen; ein Hauch der legendären liebenswürdigen Wiener Geselligkeit weht durch den Raum. Es ist ein Altwiener Bürgersalon, großväterischer Hausrat steht umher, Gastlichkeit und Gemütlichkeit, der genius loci winkt aus allen Winkeln hervor, ein Klavier steht in die Mitte des Zimmers herein, eines jener spinettartigen Instrumente, zierlich und schlank, im wohltuenden Gegensatz zu den Monstren unserer heutigen Klaviere, Schubert davor und ein Kreis von Kunstsinnigen um ihn herum, die Schwestern Fröhlich, selbstverständlich auch Grillparzer.[19]

---

16 Lux, *Grillparzers Liebesroman*, S. 15.

17 Lux, *Grillparzers Liebesroman*, S. 15.

18 Lux, *Grillparzers Liebesroman*, S. 174.

19 Joseph August Lux, *Die Moderne Wohnung und ihre Ausstattung*. Wien: Wiener Verlag, 1905, 112.

Das nebenstehende Bild Moritz von Schwinds [Abb. 1], das Lux hier erwähnt, unterstreicht den besonderen Zugang, den Lux zum Biedermeier hat – und es unterstreicht auch die Wichtigkeit des vierhändigen Klavierspiels für diesen Zugang. Einerseits ist die Musik als Teil des Interieurs wichtig, sie ist sozusagen der *genius loci* und es kommt darauf an, wie sich das Klavier mit dem Rest der Möbelgarnitur verträgt. Tatsächlich macht Lux den Verfall der Heimkultur (getragen von jenen „spinettartigen Instrumente[n], zierlich und schlank") an den immer größer und dominant werdenden Instrumenten („Monstren") fest. Andererseits nimmt er Schwinds Abbildung, die eindeutig idealisiert ist, als geradezu soziologische Studie hin: Obwohl wichtige Aspekte der hier abgebildeten Geselligkeitsform sicherlich historisch stimmen (die Freimütigkeit der Zusammenkunft, die aus Männern und Frauen zusammengesetzte Gesellschaft, usw.), scheint das Bild doch als neutrales Dokument reichlich ungeeignet. An Musik, wie an Design, interessiert Lux immer das Verhältnis zur Geselligkeit, und seine Apotheose des Biedermeiers, seiner Wohnzimmer und seiner Klavierabende, zielt auf eine Kulturkritik der anomischen Aspekte der Moderne ab.

Als Ferdinand Tönnies im späten neunzehnten Jahrhundert das Begriffspaar Gemeinschaft/Gesellschaft in die Soziologie einführte, da hatte der Gemeinschaftsbegriff insbesondere die Färbung der Intimitätsformen der Restaurationsperiode, heute mit dem Begriff Biedermeier belegt. Aus eben diesem paradigmatischen Gemeinschaftsleben (oder vielleicht besser: aus dieser historischen *Fantasie* paradigmatischen Gemeinschaftslebens) schöpft Lux' Roman. In seiner Konstruktion eines Österreichs abzüglich Kakaniens, wenn man so will, bemüht er sämtliche Klischees, die man auch heute noch mit der Restaurationszeit verbindet, und verklärt sie weiterhin, indem er sie im Sinne der Heimatliteratur bearbeitet. Alle Figuren sprechen einen dicken Dialekt, wie er, in satirischer Absicht, auch bei Karl Kraus vorkommen könnte; die Beschrei-bungen altertümeln erbarmungslos und die Psychologie der Figuren wirkt ziemlich bieder.

Am allerwichtigsten ist dabei natürlich das Klischee der Heimkultur: Lux' Figuren treffen sich fortwährend in Wohnstuben, um ebenso fortwährend über das außerhäusige zu palavern – Schubert spaziert von einem seiner verträumt-romantischen Spaziergänge hinein, die Mädchen erzählen von ihrer idyllischen Kindheit auf dem Dorfe, doch die gute Stube verlassen wir nie. Die Geschichte spielt sich fast vollständig in einem inneren Sanktum der Weiblichkeit, nämlich der Wohnstube der titelgebenden Schwestern Fröhlich ab. Daß diese Welt eine Art Tempel ist, stellt der Text mehr als klar:

> Wie fraulich und anheimelnd war das Gemach! Diese gelben Möbel mit den eingelegten dunklen Linien, dieser müde Gang der matronenhaften Uhr, die treu wie ein mütterliches Herz schlug, diese großblumigen Bezüge am Sofa und auf den Stühlen, dieser weiche, unnennbare Duft, der an Weidewiesen und Heumahd erinnerte, dieser zart-süße Lavendelhauch, der an den Kleidern der Schwestern hing und von dem Linnen in den Schrän-

ken ausgeatmet ward, diese großen, sorgfältig geordneten, frischen Sträuße, die in Wassergläsern und Vasen steckten.[20]

Die penetrante Weiblichkeit dieser Szene (selbst der tote Schlag der Uhr wird zum „mütterlichen Herz" verklärt) findet ihre Entsprechung im „Herzensbündnis" der drei Schwestern, die dieses „Gemach" bewohnen. Und zu dieser übertrieben domestizierten, stillgestellten und verdinglichten Weiblichkeit gehört auch die Salonmusik, um die herum der Roman seine Handlung strukturiert: „Nun bildete außer dem Herzensbündnis auch die Musik einen fest umschlingenden Knoten, dessen Bandträgerinnen alle drei Schwestern waren."[21] Es sind diese drei Schwestern, die schlußendlich Grillparzer gegen die Unbilden der schlechten, öffentlichen Welt in Schutz nehmen: „Das war in der bösen Zeit, da Grillparzer allen Angriffen ausgesetzt war und niemand zu ihm stand [...]. Und eines Tages, als am schlimmsten gegen ihn gewütet wurde, umringten ihn die drei, und trösteten ihn liebreich [...]."[22] Der *Liebesroman* ist eigentlich kein solcher – es geht um die Formung dieses Kokons, der die häusliche Gemeinschaft gegen die böse weite Welt verteidigt.

Lux' Roman versammelt also Grillparzer, Franz Schubert, Mayrhofer und die drei „Schwestern Fröhlich" des Titels (Kathi, Netty und die kleine Pepi – die vierte Schwester Barbara kommt, da verheiratet, im Roman kaum vor) ums Klavier, wo sich der „Liebes- und Dichterfrühling dieser zwanziger Jahre"[23] (wie Lux im Vorwort schreibt) bevorzugt abspielt.[24] Die heile, liebestolle und doch überaus keusche Kitschwelt wird vor allem durch musikalische Praktiken zusammengehalten und strukturiert: „In diesen zwanziger Jahren, die voll Sang und Klang waren, [...] wo die Musik den eigentlichen Lebensinhalt bildete",[25] stellt die Musik den „tönenden Herd" des Hauses Fröhlich dar: „Gespielt und gesungen mußte täglich sein, wenigstens eine halbe Stunde."[26] Zwischen den drei Schwestern Fröhlich, die alle (überaus keusch) um die verschiedenen Männergestalten des Romans buhlen, besteht ein tiefes Einverständnis, das sich am natürlichsten und wortlosesten in verschiedenen Musikaktivitäten manifestiert: Mal spielt die eine Schwester und die andere singt; mal schaut man der kleinen Pepi (Josephine) andächtig beim Solospiel zu; aber vierhändig spielen die Schwestern während des Romans nie miteinander, sondern immer nur mit den verschiedenen Männer-

---

20 Lux, *Grillparzers Liebesroman*, S. 69.

21 Lux, *Grillparzers Liebesroman*, S. 104.

22 Lux, *Grillparzers Liebesroman*, S. 311/312.

23 Lux, *Grillparzers Liebesroman*, S. vi.

24 Die genaue Datierung der Romanhandlung fällt schwer: Der Roman erwähnt das Versterben von Grillparzers Mutter (das sich 1819 ereignete). Grillparzer lernte Kathi Fröhlich 1821 kennen, und es ist anzunehmen, daß der Roman in diesem Jahr spielt. Schubert, der auch als Figur auftritt, starb 1828, doch Grillparzer zog erst sehr viel später ins Haus der Schwestern, während der Roman den Umzug in die 1820er Jahre zu verlegen scheint.

25 Lux, *Grillparzers Liebesroman*, 104.

26 Lux, *Grillparzers Liebesroman*, 105.

figuren. Obwohl emphatisch mit Privatsphäre und Hausmusik verknüpft, weist das Vierhändigspiel ebenso entschieden über den Familienkreis hinaus – schon rein musikalisch genügen die drei Schwestern nicht sich selber, sie verlangen nach einer größeren Gemeinschaft, obgleich auch diese Gemeinschaft weiterhin *privat* bleibt.

Wie bereits erwähnt scheint Lux die Hausmusik als Teil seines ästhetischen Programms sehr ernst genommen zu haben, allerdings weniger der Musik selber zuliebe, sondern vielmehr im Interesse des *interior designs*. Für ihn stellen die hausmusikalischen Szenen im *Grillparzer*-Roman eine nostalgische Erinnerung dar an eine Geselligkeitsform, die es nicht mehr gibt. Dies gilt auch für die Frage des Designs, allerdings gilt dort anscheinend die umgekehrte Kausalverknüpfung: Das vierhändige Klavierspiel und ähnliche Phänomene können nicht gedeihen, weil die Heimkultur, die sie hervorbrachte, nicht mehr existiert; diese aber existiert nicht mehr, weil das Design der Bürgerwohnung aus dem Lot geraten ist:

> Die biedere, hausbackene, ehrsame Hausmusik kommt in Verfall. Daran ist aber in Wahrheit nicht so sehr der Konzertsaal schuld, als vielmehr der Verfall des Hauswesens selbst. Die freundlichen Genien der Gemütlichkeit und Gastlichkeit, die man vor fünfzig Jahren bei viel geringeren Lebensansprüchen noch unter jedem Dache finden konnte, sind aus den Städten, Großstädten zumal, meist entschwunden. [...] Kalt und ungastlich ist es fast an jedem Herde geworden. Hier bringen auch die besten Tonwerke keine Harmonien hervor. [27]

Diese „Harmonie" aber, die von der Musik auf die Gemeinschaft überspringt, ist ihrerseits bedingt durch die allermateriellsten Gegebenheiten der Wohnkultur: musikalisch-gesellige Harmonie entstammt der Harmonie der Innenarchitektur. Folgerichtig versieht Lux seinen Roman mit Abbildungen der verschiedenen im Roman beschriebenen Interieurs. Ebenso wie sich die Nation „Österreich" vor allem in der trauten, häuslichen Harmonie der Wiener Architektur widerspiegelt („Hier ist alles Harmonie", „eine große maßvolle Schönheit"[28]), genauso ist ein harmonisches Zusammensein unmöglich in einer Wohnung, die in sich nicht genauso harmonisiert.

> In einem Hauswesen, wo die edle Farbe herrscht und die edle Linie, und der Sinn, der aus dem Zweckmäßigkeitsprinzip des Alltags die Schönheit abzuleiten weiß, wird man in der Regel auch gute Musik antreffen. Denn ein gemeinsamer künstlerischer Grundzug führt von der sichtbaren Harmonie auf die hörbare. [29]

---

[27] Joseph August Lux, *Die Moderne Wohnung und ihre Ausstattung*. Wien: Wiener Verlag, 1905, S. 113/114.

[28] Lux, *Grillparzers Liebesroman*, S. 15.

[29] Joseph August Lux, *Die Moderne Wohnung und ihre Ausstattung*. Wien: Wiener Verlag, 1905, S. 115.

Diese Art harmonischen Zusammenseins läßt sich natürlich am besten über das Musizieren in Szene setzen – obgleich Lux' Hauptinteresse also dem Mobiliar und dem Design gilt, wird das Musizieren, und insbesondere eben das vierhändige Klavierspiel, zu einem unabdingbaren Index der Luxschen Heimutopie. Genau wie bei Schwind wird das Klavier zum zentralen Versammlungsort für die harmonische Gemeinschaft – die Harmonie der zwei Spieler am Klavier wird die der sie beobachtenden Gruppe.

Als die drei Mädchen Grillparzer in ihr Haus aufnehmen, „konnte es nicht ausbleiben, daß auch Franz sich wieder mit Leidenschaft dem Klavierspiel zuwendete".[30] Über der Tastatur vollzieht sich die Balz asexuell und doch eindeutig. Ein tatsächliches erotisches Interesse wird zwar nie bekundet, aber in der Beobachtung und den Reaktionen der Umstehenden werden (wie bereits so häufig in den in dieser Studie behandelten Texten) die unterschwelligen Bedeutungen der Szenen sehr deutlich. Zwar ist es nicht das Hauptobjekt der Begierde, die reife Kathi, mit der Franz Grillparzer normalerweise zu vier Händen spielt, sondern die sublime Nettl. „Nettl, komm, setz dich her, spielen wir vierhändig!"[31] heißt es dann. Doch die Szene am Klavier signalisiert nicht nur traute Zweisamkeit; sie signalisiert auch, daß aus der Beziehung zwischen Grillparzer und den Schwestern Fröhlich nie etwas werden kann. Zu sehr ist das Genie abgekapselt, in die eigene Lebenswelt und in die eigene Klaviaturwelt: „Sie fangen zu spielen an, aber er kann nicht Takt halten. Er spielt bald schneller, bald langsamer. Ganz wie es ihm in den Sinn kommt, das Spiel verwirrt sich."[32] Darauf angesprochen, wird „Franz" zornig, schiebt die Schuld der Duettpartnerin in die Schuhe – er kommt mit der Umwelt nicht klar, soll die Szene uns mitteilen. Ganz anders Schubert.

Kathi ist verliebt in Schubert und ist neidisch auf die anderen „Frauenzimmer", mit denen sie ihn teilen muß; auch Grillparzer und Kathi fühlen sich zueinander hingezogen, lavieren allerdings mit der uhrwerkhaften Zyklik einer Seifenoper zwischen Desinteresse und Zuneigung hin und her. Während Nettl auf dem Klavier spielt – Schubert, wie sich herausstellt –, sitzt Kathi in Verzückung da: „Wirklich hingerissen war Kathi, die nach ihrer Art das Köpfchen leicht gesenkt zur Seite neigte und mit halbgeöffnetem Munde die Töne einzuatmen schien." Grillparzer sticht sofort die Eifersucht: „Wie Säufer in Wein, so betrinkt sie sich in Musik."[33]

In einer besonders interessanten Szene, spielt das „arme Schubertl", der „liebe Musikus", mit Nettl (Anna) Fröhlich sein Florellenquintett vierhändig, „das wie heiterster Sonnenschein die Seelen durchwärmte". Tatsächlich verknüpft der Roman, der was synästhetische Bildassoziationen anbelangt nicht gerade zimperlich ist, das Stück mit einer regelrechten Landkarte Kakaniens:

---

[30] Lux, *Grillparzers Liebesroman*, S. 104.

[31] Lux, *Grillparzers Liebesroman*, S. 105.

[32] Lux, *Grillparzers Liebesroman*, S. 105.

[33] Lux, *Grillparzers Liebesroman*, S. 68.

„Die Melodie breitete ihren tönenden Wasserfall aus, das Rauschen der grünen Steyr und der blauen Enns war darin, der beiden kristallklaren Gebirgsströme, die an ihrem Zusammenfluß eine wonnesame Stadt mit einer grünen und einer blauen Schleife zierten."[34] Auch der Heiligenstädter Bach wird ausgelotet, „das heilige Rauschen der Wälder, das hurtige Geplauder der Bäche und der stumme Sang der Forellen".[35] Hier also reklamiert Lux, der die Vergangenheit als „Dichter, nicht rekonstruierend sondern freischaffend"[36] gestalten will, Schubert als Nationalkomponisten und das Forellenquintett als eine Art Quintessenz des kakanischen Universums.

Eine ähnliche Verbindung zwischen der Weite der Landschaft und dem vierhändigen Klavierspiel ergibt sich aus der im zweiten Kapitel erwähnten Tatsache, daß die vierhändige Partitur für die, die nicht in den Großstädten wohnen, oft den einzigen Zugang zum modernen Repertoire oder Kanon darstellte. Vierhändigspielen scheint auch in dieser Hinsicht den Charakter einer *Ersatzhandlung* gehabt zu haben: man spielte den neuen Brahms vierhändig, weil man keine Oper, kein Konzert, kein Orchester vor Ort hatte (wir zitierten bereits das Beispiel von Schnitzlers „Frau Bertha Garlan"). Vierhändig spielen wird also auch als *provinziell* wahrgenommen. So berichtet Martha Fontane 1891 in einem Brief: „Sie schrieb, daß sie viel die Oper besuchten u. auch Hausmusik machen: sie spielen – vierhändig! das ist doch wie aus Posemuckel."[37] Posemuckel, das ist die Provinz, aber das Land, auf dessen Weitläufigkeit die Metapher aufbaut, ist eben, wie Kakanien, nur von kurzer Dauer: Posemuckel heißt heute Podmokle und liegt in Polen. Für Frau Fontane lotet das Vierhändigspiel gewissermaßen die Tiefe der deutschen Provinz aus, genauso wie das vierhändige „Forellenquintett" bei Lux die Weite der kakanischen Landschaft beschwört.

Natürlich steht Lux mit seiner Einschätzung Schuberts nicht allein dar. Selbst Hermann Bahr, der Biedermeierzeit gegenüber ungleich kritischer als Lux, verwendet in seiner Schrift zur Wiener Secession das Bild Schuberts als Allegorie Österreichs. Klimts berühmtes Gemälde von Schubert am Klavier wird zur Beantwortung der Frage, was denn genau ein Österreicher sei, herangezogen: „Ich weiß nur, dass ich bös werde, wenn man mich fragt, ob ich ein Deutscher bin. Nein, antworte ich, ich bin ein Österreicher. Das ist doch keine Nation wird entgegnet. Es ist eine Nation geworden, sage ich. [...] Aber in diesem Schubert ist es zu sehen."[38] Und genauso wie Lux in den Schubertiaden erkennt Bahr in diesem Bildnis Schuberts etwas von kakanischem Leben und Landschaft – einer Lebensform, der er zwar kritisch gegenübersteht, die er aber (schon 1900!) doch eindeutig melancholisch beschwört. „Das lässt mich dieser Schubert mit den sin-

---

[34] Lux, *Grillparzers Liebesroman*, S. 72.

[35] Lux, *Grillparzers Liebesroman*, S. 60.

[36] Lux, *Grillparzers Liebesroman*, S. vi.

[37] Januar 1891, Brief 230. In: *Theodor Fontane und Martha Fontane: Ein Familienbriefnetz*, S. 389.

[38] Hermann Bahr, *Secession*. Wien: Wiener Verlag, 1900, S. 123.

genden Mädchen, die etwas Bürgerliches und doch fast Religiöses haben, in einer unbeschreiblichen – ich möchte sagen: fröhlichen Melancholie empfinden, in derselben tröstenden Traurigkeit, die die kleinen Berge in der Brühl haben."[39] Egal wie man zu Österreich steht, es scheint, als müsse man im Bilde Schuberts eine Chiffre eben dieses untergegangenen Landes erkennen – oder anhand seiner dieses untergegangene Land erst kreieren.

Interessant ist Lux' Roman natürlich weder aus ästhetischen Erwägungen noch weil er die zwanziger Jahre des vorvergangenen Jahrhunderts besonders gut träfe. Vielmehr ist er insofern interessant, als er das Verhältnis des frühen zwanzigsten Jahrhunderts zur Biedermeierzeit beleuchtet. Dieses Verhältnis war, wie bereits erwähnt, auch für den Kunst- und Architekturkritiker Lux von allergrößter Wichtigkeit – und die Besessenheit, mit der sich der Roman den verschiedenen Interieurs widmet, hat zum Grunde nicht nur eine Analyse der häuslichen Ideologie der Biedermeierzeit, sondern entstammt eben auch einer gewissen *déformation professionelle*. Lux interessiert sich insbesondere für Innenarchitektur, Mobiliar und Kunsthandwerk. Und gerade in diesem Bereich reflektieren seine theoretischen Schriften ausgiebig über das Verhältnis der frühen Moderne zum Biedermeier.

In diesem Sinne gehört die vierhändige Musik wieder einmal zum Mobiliar: Sie hat in Lux' Roman dieselbe Funktion wie die Innenarchitektur der Bürgerstube. Dabei metonymisiert diese Bürgerstube den ganzen österreichischen Kosmos. So kann der Grillparzer des Romans Wien ebenso empfinden wie eine Wohnstube: „Irgendwie fühlt er sich mit diesen Dingen verwachsen und schöpft aus ihnen eine stolze Freude."[40] Und analog dazu entfalten die Szenen vierhändigen Klavierspiels eine regelrechte Topographie der österreichischen Landschaft – die vier Hände über dem bearbeiteten Forellenquintett haben dieselbe Funktion wie die Biedermeiermöbel: sie holen den Kosmos ins Heim, privatisieren das Öffentliche.

Im Kontext unserer Untersuchung ist natürlich besonders die Rolle der Salonmusik in diesem Verhältnis zum Biedermeier von Interesse. Denn eigentlich ist ja, wie wir im ersten Kapitel sahen, die bürgerliche Salonwelt der vierhändigen Musik, die Lux beschreibt, eher eine Erscheinung des späten neunzehnten Jahrhunderts (oder der Jahrhundertmitte). Die Geselligkeitsform, die sich der Roman historisch zum Vorbild nimmt, die der Schubertiade, hatte mit Salonmusik nur das Setting gemeinsam. So wurde in Grillparzers Wien natürlich viel vierhändig gespielt (Lux bedient sich bei Grillparzers eigener *Selbstbiographie*), aber der liebe Gott steckt in den Details: Laut Marie von Ebner-Eschenbachs „Erinnerungen an Grillparzer" spielte der Dichter tatsächlich mit Anna und Josephine – „sie kam zu ihm herüber und sie spielten vierhändig Symphonien von Haydn,

39 Hermann Bahr, *Secession*, S. 124.

40 Lux, *Grillparzers Liebesroman*, S. 15.

Beethoven, Mozart."[41] Und er hatte durch die Schwestern Fröhlich, „beide geschätzte Gesangs- und Klavierlehrerinnen", auch Schuberts Lieder kennengelernt.

Doch die Welt, die Ebner-Eschenbach beschreibt, ist erstens nicht die idyllische Gemeinschaft, die Lux „freischaffend" herbeifantasiert. Dies ist nicht die Welt des trauten Beisammenseins oder der Schubertiade – vielmehr ist es die Welt des ästhetisierten Kleinbürgertums, das sich vor einem übermächtigen Staatsapparat in die (relative) Sicherheit der Wohnung zurückzieht. Die Autorin beschließt die Anekdote mit einem Bericht, demzufolge Grillparzer eines Tages sich dem Vierhändigspiel zu verweigern beginnt, eine Verweigerung, die er zeitlebens aufrechterhält: „Meine Finger sind steif geworden, es geht nicht mehr." Wenn Grillparzer bermerkt: „die geistigen Zustände meines Vaterlandes [...] vergiften das Innerste meiner Seele", zeigt sich das Bild eines Menschen, der an „Wiens klassischer Zeit" zutiefst irre ward.[42] Ebner-Eschenbach begreift Grillparzers Vierhändigspiel folgerichtig auch nicht als Index einer nostalgisch zu verklärenden Form der Gemeinschaft, sondern vielmehr als Symbol der Resignation und des Rückzugs.

Aber auch aus dem entgegengesetzten Blickwinkel ist Lux' Gleichung von Heimkultur und Schubertiade anachronistisch: denn die Schubertiade war eben nicht nur traut-heimelige Hausmusik. Zum einen waren die Gruppen, die im Hause Spaun und anderen zusammenkamen, weitaus größer, wie Alice M. Hanson gezeigt hat[43]; zum anderen waren die „Schubert-Abende" weitaus dynamischer als Lux' biedere Gruppierung einiger ausgewählter Personen ums heimische Instrument – statt Ersatzfamilie war der Schubert-Abend eher Intellektuellensalon. Und während das traute Heim mit Flügel sozusagen eine hilfreiche Dependance der Nation war, war die Schubertiade auch Protest, Rückzug, ein, wie man heute sagt, „alternativer Lebensentwurf" – was sich nicht zuletzt daran zeigt, daß Schubert und einige Freunde direkt nach den Karlsbader Beschlüssen kurzfristig verhaftet wurden.[44] Darüber hinaus hatte sie wohl auch weitaus tiefere und gefährlichere politische, erotische und intellektuelle Dimensionen. Unter anderem war Franz Schubert ja weniger, wie Lux es sich zusammenfabuliert, „in irgendeiner Weinlaube beim Heurigen" und mit einem nur für ihn hörbaren „himmlischen Konzert"[45] befaßt als mit sexuellen Abenteuern mit Prostituierten,

---

[41] Marie von Ebner-Eschenbach: *Meine Erinnerungen an Grillparzer*. In *Gesammelte Werke*, Band 8. Nymphenburger, 1961, S. 229.

[42] Zitiert in: Hans Hoff, Ida Cernmak, *Grillparzer: Versuch einer Pathographie*. Bergland Verlag, 1961, S. 65.

[43] Alice M. Hanson, *Die Zensurierte Muse*. Wien: Böhlau, 1987, S. 144.

[44] Nancy Arganbright, Dallas A. Weekley, *Schubert's Music for Piano Four-Hands*. London: Kahn & Averill, 1990, S. 33

[45] Lux, *Grillparzers Liebesroman*, S. 59.

spielerischem *cross-dressing*[46] oder (wenn man Maynard Solomons umstrittenen Thesen folgt) Strichjungen.[47] Generell war ja die Privatsphäre in der Restaurationszeit eine Art Fluchtburg des Protests, der im öffentlichen Raum erstickt wurde. Lux befriedet den Biedermeiersalon, indem er ihn zum vierhändigen Klavierspiel zwingt.

Daß Lux' Biedermeier eigentlich eine Zurückverlegung des späten neunzehnten Jahrhunderts ist, zeigt sich auf sprechende Weise im Repertoire seiner Figuren. In einer zentralen Szene spielt, wir erwähnten es bereits, Franz Schubert mit Netty Fröhlich eine vierhändige Version seines Forellenquintetts: Kathi Fröhlich verlangt „das Forellenquintett, bitt schön!" als ob sie bei der Dorfdisko einen Schlager vom Diskjockey erbittet, und Schubert gehorcht – „so saß er flugs wieder beim Klavier und spielte mit Netty vierhändig das Quintett, das wie heiterster Sonnenschein die Seelen durchwärmte".[48] Tatsächlich nimmt sich Lux hier einiges an Freiheit heraus: Das Forellenquintett ist heute eines der berühmtesten Stücke Schuberts; es erschien zu seinen Lebzeiten aber nie im Druck, und auch eine Aufführung zu Schuberts Lebzeiten ist nicht bekannt. Hanson stellt klar, daß es keinen Grund zu der Annahme gibt, „daß Schubert [...] je seine größeren kammermusikalischen oder symphonischen Werke [bei einer Schubertiade] aufgeführt hätte",[49] da dort im Normalfall Lieder und Klaviermusik kleineren Umfangs gespielt wurden.[50] Weiterhin entstand die erste vierhändige Bearbeitung des Forellenquintetts wahrscheinlich erst nach Schuberts Tod: Joseph Czerny (mit Carl nicht verwandt) erstellte sie anhand des Manuskripts, das er aus Schuberts Nachlaß erworben hatte, und veröffentlichte es gemeinsam mit der Erstausgabe der Quintettpartitur selber. Im Rahmen dieser Veröffentlichungen scheint es erst zu ersten privaten Vorführungen des Stücks gekommen zu sein.[51] Lux hingegen verwendet das Stück als allseits bekanntes Schibboleth, ein Symbol für die traute Gemeinschaftlichkeit der Biedermeierwelt. Alle kennen sie das Stück und assoziieren ein anderes Stück kakanischer Hain und Flur damit; in dieser Fantasiewelt ist das Stück ein Geselligkeit und Eintracht stiftendes Stück Wissen, und darüber hinaus ein Stück, das Kakanien sozusagen *in nuce* in sich trägt.

Was dabei unter den Tisch fällt: Daß die musikalische Gemeinschaft, für welche Schuberts Musik kennzeichnend ist, sich eben nicht um einen Bildungsfundus gruppiert, den alle Beteiligten gemeinsam haben und auf den sie Zugriff

---

46 Rita Steblin. „*Das Dörfchen* and the ‚Unsinnsgesellschaft' – Schubert's Elise". *The Musical Times* (1999), S. 33/34.

47 Maynard Solomon. „Franz Schubert and the Peacocks of Benvenuto Cellini". *19th Century Music*, Vol. 12, Nr. 3 (1989), 193–206.

48 Lux, *Grillparzers Liebesroman*, S. 73.

49 Hanson, *Die Zensurierte Muse*, S. 145.

50 Margaret Notley, „Schubert's Social Music – The ‚Forgotten Genres'". In *The Cambridge Companion to Schubert*. Cambridge: Cambridge University Press, 1997, S. 138.

51 H.P. Clive, *Schubert and his World*. New York: Oxford University Press, 1997, S. 34.

haben wie der Sammler auf seine vierhändigen Partituren. Vielmehr schließt die Musikpraxis der „Schubertiade" gerade jene Musik, die man haben, sammeln und auf die man allgemeingültig verweisen kann, aufs entschiedenste aus. Lux' Fantasie vom Forellenquintett, das alle kennen, ist also die Grundfantasie des vierhändigen Klavierspiels: Daß der tote Fundus der Partituren einen lebendigen, musikalisch-geselligen Vollzug hervorbringen könnte; daß das an und für sich blöde Herunterspielen von Partituren im heimischen Salon einer „Schubertiade" gleiche[52]; daß die verdinglichte, kommerzialisierte und zwangsbefriedete Welt der familiären Salonmusik dem Phantasma Biedermeier sich anähnele.

Lux' „Liebes- und Dichterfrühling" bedient die Sehnsucht des späten Habsburgerreichs (eigentlich des allerspätesten) nach einer österreichischen Identität, die erlebbar und unmittelbar (wie das allbekannte Forellenquintett), anstatt verdinglicht und vertraditionalisiert wäre (wie das tatsächliche Forellenquintett, das den historischen Schwestern Fröhlich unbekannt gewesen sein dürfte, und das Lux rückzuprojizieren gezwungen ist). Mit anderen Worten: Lux hängt der Fantasie nach, daß sich Schuberts Kreis und die Bürger Kakaniens mit denselben Gefühlen über dieselben Stücke beugten, und daß die Kontinuität der Stücke und der Gefühle eben die Kontinuität einer stabilen österreichischen Identität ausdrückte.

Diese Art Nostalgie, die sich über Musikstücke als Kollektiverfahrungen und Kollektivwissen der Vergangenheit annähert, hat im Zeitalter der CD nichts Bemerkenswertes mehr. Doch ist deshalb gerade uns der Anachronismus einigermaßen offensichtlich: In Lux' Fantasie-Wien wird verfahren, als sei das Forellenquintett eine Platte aus den 70er Jahren, mit der ein Diskjockey bei einem Fünfundsechzigsten einhellige Begeisterung hervorrufen könnte. Natürlich tanzte auch Lux noch nicht auf solchen Parties – aber daß wir Heutigen das Phantasma (allerdings unter dem Vorzeichen der absoluten Industrialisierung der Kultur) sozusagen technisch realisiert haben, zeigt eindrücklich, wie seltsam ungleichzeitig das Phänomen vierhändiges Klavierspiel ist. Einerseits greift es voraus auf eine musiksoziologische Formation, die erst hundert Jahre später die LP wirklich ermöglichte; andererseits geht die Fantasie aus von einer Form der Geselligkeit, die selbst das ausgehende neunzehnte Jahrhundert als vergangen begriff.

***

[52] Eine musikhistorische Illustration dieses ungeheuren Anspruchs findet sich bei Oscar Bie: Moscheles berichtet von vierhändigen Improvisationen mit Mendelssohn – „dieser spielte unten englische Lieder im Balladenstil, jener mischte oben das Scherzo der A-moll-Symphonie seines Freundes hinein." Dies, so macht der Autor sogleich klar, gibt es nicht mehr – die „Ehe" von Spiel und Komposition gibt es im späteren neunzehnten Jahrhundert nicht mehr. Was sich vor allem daran zeigt, daß man vierhändig zu improvisieren verstand: „So kam es auch – ein heute unerhörter Fall –, daß sich das beliebte Vierhändigspiel mit dem ebenso beliebten Improvisieren verbinden konnte, so sehr sich beides zu widersprechen scheint." (Oscar Bie. *Das Klavier*. Berlin: Paul Cassirer, 1921, S. 191.)

Die Ideologiekritik des vierhändigen Klavierspiels müßte also genau beim sinnlichen Versprechen des „tönenden Ofens“ ansetzen. Das heißt, sie müßte aufzeigen, daß, was hier als Nähe und Gemeinschaft mit einem anderen, als unentfremdetes reines Produzieren erscheint, in Wirklichkeit nichts weiter als eine Dressur des eigenen Ich und der Umwelt darstellt. Und sie müßte aufzeigen, daß sich in dieser Dressur die Produktionsmodelle, gegen die sich die bürgerliche Fantasie des à quatre mains-Spielens überhaupt richtet, sich unter der Hand doch wieder in sie einschleichen. Anstatt also, wie Lux' Roman, die Außenwelt zu verhäuslichen, zu privatisieren, müßte die Kritik versuchen, die gegenteilige Stoßrichtung aufzuzeigen – die Privatsphäre ist eigentlich nur eine Wiederholung dessen, was sie glaubt aussperren zu können, nämlich Öffentlichkeit, Masse, Herrschaft und Arbeit.

Eine solche Kritik gibt es in essayistischer Form in einem Roman, nämlich Robert Musils *Mann ohne Eigenschaften*.[53] Er fängt diese Mode des neunzehnten Jahrhunderts *par excellence* im Moment ihrer Selbstauflösung ein. Sie wird, wie viele Elemente seines Porträts von „Kakanien“, im Roman als Relikt dargestellt, als reine Gewohnheit, die eigentlich durch den Fortschritt in Technologie und Wissenschaft längst allen Sinnes entleert ist. Ähnlich dem „schönen Augusttag des Jahres 1913“ oder dem „genialen Rennpferd“, drängt das Szientifische bereits im noch mystifizierten Vollzug zum Ausdruck: Die intime Szene an der Klaviertastatur, die Musil hier entwirft, das Privat-Salonhafte, schlägt um in ihr Gegenteil – Arbeit, Quantifizierung, Akkord. Und genau so wie bei Lux die „ biedere, hausbackene, ehrsame Hausmusik“[54] nur den Aufhänger darstellt für eine Analyse einer Nation und ihrer Geselligkeitsformen, ebenso stellt der Privatakkord, den Musil im vierhändigen Klavierspiel ausmacht, ein Indiz gegen das Land dar, in dem so musiziert wird. Auch Musil konstruiert sich ein Land, eine österreichische Vergangenheit, nur steht er diesem Land natürlich weitaus kritischer gegenüber.[55]

Daß ausgerechnet *Der Mann ohne Eigenschaften* sich das vierhändige Klavierspiel zum Sinnbild wählt, sollte nicht überraschen: Einerseits ist das Land „Kakanien“ selbst ja als „kaiserlich und königlich“ dem vierhändigen (weil siamesischen) Herrscherpaar in Hoffmanns „Prinzessin Brambilla“ nicht unähnlich. Weiterhin basiert aber die zentrale Ironie der Romanhandlung auf der „Parallelaktion“, die der Figurenkreis des Romans im Jahr 1918 begehen möchte – das fünfundsiebzigste Thronjubiläum Kaiser Franz Josefs (also des Mannes, der

---

[53] Sämtliche Zitate aus dem *Mann ohne Eigenschaften* folgen der einbändigen Rowohlt-Ausgabe: Robert Musil. *Der Mann ohne Eigenschaften*. Hamburg: Rowohlt, 1952.

[54] Joseph August Lux, *Die Moderne Wohnung und ihre Ausstattung*. Wien: Wiener Verlag, 1905, S. 113/114.

[55] Aus Musils Tagebüchern ergibt sich, daß Musil Joseph August Lux sehr wohl gelesen hatte, obwohl Lux nur als Herausgeber von Zeitschriften Erwähnung findet und nicht als Romancier (Robert Musil, *Tagebücher*. Reinbek bei Hamburg: Rowohlt, 1976, I, S, 397, II, S. 248).

„Kakanien“ versinnbildlicht wie kein anderer) und das dreißigjährige Dienstjubiläum des deutschen Kaisers. Dabei bezieht dieser Plan natürlich seine bittere Ironie aus der Tatsache, daß sowohl die deutsche als auch die „kakanische“ Monarchie nur bis exakt ins geplante Jubiläumsjahr überhaupt fortdauerten, daß also die „Parallelaktion“ unbewußt tatsächlich immer schon auf ein Scheitern des zu Parallelisierenden hindeutet.

Aus eben jenem Grunde scheint Musil seine Figuren vierhändig spielen zu lassen: Ebenso wie für den Leser in den Planungen zur festlichen „Parallelaktion“ immer schon der Untergang mitschwingt, so ist für den Leser die musikalische Parallelaktion am Klavier sogleich als Scheitern ihrer eigentlichen Idee erkennbar. Es geht, hier wie dort, um Zusammenführung, Vereinigung, Ganzheit, und im vierhändigen Spiel, so macht es der Erzähler ziemlich deutlich, wird diese Fantasie eher aufs grausamste pervertiert, als tatsächlich realisiert. Tatsächlich geht es ja beim vierhändigen Klavierspiel nicht nur um Parallelität, sondern vielmehr um eine Art Verschmelzung der Individuen zur Gemeinschaft – in Musils Beschreibungen schimmert aber immer durch, daß hier höchstens eine Parallelität, nie eine Vereinigung, vorliegt; die Parallel-aktion der Partner stellt eher eine Gleichschaltung dar.

Musils Klavierspielern sind wir im letzten Kapitel begegnet: Es sind Walter, ein Studienfreund Ulrichs (des Manns ohne Eigenschaften), und dessen junge Ehefrau, die leicht größenwahnsinnige Nietzschejüngerin Clarisse. Wir begegnen ihnen, wie könnte es anders sein, im heimischen Salon, wo die beiden „so heftig“ spielen, „daß die dünnbeinigen Kunstfabrikmöbel tanzten und die Dante Gabriel Rossetti-Stiche an den Wänden zitterten.“[56] Hier scheint das Klavier also nicht Index einer „harmonischen“ Innenarchitektur zu sein, vielmehr scheint es sich brutal dieser Innenarchitektur zu bemächtigen. „In den Zeiten, da Schubert am Klavier saß“, so bemerkte Lux, „da hatte dieses Instrument eine Form, die mit dem übrigen bürgerlichen Hausrat in Einklang stand.“ Das Klavier Walters und Clarissens aber erschüttert die Wohnstube, steht mit ihr in offenem Konflikt – von „Einklang“ kann keine Rede sein. Doch auch die Art der Zusammenkunft, die sich am und ums Klavier herum ereignet, hat wenig von Lux' Idyllen oder Moritz von Schwinds „Schubert-Abend“.

> Jedesmal, wenn er ankam, spielten sie Klavier. Sie fanden es selbstverständlich, ihn in einem solchen Augenblick nicht zu bemerken, ehe das Stück zu Ende war. Es war diesmal Beethovens Jubellied der Freude; die Millionen sanken, wie es Nietzsche beschreibt, schauervoll in den Staub, die feindlichen Abgrenzungen zerbrachen, das Evangelium der Weltharmonie versöhnte, vereinigte die Getrennten; sie hatten das Gehen und Sprechen verlernt und waren auf dem Wege, tanzend in die Lüfte emporzufliegen.[57]

---

[56] Robert Musil, *Der Mann ohne Eigenschaften*. Hamburg: Rowohlt, 1952, S. 142.

[57] Musil, *Der Mann ohne Eigenschaften*, S. 48.

Clarisse verweigert, wie der Leser später erfährt, den Sex mit dem Ehemann; dieser Sex wird, auf denkbar unerotische Weise, auf die Klaviatur verdrängt.[58] Denn wer ein musikalisches aristophanisches Gastmahl auf der Klaviatur erwartet, wird enttäuscht. Die Vereinigung der Menschen in der Musik, das Wegfallen der Grenzen und Gegensätze steht zwar als Postulat hinter dem Ganzen, wird aber vom Vollzug selbst Lügen gestraft. Musil flicht mehrere Vierhändigszenen in den Roman ein, erklärt aber nur in diesem einem Falle explizit, welches Stück denn nun gespielt wird. Es handelt sich um Beethovens Vertonung der „Ode an die Freude“ aus der neunten Symphonie.

Nicht nur die vierhändige Form, sondern auch das Stück selbst thematisiert somit explizit die Frage des Einswerdens: Das gemeinsame Spiel an der Klaviatur soll eine Gemeinschaft schaffen und bringt doch nur Isolation hervor. Da wirkt Schillers „alle Menschen werden Brüder“ wie Hohn, oder doch zumindest wie ein Gebot, welchem die Musizierenden vergeblich nachzukommen bemüht sind. Natürlich steht hinter diesem Gebot nicht nur die Vereinigungsmetaphysik der kapitalismusfeindlichen Frühromantiker, sondern auch die Metaphysik der Musik Schopenhauerscher Prägung, die in Musik das Gegengift zum falschen Bewußtsein des *principium individuationis* erblickt. Vierhändiges Klavierspiel, wie auch die von Schiller besungene Freude, soll wieder binden, „was die Mode streng geteilt“. Umso schmerzhafter, daß die zwei Musiker individuierter denn je nebeneinander am Klavier sitzen.

Musil scheint auf die Ästhetik Schopenhauers abzuzielen, wenn er Walter in der Fantasie einer geteilten, vor-individuellen Willensursuppe schwelgen läßt: "[Walter] hielt, wie das die meisten musikalischen Menschen tun, diese wogenden Wallungen und gefühlsartigen Bewegungen des Inneren, das heißt den wolkig aufgerührten Untergrund der Seele für die einfache, alle Menschen verbindende Sprache des Ewigen. Es entzückte ihn, Clarisse mit dem starken Arm des Urgefühls an sich zu pressen."[59] Doch dem „Urgefühl“ geht es nicht nur um ein metaphysisches Einswerden mit dem anderen: Walter hofft auch ziemlich konkret, daß seine Frau sich ihm nun endlich hingeben möge: „Er wollte Clarisse ja nicht durch Zwang zu sich zurückbringen, sondern zuinnerst aus ihr selbst sollte die Erkenntnis aufsteigen und sie sanft zu ihm herüberneigen.“[60] Hier also wird die Verbindung von Sexus und vierhändiger Musik, vom mißtrauischen neunzehnten Jahrhundert immer befürchtet, explizit; aber leider erliegt Walter, wie wir bereits wissen, einem tragischen Irrtum: vierhändiges Klavierspiel stellt eine Transposition des Sexus dar, eine Ersatzhandlung – Walter glaubt, mit dem Spiel zu vier Händen den tatsächlichen Geschlechtsverkehr herbeispielen zu können, dabei ist das Spiel zu vier Händen eben immer schon ein Ersatz für jenen.

---

58 Siehe z.B. Stefan Howald, *Ästhetizismus und ästhetische Ideologiekritik – Untersuchungen zum Romanwerk Robert Musils*. München: Fink, 1984, 217–248.

59 Musil, *Mann ohne Eigenschaften*, S. 143.

60 Musil, *Mann ohne Eigenschaften*, S. 144.

Während Walters metaphysische Vereinigungsfantasien als simple sexuelle Frustration entlarvt und entzaubert werden, macht der Text mehr als deutlich, daß die physische Angleichung der Körper keineswegs eine metaphysische oder auch nur psychische Annäherung ergibt: Denn gleichzeitig, so bemerkt der Erzähler, „waren Clarissens Gedanken von den seinen schon der Art nach so verschieden, wie es zwei Menschen nur zuwege bringen können, die mit zwillingshaften Gebärden der Verzweiflung und Seligkeit nebeneinander herstürmen."[61] Tatsächlich fantasiert Clarisse zwischenzeitlich entweder von Ulrich, dem „Mann ohne Eigenschaften", oder von Moosbrugger, dem wahnsinnigen Prostituiertenmörder.[62] Es gibt hier, wie Jacques Lacans berühmtes Diktum es ausdrückt, kein Geschlechterverhältnis: jeder ist mit seiner Projektion des je anderen beschäftigt, und diese Synchronfantasie heißt dann Verhältnis.[63]

> Sie saßen steif und entrückt auf ihren Sesselchen, waren auf nichts und in nichts und über nichts oder jeder auf, in und über etwas anderes zornig, verliebt und traurig, dachten Verschiedenes und meinten jeder das Seine; der Befehl der Musik vereinigte sie in höchster Leidenschaft und ließ ihnen zugleich etwas Abwesendes wie im Zwangsschlaf der Hypnose.[64]

Die Literatur des neunzehnten Jahrhunderts tendierte, wie wir sahen, dazu, das vierhändige Klavierspiel mit Liebelei und unterschwelliger Erotik zu assoziieren. Es gibt Gegenstimmen, so zum Beispiel Marie von Bunsen (1860–1941), die in einer Szene ihres Briefromans *Udo in England* (1895) beschreibt, wie Vierhändigspiel eine Romanze (zumindest kurzfristig) zunichte machen kann: Udo will der angebeteten Agneta den Hof machen, doch das überlaute und aggressive vierhändige Spiel zweier Unbeteiligter macht dies unmöglich:

> Während die braven Töchter des Reverend vierhändig spielten, konnte ich den Augenblick benutzen; ich stand neben Agneta in einer dunklen Ecke und bemerkte, wie ihre Hände zitterten; aber die Mädchen spielten zu aggressiv, zu haarsträubend schlecht und brachten mich gänzlich und complet aus der Fassung![65]

Hier sind also Vierhändigspiel und erotisches Verhältnis nicht miteinander verknüpft, sondern einander vielmehr entgegengesetzt. Doch Musil geht noch weiter als von Bunsen: Das Vierhändigspiel bedroht bei ihm nicht nur den Eros, es suggeriert vielmehr einen Eros, den es aber gleichzeitig unmöglich macht. Musil beschreibt das große „Einswerden"[66] im vierhändigen Klavierspiel Walters und Clarissens als eine Art Selbsthypnose, als eine künstliche Herstellung des Mitei-

---

61 Musil, *Mann ohne Eigenschaften*, S. 144.

62 Musil, *Mann ohne Eigenschaften*, S. 146.

63 Jacques Lacan, *Le Seminaire XX: Encore*. Paris: Edition Seuil, 1975, S. 85.

64 Musil, *Mann ohne Eigenschaften*, S. 143

65 Marie von Bunsen, *Udo in England – Eine Briefsammlung*. In: *Deutsche Rundschau*, Band LXXXIII (April-Juni 1895), S. 294.

66 Musil, *Mann ohne Eigenschaften*, S. 143.

nanders, bewerkstelligt durch die pure Geschwindigkeit des Nebeneinanderherspielens. Anstatt einer Gefühlsgemeinschaft präsentiert Musil eine selbsterzwungene Zusammenlegung der Gefühle. Nur im „Fahrtwind" des gehetzten Spiels kann die Illusion eines Zusammenfühlens enstehen, und dieses Zusammenfühlen enspringt nicht etwa einer *Aufhebung* der Arbeitsteilung (siehe Kapitel 7), es entspringt vielmehr einer bis ins Extrem verfolgten Arbeitsteilung. Beide sitzen am musikalischen Fließband, in ihrer Geschwindigkeit „steif und entrückt", und die pure Rasanz, mit der die Motive und Handgriffe auf sie einstürmen, suggeriert eine Einheit, die dann aber auch nur eine mechanische ist:

> Im nächsten Moment waren Clarisse und Walter wie zwei nebeneinander dahinschießende Lokomotiven losgelassen. Das Stück, das sie spielten, flog, wie blitzende Schienenstränge auf ihre Augen zu, verschwand in der donnernden Maschine und lag als klingende, gehörte und in wunderbarer Weise gegenwärtig gebliebene Landschaft hinter ihnen. Während dieser rasenden Fahrt wurde das Gefühl dieser beiden Menschen zu einem einzigen zusammengepreßt; Gehör, Blut, Muskeln wurden willenlos von dem gleichen Erlebnis hingerissen; schimmernde, sich neigende, sich biegende Tonwände zwangen ihre Körper in das gleiche Geleis, bogen sie gemeinsam, weiteten und verengten die Brust im gleichen Atemzug.[67]

Hier entlarvt sich der familiäre Kreis als zutiefst von Entfremdung bestimmt und, wie Musils Erzähler vergleichend bemerkt, der Masse analog. Musil kehrt also die Vorzeichen der Luxschen Privatisierung des Kosmos im vierhändigen Klavierspiel um: Anstatt daß das Klavierspiel die Enns und die Steyr harmonisch ins Mobiliar fügte, entlarvt das Klavierspiel die Familie als eine miniaturisierte Öffentlichkeit. Weiterhin aber ist die emotionale Entladung, die die zwei Duettisten nebeneinander durchmachen, eigentlich lediglich affektive Akkordarbeit. Ähnlich wie das Filmpublikum unisono lacht, ähnlich wie die Masse alle Emotionen als zu allen und dadurch zu keinem einzelnen gehörig durchläuft, genau so empfinden Walter und Clarisse hier nebeneinander her. Die Einheit, die erzeugt wird, ist also eigentlich nur zweitrangig emotional – man muß die Zusammengehörigkeit stets aufs neue *physisch* erzeugen (die zwei Gefühle „zusammenpressen"), und nur dann, wenn sich Atem und Muskeln angleichen, haben beide das „gleiche Erlebnis".

Wir haben in den vorhergehenden Kapiteln immer wieder darauf verwiesen, daß das Einswerden am Klavier, das „gleiche Erlebnis", eigentlich immer die anderen betrifft. Die angebliche Erotik des Vierhändigspiels wurde eher selten aus der Perspektive der erotischen Partner selber beschrieben, sondern vielmehr durch einen Dritten (im Normalfall einen männlichen Dritten) fokalisiert. Wie es sich anfühlt, vierhändig zu spielen, erfährt man in der Literatur vor allem von denen, die beim Vierhändigspiel zuschauen, nur äußerst selten von denen, die in die Tasten greifen. Wenn sie zu Worte kommen, dann im Normalfall nur einer

[67] Musil, *Mann ohne Eigenschaften*, S. 143.

der beiden Spieler, über dessen Agenda, dessen Gefühl, dessen Erlebnis der Leser aufgeklärt wird (so zum Beispiel de Bernhards Gerfaut) – der „Zwilling" am anderen Ende der Klaviatur bleibt hingegen mysteriös. Hier ist Musils Text anders: Er fokalisiert sowohl Clarisse als auch Walter, stellt die Vierhändigkeit (endlich, möchte man sagen) in ihrer Gänze, ihrer Vollständigkeit dar. Aber im Moment der vollständigen literarischen Durchdringung des Phänomens wird das Phänomen selber als Trug und Schein entlarvt. Die Zusammenführung der zwei Perspektiven (Clarisses und Walters) im Text sprengt die vierhändige Seifenblase, blamiert die Idee vom „großen Einswerden". Das „gleiche Erlebnis" wird, sobald es einmal im Text vollständig (und stereoskop) realisiert ist, als zutiefst irreal gekennzeichnet.

Denn der Text stellt klar, daß dieses „Erlebnis" nur körperliche *Simulation* ist. Um wirkliche Emotionen geht es nicht, nur die physiologische Symptomatik des Gefühls: „Der Zorn, die Liebe, das Glück, die Heiterkeit und Trauer, die Clarisse und Walter im Flug durchlebten, waren keine vollen Gefühle, sondern nicht viel mehr als das zum Rasen erregte körperliche Gehäuse davon." Geschwindigkeit, hypnotische Suggestion und Simulation bedingen sich hier gegenseitig; anstatt um Besinnlichkeit und Gefühl geht es hier um einen emotionalen Geschwindigkeitsrausch: „Auf den Bruchteil einer Sekunde genau flogen Heiterkeit, Trauer, Zorn und Angst, Lieben und Hassen, Begehren und Überdruß durch Walter und Clarisse hindurch."[68] Das vierhändige Klavierspiel ist nicht *Ausdruck* einer inneren Befindlichkeit (wie es bei Lux noch penetrant dargestellt wird), die innere Befindlichkeit wird vielmehr vom Druck des Spiels erst erzeugt. Und, was damit auch gesagt ist, die scheinbare Unmittelbarkeit der Szene ist tatsächlich immer schon vermittelt: Es sind vorgefertigte Emotionsparcours, durch die die Fühlenden hier gehetzt werden. Sie leisten Gefühlsarbeit, exerzieren vorgegebene Muster durch – originell, originär ist im Kakanien des Jahres 1913 nichts mehr. Alles ist Wiederholung, der Wiederholungszwang, der Clarisse und Walter immer aufs neue an die Klaviatur treibt, hat ein historisches Pendant, insofern sie die emotionale Tragödie der Biedermeierzeit noch einmal zu durchlaufen gezwungen sind – als Farce.

Walter Benjamin hat in seinem *Passagenwerk* darauf aufmerksam gemacht, daß die Ideologiekritik des großen Karikaturisten J.J. Grandville häufig auf einer geradezu marxistischen Einsicht beruhte: in die Unheimlichkeit nämlich, mit der Menschen und Waren sozusagen die Rollen getauscht haben.[69] Ähnlich setzt auch Musil an: Im Spiel am Flügel werden Walter und Clarisse geradezu zu Teilen der Hammermechanik des Instruments: „Die Gesichter waren gefleckt, die Körper verbogen, die Köpfe hackten ruckweise auf und nieder, gespreizte Klauen

68 Musil, *Mann ohne Eigenschaften*, S. 143.

69 Walter Benjamin, *Das Passagenwerk (Gesammelte Schriften V)*. Frankfurt: Suhrkamp, 1982, 267f. Siehe auch: Susan Buck-Morss. *The Dialectics of Seeing: Walter Benjamin and the Arcades Project*. Cambridge: MIT Press, 1989, S. 100, 149f.

schlugen in die sich aufbäumende Tonmasse."[70] Viehisch aufbäumen tut sich nur die „Tonmasse", die, die sie „ruckweise" behacken, sind Teil der Maschinerie, die ihnen eigentlich dienen sollte. Doch wir dürfen bei der behackten Tonmasse nicht nur an die Mechanik des Klaviers denken: Das Bild, das Musil bemüht, kennen wir heute aus jeder Autofabrik; es ist das der von Henry Ford eingeführten Fließbandproduktion, und die Tonmasse gleitet über die Klaviatur, geknetet und behackt von vier roboterartigen Greifarmen.

Musils Beschreibung legt also nahe, daß sich in das vierhändige Projekt der Anti-Arbeit Elemente der Fließbandproduktion eingeschlichen haben, und antizipiert damit Siegfried Kracauers Bemerkung, daß den Beinen der Tiller Girls die Hände in der Fabrik entsprächen.[71] Die angebliche Gegenwelt zum durchrationalisierten Produktionsprozeß stellt sich als Ornament der Masse heraus. Darüber hinaus wird hier auch die Libido nurmehr „im Akkord" betrieben. Denn die Erotik ist in Musils Szene durchaus nicht aus dem vierhändigen Spiel gewichen, allerdings manifestiert sie sich nicht als Dialog, als intimes Zu- und Miteinander, sondern vielmehr als eine galoppierende Gleichschaltung der emotional-begehrenden Körper: Anstatt erotisch miteinander zu kommunizieren, „weiten und verengen" die Partner „die Brust im gleichen Atemzug". Der Verlust des Dialoges geht bezeichnenderweise mit der Ausblendung der *Hände* einher: von der Aktivität ihrer Hände erfahren wir nichts, nur von den „Schienensträngen", an denen entlang sie forthasten. Das Produkt untergräbt also das Produzieren: Musil spricht von den Körpern, der Lunge, und immer wieder von den Augen, doch der Moment der Produktion, der Schaffung der Musik selber bleibt ausgespart.

Dennoch ist es gut möglich, daß Musil hier die Partitur selber vor Augen hat. Natürlich ist die „Ode an die Freude" eine reichlich ironische Wahl, um das epische Nichtverschmelzen zweier Ehegatten darzustellen. Doch eine Betrachtung der im neunzehnten Jahrhundert gängigsten Bearbeitung der neunten Symphonie, nämlich der von Hugo Ulrich, legt nahe, daß Musils Musikwahl auch auf einer empirischen Beobachtung beruht. Denn Ulrichs Auszug geht es tatsächlich vornehmlich darum, soviele Noten wie nur möglich aufs Klavier zu retten – und der Zauber der die Symphonie abschließenden „Ode" geht dabei fast vollständig verloren. Noch frappierender operieren Primo und Secondo tatsächlich fast vollständig autonom voneinander, Überkreuzspielen und Berührung sind extrem selten. Interessanterweise sind es nur die Solopartien (zum Beispiel zu der Textzeile „wem der große Wurf gelungen"), in denen es überhaupt zu Überkreuzungen der Hände der zwei Spieler kommt (dies liegt vor allem daran, daß hier ja eigentlich nur ein Quartett fürs Klavier eingerichtet wird). Die allumfassende Geste („seid umschlungen, Millionen") vollziehen die zwei Spieler weit von einander getrennt, tatsächlich auf zwei parallelen „Schienensträngen".

---

70 Musil, *Mann ohne Eigenschaften*, S. 48.

71 Siegfried Kracauer, „Das Ornament der Masse". In: Ders., *Das Ornament der Masse: Essays*. Frankfurt: Suhrkamp, 1977.

Der merkwürdige Effekt dieser Bearbeitung ist also der, daß die Handpaare zwar den „großen Wurf", „eines Feindes Freund zu sein", noch leidlich gut nachvollziehen können, aber am „Umschlingen" der „Millionen" ziemlich kläglich scheitern. Daß der Blick auf die Hände hier berechtigt ist, zeigt sich in Musils Beschreibungen des Spiels seiner Figuren: Tatsächlich ist dies ein À quatre mains-Spiel *von außen beobachtet*, und die Panik, der „Fahrtwind", der Musils Figuren ins Gesicht schlägt, tatsächlich auch bei erfahreneren Spielern empirisch beobachtbar. Hugo Ulrichs Bearbeitung schafft keine große All-Einheit am Klavier, sondern zwingt die zwei Spieler, ziemlich verloren nebeneinander herzurasen.

Daß ihnen die Panik ins *Gesicht* geschrieben ist, ist hier alles andere als zufällig, denn genau betrachtet schaut Musils Beobachter den Duettisten nicht auf die Finger, sondern auf die Augen. Dies untergräbt die scheinbare Unmittelbarkeit der schöpferischen Gemeinschaft und zeigt sie als fehlinterpretiertes Resultat der visuellen Vermittlung. Sähe dieser Erzähler auf die Hände, er könnte möglicherweise gar nicht erkennen, daß die Eintracht am Flügel nur eine Funktion des gleichschaltenden (Partitur-)Zwangs ist – der Blick auf die *Augen* jedoch zeigt sowohl die Isolation des einzelnen als auch die Erzwungenheit der Einheit. Beinahe furchtsam richten sich die Augen auf das, was kommt: „Das Stück [...] flog, wie blitzende Schienenstränge auf ihre Augen zu." Das Unkommunikative und das Erzwungene dieser Blicke strukturiert sowohl die Linearität als auch die Parallelität von Musils Metaphorik: Wenn „die Augenachsen ihnen wie vier gleichgerichtete lange Stiele aus dem Kopf stehn", dann steht hier eindeutig die Industrie (Linearität, Parallelaktion) Pate für die Beschreibung der häuslichen Sphäre (die sich ja eigentlich durch Zeitlosigkeit und Gemeinschaft auszeichnen soll).

Und dennoch ist das Gespenstischste an dieser Szene, wie sehr die beiden Klavierspieler sich dem auf sie Zuschießenden assimilieren, wie bereitwillig die Körper sich auf dieses Zurechtbiegen, auf diese „Bildung" im buchstäblichen Sinn, einlassen. Musil invoziert hier nicht umsonst die Sprache der Gymnastik und des Turnvereins: „Es war der Augenblick, wo die Spieler ihr Blut anhalten, um es in gleichem Rhythmus loslassen zu können."[72] Mit solchen Dressuren, so scheint er sagen zu wollen, lassen sich auch Kriege führen. Und tatsächlich: Die Wahrheit, die der 1913 angesiedelte Plan zur großen „Parallelaktion" noch zutage fördern mußte, wurde im großen Krieg 1914 endgültig zur offensichtlichen.

***

Susan Buck-Morss hat auf den Zusammenhang hingewiesen, der im neunzehnten Jahrhundert zwischen den phantasmagorischen, den Menschen von der Produktion abschirmenden Mechanismen (was sie „*an*aesthetics" nennt) einerseits und

[72] Musil, *Mann ohne Eigenschaften*, S. 142.

dem in seinen Auswirkungen fast kriegsähnlichen Produktionszusammenhang andererseits herrschte.[73] Während in der Fabrik Amputationen und Arbeitsunfälle die Menschen verunstalteten, zelebrierten die Physiognomen das menschliche Antlitz und die menschliche Hand. Während in der Fabrik ein Höllenlärm herrschte, wurden die Salons des Bürgertums immer stiller. Während Kinder zur Arbeit in die Minen geschickt wurden, entdeckte das Bürgertum die Kindheit als der Arbeit gänzlich fernes Idyll. Mit dem ersten Weltkrieg kollabiert diese Teilung: die Amputation, die Entstellung, der Lärm, die Arbeit dringen in die Salons des Bürgertums ein, und auch das vierhändige Klavierspiel, das ja gerade diese Teilung zur Bedingung hatte, kann nicht unverändert bestehen bleiben.

Die Zerstörung dieser Idylle geht mit der Verstörung der bürgerlichen Welt einher – und mit der neuen Musik, die, nach Adorno, nicht nur „etwas Verstörendes", sondern „selber ein Verstörtes" ist.[74] In die Zweisamkeit an der Klaviatur schleicht sich bei Ravel die fünfte Hand ein, bei den Briten fällt die vierte weg, und Ravel, Hindemith, Richard Strauss und Franz Schmidt komponieren auf Bitten des kriegsversehrten Paul Wittgenstein für eine Hand.[75] Wie der Gesichtskult des neunzehnten Jahrhunderts mit den versehrten Soldatengesichtern des ersten Weltkriegs seine Naivität verlor und problematisch wurde, so wurde auch die Hand als Ausdrucks- und Sexualorgan, als die Amputation von der Fabrik in den bürgerlichen Salon überwechselte, mit einem Mal fragwürdig.[76] Fast alle dieser einhändigen oder dreihändigen Stücke wenden sich bewußt an ein *versehrtes* Publikum – so sind zum Beispiel 80 Prozent aller einhändigen Stücke für die linke Hand geschrieben, da es ja bei Rechtshändern wahrscheinlicher ist, daß die (rechte) Haupthand verletzt ist.[77] Es gibt zwar ein Klavierstück von Carl Philipp Emanuel Bach für eine Hand (in A Dur), aber der Großteil der Literatur stammt aus dem späten neunzehnten und dem frühen zwanzigsten Jahrhundert[78] – inklusive einer eigenen Bearbeitungsliteratur unter anderem von Brahms, Paul Wittgenstein und anderen. Das einhändige oder dreihändige Klavierkonzert (an einem oder an zwei Klavieren) ist vor allem in England verbreitet – Benjamin Britten (der ebenfalls für Wittgenstein schrieb), Arnold Bax, Arthur Bliss und Malcolm Arnold bedienten allesamt das Genre.[79]

---

[73] Susan Buck-Morss, „Aesthetics and Anaesthetics – Walter Benjamin's Artwork Essay Reconsidered." *October*, Vol. 62 (1992), S. 3–41.

[74] Theodor W. Adorno, „Das Altern der Neuen Musik". In *Dissonanzen. Einleitung in die Musiksoziologie (GS 14)*. Frankfurt: Suhrkamp, 2003, S. 144.

[75] Für eine vollständige Aufstellung der Klavierliteratur zu einer Hand, siehe: Donald L. Patterson, *One Handed: A guide to Piano Music for One Hand*. Westport, CT: Greenwood Press, 1998.

[76] Zur Frage des Gesichtskults und der Kriegsversehrung, siehe z.B. Sander L. Gilman, Claudia Schmölders. *Gesichter der Weimarer Republik – Eine physiognomische Kulturgeschichte*. Köln: DuMont, 2002.

[77] Patterson, *One Handed*, S. 10.

[78] Theodore Edel. *Piano Music for One Hand*. South Bend: Indiana University Press, 1994.

[79] Patterson, *One Handed*, S. 212.

Doch auch außerhalb dieser Orchideenkompositionen (Hofmeisters *Handbuch* listet zwischen 1870 und 1930 ziemlich konstant lediglich um die zehn Neuerscheinungen pro Jahr) zeigte Ravel die Richtung an. Ähnlich wie Rachmaninows Kompositionen für vierhändiges Klavier sind seine Stücke immer häufiger für *vier* Hände an *zwei* Klavieren konzipiert. Die Hände brauchen je ihre eigene Betätigungsfläche, die sie unmöglich mit dem anderen teilen können. Obwohl gerade in Frankreich noch äußerst wichtige vierhändige Musik für vier Hände an einem Klavier geschrieben wurde (unter anderem von Florent Schmitt, Gabriel Fauré und Claude Debussy), setzte sich das Spiel an zwei Klavieren bei anspruchsvollen Kompositionen immer mehr durch.[80] Dies ist natürlich auch dem sich wandelnden Charakter der Symphonik geschuldet. Doch auch die Genres verlagern sich in der Musik für zwei Klaviere – weniger Bearbeitungen, weniger Tänze, weniger Gebrauchs- und Hausmusik; dafür mehr Suiten, mehr Bravourstücke.

Tatsächlich existiert das Duett an zwei Klavieren durch das ganze neunzehnte Jahrhundert parallel zum vierhändigen Klavierspiel. Im Grunde genommen ist es ja sogar älter: Denn an einem Cembalo vierhändig zu spielen war weitaus schwieriger, als in einem aristokratischen Salon zwei Instrumente nebeneinander aufzustellen. Und auch Brahms erarbeitete Klavierauszüge sowohl für zwei Paar Hände an einer Klaviatur als auch an zwei Klaviaturen. Dennoch ist das Gros der Neukompositionen und Bearbeitungen (von den Potpourris, Etüden und Variationen ganz zu schweigen) natürlich für *eine* Klaviatur gedacht. Helmut Loos hat die folgenden Zahlen aus dem *Handbuch der musikalischen Literatur* zusammengetragen: Danach sind nur 0,2 Prozent der dort für das Jahr 1817 verzeichneten Klavierpartituren für zwei Pianoforte geschrieben. Und während sich der Prozentsatz vierhändiger Werke an *einem* Klavier in den folgenden Jahrzehnten kontinuierlich steigert (3 Prozent 1817, 5,1 Prozent 1828, 7 Prozent 1844), bleibt der Anteil der Klavierliteratur für zwei Klaviere konstant und minimal.[81]

So kann man Hofmeisters *Handbuch*, dem „allgemeine[n] systematisch geordnete[n] Verzeichnis der in Deutschland und in den angrenzenden Ländern erschienenen Musikalien", folgende Zahlen entnehmen[82]: Für die Jahre 1844 bis 1851 führt das *Handbuch* die Literatur für zwei Klaviere noch unter der folgenden Exotensammlung: „Für 2, 3 und 4 Pianoforte und für Pianoforte zu 3 und 6 Händen".[83] Von diesen sind ungefähr zwanzig für vier Hände an zwei Klavieren konzipiert, in etwa so viele wie für acht Hände. An vierhändigen Stücken an einer Klaviatur verzeichnet dieselbe Ausgabe des *Handbuchs* dagegen weit über 2000 einzelne Neuerscheinungen! Dies ändert sich mit Anbrechen des zwanzigs-

---

80 Ernest Lubin, *The Piano Duet*. New York: Grossman, 1970, S. 158f.

81 Helmut Loos, *Zur Klavierübertragung von Werken für und mit Orchester des 19. und 20. Jahrhunderts*. München: Katzbichler, 1983, S. 8.

82 Friedrich Hofmeister, *Handbuch der Musikalischen Literatur*. Elfter Band. Leipzig: Hofmeister, 1900.

83 Ebd., Band 4, S. 58.

ten Jahrhunderts. Hofmeisters *Handbuch* vermerkt für das Jahr 1890 insgesamt 287 Neuerscheinungen für ein Klavier vierhändig, 1900 sind es 163, 1913 noch 134, 1925 nur noch 27 und 1960 schließlich 26.

Im Jahr 1875 stehen über dreihundert Neuerscheinungen fürs vierhändige Klavier etwa zwanzig Erscheinungen für vier Hände an zwei Klavieren gegenüber – das vierhändige Klavier überwog also bei den Neuerscheinungen um das fünfzehnfache. 1915 haben sich die Zahlen bereits angenähert: Hier stehen 30 Neuerscheinungen für zwei Klaviere 80 vierhändige Neuerscheinungen für ein Klavier gegenüber – 1925 liegen beide gleichauf, und 1935 überwiegt bei weitem die Literatur für zwei Klaviere. Insgesamt verzeichnet Band 18 des Handbuchs für die Zeitspanne zwischen 1929 und 1933 fünfundachtzig Musikalien fürs vierhändige Klavier, und hundertfünfundzwanzig für zwei Klaviere. Und während im späten neunzehnten Jahrhundert die Liste der Musikalien für zwei Klaviere fast ausschließlich aus Bearbeitungen besteht, ist das Repertoire im zwanzigsten Jahrhundert weitaus interessanter. Im selben Handbuch finden wir in der Literaturliste für zwei Klaviere viele berühmte Namen und Stücke, die sich auch heute noch großer Bekanntheit erfreuen – während die Liste der vierhändigen Musikalien fürs einzelne Klavier solche Glanzlichter wie John Philip Sousas Marsch „The Stars and Stripes Forever“ und ein Stück namens „Der Onkel Bumba tanzt nur Rumba“ enthält. Schon der vorhergehende Band, der die Jahre 1924–1928 abdeckt und in dem die vierhändigen Stücke an einer Klaviatur noch überwiegen, listet fünfzehn von ungefähr 150 Bänden unter der Rubrik „Weihnachtsmusik“ auf.[84]

Wir müssen wiederum auf die Ungenauigkeit einer solchen Erhebung hinweisen: Erstens betreffen die Listen des *Handbuchs* nur Neuerscheinungen oder Wiederauflagen – und Hofmeister führt nicht auf, welche Stückzahlen von verschiedenen Stücken gedruckt wurden. Zweitens aber handelt es sich ja bei Hofmeister, dem Untertitel nach, um ein „Verzeichniss der [...] erschienenen Musikalien“ – und es läßt sich bezweifeln, daß viele der Stücke für zwei Klaviere, die uns aus jenen Jahren bekannt sind, tatsächlich im kommerziellen Vertrieb erschienen. Denn man kann davon ausgehen, daß die Verlagerung der Neuerscheinungen von der Ein-Klavier auf die Zwei-Klavier Musik einhergeht mit dem Ende der vierhändigen Bearbeitung als Sammel- und Gebrauchsobjekt. Selbst wenn man sie nie spielt, ist eine vierhändige Bearbeitung einer Beethovensymphonie aufgeschlagen auf dem Klavier eine angenehme Anschaffung – was man von einer Partitur, die man ohne einen weiteren Flügel gar nicht spielen kann, nicht gerade behaupten kann.

Die Musik, die nach dem ersten Weltkrieg für zwei Klaviere erscheint, richtet sich also häufig an Profis oder Halbprofis – sie ist gedacht für die, die die Noten für öffentliche Aufführungen, für Musikfeste oder fürs Examen brauchten, nicht

---

[84] Ebd., Band 17, S. 109.

Abb 2: Béla Bartók und Ditta Pásztory 1939 bei einem Konzert an zwei Klavieren (Foto von Gyula Schäffer, Sammlung Ferenc Bónis)

für die, die sie ins Regal stellen oder Sammlungen komplettieren wollten. Insofern sie sich nicht für das Spiel an einem Instrument eignen, sind sie einem bestimmten Genre des Klavierauszugs, das es auch im neunzehnten Jahrhundert gab, äußerst ähnlich: dem unspielbaren Klavierauszug, der im Grunde genommen nichts weiter als eine reduzierte Abstraktion der Orchesterpartitur darstellt, eine Musik, die für kein Instrument, sondern für einen Leser „vom Fach" gedacht ist.[85] Diese Partituren waren Arbeitsmittel, keine Fetische; um sie herum gab es keinen Markt, sie wurden nicht groß beworben oder angekündigt. Auf der Verlagsseite geht es nicht mehr um Angebot und Nachfrage; und eine Konsumentenseite scheint es nicht mehr so zu geben, wie sie noch im ausgehenden Kaiserreich existierte.

Das Bild, das uns durch diese Studie geleitet hat, die zwei Personen, versonnen und geheimnistuerisch über die eine Klaviatur gebeugt, macht jetzt einem neuen Platz: Zum Beispiel dem Bild von Béla Bartók und Ditta Pásztory: An ihren zwei Klavieren, parallel nebeneinander hingestellt, wirken sie wirklich wie die „zwei nebeneinander dahinschießenden Lokomotiven", von denen Musils Roman spricht – beinahe hat man Angst, die zwei Instrumente könnten in wilder Verfolgungsjagd wie zwei Silberpfeile von der Bühne rasen [Abb. 2]. Musils Bild vom vierhändigen Klavierspiel ist also noch zutreffender für das Spiel an zwei Klavieren: Und da die Musik für zwei Klaviere in der Regel um einiges komplexer ist als die für vier Hände, ist die Panik, die Musil an Walter und Clarissa

[85] Loos, *Zur Klavierübertragung von Werken für und mit Orchester des 19. und 20. Jahrhunderts*, S. 17.

festmacht, den Spielern noch stärker ins Gesicht geschrieben. Wie Pferde galoppieren die zwei Spieler parallel, „Gehör, Blut, Muskeln ... willenlos von dem gleichen Erlebnis hingerissen".[86] Und die Abrichtung der Körper läßt sich im Profil, wenn überhaupt, noch besser begutachten: wie im *Mann ohne Eigenschaften* zwingen „Tonwände" die „Körper in das gleiche Geleis, bogen sie gemeinsam, weiteten und verengten die Brust im gleichen Atemzug." Musils Satire besteht also eigentlich darin, daß er aufzeigt, daß das angeblich so intime vierhändige Klavierspiel (von Lux verherrlicht und verkitscht) in Wirklichkeit dem Spiel an zwei Klavieren viel ähnlicher ist, als es die vorherrschende Ideologie gerne hätte. Walter und Clarisse *sind* Bartók und Pásztory, sie wissen es nur noch nicht.

Trotzdem: ganz ohne Romanze geht es auch an zwei Klavieren nicht, wie das Beispiel Bartók und Pásztory zeigt – eine ehemalige Schülerin, mit der er eine Affäre begann und die er später ehelichte. Doch die Romanze der zwei Klaviere ist eine fundamental andere als die der zwei Handpaare auf einer Klaviatur – es ist nicht mehr die Berührung die zählt, es ist der Blick. Denn normalerweise werden zwei Klaviere im Konzertsaal *nicht* parallel gestellt, sondern vielmehr gegeneinander gestellt, mit den Klangkörpern *visuell* (anstatt klanglich, wie im vierhändigen Spiel) in einander verschachtelt. „Einsamkeit und geheimes Handwerk", wie Adorno dies schildert[87]: zwei Konzertflügel einander komplementär gegenübergestellt, erinnern nur noch rein geometrisch an das Eine, das hier produziert werden soll. Wie Yin und Yang passen sie zwar ineinander – aber auch das nur aus der Vogelperspektive, die es ja nur im Konzertsaal und nicht im Salon geben kann. Die Einheit des Spiels wird zur Luftbildfotographie – die Obenaufsicht auf die Höllenmaschine.

Und auch hier trifft Musils Diagnose zu: Wenn der *Mann ohne Eigenschaften* von den „Augenachsen" spricht, die den Spielern „wie vier gleichgerichtete lange Stiele aus dem Kopf stehn", so bezeichnet der Roman das, was im Spiel an zwei Klavieren vollends dominant wird. Die Körpersprache, ihre Intimität und Erotik, ist gänzlich vom Blick abgelöst worden, das Taktile gänzlich vom Visuellen. Das Medium der Unmittelbarkeit ist einstudiertes Erfassen der physiognomischen Merkmale, nicht ein instinktives Miteinander, keine übergeordnete Einheit, sondern lediglich gegenseitige Spiegelung. Der Narzißmus, welcher das Paar im Vierhändigspielen an einer Tastatur umfaßte, hat sich verwandelt in einen Narzißmus, der sich auf ein Gegenüber bezieht.

So bemerken auch die jungen Pianisten Greg Anderson und Elizabeth Roe, deren Gleichsetzung von vierhändigem Klavierspiel (an einer Klaviatur) einerseits und Tango andererseits wir im vierten Kapitel angeführt hatten, wie gänzlich anders die Situation im Spiel an zwei Klavieren ist: „Es ist", schreiben sie, „als hätten [die zwei Spieler] ein ganzes Orchester zwischen sich und säßen als

[86] Musil, *Mann ohne Eigenschaften*, S. 143.

[87] Theodor W. Adorno, „Vierhändig, Noch Einmal". In: *Musikalische Schriften IV (GS 17)*. Frankfurt: Suhrkamp, 1971, S. 304.

Dirigenten zu beiden Seiten."[88] Das Bild spricht für sich: Die Vorstellung zweier Dirigenten hat etwas Absurdes, denn der Dirigent ist ja gewissermaßen die personifizierte Einheit des Orchesters – er ist der „Souverän", oder, wie Adorno etwas spöttisch vermerkt, eine Mischung aus „peitschenschwingende[m] Stallmeister" und „Oberkellner".[89] Er ist des weiteren, wie Adorno auch klarstellt, ein Surrogat des Publikums – und in dieser Szene haben wir nun zwei, auf deren Seite sich der Zuhörer schlagen kann, zwei „Dirigenten", mit denen er sich identifizieren kann. Wir haben es hier also nicht mehr mit einem äußerst undurchsichtigen Knoten zu tun, der dem Zuschauer schier unentwirrbar gegenübertritt. Vielmehr sind die Seiten klar, und wir dürfen uns mal auf die eine, mal auf die andere schlagen.

Im ersten Kapitel wiesen wir darauf hin, daß es für den Blick aufs Vierhändigspiel kennzeichnend ist, daß er ein Verhältnis vergegenständlicht, das sich dieser Vergegenständlichung konstitutiv verwehrt. Denn so viele Augen auch auf die Klaviatur gerichtet sind, die Augen der Spieler sind „basée(s) sur les touches" – das Essentielle am vierhändigen Spiel ereignet sich über Berührung und Gespür, wortlos und ohne jeden Blick. Literatur oder bildende Kunst, Beschreibung oder Beobachtung – sie versuchen zwangsläufig, sich vermittels Worten oder Blicken einer Kommunikation zu bemächtigen, die weder der Worte noch der Blicke bedarf.

Vergleichen wir diese Szene mit den zwei auf der Bühne aufgestellten Klavieren. Die Wortlosigkeit der Kommunikation zwischen den beiden Spielern ist geblieben, doch was im Vierhändigspiel an einer Klaviatur der Atem, kleine Schübe und die Bewegungen der Hand signalisierten, das können nunmehr nur vom Subjekt als Zeichen intendierte Bewegungen leisten. Die zwei Spieler sind einander lesbar geworden, gegen-ständlich; sie bedeuten nicht (gewissermaßen ohne subjektives Zutun) durch Instinkt und unbewußte Bewegung, sondern das, was sie kommunizieren, wollen sie kommunizieren. Und ihre Kommunikationen haben Signifikate; wie atmet man „schneller!", wie spannt man die Muskeln und sagt damit „jetzt!"? Augen und Köpfe dagegen bedeuten systematisch – sie sind Bedeutungen zugeordnet und weisen über sich selbst hinaus. Die körperliche und semantische Immanenz des Vierhändigspiels wird im Konzertsaal und an den zwei Klavieren verwandelt in eine, die lesbar ist und sein soll, die nicht mehr privat (also nur mit dem Duettpartner geteilt), sondern vielmehr öffentlich ist, das heißt im Prinzip jedem, der Augen im Kopf hat, zugänglich.

Aus diesem Grund hat sich auch der Außenblick verändert. Die Erfahrung des Zwei-Klavier-Konzerts ist televisuell. Und es handelt sich beim Beobachteten nicht mehr um ein indistinktes Berühren, sondern selber um ein durch den Blick vermitteltes. Es scheint die Besonderheit des Blicks auf das „vierhändige Monster", das „musikalische Kugelwesen" ausgemacht zu haben, daß man visuell

---

88 Interview des Autors mit Greg Anderson und Elizabeth Joy Roe, 2008.

89 Theodor W. Adorno, *Dissonanzen. Einleitung in die Musiksoziologie (GS 14)*. Frankfurt: Suhrkamp, 2003, S. 294.

auf ein selber nicht Visuelles, sondern Taktiles bezogen war. Daher die Scham dieses Blicks, die sozusagen die Kapitulation vor einem vom Blick nicht zu Erfassenden darstellte. Beim Spiel der zwei Klaviere findet eine solche Kapitulation nicht statt, denn wir schauen auf kein Berühren, wir schauen auf ein Schauen. Das visuelle Erfassen eines Taktilen war es, das dem Vierhändigspiel sein Mysterium und seiner Beobachtung die Valenz des Voyeurismus verlieh. Das visuelle Erfassen eines visuell Vermittelten kennt dagegen keinen solchen Voyeurismus – die zwei Spieler und der Beobachter befinden sich auf demselben Spielfeld, der Zuschauer kann sich in jeden der Spieler hineindenken, sich mit ihm identifizieren.

Auf den ersten Blick mag das demokratischer scheinen – alle Parteien sind auf demselben Niveau, keiner bleibt außen vor. Doch war es ja gerade die Alterität des taktil-wortlosen Verhältnisses, dessen sich der Blick konstitutiv nicht bemächtigen konnte, die die Suggestionskraft des Phänomens vierhändiges Klavierspiel ausmachte. Darin, daß der Blick das Rätsel des Handknäuels, der aneinander geschmiegten Leiber selbst bei genauester Beobachtung nicht zu lösen vermochte, weil seine Differenz qualitativ war, lag der Skandal des vierhändigen Spiels, das Monströse, aber auch das, was Unmögliches, Ungeheuerliches, Utopisches zum Scheinen bringen konnte. Gerade darin, daß der Außenblick sich des Verhältnisses nicht bemächtigen konnte, lag seine Sprengkraft. Die zwei Klaviere dagegen stellen den Sieg des Außenblicks dar – jegliche Alterität ist eingemeindet, der Zuschauer thront als Schiedsrichter über dem Geschehen, kann Präzision und Abstimmung genauso überwachen wie die beiden Spieler. Hier endet somit nicht nur unsere Geschichte vom vierhändigen Klavierspiel, sondern gewissermaßen alle Geschichten, alles Geschichtenerzählen vom vierhändigen Klavierspiel. Natürlich wird auch im zwanzigsten Jahrhundert noch gerne vierhändig gespielt (Adorno selber zum Beispiel frönte dem Brauch noch mit ziemlicher Regelmäßigkeit). Doch die „zwillingshaften Gebärden“ werden nicht mehr narrativiert, der Moment, an dem ihre kulturelle Beobachtung Alpträume, Skandale, Utopien auslösen konnte, ist vorbei.

Bildnachweis

S. 28	Copyright liegt beim Autor
S. 48	Copyright New York Public Library
S. 53	Copyright New York Public Library
S. 55	Copyright Tate Gallery London
S. 117	Standard-Verlag Hamburg, gemeinfrei
S. 120	*The Corpse Bride*, Copyright Warner Brothers, 2005.
S. 155	*Mad Love*, Copyright Metro-Goldwyn-Mayer
S. 158	Musée d'Orsay Paris
S. 159	Copyright liegt beim Gebrüder Enoch Verlag Hamburg
S. 172	Copyright liegt beim Gebrüder Enoch Verlag Hamburg
S. 185	Copyright New York Public Library
S. 206	Copyright Bibliothèque Nationale de France Paris
S. 230	Das Bild ist gemeinfrei und nicht mehr urheberrechtlich geschützt
S. 252	Ferenc Bónis, *Béla Bartók – His Life in Pictures* (ohne Copyrightangabe)